外科医生
王晓方◎著
作家出版社

图书在版编目（CIP）数据

外科医生/王晓方著．－北京：作家出版社，2009.3
ISBN 978－7－5063－4611－5

Ⅰ．外… Ⅱ．王… Ⅲ．长篇小说－中国－当代 Ⅳ．I247.5

中国版本图书馆 CIP 数据核字（2009）第 016923 号

外科医生

作者：王晓方
责任编辑：刘英武
装帧设计：曹全弘
出版发行：作家出版社
社址：北京农展馆南里 10 号　　**邮码**：100125
电话传真：86－10－65930756（出版发行部）
86－10－65004079（总编室）
86－10－65015116（邮购部）
E－mail：**zuojia@zuojia.net.cn**
http://www.zuojia.net.cn
印刷：北京中科印刷有限公司
成品尺寸：148×214
字数：360 千
印张：12
印数：001－100000
版次：2009 年 3 月第 1 版
印次：2009 年 3 月第 1 次印刷
ISBN 978－7－5063－4611－5
定价：29.00 元

医疗卫生事业是造福人民的事业，它关系到广大人民群众的切身利益，关系到千家万户的幸福安康，也关系到经济社会协调发展，关系国家和民族的未来。

——胡锦涛

医生和护理人员在任何国家都是最受尊重的。因为它直接关系到人，关系到人的健康和生命。我们说以人为本，关注民生，没有比健康和生命在民生里更重要的事情了。而直接为人的健康和生命服务的，就是医生，就是护士。

——温家宝

目 录

第三章　爱情侦探

第四章　血色舞鞋

第五章　大医精诚

第六章　一衣带水

第七章　万颀之魂

第八章　香格里拉

第九章　生死非洲

第十章 魂系天堂

第一章　殉情风波

1. 雪

那天无风、不冷。孤独的雪若死掉的雨，簌簌落落，漫天恣肆，如包藏火焰的大雾，旋转而且升腾。这是一场春雪，它用沉静，用洁白，用能把这个世界弄得模糊混沌、旋幻如梦的招法，安慰着土地，安慰着我，安慰着死去的小月……

天地间一切声息都隐匿了，只有给小月送葬的队伍抬着猩红色的棺材，吹吹打打地跟在我身后。唢呐在乡间小路上凄婉地吹奏着，我平生从没有听过如此凄凉哀婉的曲子，像天上飘下来的雪片，落在脸上，却融化在了心里。

我背着小月的尸体，迈着沉重而悲痛的脚步，欲哭无泪。人们不停地向空中抛撒着纸钱，纸钱和雪片一起飘落在人们的脸上、头上、肩上。我麻木地向前走着，漫天大雪中，只有棺材的一点猩红仿佛小月的灵魂，随着凄婉的唢呐声在天地间回荡。

小月的五个哥哥凶神恶煞般地跟在我身后，恨不得把我马上卡死，好给小月陪葬。好长的路啊，小月的身子僵硬僵硬的，仿佛要将我压入泥土中。

终于到了坟场，这是北滩头村最后的一块风水宝地，前边就是小清河，后边就是老林子，坑是昨天小月的五个哥哥挖的，现在坑里坑外都已经被白雪覆盖。小月的大哥也是庙堂乡的副乡长一把抓住灵柩上的公鸡倒提着来到坑前,一刀削下鸡头,鸡血淋在坑底洁白的雪上,这在汤子县叫鸡灵血。

我把小月的尸体抱进棺材里,她脸色铁青,仿佛有天大的委屈无处倾诉,浑身上下的红棉袄和红棉裤仿佛凝固的血,让我的心抽搐战栗。两根粗大的绳索吊起棺材,按头北足南方位缓缓放入坑内。小月的母亲哭得死去活来,我心如刀割。

"畜生,快点埋,不许用锹,用手,你他妈敢用锹,就把你一起埋了。"小月她五哥怒吼道。

送葬的乡亲们指指点点地戳着我的后脊梁。我无力辩白,只好任由小月的五个哥哥摆布。

这时,小月的二哥照我的后腿踹了一脚,我深深地跪了下去,半身埋在满地的雪片和纸钱里,一捧一捧地埋土筑坟,每一捧土都代表着我对小月的一份忏悔,我的十个手指都流血了,一滴一滴地浸入泥土,又一捧一捧地填入坟内,我不知道此时的小月若地下有知,看到我如此凄惨地跪在坟前为她送行会作何感想?小月或许会可怜我,或许会心疼我,而我需要的不是可怜,不是心疼,而是理解。

然而,一切都晚了,或许小月会永远恨我,我再也没有机会来化解这种恨,这是一种爱到了极点的恨,这种恨让一颗曾经爱过的心无力承受,不然她不会用死来证明!

我不停地用手填着土,双手已经血肉模糊。天地间静极了。往常挺有脾气的老林子也像失去了伴儿的鳏夫,痴痴地望着坟地,沉默不语。

"妈的,我做梦也没有想到,会出这种倒霉事!"我暗自骂道,心里的苦无处诉说。

村里人只知道我害死了小月,没有人知道我是冤枉的。因为人们都相信我和小月是天生的一对儿,甚至许多人都以为我们早就定亲了。

更可恨的是小月的五个哥哥都以为我和小月"那个"了,不然小月不会自杀。村里的人宁愿信其有不愿信其无,指指戳戳地骂得我爷爷奶奶不敢出门。

我父母了解内情,根本没来参加葬礼!这就更激怒了小月的五个哥哥。小月为了爱我殉情了,我还能说什么,我只能默默地忍受,用沉默为小月的死赎罪。

天快黑了，我终于将土填完。小月的大哥将灵头幡插在坟上，小月她娘焚化了小月生前的一些衣物，哭奠了一阵子后，才恋恋不舍地离去，临走时，小月的二哥又踹了我一脚。

送葬的人们骂骂咧咧、陆陆续续地走光了，天地间什么声音也没有，万籁俱寂，只听到那大雪不断降落的沙沙声和老林子里树木的枯枝被积雪压断了的咯吱声，我孤零零地跪在坟前，声嘶力竭地喊道：

"小月，你这是为什么？为什么呀？"

2. 初吻

我家在汤子县县城县高中附近，父亲是县建筑公司经理，成年累月地在外地跑，母亲开了一家小酒馆。我和小月是县高中的同班同学，小月是庙堂乡北滩头村的，不仅和我爷爷奶奶是一个村的，而且两家仅一墙之隔，放假时我经常去爷爷奶奶家帮着干点农活，小月也常帮着我干，时间长了，小月就对我动了真情，我对小月也很有好感。

小月的父母很喜欢我，经常到我爷爷奶奶家串门儿，每次见到我都对爷爷奶奶说："大叔大妈，我们两家做亲家吧！"爷爷奶奶不表态，只是乐得合不上嘴。我听了心里美滋滋的，小月却羞得躲在墙角摆弄自己的辫子。

高中毕业后，我考上了全国重点医科大学，在省城上学，小月却没考上大学。村子里没考上大学和小月差不多大的姑娘已经"说出去"好几个了，小月却不急着找婆家，姑娘们凑到一起说："我们也就这样了，还是人家小月有福气，将来嫁个大学生。"小月听了这样的话当然高兴，因为村里人都相信小月一定会嫁给我。但是终究没有我的承诺，小月心里的那份高兴就难免虚空，有点像水底下的竹篮，一旦提出水面都是洞洞眼眼的。

大学三年级放暑假我去爷爷奶奶家。有一天晚饭后，小月约我去她家场院的柴火垛上赏月，我告诉她我要考研究生，她问我啥是研究生？我解释给她听后，她既高兴又害怕。我知道她盼着我一天比一天好，却又怕我看不上她。当时只是觉得与小月青梅竹马，很喜欢她的清纯，并不知道与小月的情感会走多远。在大学，班里的很多同学都处了对象，我并没太急，因为我从小就有很高的志向。

我们彼此想着心事，夜空是蓝莹莹的，幽深处还透着朦胧的光，使月亮看上去很有质感。小月的身上香喷喷的，闻上去让我心中有一种莫名的躁动。

突然小月握住了我的手，其实也不是握，而是碰，是碰到了我的手，我有一种过电似的感觉。很显然小月是有预谋的，她脸上有一种大功告成的满足，不过手指却是僵的。我们静静地看着对方，情不自禁地抱在了一起，或者说是小月猛然抱住了我。

不知道是谁先吻了谁，反正我们的嘴唇贴到了一起。小月的嘴唇虽然贴了过来，却紧紧地抿着，我身上像通了电，人像是浮了起来，毫无道理地荡漾着。

看小月的样子似乎也失去了重量，因为她紧抿的双唇失去了力量，让开了一道缝儿，冷冷的，禁不住地抖。她的抖动也传给了我，我们搅在一起抖，越吻越觉得吻的不是地方，只好闷着头找，好像自己的嘴已经不是自己的嘴。

这个吻似乎没有尽头，直到小月她妈在天井里喊："小月，烧点开水！"小月答应一声，吻才停住了。

我们愣了好大一会儿，小月羞答答地说："庆堂，俺是你的了，从今以后，俺为你生，为你死！"

小月说完，幸福而坚定地扭头跑了，我却像做了亏心事儿一样，后怕起来。

大学一毕业，我就考上了我校著名神经外科教授蔡恒武先生的研究生，这是我一生中最幸运的事。如果说读大学期间我宏大的志向还朦朦胧胧的话，考上蔡教授的硕士研究生后便非常清晰了，这就是要立志做一名优秀的神经外科专家。

我始终忘不了刚刚考上医科大学时，在全校新生入学典礼上，蔡恒武教授率领全校师生在医学生誓言碑前宣誓时的情景。

那日校园内处处彩旗飘飘，鲜花怒放，全校师生肃立在医学生誓言碑前。那是我第一次站在医学生誓言碑前目睹它的风采，心情格外激动！

医学生誓言碑背倚一片竹林，总体呈书本型，由三部分组成。在面向蓝天的书页上，镌刻着金色的医学生誓言；在红色大理石基座上，则是"医学生誓言碑"几个金色的大字；底座是一个红十字的造型。书本用汉白玉大理石，象征着医学事业的洁白与神圣；基座用红色花岗岩，寓意着医学事业如涌动的血液，生生不息；两侧缠绕于手杖的蛇型图案，代表医学事业是全世界医学事业的一个组成部分；底座的红十字则是全世界医药卫生事业的通用标志。每一位新入学的医学生和即将走上工作岗位的医科毕业生,都要在这块誓言碑前庄严宣誓,以维护医术的圣洁与荣誉。

德高望重的神经外科专家蔡恒武教授受校长的委托,率领全校医学生面对誓言碑庄严宣誓:

“健康所系,性命相托。当我步入神圣医学府的时刻,庄严宣誓:我志愿献身医学,热爱祖国,忠于人民,恪守医德,尊师守纪,刻苦钻研,孜孜不倦,精益求精,全面发展。我决心竭尽全力除人类之病痛,助健康之完美,维护医术的圣洁与荣誉。救死扶伤,不辞艰辛,执著追求,为祖国医药卫生事业的发展和全人类的身心健康奋斗终生!”

从那天开始誓言就经常萦绕在我的耳边,我坚信我注定是要为医学奋斗终生的。可是从哪儿入手呢?考上蔡恒武教授的研究生后我开始明确了,我要用毕生精力占领神经外科的最高峰!

与我同时考取蔡先生研究生的,还有比我小两岁的蒋叶真,她是从外省的医科大学考来的。这是一个貌美如花的女孩,天生丽质,高贵典雅,那温润的曲线美让人望而生欲。

初次见到她时,我就被她独特的气质深深吸引住了。不过,我是一个性格有些内向的人,刚见到她时,我既自惭形秽,又私下窃喜,再加上我是小地方的人,天生自卑心理,我甚至没有当面看她的勇气。蔡教授只有我们两个研究生,我和蒋叶真成了名副其实的师兄妹。

蒋叶真是一个极为活跃的人,喜欢参加社会活动,研究生不到一年,她就成了校研究生会副主席。我是一个不太喜欢热闹的人,一心想在专业上混出个人样来。蒋叶真经常因热衷于参加社会活动把做不完的作业扔给我替她做,就这样,我们的接触深了起来。

说实话,蒋叶真非常佩服我在科研上的这股劲儿,她说我将来一定是位好医生。专业上的强势是我面对蒋叶真时唯一自信的地方。

蔡教授经常不满意蒋叶真的不务正业,他把全部心血都放在培养我一个人身上,他对我抱有极大的希望。我热爱我的专业,全身心地投入到我的专业学习中。

蒋叶真见我一天到晚扎在解剖室、实验室、图书馆,一到周末就拽我去校礼堂跳舞,为了实验我推辞了几次,有一天她非要拽我去。

“庆堂,你再不出来活动活动,就快成老古董了!”蒋叶真嗔怪地说。

“叶真,解剖尸体我在行,跳舞可是赶鸭子上架!”

我故意逗蒋叶真，想震震她，别以为自己是白雪公主，别人都是土包子。说实在的，我也是一表人才，一米八的大个儿，标准男子汉的脸型，一副眼镜后面是浓眉大眼。念大学本科时，校学生会为活跃学生文化生活，组织大家学跳交谊舞，然后班级间比赛，班长看中了我的身材，动员我好好学交谊舞，由于与同班一名女同学配合默契，舞技超群，最后为班里捧回了第一名的奖杯。

"庆堂，走吧，不会我教你。"蒋叶真信以为真地说。

"到时候可别嫌脚疼！"我知道像蒋叶真这么漂亮的女孩，一定是舞场皇后，不知道有多少白马王子等着呢！

"庆堂，你拿出解剖尸体那股劲儿的十分之一准能学会。"

"叶真，不怕你那些白马王子嫉妒！"

"庆堂，骑白马的不都是王子，也有唐僧。"

这话我爱听，没想到小师妹还挺幽默。

在舞厅，华尔兹舞曲一响，那些所谓的"白马王子"就纷纷邀请蒋叶真跳舞。我一直坐着没动，我心想，我得了解了解这些"白马王子"的水平，不跳则已，跳就要让你们刮目相看！

几首曲子过后，蒋叶真邀请我一起跳。我觉得是时候了，该出手时就出手。华尔兹舞曲一响，我带着蒋叶真翩翩起舞，蒋叶真当时就被我的舞技震蒙了。她没想到，我这个书呆子舞跳得这么好，伪装得好深啊！很快全场就被我们的舞姿吸引了，全都停下来欣赏我们的舞技。那些所谓的白马王子们相形见绌嫉妒地站在一边。

"好啊，庆堂，你这个大骗子，为什么要骗我？"蒋叶真嗔怪道。

"为了不让你失望！"我微笑着说。

"好你个林庆堂，你隐藏得好深呀！"

"这不叫隐藏，这叫含而不露！"

"贫嘴，一直以为你不善言辞，原来你是个油嘴滑舌的家伙！"

我知道从跳第一支舞开始，她就偷偷地爱上了我。从那以后，我们俩就互相暗恋着对方，但我从没有奢望得到蒋叶真，因为我时刻没有忘记，与她相比，我毕竟出身寒门，来自一个僻壤的小县城。而蒋叶真的父亲是东州军分区的政委，东州市市委常委，大校军衔；母亲是东州军分区政治部门诊部的护士长，上校军衔。这样的家庭，我是高不可攀的。

然而，我对蒋叶真的爱已袭上心头，我甚至在梦中多次与她做爱，以至于每次梦见这样的情景便湿了一床。那段日子，我在枕头下随时准备一条内裤，因为我隔三岔五就会梦见蒋叶真。我甚至为我这种暗恋而痛苦。

与我相比，蒋叶真显得更主动，除了周末约我跳舞以外，每天晚饭后，她都约我在校园内散步。蒋叶真有一种温柔的尖锐，这种尖锐能触动我最敏感的神经。浓荫密布的校园里是恋爱的绝佳场所，到处都是恋人。我们除了没捅破这张窗户纸外，已经把对方当成恋人了。

我们坐在花丛的石凳上，五月正是丁香花开的季节，花香伴随着蒋叶真的体香，我沉醉了。那天晚上，我特别善谈，我谈了《少年维特之烦恼》，又谈了《红与黑》。

"叶真"，我动情地说，"我的出身与于连一样，但并没有跻身上流社会的欲望，我记得孙中山说过，人不要想着做大官，要想着做大事，我的理想是有一天能站在神经外科的最高峰。"

"庆堂，神经外科的高峰很多，选定目标了吗？"

"没有，我现在只想打好基础，先把手术刀练好。叶真，你的理想是什么？我看你并不安分做一个好医生，是不是有更远大的目标？"

"庆堂，我不像你又有毅力，又有钻劲儿，与其做一个二流医生，不如做一做管理工作，毕业后我想去省卫生厅。"

我知道，凭蒋叶真父母的地位，她毕业后去省卫生厅不是问题。

"叶真，你该不是想当省卫生厅厅长吧！"我开玩笑地说。

"省卫生厅厅长有什么了不起的，都是人干的。到时候，你想攀什么高峰我都支持你！"蒋叶真自信地说。

"多谢厅长大人！"

"讨厌！"

我们一起唱英文歌曲，TOMMY PAGE 的"I'm falling in love"：

我一生都在寻找。
像你这样的人。
我不相信一见钟情，
但这种感觉真的发生了。
因为当我们在一起，
我希望时光能够停留。

我为你祈祷，
我陷入爱情，
我的梦想就要成真。

唱着唱着，蒋叶真扑到我的怀里，温柔地说：“庆堂，我爱你！”

我再也抑制不住，我们紧紧拥抱着，热吻着。

从那以后，在花丛中，在青石板上，在月光下，在午夜的花园里，到处都留下了我们拥吻的身影。

不知为什么，每次与叶真相吻，我都会想起与小月在柴火垛上偷吻的情景，但是两种吻的感觉是截然不同的。小月的嘴是樱桃小嘴，那天相吻时，她的嘴是紧抿着的，虽然很柔嫩，但是冷冷的；叶真的嘴比小月的大很多，娇嫩柔软，充满灵性，微笑时更显得妩媚与娇艳，相吻时好像与我全身的感官都能沟通。

3. 教诲

从第一次相吻以后，我和蒋叶真公开了恋爱关系。蒋叶真仍然热衷于学校的社会活动，组织大学生演讲比赛，搞环保自愿者活动，参加校团委主办的与省长对话——为振兴本省经济献技献策活动；而我在学校里只参加一种活动，就是专家讲座。我是逢讲座必去，去了必有收获。

有一次，我从一位外国学者的讲座中了解到，我国还不能开展海绵窦的直接手术，主要原因是没有国人自己的海绵窦显微外科解剖资料。于是我一头扎到图书馆里查找资料，几天几夜下来，我的心情久久不能平静。我觉得我找到了事业上的第一个高峰。

海绵窦是人体唯一一个既有动脉又有神经通过的静脉窦。由于其结构复杂又位于颅底的中央，很多疾病累及此区。海绵窦的直接手术更是因其极高的致残率和死亡率，一直被认为是神经外科手术的禁区；而国内经典教科书上有关海绵窦的记载只有不到一页纸，文献里有关海绵窦的报道极少，引用的也都是外国人的数据资料。可以说海绵窦直接手术的水平代表了这个国家的显微神经外科的水平。于是我暗下决心，一定要攻下这一科学难题。

我怀着激动的心情去了蔡教授的家，自从读了他老人家的研究生以后,我经常去他家改善生活。我爱吃鱼,每次去师母都给我变着花样做鱼。老两口的儿子、女儿都在美国。他们对我就像对待自己的儿女一样。

蔡教授的家很朴素:除了书以外,给我印象最深的是墙上挂的一条横幅,是蔡教授亲手写的,裱在框里。这四个字是:"大医精诚。"

蔡教授非常慈祥。浅金丝边眼镜后面是一双炯炯有神的眼睛,这是一双任何肿瘤都逃不掉的眼睛。笔挺的深色西装显得温文尔雅,动作向来不急不慢。

我把想法告诉了蔡教授,得到他老人家的大力支持。他为有我这样一位颇具潜力的学生而由衷地欣慰。他建议我把这一课题作为自己的硕士毕业论文潜心钻研,争取先在数据资料上填补国内这项空白。

蔡教授一边吸着烟斗一边语重心长地说:"庆堂啊,目前显微神经外科技术的发展使手术死亡率降至百分之一,并且突破了脑干、脊髓、丘脑甚至颅底等神经外科手术的禁区。但是海绵窦位于颅底的中央,是禁区中的禁区呀。你能向这个领域冲击,说明你有攻克禁区的魄力,这很难得,但是不能急,要知道我们是与几个毫米甚至小于一毫米打交道的人,说什么、做什么,都要有把握,讲严谨!"

"蔡老师,能给我讲一讲'大医精诚'的含义吗?"

"庆堂啊,凡大医治病,必当安神定志,无欲无求,先发大慈恻隐之心,誓愿普救心灵之苦。医者,是苦趣也是乐趣啊!当患者将生的希望寄托于医生的时候,我们担起的是一个生命的重量;当我们成功救治一名患者的时候,我们给他的是一个生命的延续。为医者必当怀有仁者之心,善待生命,发扬人道主义精神,在人们最需要的时候,伸出友爱之手。这就要求我们,要因病施治,合理检查,合理用药,维护医学的神圣,守护医生的职业尊严,无德不成医呀!"

听了蔡教授的话,我感到,自己已经站在了一个新的高度去看待自己未来的职业——除了医术精湛,一名合格的医生更应该有仁善的心灵与博大的胸怀。我忽然发现原来"一生"与"医生"的发音是相近的,看来我注定要用一生去捍卫医生的尊严。

"蔡老师,您一生做的最难的手术是什么?"

"我一生做了八千多例手术,并不觉得有最难的,倒是有一例手术做得时间是最长的。"

"有多长时间?"

“我曾经做过一例持续二十四小时的手术，救了一个病人，病人就在手术台上，你不可能休息。那时，在手术台上很有精神，不觉得怎样，但是下来以后，一坐到沙发上，就起不来了，二十四小时没尿。医学上讲，二十四小时必须排五百毫升以上的尿，才能解毒，为什么没尿呢？病人的手术出血很厉害，他每出一次血，我就全身冒冷汗，非常紧张，所以没有尿，都出汗了。结果休息了一个月，才恢复了原状。每天都躺在床上休息，浑身没劲儿啊。”

我终于理解了蔡教授所说的“医者，是苦趣也是乐趣”的含义。

那天晚上离开蔡教授的家，回宿舍的路上，我想了许多，我知道选择神经外科医生这条路注定了一生是不平凡的，我为未来的不平凡而激动。

夜色渐渐降临，微风拂面暖融融的，校园里静悄悄的，只有湖边浪漫的情侣们正在许下明天的诺言。路灯的光线总是暧昧昏黄，可是用眼盯住路灯的时候，又会眼花缭乱。我站在路灯下盘桓，柔滑昏黄的灯光裹着朦胧的月牙。

突然有人喊：“庆堂，一个人想什么呢？”

我抬头一看，原来是蒋叶真。她手里拿着一本书，从图书馆那边走来。

“叶真，去哪儿了？”我好奇地问。

“去图书馆借了本书。”

我暗叹道，师妹也知道看书了。

“什么书？”

“前苏联的长篇小说《日瓦格医生》。”

“为什么看这本书？”

“不为什么，我想找一本描写医生的长篇小说看看，找了半天选中了这本。”

“当年前苏联盛传《静静的顿河》的作者肖洛霍夫最有可能获得一九五八年的诺贝尔文学奖，结果瑞典文学院却出人意料地授予了帕斯捷尔纳克。”

“你读过这本书？”蒋叶真好奇地问。

“我最喜欢书中女主人公拉拉说的一句话。”

“什么话？”

“假如我知道，我做的事没有白做，能够达到一定的目的，那我就会拼死拼活地干，并会从中找到幸福。”

“庆堂，你知道吗？你就是这样的人，正因为如此我才喜欢你。”

蒋叶真的眼神充满了爱怜，她以为我只会读专业上的书，想不到我还会读小说。其实我的情趣是蕴涵在思想里的。因为人的全部尊严就在于思想，而思想产生于大脑，我是研究大脑的，当然要研究思想。

那段日子，我的生活只有两个内容，科研课题和蒋叶真。每天在解剖室里与尸体打交道，我知道人生是不长久的，也正是因为不长久，才须趁着年轻去爱和被爱。

蒋叶真的爱让我释放了内心世界的自卑，唤起了我人性的激情，有几次我们竟然在解剖室里热吻，旁边就是用白布蒙着的支离破碎的尸块和大大小小的罐子里用福尔马林浸泡的大脑。

我们旁若无尸，爱情之火像野火一样蔓延开来。我早已忘记在家乡，在一个穷乡僻壤的地方，还有一个纯朴善良的姑娘在苦苦地等着我。

“天长地久”作为一种祝福，是每一对恋人海誓山盟的目标，然而，人生照例是不长久的、不圆满的，尤其是爱情。因为人性是动态的，它被七情六欲所左右。此一时彼一时，不同的月下激发出不同的心境。

4.“大骗子”

自从考上研究生后，我不仅寒暑假不回家，甚至春节也只在第一个学期回过爷爷奶奶家一次。就这样，我把小月逐渐淡忘了，忘得无影无踪。在我看来，这种淡忘也是有缘由的，因为小月仍然停留在我在县城上高中时的梦里，那个梦是一时的，它离我的生活越来越远，越来越不真实，而我是不断有梦的人。我的梦越做越大，越做越圆，越做越离奇。

起初，我并不想淡忘小月，曾经的初吻不断地想起，每想起一次，就会被蒋叶真甜美的微笑和迷人的体香冲淡一次，就这样，左一次右一次，越冲越淡，渐渐地不再去想，也不愿去想了。

我每天沉醉在课题研究上，科研设备十分地简陋和紧缺，经费也十分紧张，但我并未被困难吓倒，我向院里有关教授请教标本制作方法，集中精力研究血管的灌注技巧，每天在实验室里以方便面充饥。

由于蒋叶真也进入了毕业论文的准备阶段，我和她每两三天才能在吃饭时间见上一面，我们彼此把爱化作了工作的动力。但是女人一旦将爱释放出来，便一发而不可收，我们仍然免不了每周在实验室或解剖室匆匆热吻。

由于征服了蒋叶真，我内心的自卑心理消失殆尽。我甚至有些自豪，原来我是可以让这么高贵的女人臣服的男人。

在蒋叶真身上，我对爱情的渴望得到了全身心的释放。我成了一个被爱的男人，一个爱着白雪公主的白马王子，一个有自信心的男人，一个不仅有自信心更有事业心的男人。而且，我的毕业论文已经接近尾声，这份毕业论文的分量足可以为我今后的事业打下坚实的基础。

寒假刚过的一个周末，宿舍里的其他三位同学领着各自的女朋友逛街的逛街、看电影的看电影，我和蒋叶真则躲在宿舍里卿卿我我。

我们虽然热恋了很久，却仍然没有超越界限，尽管蒋叶真表现得很主动，我仍然没有越过雷池的勇气，不是我不想，而是我骨子里太保守。蒋叶真知道，我不喜欢她，就不会想和她做朋友，喜欢她就不仅仅想和她做朋友，我有这份定力让她觉得我是个值得托付的人。

“庆堂，还有半年就毕业了，工作上有什么打算?”蒋叶真严肃而温柔地问。

“蔡老师很欣赏我，打算让我留校当他的助手。”我得意地说。

“太好了，凭你对科研的执著，很快就会成为副教授、教授的。”蒋叶真兴奋地说。

“叶真，这么长时间了，你还不了解我，我这个人只顾耕耘、不问收获，下一步我想考蔡教授的博士。叶真，你的工作找好了吗?”

“找好了，我爸爸托人把我安排到了省卫生厅。省卫生厅人事处的人很快就会到研究生部考核我了。”我听了以后心里有一种异样的感觉。

说实话，我不喜欢蒋叶真热衷于政治，可是现在像蒋叶真这样想从政的女硕士却越来越多，不过有追求就好，但我还是对蒋叶真找到了可心的工作而高兴。

今天叶真刻意打扮了一番，本来就长得很妩媚，身材窈窕，眼睛细长，下巴瘦削，再加上鸡心领羊绒衫和蓝色牛仔裤衬托出的曲线美，更是让我暗叹不已：什么叫烟波流转，什么叫顾盼生辉，什么叫回眸一笑百媚生、六宫粉黛无颜色，我痴痴地望着叶真，心里不断涌动着欲望。

“怎么这么看着我，没见过美女呀!”

“想看!”我嘿嘿笑着说。

“庆堂,你爱我吗?”蒋叶真十分认真地问。

我没有回答,而是把叶真拥在怀里,用鼻子细细品味她秀发的气息,从她的秀发里散发出一股诱人的花香,我的心里开始躁动,下身开始反应,而她的朱唇也已经吻到了我的脸上。

正当我俩的血液蒸腾着不能自制之时,“嘭嘭嘭”,有人敲门。我心想,谁这么讨厌,在这种时候敲门。

“谁呀?”我没好气地问了一声,便起身开门。

门一开,我惊得目瞪口呆,原来站在门口的不是别人,正是小月和她五哥。

“小月,五哥! 你们怎么来了!?”我脱口问道。

小月和五哥看见我宿舍里有一位如花似玉的女人,而且正在整理头发,一下子就愣住了,我也感到了从未有过的窘迫,空气就在瞬间凝固了。

我一下子想起去年小月给我写过一封信,信上只有几句话:“庆堂哥:我的爱人,我的亲人,开春我和五哥进省城卖山货,到时候我去看你!”

当时我和叶真刚刚热恋,根本没拿那封信当回事,没想到他们真来了。此时,小月差不多被眼前的情景击倒了,但是她咬着牙坚定地站着,胸脯拼命地向外鼓。

我从小月的眼神里看到了一种不祥的征兆,但是由于他们来得太突然,我根本没有思想准备,只觉得小月的眼神特别亮、特别硬,再配上一脸的痴,有一种决绝,是那种随时都可以赴死的决绝。

“林庆堂,”五哥怒斥道,“我说小月给你写信,你连信都不回,原来你已经成了陈世美了! 亏了小月的心,苦苦等了你这么多年!”

五哥刚骂完,小月“哇”的一声大哭起来,转身就跑。

五哥愣了一下,“小月,小月!”一边喊一边转身追了出去。

我也赶紧追了出去,刚跑出宿舍我就站住了,因为我不知道追上小月该跟她说些什么。

蒋叶真也追了出来,她把这一切都看明白了。

“庆堂,那个女孩是谁?”蒋叶真质问道。

“我高中时候的同学。”我支支吾吾地说。

“仅仅是同学? 该不是从小定的娃娃亲吧!”蒋叶真揶揄道。

我有一种跳进黄河也洗不清的感觉。

“叶真,你听我说,不是你想象的那样!”我羞愧地说。

“林庆堂，你混蛋，没想到你是个大骗子?”蒋叶真突然极度委屈地吼道，说完也转身跑了。

我呆呆地站在宿舍门前不知所措，这时研究生部的一位老师刚好经过，她用讥讽的语气问：“林庆堂，刚才有一男一女到研究生部办公室找你，女孩说，她是你的未婚妻！林庆堂，你的未婚妻不是蒋叶真吗？怎么又冒出个村姑来?”

“根本不是什么未婚妻，只是高中同学，你们弄错了。”我解释说。那个女老师带着质疑的目光“哦”了一声就走了。

我知道这件事难办了，因为小月看见蒋叶真后全明白了，任何深爱着一个男人的女人都会看明白，所以蒋叶真也全明白了。

一连几天蒋叶真都没再找我，我也没敢找她，我知道蒋叶真正在气头上，彼此冷静一下也好。让我难心的是，不知道小月那儿该怎么办？我想给她写封信，说明情况，让她不要再等我了，但千言万语不知道从哪儿说起。

我还是鼓起勇气给小月写了信。我要让她知道爱是不可强求的，真正的爱一定要有共同的语言、一定要相互理解、一定要互补共进，而我和小月这三个方面一个都没有。小月是善良纯朴的，我尽量措词委婉，不伤害她，可是我的行为已经深深地伤害她了，想到这儿，我欲言又止。

信就这样写一遍撕一遍，终于定稿了，我却得到家里寄来的一封信。信是我母亲写的，打开信，我就惊呆了。

信中说，小月从医学院回去后，整整一个星期把自己锁在屋子里，不吃不喝，把她爹娘急坏了，后来她五哥一脚把门踹开，发现小月已经喝农药自杀了。

我一屁股坐在椅子上，心快从嘴里吐了出来，脑子里一片空白，事情太重大了，我不知道为什么会是这样?

母亲在信上说，小月死后，她五个哥哥不依不饶，来县城家里闹好几回了，几乎天天到爷爷奶奶家闹，让我赶紧赶回北滩头村，人命关天，一定要给人家一个交代。

就在我要启程的时候，校党委接到了小月她大哥写的上告信。信上把我说成是道德败坏的伪君子，当代陈世美，不配做大学老师，不配做白衣天使。事情闹得满校风雨，不可收拾。

那天晚上，蔡教授把我叫到家里，仔细听了我和小月、蒋叶真之间的事情。我心里委屈，说着说着便痛哭流涕起来。

“庆堂啊，你是我最得意的门生，”蔡教授遗憾地说，“没想到你会处理不好个人的生活问题，闹出这么大的事情来。你的事校党委很重视，还不知道怎么处分你呢。还是年轻啊！”

“老师，其实我和小月什么都没有，谁知道她会干这种傻事！”我委屈地辩解道。

“庆堂，你到现在还没反思自己的行为，最起码你曾经给她传递过错误的信息。”蔡教授严肃地说。

“不就是吻过她一次嘛，干吗这么认真？”我嘟囔道。

“你看看你的态度，你不爱人家吻人家干什么？”蔡教授深吸一口烟斗质问道。

“不过是一时冲动。”我冷漠地说。

“你一时冲动不要紧，害了人家一条性命！庆堂啊，我早就跟你说过，无德不成医，要做一名合格的医生首先要学会做人。你的人生才刚刚开始，我希望你好好吸取教训，认真思考一下事业是什么？爱情是什么？这两个问题是每个有抱负的青年都要思考的问题，甚至要用一生来回答呀！你先回家给小月处理后事吧，学校这边有我呢。我相信这件事会让你记一辈子的。”

蔡教授的话语重心长，让我的心里热乎乎的。我忘了小月性格里的执拗，看来她一定不止一次地想过：全村人都知道自己将来要嫁的人是林庆堂，如果林庆堂不要她了，她就去死，她丢不起这个人。我应该早点回北滩头把事情说清楚。是我的自私和冷漠害了小月。

我知道小月的死将对我的生活和事业造成无法估量的影响。我只好走一步看一步了。我的心就像这冬末春初的冰碴儿凉到底了。

5. 决绝

我离开蔡教授的第二天就登上了回家的火车。一路上我想着回家以后的复杂局面，小月的五个哥哥一定会不依不饶，没办法，我只能用忍来应付他们了。

我先回到了汤子县县城，父亲接到母亲的电话后从外地匆匆赶了回来，正在家等着我。我回家后说明了原委，父亲并没有太责怪我，因为他了解自己的儿子不是一个不负责任的人。

父亲母亲要陪我一起去北滩头。我坚决不同意，小月家里人正在气头上，村里人又不明真相，满世界乱嚼舌头，我不愿意让我父母受到侮辱。

起初我父亲不同意，他怕我吃亏，还想从建筑公司带几个人一起去。我就更不同意了，父亲性格暴躁，真去了理论起来，怕是要出更大的事，要知道小月有五个哥哥，全村人谁家也不敢轻易惹他家。祸是因我而起，大不了我给小月陪葬！

母亲心疼我，在一旁抹眼泪。

"哭什么哭！"父亲不耐烦地说，"我就不信他们敢把我儿子吃了，我们什么时候与他们家谈过这门亲事，平时不过是开了几句玩笑，就当真了？他们家小月自作多情，也太不负责任了，你一死了之，让庆堂怎么做人，这不是存心害人吗？"

"小月这孩子也够烈性的，怎么说死就死了呢！"母亲低着头一边抹着眼泪一边说。

"爸、妈，你们放心吧，我能把这事处理好！"我冷静地说。

"这几天，小月家把你爷爷奶奶折腾苦了，你去了多说好话，配合他们家赶紧把丧发了，打几下、骂几句就忍了吧！"母亲说完又抹起了眼泪。

父亲唉声叹气地抽起了闷烟。我横下一条心，决不能让父母跟着，我要独自为小月守灵。

灵堂就设在了爷爷奶奶家的院子里，是用木杆搭起的棚子。我们家三代单传，在北滩头人单势孤，好在父亲在县城工作，在村里算是有脸面的人。不过，小月的大哥是副乡长，村里没有谁家敢惹小月她家的，就是村长家也得让着。

这次小月的大哥给学校写上告信，就是存心想让我身败名裂，这招儿把我害苦了，我不知道摆在我面前的路会是什么样的？或许就没了路。

我一进村口，一帮孩子就七嘴八舌地喊了起来："陈世美回来了！陈世美回来了！"

老远就看见爷爷奶奶家围了很多人，好像全村的男女老幼都来了，我听见与小月家不和的妇道人家背地里幸灾乐祸。

"攀高枝没攀上，寻了短见，这不是害人嘛！"

"她就是不寻短见，被林庆堂甩了，也得神经失常。"

"人啊，就得老老实实按着老天爷给你的条件来生活。那不是林庆堂吗？这小子真有胆量回来！”

“这回有好戏看了！”

小月的五个嫂子正聚在灵堂前破口大骂：“老林头，你养的什么狗屁孙子，简直是他妈的臭流氓。”

就在这时我踏进了爷爷奶奶家的门，小月的五个嫂子顿时围了上来，使出妇道人家惯用的伎俩，唾沫星子满天飞，什么难听骂什么。我木头一样地站着，耳朵里嗡嗡的，什么也没听见。

我爷爷愁眉苦脸地陪着，我奶奶正在给小月的大哥倒茶。哥五个一见我回来了，喝退众妯娌，一起向我冲了过来，薅我头发的，卡我脖子的，扭我胳膊的，五个人把我摁在灵前。

奶奶既心疼又无奈地说：“好孩子，咱理亏，忍忍吧。”

我使劲点了点头，便跪在了灵前。小月她五哥一边骂我“臭流氓、陈世美”，一边踹我，被他大哥拦住了。小月她妈见到我眼泪一下子从红肿的眼睛里涌了出来，小月她爸的头上被火罐拔下许多黑色的印记，看来是由于过度悲伤病了。他们家有五个儿子，就这么一个闺女，老爷子视为掌上明珠，能不悲伤过度吗？

“庆堂啊，你能回来就说明你有种，我妹妹已经为你殉情了，你怎么也得有个交待！”小月她大哥不紧不慢地说。

很显然小月她大哥因为是老大又是庙堂乡的副乡长，他说话比他爸说话都有分量。

“大哥，你说怎样就怎样！”我郑重地说。

“那好，乡里乡亲的，我们也不过分难为你，今晚你就为小月守灵吧，明天出殡时，你要背着小月去下葬。”小月她大哥咬着牙说。

“我同意！”我面无表情地说。

小月她大哥没想到我答应得很痛快，就没再难为我。

我麻木地跪着，任凭小月的五个哥哥嫂子的辱骂和村里人的指指点点。

跪在小月灵前，我的眼泪扑簌簌地流了下来，这眼泪不仅代表了悲伤，还代表了惋惜、委屈、懊恼和气愤。我不敢接受这个为我殉情的女人对我的这份沉重的爱，我更不能接受殉情的事实。小月在爱情上的追求太天真了，悲剧不是命运造成的，而是小月造成的。

当初我们在柴火垛上的浪漫，对我来说，不过是潜在的青春萌动，想不到小月这么当真，难道你不知道我们之间已经站在了不同的山头上，你以为伸手就能触及的距离，其实要走在一起，脚下是万丈深渊，怎么可能走到一起呢？我以为小月懂得这个道理，没想到她竟然是个一条道跑到黑的人。如今害了自己也害了我。

天黑了，灵棚前临时搭吊的灯泡像鬼火一样晃来晃去，灯光映着小月五个哥哥的脸就像地狱里的判官。

我整整在灵前跪了一夜，眼泪早已不流了，我觉得不全是自己的错。我和小月走不到一起是必然的、命中注定的，是从我走出汤子县县城的那天起就决定的。除非我留在这块土地上。只是小月不愿意承认这个现实，只是我没早点做小月的工作，只是我不应该在柴火垛上与小月初吻。

然而，乡亲们不可能理解那么多，他们只看结果，我知道我给爷爷奶奶、爸爸妈妈惹了大麻烦，我是一定要离开这个伤心地的，可爷爷奶奶、爸爸妈妈还要在这里生活下去。我下决心忍受一切屈辱，让小月家的人把怨气发泄够。

雪是从昨天下半夜开始下的。

第二天清早出殡时，小月她二哥恶狠狠地说："林庆堂，你小子要想赎罪，必须把俺妹妹背到坟前。"

"背着是便宜你了，你小子就该去陪葬！"小月她三哥用手指戳着我的额头说。

"就你这种下三烂，也配上大学？!"小月她四哥骂道。

"林庆堂，你今天要是不背俺妹妹，俺就废了你！"小月她五哥晃着拳头威胁说。

老五是我们这一带有名的混混儿，这种事他能干出来。

小月她大哥命众人启开棺盖，小月铁青着脸躺在里面，我望着小月心里一阵阵发紧。我心想，"小月，你不应该呀！不应该呀！"眼泪情不自禁地流了出来。

小月的五个哥哥催着我快点背，我咬咬牙走到棺材前，众人将小月的尸体放在我的背上，小月的脸冷冰冰地压在我的脖子上。这时，凄婉的唢呐声响起，众人吹吹打打地跟在我的身后，漫天大雪，仿佛在为小月送行，又仿佛在为我叫屈。

噩梦终于过去了，我一个人跪在小月的坟前，又给她烧了最后一张纸。我心里发誓，我再也不会回到这里了，我永远也不会再回北滩头了。

雪停了,夜里的风把头顶的树叶吹得哗啦哗啦地响。我的脑海里闪现着与小月相处的各种回忆。

我自言自语道:“永别了,月,我可怜的妹妹,忘了我吧,我不是一个好男人,为了我你不值得这样做。我走了,有朝一日或许我会在黄泉路上与你相遇,到时候,到时候我再向你忏悔,向你解释,向你诉说吧。”

我是连夜离开北滩头的,回到县城只和父母匆匆地告了别。母亲哭得很厉害,父亲沉默不语。我告诉父亲我要连夜走,父亲没反对,母亲希望我多待几天,我没同意,毅然决然地走了。

6. 困境

回到学校,更大的麻烦还在等着我,小月她大哥写的那封信造成了极其恶劣的影响,全校师生都知道了我和小月的事,校党委决定开除我的学籍。这可急坏了我的导师蔡恒武,蔡教授怒气冲冲地去找校长。李校长很客气地接待了蔡教授。

“蔡老,您消消气,我非常理解您的心情,不过我作为一校之长,对这种败坏校风的事不能不管不问呀!”李校长客气地说。

“李校长,正因为不能不管不问,我们才应该实事求是,惩前毖后,治病救人嘛!我们是医学院校,怎么能不懂得这个道理?你也是我教过的学生,在神经外科领域,林庆堂是一位很难得的奇才,若问谈婚论嫁,他也是大龄青年了。年轻人没处理好个人生活问题,我们应该帮助开导,不能一棍子打死嘛!”蔡教授激动地说。

“蔡老,”李校长继续解释说,“校有校纪,家有家规,如果不严肃处理,怎么才能警示其他学生?”

“李校长,我以校学术委员会主任的身份强烈要求校党委重新考虑对林庆堂的处分。我们不能让一个即将硕士毕业的医学奇才就此夭折,你知道将来他拿起手术刀,会挽救多少人的命吗?”蔡教授据理力争。

“蔡老,您说他是医学奇才,表现在哪儿了?”显然,李校长有些被说服。

“林庆堂的毕业论文大胆创新,在国内首次对国人的海绵窦进行了大样本、全面细致的显微外科解剖学研究,填补了国内在这方面数据上的空白,让我们终于有了国人自己的海绵窦显微外科解剖学资料。林庆堂为此付出了艰辛的努力。这半年来，他几乎吃住在解剖室、实验室，对这样一个出色的人才，我们不问青红皂白就开除，我认为十分不妥！”蔡教授语重心长地说。

蔡教授的话深深地打动了李校长，“蔡老，您老别着急，我会把您的意见带到校党委会上认真研究，您先回去吧。”

就这样，我逃过了一劫，学校对我的处分由开除学籍改为留党察看，但留校任教的梦想破灭了。

我的情绪异常低落，不知道往后的路怎么走。蒋叶真也很痛苦，自从他父母知道我与小月的事以及我被留党察看后，她的父母就坚决反对她与我来往。蒋叶真也对小月的事耿耿于怀，认为我一直欺骗她的感情。

我一直想找蒋叶真谈谈，但是她一直回避我。这就加重了我的痛苦。我感到我和蒋叶真没戏了，只好每天在实验室里瞎折腾，想用工作麻醉自己。

有一天，我正在实验室的电脑前工作，蒋叶真来了，她脸色有些憔悴。

“庆堂，我们俩谈谈吧。”

我没说话，默默地给她搬了一把椅子，让她坐下。蒋叶真一坐下，眼泪就哗哗地流了下来。我们俩相对而坐，互相无言。最后，还是她先开的口：“庆堂，你出了这么大的事，我知道你心里一定不好受，可是我比你更难过。这些天我想了很多，其实，我们俩本不是一路人，我们还是分手吧，以后我们还是好朋友。”说完她那浓密睫毛下闪亮的眼睛里顿时充满了泪水。

蒋叶真的话一出口，我就知道说什么都没戏了。我一个从小县城里闯出来的土包子，本来就不应该高攀人家大家闺秀。我这种人只配娶小月这种村姑。但我是个男人，男人就要学会宽容。既然你认为我给不了你幸福，那我只好还你自由。

“叶真，”我勉强微笑着说，“对不起，是我伤害了你。我同意分手，祝你以后幸福。”

蒋叶真似乎没想到我会这么痛快地答应分手。她以为我会苦苦解释，跪下来求她宽恕。她很失望，她坐在椅子上抹了一阵子眼泪，然后猛然站起来，转身就走了。

我默默地望着蒋叶真逝去的背影，仿佛是一场梦，才刚刚惊醒。

毕业答辩很顺利，我的关于海绵窦显微外科解剖学方面的毕业研究论文在国家级期刊上发表，但是我不能留校任教了。蒋叶真很顺利地分配到省卫生厅，我却因为背着留党察看的处分到处碰壁，找不到工作。

我从学校搬出来，在学校附近租了一间地下室，兜里的钱所剩无几，每天三顿饭都用方便面充饥。

我跑遍了省城的大小医院，大医院不愿意用我这种道德败坏的人，小医院用不上我这种专业的人，有一家中型医院很欣赏我的专业，但是看了档案后还是放弃了，人事处处长找我谈话时说，我们不要花花公子，我气得真想一拳砸在他的脸上，可想想自己的处境，还是忍了。我着实陷入了困境和迷茫，人生都是有终点的，而我却找不到它的方向。

面对前途的迷茫，我不禁感慨：人的一生就像在拉屎，有时候你已经很努力了，可出来的只是一个屁。

我不企盼天明，因为黑夜中总会找到北斗星；在没有找到目标之前，我不希望太阳高高升起，因为每一次太阳的升起，都意味着另一次黑暗的来临。

人生有多少承诺就有多少负债，有些债是永远还不清的。人生正是在各种债的细节中演绎着催人泪下的故事。人的一生都是在还债的，因为只要活着就要欠下人情，感谢别人又不牺牲自己简直是一种苛求。

我们都迁就在复杂的情感中，而使生活渐趋灰色。没有人不在旧传统中受虐，只是在浮华中人们浑然不知。任何个体都无力抵抗观念和舆论的攻击，我们都在无形的压力中生存。

就在我极度痛苦。极度迷茫的时刻，我的导师蔡恒武和老伴儿费尽周折找到了我租住的地下室。

当时我正在吃方便面，突然有人敲门，我以为是房东来催房租，不耐烦地喊道："昨天不是说好了，缓我两天再交吗，今天怎么又来了？"

当我气哼哼地打开门后，我一下子呆住了，我做梦也没有想到蔡教授和师母站在门口。

"怎么，不请我和你师母进去坐坐？"蔡教授慈祥地说。

"老师，师母，你们怎么找来的？"我赶紧把两位老人让进屋，激动地问。

一进屋二老就愣住了，他们打量着我住的这间小屋，一张床，靠墙的床边用木板架着一个箱子，箱子上摞满了书，地上放着脸盆和旧鞋，还有两个无漆的小凳。除此之外再没有别的家具。窗户很小，屋里暗得有些朦胧，只有一缕孤零零的阳光投在窗台下用箱子搭成的小桌上。二老看后连连叹气。

"说老实话，还是叶真帮我们打听到你住在这儿的呢。庆堂啊，工作还没有着落?"蔡教授掏出烟斗一边吸烟一边问。师母见我的小屋乱得不成样子，二话不说就收拾起来。

我情绪低落地摇了摇头。

"庆堂啊，别愁了，工作有着落了。我和你师母费尽周折找你就是要把这个好消息告诉你。我把你的情况向北方医科大学附属医院神经外科主任穆怀中教授作了介绍，推荐了最近你在国家期刊上发表的关于海绵窦显微外科解剖学研究的毕业论文，他看了论文后，对你很感兴趣。另外，穆教授是我的大学同班同学，他不会不念旧情的。庆堂啊，不要灰心，到了北方医科大学附属医院好好干，老师盼你早日成为全国知名的神经外科专家。"

我听了老师的话，当时就哽咽了，我几乎说不出话来，千言万语也报答不了恩师对我的培育之情。

送走二老之后，我的内心世界翻江倒海，激动不已，真想把这个好消息告诉我最爱的人与我共同分享，然而茫茫人海中谁是我的最爱呢?

第二章　春风入怀

7. 第一印象

第二天清晨，我认真打扮了一番，便坐公共汽车去了北方医科大学附属医院。

夏末的东州市天气格外炎热，灼人的阳光，照得古城城墙门楼上的琉璃瓦闪烁出一片耀眼的光辉。公共汽车行驶在环海路上，海面上帆影点点，成群的海鸥随着海浪的起伏飞翔，海滩上挤满了游泳纳凉的人。我望着大海心情爽朗了许多。

上午十点钟，我走进了医院大院。院子里看病的人很多，出出入入的，车辆也很多。医院中心是个小花园，走到小花园前，我非常奇怪地被两棵高大的银杏树吸引了。这两棵高大的银杏树，粗壮笔直，银灰色的身躯，活像两把绿绒大伞，直插云霄。那美丽的叶子，就像一柄柄小彩扇，翠绿嫩黄，一簇堆在另一簇上，不留一点缝隙。两棵高大的银杏树矗立在小花园中间，像一对相爱已久的恋人，耳鬓厮磨，让人艳羡不已。

在银杏树的荫庇下，我紧张的心情安静了许多。穆怀中是全国著名的神经外科专家，虽然有导师蔡恒武的推荐，我心里仍然紧张得不得了。

我上四楼来到神经外科医生办公室，一个四十五六岁的男医生正在电脑前查看着什么。

我小心翼翼地问："请问穆主任在吗？"

他眼皮慢悠悠向上翻了翻，看都不看我一眼，不耐烦地说："在实验室呢。"

我还想问实验室怎么走，但他的傲慢让我欲言又止。

我离开医生办公室，迎面走来一位护士，我客气地问："请问实验室怎么走？"

"乘电梯到十五楼往左拐就看见了。"护士热情地说。

我乘电梯来到十五楼往左拐，两扇玻璃上写着：实验重地，闲人免进。我根本不理会这几个字，顺着走廊往里走，病理室、标本室、解剖室，最后是实验室。

我从门上的玻璃往里看，一位六十多岁的白发老教授正在领着几个学生做实验，我判断这位白发老教授一定就是穆怀中，那几个学生有可能是他带的博士生。

我轻轻地敲了敲门，一位女学生穿着白大褂走过来开门问："你找谁？"

"我找穆主任，我叫林庆堂。"

"穆主任正在上课。"女博士生欲阻止我。

这时，穆主任似乎听到了我的名字，他慢步走到门前和蔼地问："是小林吧？快进来，快进来。"

"穆主任，您好！我是林庆堂。"我惴惴不安地说。

我随穆主任走进实验室。

"小林啊，"穆主任亲切地说，"你先坐一会儿，这只猕猴刚刚麻醉，我们准备给他做 CT 扫描，扫描后咱们好好谈谈。"

"穆主任，这是在做什么实验？"我谨慎地问。

"这几位是我的博士生，他们正在做颈交感神经节脑内移植治疗帕金森氏病的基础与临床研究。"穆主任耐心地说。

我饶有兴趣地看着穆主任指导几位博士生做实验。这时那只正在做 CT 扫描的猕猴突然停止了呼吸，几个博士一时手忙脚乱，不知所措。

"穆老师，怎么办？"那位女博士慌乱地问。

"赶紧做人工呼吸！"穆主任镇定地说。

几个博士生面面相觑，谁也不情愿给这只猴子做人工呼吸。我毫不犹豫地跑上去给猕猴实施人工呼吸，猕猴在我的抢救下渐渐苏醒过来，大家当时就被我的行为折服了。

"小林啊,你抢救的不仅仅是只猕猴,你避免了实验的失败和十几万元的财产损失。"穆主任高兴地说。

"穆老师,这只猕猴为什么突然停止了呼吸?"刚才给我开门的那位女博士生疑惑地问。

穆教授转过头来看了看我。我知道穆教授是有意要考考我,我毫不犹豫地回答道:"是麻醉过深导致的。"

穆教授欣赏地点了点头。

"你们几个接着做实验吧。"穆主任对几个学生嘱咐了几句,然后说,"小林啊,来,到我办公室坐坐。"

我随穆教授进了实验室内的办公室。他给我在饮水机上打了一杯水,让我坐,我毕恭毕敬地坐在椅子上,心想,看来我留给穆主任的第一印象还行。

"小林啊,"穆教授坐在我的对面和蔼地说,"蔡教授向我详细介绍了你的情况,我也知道你个人生活上出了点问题,受到了留党察看的处分,年轻人嘛,遭受点挫折不一定是什么坏事。蔡教授说你是一个在事业上很执著的人,刚才你给猕猴做人工呼吸的行为也验证了这一点。"他点上一支烟接着说,"大脑是人体的司令部,是神经中枢,这就决定了我们神经外科的疾病为高危病种,它具有发病急、变化快、手术难、残废率和死亡率高等特点,因而要求我们神经外科的医生要具有高度的责任心、丰富的经验和精湛的医术。没有临床经验的医生,只能是一本缺章少页的教科书;不敢碰雷区的临床医生,只能是一位会寻医问药的江湖郎中。干我们这一行要特别注重在实践中学,只有不断地总结、不断地提高,努力掌握各种神经外科常见病和疑难病的诊断和治疗,才能为患者解除痛苦。"

"穆主任,既然我拿起这把手术刀了,我就想在世界神经外科的状元榜上刻上'中国'两个字。"我信誓旦旦地说。

穆主任听了我的话看了我一眼,看得我有些发毛。我心想,穆主任是不是以为我说话有些狂妄?穆主任似乎看出了我的心思,他语重心长地说:"你有这个决心很好,年轻人就应该胸怀高远,但是我更喜欢脚踏实地的严谨的治学态度,要知道拿起这把手术刀,只能不断地去掉病人身上的痛苦,而千万不能割断了与病人的感情啊!"

我被穆主任的话深深地震撼了,连忙表决心说:"穆主任,我懂了,我会记住您的话,踏踏实实地干好工作。"

“这就好，这就好。刚出校门时，我连老护士都不如，以后能治一些病，这些知识实在是来之不易。我们当医生的要有技术，没有技术是治不了病的，但是要摆好为病人服务与学技术的关系。首先是服务，从服务中学习，而不是首先从病人身上学技术。应当把病人当亲人，提供给病人最佳治疗方案，而不是从自己学习的需要出发来安排病人的治疗。在医学探索过程中，病人是付出了一定代价的。是病人培养了医生，帮助医生成长，我们要牢牢记住，好好地为病人服务。我把我刚毕业时，我的老师赠送给我的一句诗转赠给你，‘未俱人生无通途，唯以精诚至魂魄’。好了，庆堂，我就不啰嗦了，你去医院人事处办手续吧，我已经跟他们打过招呼了。”

穆主任语重心长的教诲让我十分感动，我激动地想，能在这样德高望重的老教授身边工作是多么荣幸啊！

8. 报到

院人事处王处长热情地接待了我，他向我介绍了医院的基本情况。

“小林啊，穆老极力推荐你做他的助手，穆老是全国德高望重的神经外科专家，在全国神经外科领域里，是成功实行脑动脉瘤手术超过一千例的专家之一。他的话院领导很重视，所以我们已经调了你的档案，研究了你的情况，院党委决定录用。你现在住在哪儿?”王处长热情地说。

“我自己租了一间地下室住着呢。”我不好意思地说。

“你先在院里和几个年轻医生挤集体宿舍吧，房子的问题以后会解决的。那好，我现在就领你到神经外科报个到吧。”我听了人事处王处长的话心里激动不已。

我拘谨地跟在人事处王处长的后面，又回到神经外科。我们来到四楼的医生办公室，几名医生坐在电脑前正在工作。

“老曲呀，穆主任呢?”王处长微笑着问。

这个老曲正是我第一次到医生办公室碰到的那个人。

“哟，王处长，穆主任不在。”老曲站起来客气地说。

“小林呀，我给你介绍一下，这位是神经外科副主任曲中谦。曲主任，这位是新来的医学硕士林庆堂，是穆主任点名要的高材生。”王处长介绍说。

“欢迎、欢迎!”曲中谦敷衍地客气道。

我与曲副主任和几位医生握了握手。王处长交代说:“小林呀,明天你就正式上班吧,这是你集体宿舍的钥匙。好好干,老曲呀,你们忙吧。”说完转身走了。

“小林呀,哪个大学毕业的?”曲中谦一副领导派头走过来问。

“我是省医科大学毕业的?”我拘谨地说。

“一定是蔡恒武教授的高足了!”曲中谦的口气令人很不舒服。

“正是,看来曲主任和蔡教授很熟?”

还未等曲中谦回答,一位年轻医生离开电脑自我介绍说:“小林,我叫罗元文,我们住在一起,我领你去宿舍看看吧。”

“好的,曲主任,那我去了。”

我向曲中谦点了点头,曲中谦冷冷地“嗯”了一声。我又和几位医生点点头,便跟着罗元文走出了医生办公室。

我一边走一边想,这个曲中谦有点阴风阳气的,让人感觉不舒服,便想从罗元文嘴里了解点情况。

“元文,神经外科有几位主任?”我谨慎地问。

“目前为止,就穆主任和曲副主任。”罗元文热情地说。

我一下子明白了,我是穆主任点名要来的,自然是穆主任的人,曲副主任自然不舒服。我想穆主任和曲副主任的关系不会太好,看来神经外科的人际关系复杂得很,初来乍到还是小心为上。

“元文,你是什么时候到北医科大的?”

“我到这里一年了,我是白求恩医科大学毕业的,到北医科大就是要考穆主任的博士。”

“我也想考穆主任的博士。”

“好啊,那咱们就是师兄弟了。不过,蔡恒武教授也是国内德高望重的神经外科专家,你既然是他的硕士,为什么不接着读他的博士呢?”

我被罗元文问得愣住了,心想,我差一点被学校开除,怎么考呀?

“我是想多拜几个名师,这样对自己的业务发展有好处。”我敷衍道。

“有道理,干我们这一行就是要博采众家之长啊!”

一路聊着,来到了宿舍。宿舍里一共有四张床,有点像大学里的研究生宿舍。

“庆堂,这就是我们的窝,这张空床就是你的,这是我的床。”

“这两张床住的也是神经外科的吗?”我好奇地问。

“不是。一个是心脏外科的小刘,一个是检验科的小郭,都是硕士。”

由于都是男人住,房间又脏又乱,我收拾了一阵子,总算弄干净了床铺和桌椅。

“庆堂,该吃午饭了,一起去食堂吧。”看我收拾完床铺,罗元文友好地说。

忙活了一上午,早晨只吃了一袋方便面,早就饿了,我随罗元文一起来到医院内的生活服务中心。这里有点像大快餐店,都是套餐,有五元一份的,有十元一份的,也可以单点。中午吃饭的人很多,有病人家属,也有医生、护士,还有院内工作人员的家属。

我买了一份五元钱的套餐,罗元文买了一份十元的套餐,我俩找了一个空位子坐下,一边吃一边聊天。我主要是想多了解点情况。

“元文,科里有多少人?”我试探地问。

“有两位主任,十五名医生,四十名护士,本来有四名主任的编制,但由于十五位医生里没有能主刀的,所以一直空着两个副主任的编制。”罗元文一边吃一边说。

“那每天的手术只能由穆主任和曲副主任两个人做了?”我惊讶地问。

“对,所以穆主任特别着急后继乏人的问题,”罗元文喝了一口汤接着说,“因为他年纪大了,特别希望有年轻人接替他。”

“曲主任不也能带学生吗?”我不解地问。

“但年轻人都是冲着穆主任来的,曲主任是工农兵大学生,”罗元文轻蔑地说,“水平照穆主任差远了,平均每个月都得做死一两个。穆主任做了近万例手术,至今还没做死过一例呢!他不仅治学严谨,而且甘为人梯,我来了才一年,跟穆主任上了几台大手术了。给曲主任当助手的几个博士、硕士,根本摸不着手术刀。”

我听了以后又喜又忧,喜的是神经外科缺人才,自己有发展的空间,忧的是院里的神经外科之所以在全国知名度很高,看来是因为穆主任的名声大,一个人撑着呢。

吃过午饭后,我借了罗元文的自行车,从地下室把行李拉到医院宿舍,就算搬家了。

晚上,我在院门口买了些水果带上,特意去穆主任家拜访致谢。穆主任家就住在医院宿舍区，院里的知名专家都住在一座楼内，俗称专家楼。

穆主任家在三楼，我按了门铃，穆师母开了门，穆主任很热情地把我让到了客厅。客厅布置得很简单，墙上还挂了一副颇有禅意的对联："一花一世界，一叶一如来。"

师母给我倒了茶，我们坐在沙发上，穆主任从茶几上拿起烟盒抽出一支递给我，我赶紧给他点上火。

"庆堂，蔡教授跟我介绍说，你读研究生时，为研究海绵窦解剖了三百多具尸体，看来你有做好一线医生的基础。下一步有什么打算呢？"穆主任深吸了一口烟问。

"穆主任，我准备考您的博士生，想进一步提高自己。"我不假思索地回答。

"更重要的是在实践中提高。你别看大脑只有一千克，却是人体中最脆弱的部分，这里血管密布、神经众多，每个部位都与人体各器官神秘地联系着。神经外科就是在万丈深渊上走钢丝，每一个动作都关系到人的生死存亡啊！"穆主任意味深长地说。

"穆主任，我虽然解剖过三百多具尸体，但那毕竟是死人，我还没有给真正的病人做过一次真正的开颅手术。我希望做您的学生，在实践中多跟您学习。"我非常迫切地说。

"庆堂啊，看来蔡教授对你没看走眼，只要你努力，就一定能成为一名好医生。"穆主任用欣赏的语气说。

"穆主任，您是怎么走上神经外科这条路的？"我好奇地问。

"我参加过抗美援朝，是和我的老同学蔡恒武一起参加的。在朝鲜战场上，我看见一批一批的伤员死于脑外伤心急如焚呀！那时候我对脑外伤一点也不懂啊，别的科，像骨科、泌尿、胸科、普外我都学过，我都有点办法，可以抢救，甚至麻醉都行，但是脑外科我一点办法也没有，只能看着战友们一个个地死去。"他沉思了一会儿仿佛想起了往事，然后喝了一口茶说，"我记得那是一九五一年的冬天，我当时二十三岁，随抗美援朝医疗队来到鸭绿江畔，在一片荒林雪野里搭起了两栋土坯房，抢救从前线下来的志愿军伤员。有一天，一名头部中弹的小战士被送到了我的手术台上。小战士神志昏迷中还在竭力高呼：'为了祖国，冲啊……'然而，望着颅脑损伤的小战士，我和其他大夫却束手无策，只能眼睁睁地看着'最可爱的人'被死神夺去了生命。快五十年了，那名小战士的呼声还在我耳边萦绕着，要是在今天，用不了两个小时，就能把小战士救活。从那时候起，我就下定决心，一定要成为脑外科方面的专家。幸亏我没死在战场上，让我有机会攻克神经外科这块阵地。我从朝鲜战场回来后，就向院党委申请，组织了院里第一个神经外科研究组。那时候西方一些国家不仅对中国实行经济封锁，而且实行知识封锁，我们手里什么参考资料也没有，只能靠自己摸索。没有教具，我们就到乱坟岗子挖骨头，把脑袋骨挖出来脑袋骨里面全是蛆，很多蛆，一股怪味，回来以后就刷洗、漂白、煮熟，把骨头穿起来做学习标本。虽然条件艰苦，但我们都干劲十足。"穆主任既饱经沧桑，又饶有风趣地说。

虽然我解剖过很多尸体，但我听到脑袋骨里有很多蛆，咕咕容容的，我就有一种毛骨悚然的感觉。不过，我还是被穆主任的故事深深地感动了。

"穆主任，这么说蔡教授也参加过抗美援朝？"

"当然了，我们就在一个医疗队，他也目睹了小战士的牺牲。抗美援朝后，他和我一样也全身心地投入到神经外科领域。那时，我国对脑外科和颅内肿瘤的检测手段非常落后，确定脑肿瘤部位和性质，只能采用'开颅检查'的办法，手术死亡率高达百分之二十四，而西方国家对我们封锁当时世界上比较先进的'脑血管造影'技术。为了冲破这道封锁，蔡教授不惜以自己的健康甚至生命为代价，在没有防辐射的铅裙的艰苦条件下，毅然成百上千次地做X光验证……当蔡教授掌握了'脑血管造影'技术之后，身上的白血球已经降到四千以下，只有常人的一半了。他终于积累了两千五百份'脑血管造影'资料，使我国的脑外科检测技术一步跨越了三十年啊。"

我着实被感动了：原来我的恩师蔡教授还有这么非凡的经历，他老人家却从未炫耀过。我能投师在这两位德高望重、桃李满天下的老专家门下，真是我林庆堂上辈子积了德，这辈子老天爷特别垂爱我。

"穆主任，我请求跟您上手术台，我不会辜负您老对我的期望！"我充满希望地恳求道。此时我的心情就是要下决心成为穆怀中教授这样的人。

"好吧。两天后，我有一个动脉瘤手术，你和罗元文做我的助手吧。罗元文进步很快，已经可以独立做一些小手术了，"穆主任赏识地说，接着他又嘱咐道，"这两天你先熟悉一下患者的情况，多查查房，做做基础性工作。这位患者有一定身份，是市卫生局的局长，工作上不要让人家挑出毛病来。”

“放心吧，穆主任，我一定把工作做好！”我非常感激地说。

“好，不早了，你也忙了一天，回去休息吧。”穆主任慈祥地说。

从穆主任家出来，我的心情久久不能平静，夏夜的星空是多么的美丽动人、多么富有神秘感。我望着远处的住院大楼，心想，命运之神用岁月的雕刀雕塑了我的灵魂，我注定要用手术刀去拯救他人的生命，这或许是对人生原罪的一种救赎。

天上闪过一颗流星，拖着长长的尾巴，无声无息地从夜空坠落。我心里不由得一颤，觉得自己就是一颗流星，出发了就没有归程。夜色由淡而浓，一辆救护车的笛声打断了我的心绪，我忽然意识到医院就是生死场，我就是与生死打交道的人。

9. 惊艳

早晨，我来到医生办公室，与罗元文交接，他昨晚值了一宿的班。

“庆堂，一〇五床昨晚头疼得厉害，我已经给降了颅压，白天你对他留点心。另外，明天穆主任给市卫生局谢局长做手术，这是他的病志，详细情况都在电脑里呢，如果没有什么问题就可以让他的家属签字了。我回去睡觉了，困死我了。”罗元文说完，伸着懒腰走了。

罗元文走后，我认真研究了谢局长的病志，了解了病情以后，我为穆主任做这例手术捏了一把汗。这是一个巨大的动脉瘤，有八点五厘米，病人的身份又十分特殊，一旦术中动脉瘤破了，后果不堪设想。我决定到病房看看谢局长的状态。

我来到一八八床，这是一个有卫生间的单人病房，这样的病房在每个病区只有两个。神经外科共有三个病区，一病区收治脑外伤病人，二病区收治脑溢血病人，三病区收治脑肿瘤病人。

一进病房，只见一位五十岁左右的很富态的妇女正在给病人用热毛巾擦脸，我断定这一定是谢局长的老伴儿。

“大姨，谢局长感觉怎么样？”我关切地问。

“不好，头疼、恶心、呕吐，昨晚折腾了一宿。”妇人忧郁地说。

“这是瘤子压迫的结果，这个瘤子太大了，做得越早越好。”我解释说。

“小伙子，您贵姓？前几天没见过您。”妇人和蔼地问。

“我是新来的，叫林庆堂，给穆主任做助手。”我腼腆地说。

“林大夫真是一表人才，这么年轻就给穆主任当助手，前途无量啊！”妇人一边赞许一边问，“小林啊，手术明天能做上吗？”

“没问题，一会儿我让护士来给谢局长剃头。”为了消除妇人的顾虑，我用柔和的语气说。

这时，病房的门被推开了，一个如天籁般女孩的声音像春风一样飘了进来：“妈，我爸怎么样了？”

我被进来的女孩震呆了，她甜美、纯净，像野百合花一样幽雅清纯，两个大眼睛像早晨草地上滚动的露珠。只是气质有点像女侠，透着权势家庭掌上明珠的优越感，这种优越感蒋叶真身上也有，只是更含蓄一些。这个女孩的优越感是从眼睛里流出来的，滴溜溜转的大眼睛后面，让人感觉全是鬼主意，一点亏也不吃。此时，这双美目虽然是笑盈盈的，但却充满了忧郁。女孩一进屋也被我所吸引，着实扫了我几眼。

“林大夫，这是我女儿，叫谢丹阳，是空中小姐。丹阳啊，这是林大夫。”谢夫人自豪地说。

“林大夫好！”谢丹阳微笑着说。

我矜持地点点头。

“丹阳，请好假了？”谢夫人关切地问。

“妈，请好了，爸病得这么重，我不能再飞了。”谢丹阳焦虑地说。

我一听女孩的职业便有一种想入非非的感觉。空中小姐是永远与时尚、潮流并列的代名词，这是很多漂亮女孩向往的职业。我为谢丹阳有一份孝心而感动，要知道许多女孩自私得只剩下虚荣了。我自作多情地感到谢丹阳对我是有好感的，因为她看我时漂亮的脸蛋上有一种特别温柔亲切的表情。

“林大夫，我爸的情况怎么样？手术有危险吗？”谢丹阳很礼貌而迫切地问。

“手术由穆主任亲自做，你们尽管放心，他再做三百例就满一万例了，从来没有失手过，等手术通知书出来我再给你们细说，到时候家属要在上面签字的。”我用安慰的口气说。

这时，一位护士进来为病人输液，她一进来就问：“你是林庆堂吧？早就听说来了一位高材生，一直没见过面，还是位帅哥呢！我叫赵雨秋，是神经外科的护士。"说完伸手跟我握了握。

"原来你就是神经外科的'玫瑰花',果然名不虚传,以后还请多多关照!"我恭维道。

我与罗元文闲聊时,他把神经外科护士的情况跟我介绍过,并且着重介绍过赵雨秋。赵雨秋似乎对"玫瑰花"的称呼很得意。

赵雨秋长得像五月的玫瑰一样好看,只是白大褂让她显出了几分冷艳。两个女孩一个艳若百合,一个美似玫瑰,着实让我乱了一阵心绪。不过与谢丹阳的气质比起来,赵雨秋显得俗气一些。

"林大夫是穆主任选中的,将来一定错不了,成了大专家,可别忘了我们小护士。"赵雨秋一口伶牙利齿,一看就是个不好惹的主儿。

离开病房时,我听见谢夫人向两个女孩称赞道:"真是个年轻有为的好小伙子,不知有对象没有?"

我故意站住听了几句。

赵雨秋却说:"您不知道,这个林庆堂读书时就很风流,还害死了未婚妻,现在还背着留党察看的处分呢!"

我听了以后气坏了,真想进屋臭骂这个赵雨秋几句。没想到如此漂亮的女孩竟是个搬弄是非的人。

谢夫人一脸狐疑地说:"小赵,怕是谣传吧,我看林大夫挺稳当的。"

"大妈,我们曲主任说的还有假?"赵雨秋一副宁可信其有不可信其无的口气。

"雨秋,要么你怎么找不到如意郎君呢,砸锅就砸在嘴上。"很显然,谢丹阳和赵雨秋很熟,对赵雨秋乱嚼舌头很反感。

"丹阳,不信,你去问问曲主任!"赵雨秋认真地说。

"雨秋,穆主任德高望重,怎么可能选错人?"谢丹阳质问道。

"哟,丹阳,你该不是看上这个小白脸了吧?要不要我给你搭搭桥?"赵雨秋的语气里明显有几分嫉妒。

"雨秋,八成是你看上人家了吧?要不怎么净说些吃不到葡萄说葡萄酸的话!"

我听了谢丹阳的话心里很舒服,顿时对这个空中小姐产生了好感,自从小月死后,我就承受着舆论的压力,今天竟然有个素昧平生的女孩为我仗义执言,我心里热乎乎的,甚至有几分感激。

我到神经外科着实引起了护士们的注意,特别是十几个没对象的护士，看我的眼神都不对劲。我一走过护士站，几个护士就唧唧嘎嘎地议论我。

查完病房又安排护士给谢局长剃头，为明天早上的手术做准备，然后我去了穆主任办公室。穆主任正在看着谢局长的核磁共振片子。

“庆堂啊，去看过谢局长了？”我一进屋，穆主任就问。

“看过了，他现在双目视物模糊，头疼阵发性加重，这么巨大的动脉瘤我还是头一次听说过。穆主任，明天的手术我真为您捏把汗呀！”我担心地说。

穆主任点了一支烟慢慢地抽着说：“是啊，我也知道手术很危险，但是不做就更危险。这个巨大的动脉瘤在病人脑中就像一颗定时炸弹，一旦爆炸，病人随时都会死亡。”

“可是，一旦手术失败了，就会有损您的声誉，您可是从未失过手的！”我善意地提醒道。

穆主任笑了笑，儒雅如常，镜片后的目光十分慈祥，“庆堂啊，医生的名誉再重，也重不过病人的生命啊！”

我被穆主任的这句话深深地震撼了，这就是一位医学专家的灵魂。我知道动脉瘤是很容易出血的，出一次血死亡几率百分之三十，出血两次死亡几率百分之六十，出血三次就通通死亡了。

“大战当前，说点轻松的吧。庆堂，看见谢局长的女儿了吗？”穆主任慈祥地问。

“看见了。”我羞怯地笑了笑说。

“怎么样？用不用我给你搭个桥？”穆主任半开玩笑地问。

我没想到穆主任还有这份闲心。情是世上伤人至深的武功，面对自己受过伤的心，我觉得自己过去像头待宰的猪，现在却像挣扎着不肯入闸的马，小月的死对我的伤害太大了，我甚至觉得女人是可怕的，怎么可能轻易就范，何况我还没有从与蒋叶真分手的痛苦中解脱出来。

我连忙解释说：“穆主任，我好不容易有了这份工作，还没有一点成绩，没心思儿女情长。”

“我看你小子是一次被蛇咬十年怕井绳啊！”穆主任似乎看出了我的心思，略微严肃地说，“年轻人应当越挫越勇，总不能因为一点点生活挫折，连幸福都不追求了。当年我有一位女学生爱上了一位非洲留学生，被学校开除、被造反派毒打都不屈服，和心上人毅然踏上了非洲大陆，那才叫真爱呢!”

“我哪有那位非洲留学生的福气。”我腼腆地低下头说。

穆主任哪里知道,小月的死和蒋叶真的离去对我刺激太大了,我几乎失去了追求爱情的勇气。我对眼下的这份工作很珍视,我下定决心以此为契机,让自己的人生,扬鸿鹄之志伴生命旅程,鼓浩荡长水送风帆远行。

我离开穆主任的办公室,谢丹阳那甜美的笑容掠过我的眼前,这笑容是带着一种诱惑掠过的,我一激灵,心底泛起酸涩的寒意。我为自己的杂念而羞愧,人生可能是由一个个偶然串联成必然的,谢丹阳的美对我来说是个偶然,难道今后还有什么必然吗?

我压抑着自己不想女人,但内心还是渴望爱情的,尽管爱情有时可能是盛装下一条发黄的内裤,但这更让渴望爱情的人想入非非。每个男人都向往过上等人的生活、享下等情欲的,正如尼采所言:“自有人类以来,人就很少真正快乐过,这才是我们的原罪。”为什么我们快乐不起来?因为传统道德的门槛儿很高,跨不过去就只能摔倒,一旦摔倒很难爬起来的,这就是我们的道德生活。

我一边走一边胡想,却被一个人拍了一下肩膀,回头一看是曲中谦。

“想什么呢?小林啊?”曲中谦似笑非笑地问。

“你好,曲主任,没想什么。”我从骨子里不喜欢这个人,只好应酬着说。

“小林啊,你刚来,要积极靠近党组织呀,我可是神经外科的党支部书记,别忘了,你还背着留党察看的处分呢。”曲中谦像是抓住我什么把柄似地笑着说。

我听了这话,一下子想起赵雨秋和谢丹阳的对话,心想,看来赵雨秋关于我如何风流的言论真是从曲中谦嘴里知道的,这还真是个小人。

“曲主任,谢谢您的关心,我心里非常珍惜共产党员的称号!”

“珍惜就好,珍惜就好。”曲中谦说完,小眼睛眨巴眨巴,快步向电梯走去。

我谨慎地看着他上了电梯,心里不断地发紧,我对这个人的感觉特别不好。总觉得这个人身上有三只眼不断地偷窥别人,心想对这个人还是小心点好。

白天来了很多人看望谢局长,有局里的,也有市里的,都是些有头有脸的人,几个副局长分别到医生办公室找过我,问的都是一个问题,那就是手术后谢局长还能不能上班？他们问的口气很恳切，但一看就是心怀鬼胎。我对这些人很反感，但又要保持热情，当然，他们从我这儿得不到什么结果，我想他们大概不敢轻易打扰穆主任吧，因为老人家的名气太大，脾气又耿直，问了也不会给他们好脸色的。

10. 险

晚上，谢丹阳来到医生办公室，是我让护士通知谢局长家属来签字的。谢丹阳一脸忧郁地坐在我的身旁，我仔细地给她讲解着这次手术的危险性，讲着讲着她的眼泪已经落到手术通知书上。我停止讲解同情地看着她的脸，那双为父亲忧郁的大眼睛，具有一种让人心碎的美丽。谢丹阳发现我在注视着她，马上擦掉挂在两腮的泪水。

“对不起，林大夫，求你们一定救活我爸爸，我不能没有爸爸，真不知道没有了爸爸，我和妈妈怎么过呀！？”

我被谢丹阳的孝心感动了，真想不到现在还有这么孝顺父母的女孩儿，这似乎与空中小姐的时髦和新潮联系不上。眼前的女孩眼中噙满了泪水，可怜得恨不得倾尽全力拥她入怀。我奇怪自己怎么会有这种感觉，我是一个对爱情已经死心的男人，怎么会被一个刚认识的女孩的几滴眼泪就打动了？我心里一边笑自己没出息，一边让自己显得儒雅倜傥而又彬彬有礼，或许是性的吸引吧，对男人来说，性有时比爱更重要。刚有这种想法，我的心猛地一紧，心想，真是个乘人之危的浑蛋。

“谢小姐，要对穆主任有信心，他会竭尽全力救你父亲的！”

“其实我也相信穆主任，只是怕万一……”

“好吧，既然你这么紧张，我给你讲个笑话怎么样？”我心血来潮地问。

谢丹阳点了点头。

“有一对夫妻。老公怕老婆，有一天妻子关心地对丈夫说：‘老公，你近来老是说梦话，要不我陪你去医院检查一下身体吧！’丈夫惊慌地答道：‘不用，如果医生给我治好了这种病，那么我在这个家里的这一点点发言权都没有了。’”

谢丹阳听罢“扑哧”一声笑了，她忽闪着大眼睛饶有兴趣地问：“真有个女孩为你殉情了吗？”

我没承想谢丹阳猛然冒出这么一句，有点措手不及，心想：看来不能小看眼前这个女孩，她完全是有备而来。

我定了定神没有回答，而是说："谢小姐，还是签字吧，你父亲做手术还有一线希望，不做手术却是一点希望都没有了。"

谢丹阳看了看我，眼神再一次忧郁起来，她温柔而坚定地拿过笔问："林大夫，在哪儿签？"

我指了指说："签在这儿。"

谢丹阳果断地签了字，然后带着忧郁转身走出门去，给我心底留下微微的酸楚。

谢丹阳刚刚出门，我就听到走廊里传出了一个妇人声嘶力竭的哭号声："老伴儿呀，你怎么就这么走了，丢下我们孤儿寡母可怎么办啊！"

我赶紧跑出去，原来是前两天曲中谦主刀的一个病人突然死亡。谢丹阳正好走到那间病房前，看到这种情景她吓得转身就往医生办公室跑，正好迎面撞上我，一头扎在我的怀里。

"林大哥，我爸爸会不会也这样？"谢丹阳带着哭腔问，整个脸已经埋在了我的胸前。

我抱着她瑟瑟发抖的身体，怜爱之情油然而生。

赵雨秋等几个护士和医院太平间的老陈头儿漠然地推着平车从我们身边走过去，死者家属悲痛欲绝！幽暗的走廊里，死者平躺在白布之下。

平车在电梯前等了一会儿，然后众人推着平车上了电梯，走廊里一下子静了下来，仿佛这些悲痛欲绝的人一下子去了地狱。

谢丹阳还在我的怀里瑟瑟发抖，我轻轻地推开她，她忽然意识到是躲在我的怀里，有些发窘地不知所措。

"没事了，丹阳，回病房吧！"我怜爱地说。

"林大哥，谢谢你！"

她凝视了我一会儿，羞涩地转身走了。我忽然发现，刚才我是喊了"丹阳"的。爱情有时有一夜之间无影无踪的恶习，但有时侯也是突如其来的。我不知道这种突如其来意味着什么，我也不知道此时的谢丹阳是什么样的心情，但是有一点我是肯定的，可以称其为爱情的东西就是从两颗心在碰撞的那一刻才获得了升华。

此时此刻面对谢丹阳百合花一样的背影，我想不起任何甜言蜜语，却想起了海子的一句抒情诗："姐姐，今夜我不关心人类，我只想你。"不过，我心中默念的不是姐姐而是妹妹。

谢局长的手术是从上午八点钟开始的。以往做手术，打开硬膜和最后处理缝合头皮都由助手做，这次手术穆怀中教授决定从头到尾都由自己做，因为这个动脉瘤太大了。我和罗元文做助手，手术护士有护士长陈小柔和护士赵雨秋。

就在术前麻醉时，谢局长的呼吸突然停止，血压也测不到了。

"穆主任，怎么办？"我有些手忙脚乱地问。

"一定是脑内大出血了。"穆主任沉着地说。

"穆主任，按惯例应当放弃手术。"罗元文提醒道。

这时，医护人员的目光全部集中在了穆主任身上。

"不错，病人血压已经没有了，呼吸也停止了，基本上等于死亡，当然不做是可以的。但是病人这个命交给我们了，我们能就此罢休吗？如果我们抢救一下，是不是也有百分之一的可能让他活下来？"穆怀中冷静地说。

"穆主任，抓紧时间吧，救人要紧！"我想起昨晚谢丹阳哀求我救救她父亲的目光焦急地说。

穆主任看了我一眼点点头，他静了静心，然后开始手术。先打开硬膜，然后揭开，这时候颅腔内的血就像泉涌一样，一下子就喷了出来，喷在无影灯上。

罗元文、陈小柔、赵雨秋还有我全慌了，真是不知所措了，特别是我第一次参加穆主任的手术，根本没有应付这种突发事件的心理准备，我发现穆主任对开颅后发生的事情也有些估计不足。

"元文，用手指把出血的地方压住！"穆主任沉着地命令道。

"穆主任，按手术规则这是不允许的！"罗元文胆怯地说。

"废物！"穆主任生气地说，"规则都是人定的。庆堂，你来。"

我二话没说，把手指伸进颅内把血管破的地方压住，像喷泉一样的血涌果然给压住了。穆主任慢慢地把喷出的血吸干净，然后开始分离动脉瘤，好在动脉瘤内没有血栓。

血管壁薄如蝉翼，手术时，手劲稍大一点就会把血管扯坏，松一点吻合处又会渗血。谢局长颅内动脉瘤的位置较深，手术时必须小心翼翼夹闭出口端，否则就会再度大出血。

无影灯下，穆主任通过外科显微镜注视着病人的手术部位，用他灵巧的双手将动脉准确地夹闭，他钳起的缝合针比绣花针还要细小，经过近十个小时的努力，手术成功了。松开阻断夹，动脉充盈良好，血管造影提示动脉瘤消失，吻合口无狭窄。血压逐渐恢复，大家又听到了病人纤细的呼吸声。

可是穆主任站在手术台前迟迟没动。

“穆主任，怎么了？”陈小柔一边给他擦汗一边问。

“腰病犯了。元文、庆堂，扶我一下。”穆主任吃力地说。

我和罗元文赶紧搀扶穆主任坐下。

“把病人送重症监护室吧，”穆主任疲乏而痛苦地说，“这几天你俩辛苦一下，密切注意谢局长的病情，他还没度过危险期，决不能大意。”

陈小柔和赵雨秋将谢局长推出手术室，罗元文也跟了出去。

“穆主任，您让我用手指压住出血的地方是急中生智，还是您在手术前就预料到会大出血，必须用这个办法？”我狡黠地问。

“庆堂啊，元文说得对，这是不允许的，一般不允许，这完全是迫不得已的。”穆主任语重心长地说，“这个手术也是我做的近万例手术中最大的一个动脉瘤手术，这是个特例，你想想只有用这个办法才能把血压住，不用这个办法是压不住的，如果一直大出血，就什么也做不了了，病人只有等死。医生技术上、思想上的任何闪失都会危及病人的生命，所以我多次强调医生不能考虑个人，做手术是为了给病人解除痛苦、挽救他的生命，这样你才有耐心和决心去做手术。”

我深深被穆主任的医德医术震撼了。我知道自己要想成为像穆主任这样的人，要走的路还很长。

“穆主任，我陪您洗个澡吧。”我关切地说。

“好吧，”穆主任点点头说，“洗完澡后，你就不用管我了，我回家睡一觉，我太累了。”

我和穆主任在手术室的淋浴间洗了澡，然后，陪穆主任回了家。

11. 小花园

工作了一天一宿，我累坏了，下午我在宿舍睡了两个小时。傍晚，在生活服务区吃饭时遇到了谢丹阳。她是买完饭主动走到我面前坐下的。不是我自作多情，我有预感，谢丹阳喜欢我。

“谢谢你，救了我爸爸！”谢丹阳的口气很真诚，眼神里却像藏着很多东西。

“你应该谢穆主任,是他老人家妙手回春!”我不好意思地说。

“陈小柔和赵雨秋说,多亏了你及时用手止住了血。”谢丹阳身体前倾、乳沟若隐若现、凝视着我说。这是个充满诱惑的姿态,我被她看得心里突突跳。

“你爸爸手术后的危险期还没过,现在还不能太乐观。”我一边吃一边说。

“我相信我爸一定能挺过来!”

谢丹阳一边给我夹菜一边说。她夹菜的动作很自然,像是认识我很久的恋人。因为她吃的是麻辣烫,所以用舌尖反复轻舔着嘴唇,嘴里还不停地咝咝着。

嘴唇是打开女人身体的第一扇门,男人爱一个女人第一想到的就是吻她的嘴唇,我就是因为吻了小月的嘴唇才惹了祸,也是因为吻了蒋叶真才得到了短暂的爱情。女人有意无意地舔着自己的嘴唇,实在是对男人的诱惑。

“想不到你还挺坚强的。”我定了定神说。

“那当然,我也是见过生死场面的。”谢丹阳骄傲地说,“大前年,我们公司发生了一起空难,飞机即将降落时坠毁在野地里。我是第一个从摔成三截的飞机里爬出来的。当时正是中午,我拼命地跑,一边跑一边喊:快救人啊!快救人啊!跑着跑着,遇见一个农民开着手扶拖拉机,我说明情况,他听后开着手扶拖拉机去报警找人,很快警车、救护车、消防车陆续赶到现场。那场空难共死了十五个人,其中大部分是机组成员,我的一个姐妹刚结婚不久,就赶上了这场空难,结果截掉了双臂和双腿,连自杀的能力都没有了。每当我想到这件事,心中就坚强起来。”

谢丹阳讲的空难我是知道的,当时广播、报纸做了很多报道,没想到那个勇敢的空姐就是谢丹阳,想不到一个长得像野百合花一样漂亮的女孩竟会有如此惊心动魄的经历,难怪她身上似乎有一种泼辣的成熟,甚至还有点野蛮。

我猛然警醒:既然连空难都经历过,那么那天晚上那个病人死去怎么会吓得她一头扎进我的怀里呢?难道谢丹阳会如此有心计?我一头雾水,满心狐疑。

“庆堂哥,吃完了吗?”

我心里一颤，她喊我庆堂哥，喊得自然大方，一点也不矫揉造作，从她喊我林大夫、林大哥到庆堂哥，不过一天一宿的时间。

“吃完了。”我连忙说。

“吃完了陪我到花园走走好吗？”谢丹阳的请求正是我心里想的，我无法拒绝。

在医院的小花园里，我和她坐在两棵巨大银杏树下的长椅上。月亮已经悄悄爬上了树梢，像一包满盈盈的液体，蒙着一层极薄的、交织着活生生的毛细血管似的网膜，鲜红中透出橙黄来，月亮像有了生命似地浮悬在空中。

我们先是沉默了一阵儿。

“我们坐一会儿吧？”谢丹阳坐在银杏树下的长椅上先打破沉默。

“丹阳，你都飞哪条线？”我挨着她坐下没话找话地问。

“我现在主要飞国际线，日本、韩国、东南亚。”

“当空中小姐是不是很辛苦？”

“再辛苦也没有你们辛苦，一台手术下来几个小时、十几个小时。”

“不过我们俩的工作有一个共同点。”

“什么共同点？”谢丹阳疑惑地问。

“场所都比较固定，你看你在机舱内，我在手术室里。”

“你可真会联系，”谢丹阳笑着说，“你看过《生命不能承受之轻》吗？”

“这本书很深的，你读过？”我吃惊地问。

“没读过书，不过看过影碟，里面有个花心的托马斯就是脑外科医生。”谢丹阳狡黠地看着我说。

“托马斯怎么花心了？”我这么问不过是想试探一下她是否真看过《生命不能承受之轻》的影碟。

“托马斯与特丽莎结了婚，还与萨宾娜偷情。”谢丹阳责怪地说。

“可特丽莎毕竟是个乡下姑娘。”我一说到这儿，马上想起了小月和离去的蒋叶真，我想：我要是托马斯，那么小月就是特丽莎，蒋叶真就是萨宾娜，我知道我的比喻是荒唐的，其实她们只是蹚过我生命之河的两个女人。

谢丹阳注意到了我的情绪，她温声说：“庆堂哥，给我讲一讲你的乡下姑娘小月好吗？”

“你怎么知道她的名字？”我吃惊地问。

“你们神经外科有赵雨秋在,谁的隐私也别想保住。”

我对赵雨秋愈加反感起来,心想:这真是个“金玉其外,败絮其中”的女孩,但是反过来一想,如果她对我不感兴趣,不会在背后把我打听得这么明白,同样谢丹阳也是如此,既然你对我如此感兴趣,那我只好满足你的好奇心。

“你真想听?”我确认地问。

“非常想听!”

在谢丹阳面前,我像一个饶有兴趣的谜,她迫切地希望我告诉她谜底。我一五一十地讲了我和小月、蒋叶真之间的故事。谢丹阳听后沉默了好一会儿,她像是在慢慢品味其中的滋味。

“庆堂哥,你和小月的故事有一种让人心碎的美丽,她太单纯了,纯得没有一点点杂质。倒是蒋叶真太冲动了,她现在一定很后悔。如果蒋叶真幡然悔悟,重新回来找你,你还会爱她吗?”

我从来没有想过这个问题,谢丹阳太诡谲了,她似乎在试探我。我知道我怎么回答都是苍白的,我不愿意再谈这个话题,便岔开话题说:“不早了,丹阳,我得看看你父亲去了。”

“好吧。”谢丹阳没再坚持,但眼神中明显有一些遗憾。

我们走出小花园,有一种恋人般的感觉。我能感觉到,这个出身局长家庭的千金小姐正在有意了解我。我心里其实很矛盾,爱情两个字让我感到发自心灵深处的空虚和疲惫,我本想抛开爱情,全身心地投入事业,却让谢丹阳给搅乱了。我本已一潭死水的内心深处,有一种“风乍起,吹皱一池春水”的感觉。我再一次想起蔡恒武教授的教诲:爱情是什么?事业是什么?甚至要用一生来回答。想起恩师的教诲,我冷静了许多,尽管如此,与眼前这个像野百合花一样可爱的女孩走在一起,心中仍然充盈着巨大的快感。

12. 心计

蒋叶真的确后悔了,当她即将鼓起勇气要来找我的时候,她在班上接到了一个神秘的电话。一个女孩的声音,要找她聊聊,请她傍晚在上岛咖啡馆见面,到时候她会在桌子上放一本神经外科方面的杂志。

“你是谁?”蒋叶真在电话里问。

"到时候你就知道了。"女孩说完就挂断了。

蒋叶真放下电话心里很紧张,她不知道这个女孩要干什么,怎么会对自己这么了解。为了揭开这个谜,她下班后打的去了上岛咖啡馆。

夏末的傍晚,夕阳红透了半个天,映得古城上的青砖越发沧桑,沿东顺城路望去,一排酒吧映入眼帘,藤椅、竹帘、灯笼,黑灰色矮矮的门面相互辉映,质朴而亲和,古老又时尚。上岛咖啡馆就在这条老街上。

蒋叶真刚走进上岛咖啡馆,一位服务小姐就迎上来问:"您是蒋叶真、蒋小姐吗?"

"正是。"

"请跟我来!"

蒋叶真懵懵懂懂跟着服务小姐走到二楼靠窗户的桌子前,旁边坐着一位在蒋叶真看来穿着很嚣张的女孩。女孩的眼睛像日本动画片里的侦探一样打量着自己,桌子上果然放着一本《神经外科研究》。

"一杯咖啡。"蒋叶真对服务小姐说,"是你找我吗?"蒋叶真坐在女孩的对面不慌不忙地问。

女孩没有马上回答,她发现眼前的蒋叶真有着幽深的眼眸,脸上漾着淡淡的红晕,坐下来的刹那间,晕黄的光影中,去掉婉约和典雅,如此美丽地绽放着。一袭白色职业套装显得干净、干练。女孩不禁暗叹对手的强大。

"我叫谢丹阳,是林庆堂的未婚妻。"谢丹阳一开口,就让蒋叶真吃了一惊。

"你?什么、什么时候的事?"蒋叶真不敢相信自己的耳朵,好像挨了一闷棍,这正是谢丹阳想要的效果。

自从与我分手后,蒋叶真每时每刻都在思念着。那天说分手时,蒋叶真断定我会恳求她原谅的。自己是高傲的白雪公主,怎么可能对他的不忠没有一点反应呢,那天我哪怕有一点点悔恨的意思,自己也会原谅他的,没想到这个负心人竟然如此淡定地同意分手,蒋叶真当时气坏了,心想,分手就分手,有什么了不起的!

可是冲动过后,蒋叶真后悔了,许多美好的回忆在脑海中闪过。这是自己的初恋,难道就这样被一个为了莫须有的理由而死去的乡下姑娘给毁掉了?!

蒋叶真多少次想给我打电话,但还是鼓不起勇气,有几次她甚至跑到北方医科大学附属医院大门前徘徊，希望碰上我，但都是无功而返。直到父亲为自己说了一户门当户对的人家，是个画画的，逼着自己去见，她才急了，她向父亲说出了心事。父亲火了，当即表示反对。

父亲越反对，蒋叶真越想见见我，本来想好今晚下班后约我出来谈谈，不承想接到了谢丹阳的电话。没想到谢丹阳让自己陷入了一种绝望的尴尬之中，甚至有些荒唐可笑：林庆堂又冒出来个未婚妻！

“不瞒你说，我是在庆堂哥最痛苦时认识他的。我刚做了检查，我已经怀了他的孩子，我不想瞒你。今天找你来就是想和你开诚布公地谈一谈。”

“是林庆堂让你找我的？”

“不是，是我自己想见见你。庆堂太优秀了，你离开他肯定后悔了。你是在他最痛苦时离开他的。我是在他最痛苦时认识他的。我很爱他，愿意为他付出一切！”

“为什么和我说这些？”

“没什么，我有预感，你仍然爱他，你已经让他痛苦一次了，我希望你不要再让他痛苦第二次。‘我不是可怜的小月，我希望我们把话说开，既然你已经放弃了，就别再回来找他，他的事业刚刚开始，我不希望他继续生活在绯闻中，他已经不能再承受打击了。”

谢丹阳说到这儿停顿了一下，眼圈顿时红了：“再者说，我已经怀孕了，我不希望孩子生出来没有父亲！”

说完，谢丹阳抽泣起来，用餐桌上的纸巾擦着眼泪。

蒋叶真被谢丹阳搞得心乱如麻，她不知道为什么我会有这么多的风流韵事，心一横，与我重归于好的想法彻底破灭了，道：“算了，庆堂，看来我们是真的缘分已尽！”

“谢小姐，你太自作多情了，我与林庆堂只是同学关系，根本不像你想像的那样，好好爱他吧，对不起，我还有事，先走了！”

蒋叶真说完，将面前的咖啡一口饮尽，起身便走。

谢丹阳看着蒋叶真的背影一脸的得意，心想：“庆堂哥，我要在你身边筑起坚固的堡垒，任何女人也别再想攻破！”

就这样，我彻底失去了蒋叶真，却被谢丹阳牵着鼻子一步一步地掉进了温柔阱中。

13. 小酒

一个月以后，谢局长出院了，他恢复得非常好，毕竟是东州市卫生局的局长，局里的人搞了许多好药，都是日本产的、美国产的，效果好得很。

谢局长住院期间，谢丹阳没有天天陪护，因为她请不了那么多天的假，好在有她母亲和两个特护盯着。我几乎隔三岔五就与穆主任上手术，所以没再见过谢丹阳。

由于我出色的表现，很快赢得神经外科同事们的好感，护士长陈小柔要给我做媒人。

"庆堂，赵雨秋和几个没对象的护士对你有意思，你看上谁了？"

"陈姐，谢谢你的好意，成家先立业，我现在房无一间、地无一垄，还不想谈这事。"

陈小柔被我拒绝好几次，搞得她很不高兴。赵雨秋听我没那意思以后，恼羞成怒，到处造我的谣，说我在学校时就风流成性、道德败坏，差点被学校开除，甚至说出了小月和蒋叶真的名字，搞得连病人家属都说我的闲话。我非常气愤，却不知道她为什么会知道这么多。

晚上，罗元文找我喝小酒，我们俩在医院门前的小酒馆畅饮小烧，喝得很开心。

"庆堂，你知道为什么你的闲话这么多吗？"罗元文是个性情中人，几杯酒下肚就打开了话匣子。

"元文，都是赵雨秋那个小丫头片子乱嚼舌头、瞎散布。"我气愤地说。

"你没想想她怎么知道你那么多？"罗元文用提醒的语气说。

"想了，就是想不明白！"我疑惑地说。

"庆堂，这个丫头可不是等闲视之辈，虚荣得很家里父母都是普通工人，现在又都下岗了，她一直想找一个有钱有势或者有前途的。"罗元文和我碰了一下杯，然后一饮而尽，接着说，"咱科里的女孩都不是省油的灯，你看陈小柔找的老公是东州军区某医院大校副院长，小黄的老公是省篮球队的总教练，小刘的对象是市政府办公厅综合二处的副处长，小唐的对象是省电视台的名嘴。赵雨秋看着来气，处了几个对象，其实条件都不错，但时间一长，人家就烦她了，都是男方把她踹了。"

"元文，赵雨秋长得不错呀，怎么男孩都不喜欢她呢？"我不解地问。

“这个丫头虚荣心太强，什么都和科里的女孩比，又爱嚼舌头，你说哪个好男人能喜欢她？”罗元文轻蔑地说。

“我看她和曲副主任的关系不一般，有几次我到曲中谦办公室，赵雨秋都在。”我试探地说。

“他俩的关系确实不一般。曲中谦你小心点，这个人很会耍手腕，他胸前的口袋里总藏着一支录音笔，与谁谈话他都录下来，你说这种人可怕不可怕？！”罗元文说这话时，脸上充满了敌意。

“院里怎么能让这种人当党支部书记？”我惊愕地问。

“咱俩只是小医生，管不了许多，赶紧找个女朋友成家吧。”罗元文无奈地说。

“元文，你的女朋友是干什么的？”

“在市电视台广告部工作。”

“广告部可是个肥差呀！人长得怎么样？”

“还行吧，哪天让你欣赏欣赏。”

“什么时候结婚？”

“我正向院里申请住房，等房子下来就结婚。”

“元文，真羡慕你呀！”

“庆堂，你也不赖，一到院里就给穆主任当助手。”罗元文有些嫉妒地说，“我知道你是个业务上的天才，我相信过个十年二十年的，你的成绩不会低于穆主任。考博的事开始准备了吗？”

“考博是我眼前最重要的事，你呢？”

“但愿我俩都如愿以偿。”罗元文充满希望地说。

“是啊，元文，你说十年、二十年后，我们会不会一个是蔡恒武，一个是穆怀中，老一辈所经历的风雨真像一杯陈年老酒啊！”

“庆堂，长江后浪推前浪，十年太久，我们要只争朝夕！”

“来，为咱俩的理想干一杯！”我饱含深情地说。

罗元文举起杯与我手里的杯重重地碰到了一起。

回到宿舍，罗元文倒头便睡，我躺在床上睡不着，便拿出笔记本记日记，我喜欢把每天的所感所想记下来，这几乎成了我每天必做的事。

“是喝一杯浓咖啡还是白兰地，无论如何我都摆脱不了梦境。是痴人说梦吗？我从梦中惊醒，却发现梦中的都不是梦中人，只有自己沉缅梦中，坦荡如幻想。在梦中是可以不朽的，所以那么多的人喜欢做梦，而梦醒之后又会速朽，所以那么多人不喜欢梦醒。我不知道自己是不是一个寻梦人，但心灵对现实的遁逸，精神对世俗的回避，使得梦成为一些人们归隐的一种方式，然而，梦之生即为梦之死，何必望苍穹，云深不知处，我们又怎能摆脱时间的逝去呢？"

很长时间没有做梦了，今晚我却在梦中听到一个女孩哭泣的声音，那声音纯净、遥远、飘忽，像春天的海风让我心动。我觅着声音寻找，在两棵大银杏树下发现了一株野百合花，我用鼻子嗅过去，贪婪地把她的馨香摄入我的肺腑，那馨香宛如甘美的夜露滋润着我，让我浑身欲火中烧。我急促地喘息，不能自制，终于如狼嚎般地一声嚎啕，下身又湿了一片。

14. 丘比特

周末的中午，我正往生活服务区去，我的手机响了，显示的号码并不熟悉，我犹豫了一会儿还是接了。

"喂，谁呀？"

"大才子，还没吃饭吧？我请你吃饭。"一个女孩甜美的声音。

"谁呀？你是哪位？"我问，心里也在不住地猜想，打电话的女孩是谁？

"来了你就知道了，我在丘比特餐厅等你，不见不散。"女孩说完就挂了电话。

我心中纳闷，这女孩是谁呢？不应该有女孩约我吃饭呀，而这个女孩好像跟我很熟，心里越纳闷越想去，便转身走出医院，打了一辆的士，直奔丘比特餐厅。

丘比特是一家酒吧式餐厅，位于东州市中心的香榭路上，文化味道很浓。我走进餐厅，服务员微笑着迎上来。

"欢迎您，先生，几位？"

"有朋友约我。"

我正在环视餐厅的时候，一个人一把拽住我的手就往餐厅里走，我一看不是别人，正是谢丹阳。我的心忽然明白了许多，甚至有些惊喜。

谢丹阳把我拉到一个旁边有小水车的座位上坐下，然后诡谲地问：

“我给你打电话，想没想到是我？”

“没敢想。”其实我心里隐隐感到是谢丹阳，但是我故意这么说。

“都说你是风流才子，我看你只是个书呆子！”谢丹阳娇嗔地说。

“我风流吗？”我佯装生气反问道。

“风流也不是什么坏事，毛主席不是说‘数风流人物，还看今朝’吗？庆堂哥，像你这么有才的人，读大学时是不是人见人爱呀？”谢丹阳别有用心地问。

“瞎说，现在的女孩爱有权的，爱有钱的，哪里还会爱有才的？”我逗趣地说。

“当然有了，连古人都说要授人以渔，不要授人以鱼，跟着有才的人不会没饭吃，对吧？”谢丹阳的话逗得我哈哈大笑，她却脸色绯红地说，“想吃点什么？要不要点条鱼给你补一补脑子，今天我是特意请你的。”

“为什么特意请我？”

“请吃饭还要问为什么吗？”谢丹阳反诘道。

“一个女孩请一个男人吃饭总要有些理由吧。”我凝视着她美丽的眼睛说。

“你把我说成女孩，把自己说成男人，这就是理由。”谢丹阳笑盈盈地说。

我心想，谢丹阳的回答很有意思，尽管口气有些野蛮。

“看来，你是想做我的野蛮女友了？”我毫不客气地说。

谢丹阳凝视着我沉默了一会儿，然后大胆地说：“要不我凭什么请你到丘比特餐厅。”

这等于承认要做我的女朋友，我为这种求爱方式而感动。一个女孩为了表达对我的爱可谓用心良苦，我又惊诧了，我们彼此还不了解，她爱我什么？其实爱是说不清楚的，只有不爱能够说清楚。

这时，谢丹阳事先点好的菜上齐了。她给我倒了一杯啤酒，又给自己满上。

“庆堂哥，为丘比特干一杯。”谢丹阳和我碰杯后，一饮而尽。

我被谢丹阳的直率而感染，也一饮而尽。

喝了酒，我单刀直入地问：“丹阳，你知道丘比特意味着什么吗？”

谢丹阳顺手把餐桌上的红色乱写本拿给我，这时，我才发现原来丘比特餐厅的每个餐桌上都有一本红色的乱写本。

"乱写本上有一段话可以回答你的问题。"谢丹阳得意地说。

我打开本子一看，在第一页上写着这样一段话：

"爱情使者丘比特问爱神阿佛洛狄忒：LOVE 的意义在哪里？爱神阿佛洛狄忒说，L 代表 Listen（倾听），爱就是要无条件、无偏见地倾听对方的需求，并且予以协助；O 代表 Obligate（感恩），爱需要不断地感恩与慰问、付出更多的爱，灌溉爱苗；V 代表 Valued（尊重），爱就是展现你的尊重，表达体贴、真诚的鼓励，悦耳的赞美；E 代表 Excuse（宽容），爱就是仁慈地、宽容地对待对方的缺点与错误，维持优点与长处。"

看完这段话，我为身边这个善于理解爱的女孩而激动。

"你爱我吗？"我不假思索地脱口而出。

"你说呢？"

"你爱我！"

"那么，你呢？"谢丹阳凝视着我问。

"爱，我爱你！"

"什么时候爱的？"

"很久以前！"

谢丹阳脸色绯红。

"那么为我们的爱干一杯！"谢丹阳温柔地说。

我们举起杯碰在一起互相看着对方，谁也不说话，我们已经沉浸在爱里了，突然她一饮而尽，放下杯，然后说："堂哥，我想去洗手间。"

"我也想去。"我情不自禁地说。

谢丹阳拉着我的手走进洗手间。在洗手间的洗漱间，丹阳便开始吻我，吻得很深情。

"堂哥，我想要你！"谢丹阳一边吻一边说，突然她一把把我拽进女洗手间锁上门。

在洗手间激情，这太刺激了，我们的嘴唇轻柔地互相触及、结合，紧紧相咬，我们的双手忙乱地抚摸着对方，躯体互相寻找着，寻找着。丹阳纤细的腰肢下嫩白的臀部撩拨着我的欲望，这欲望压抑得太久了，我已经控制不住自己，我掀开丹阳的吊带裙，望着她胸前两处玲珑的凸起，深深地吻下去，仿佛含着两颗熟透的小巧的樱桃。丹阳在急促地喘息着，这声音那么悦耳，脸上一直带着妩媚的笑容，她的喘息变成了呻吟，身体也开始颤栗。我燃烧的欲望升上了顶峰，内心的爱欲把我灼烧得头晕目眩，终于山洪暴发了，我仿佛在泥石流中劫后余生。

沉寂了一会儿，丹阳紧紧地抱住我，在我耳边轻轻地说："你是个魔鬼……"

我吻着她的发梢低语道："你是个妖精……"

她"扑哧"一声笑了。

我们离开洗手间又重新回到座位上，服务小姐给我们倒了茶。

"从现在开始你是我的了，你必须对我忠诚。"谢丹阳有些霸道地说。

"你想好了，我可是个魔鬼！"我扬起眉毛望着她说。

"我是魔鬼终结者！"谢丹阳挑衅地说。

"为什么选择洗手间？"我迎着丹阳火辣辣的目光问。

"不好吗？"她娇嗔地反问。

我沉默。

"我们机长和一名乘务员是那种关系，"谢丹阳又说，"他们有时就在飞机上的洗手间做爱。"

"那一定很刺激。"我淡然一笑说。

"凡是刺激的事都会上瘾的，凡是上瘾的事就可能送命。"谢丹阳严肃地说。

"没那么严重吧？"我哈哈笑道。

"比如吸毒，再比如赌博。"谢丹阳非常认真地说。

"那个飞行员和乘务员干那种事，就不怕飞机出事吗？"我不解地问。

"飞机平飞后，就进入自动驾驶状态了。"

"那也有点太过分了，这跟我做一半手术就去干那事有什么区别。"

"堂哥，你知道我喜欢你什么吗？"

"什么？"

"我就喜欢你这股认真劲儿。认真得有点傻，傻得可爱。哎，明天我飞东京，你乖乖的，不允许拈花惹草，我回来后，领你见我父母去。"

"是不是早了点？"我紧张地问。

"不早，省得夜长梦多。"

我听了哭笑不得，有一种被绑架的感觉。不过我真喜欢这丫头的野蛮劲儿，敢作敢当。

离开丘比特餐厅时，天已经擦黑了，我打车送谢丹阳回民航大院。在出租车上，她把头埋在我的怀里，幸福极了，搞得出租车司机一个劲儿从后视镜看我们。

出租车停在民航大院的一座七层楼前，我陪谢丹阳下了车。

“堂哥，这就是我们空中小姐的宿舍楼，院里人都叫它‘秀楼’，楼上美女太多，在你和我结婚前，你就免进了。”谢丹阳调皮地说。

“结婚后，你就从这独身宿舍搬出去了，我就更没有机会进去了。”我打趣儿地说。

“反正不允许你上去，拜拜！”谢丹阳娇嗔地说，然后妩媚地看了我一眼，转身跑进楼内。

我呆呆地看了一会儿，重新上了出租车。

15. 野蛮女友

国庆节前夕，我接到一封信。打开信封是一份红色的请柬，请柬很漂亮，透着香气，打开请柬一看，我的心一紧。请柬是蒋叶真寄来的，她要结婚了，请我参加婚礼。

这怎么可能，事先我一点消息也没有，我们虽然分手了，但是我太了解小师妹了，与我分手有一定的赌气成分，我以为过一阵子，她有可能找我，令我没有想到的是她竟真的一去不回头。没有爱情还有同学情谊呢，蒋叶真似乎太绝了。

不过，自从分手后，我心里一直惦记着她，毕竟这段爱情让我刻骨铭心，我心里有一种说不出的难耐，便买了点水果，情不自禁地去了恩师蔡教授的家。蔡教授见我去看他，非常高兴，师母还特意沏了铁观音。

“庆堂啊，跟着穆主任有什么收获啊！”

“老师，我这段时间给穆主任当助手，收获可太大了，特别是在海绵窦临床研究方面，我又有了许多新的体会。”

“哦？说说看。”老人家深吸一口烟斗微笑着说。

“老师，海绵窦内含丰富的血管丛和颅神经，一直被视为经蝶窦入路手术的禁区。近年来国外对改良和扩大蝶窦入路手术进行了一些研究，但技术尚不成熟，特别是经蝶窦入路切除侵袭海绵窦并向颞叶底部侵袭的肿瘤，目前国内外还没有报道，我准备考取穆主任的博士后，以此为主攻方向，争取突破经蝶窦入路切除海绵窦肿瘤的手术禁区。”

“好啊，传统的微创神经外科经蝶窦入路手术存在一定的局限性，无法切除向海绵窦、斜坡和蝶骨平台等部位侵袭的肿瘤，而且海绵窦一直被视为经蝶窦入路手术的禁区，你选择这个禁区作为攻读博士的主攻方向，无疑是在自己面前树起了一座珠穆朗玛峰啊！庆堂啊，和叶真联系过吗？”

“没有。”

“叶真干得不错，被破格提拔为医政处副处长了。”

“是吗?！叶真的组织能力一直很强。”

“叶真要结婚了，你知道吗?”

“知道了，我接到了她寄来的请柬。”

“庆堂啊，叶真给我送请柬时，好像并不太开心，我听她说，你又处女朋友了?”

“老师，叶真是怎么知道的?”我心里一阵紧张。

“你的女朋友好厉害，见着叶真就说自己怀了你的孩子，请叶真离你远一点。庆堂，叶真本来是想找你和好的，没想到小月的事还没过去多久，又冒出个怀孕的，叶真怎么能受得了，只好死了心了！”

“老师，有这种事？怎么可能啊！”我哭笑不得地说。

“怎么不可能啊？难道叶真会骗我不成?”

“这、这、这个谢丹阳也太过分了！”我语无伦次地说。

“庆堂，你也不必生气，你这个谢丹阳啊可是够有心计的，为了爱情不顾一切，有性格啊！”蔡教授说完哈哈大笑起来。

我仔细一想，这种事谢丹阳还真做得出来，只好在老师面前坦白了和谢丹阳的恋情。

“庆堂，我和你师母也希望你有一个好的归宿，老大不小了，听你说了丹阳的情况，我很欣慰，看来她是个颇有心计敢作敢为的姑娘，她找叶真的事你也别责怪她了，她也是为了保卫自己的爱情。我看叶真在爱情方面就没有这个谢丹阳坚定，有爱情就应该珍惜啊！”

“老师，我在爱情处理上，先天弱智，净让您老操心！”我惭愧地说。

“好了，好在你和叶真都有了自己的意中人，我只希望你们事业有成，生活幸福！”蔡教授欣慰地说。

离开蔡教授的家，我的心情久久不能平静：是谢丹阳的恶作剧改变了蒋叶真的选择，也是谢丹阳的恶作剧再一次考验了蒋叶真对我的感情，起码证明蒋叶真对我的爱情是不坚定的，没有起码的信任。想到这儿，我倒有了一种解脱后的轻松。但是去不去参加她的婚礼，我心里矛盾极了。如果不去，我怕蒋叶真认为我是懦夫，经过再三考虑我决定还是参加蒋叶真的婚礼，但我确实不能把这件事告诉谢丹阳，我心想，就丹阳那股野蛮劲儿，还不把我给吃了，凡事还是小心为上。何况这几天谢丹阳正和我较着劲呢，因为我一直不同意见她的父母，我觉得还不是时候，我还没准备好，而谢丹阳说我心中有别的女人，对她不忠。我跟她没法沟通，就这么抻着。

十月一日早晨，我起了个大早，着实打扮了一番，准备去参加蒋叶真的婚礼。同宿舍的三个哥儿们都各自回家过节去了，唯独我是一个孤独的人。

我刚要出门的时候，手机短信响了，我以为是天气预报，没当回事儿，可是过一会儿又响了，我纳闷，一大早谁会给我发短信？我看了一眼短信，上面有一句话："我在爱的起点等你。"就这么一句话，手机号码很陌生。

我心想，爱的起点在哪儿？谁这么自信我一定能去？不对，这种做法像谢丹阳在搞鬼，别人谁能跟我这么捉迷藏？蒋叶真不可能，人家马上就要嫁人了。那么爱的起点在哪儿呢？对！一定是我和丹阳第一次约会的地方，这个地方我一辈子都忘不了。因为我和丹阳在洗手间完成了融合，那是第一次做爱。这丫头早不找我，晚不找我，偏偏在参加蒋叶真婚礼时找我。理不理她呢？

我犹豫了一会儿，心想：蒋叶真对我来说不过是一支逝去的圆舞曲，一出谢幕的哑剧。想起谢丹阳乌黑的大眼睛，白皙的脸庞，尖细的下巴，我就激动，谢丹阳才是我的挚爱。想到这儿，我冲出家门，打了一辆出租车，直奔丘比特餐厅。

在出租车里，我就看见谢丹阳坐在丘比特餐厅的台阶上东张西望。我心想，这个鬼精灵，不知又要出什么幺蛾子？

我下了车径直走过去，谢丹阳看见我抑制不住欣喜，跑过来一下子扑到我的怀里。

"书呆子，我还怕你不明白我的意思呢！"谢丹阳双手吊在我脖子上说。

"傻丫头,别忘了我是专门研究人脑的。"我傲慢地说。

"花大哥,你今天打扮得这么帅该不会是为了和我约会吧?"谢丹阳娇嗔地问。

我被丹阳这么一问,有些支支吾吾。

"小样儿,参加老情人的婚礼为什么不告诉我?"谢丹阳口气一转,冷冷地问。

"净瞎说,我参加谁的婚礼?"我心虚地说。

"还不老实,蒋叶真结婚,卫生系统谁不知道?你别忘了,你未来的岳父是市卫生局局长。"谢丹阳很失望地说。

我一下子明白了,蒋叶真结婚怎么会不给谢局长发请柬呢?纸里包不住火。

"丹阳,蒋叶真马上就要结婚了,我跟她能有什么关系?"我想解释解释,好消除丹阳的误会。

"有没有关系,你心里清楚,"谢丹阳嗔怪地说,"不过这婚礼得我陪你去参加,不许你一个人去。"

"不行!"

"为什么不行?"

"我怕人家笑话我,怎么一家三口都去了?"

"你什么意思呀?"

"我问你,你凭什么在蒋叶真面前败坏我的名声,说什么怀了我的孩子?你怀了我的孩子参加婚礼,还不是一家三口都去了?"

谢丹阳的脸"腾"地红了,"你怎么知道的,是不是蒋叶真说的?"

"是又怎么样?瞒嘴跑火车!"

"林庆堂,你浑蛋,人家还不是为了你!"

"连蔡教授都知道我找了个野蛮女友,还为了我!"

谢丹阳有点恼羞成怒,她一边用拳头捶我,一边说:"就是为了你!就是为了你!我就是不让她抢走你!"说着抹起了眼泪。

望着丹阳羞红的脸,心里又气又怜,我心疼地说:"好了,去可以,但是你不许再出幺蛾子。"

谢丹阳破涕为笑道:"这下知道我的厉害了吧?以后离美女远一点,说不定哪个美女就是我派的爱情侦探,专门考验你爱不爱我!"

我拿谢丹阳没办法，只好带上她一起打车去军分区大院。

16.婚礼

蒋叶真的婚礼是在东州军分区大院的食堂举行的，参加婚礼的能有三百多人，摆了四十多桌。新郎的父亲是东州美术学院的院长，母亲是搞油画的教授，新郎也是搞油画的，真不知道这个军人家庭和这个搞艺术的家庭是怎么凑到一起的。

蔡教授坐在主宾席上，我先过去向蔡教授问了好。蔡教授见了我很高兴，他拉着我的手到一个僻静处，询问我考博的准备情况。

简单聊了聊考博的情况后，我诧异地问："蔡老师，叶真跟这个搞油画的是怎么认识的？

蔡教授若有所思地说："详情我也不太知道，只知道市政府的一位副市长是媒人。"

我一听是政治联姻就特反感，不过当着蔡教授的面我并未显露。

"你和叶真没有缘分，过去的事就让它过去吧。你那个谢丹阳来了吗？"蔡教授关切地问。

我刚要说什么，谢丹阳就过来了。

"堂哥，也不给我介绍一下。"谢丹阳大概猜到了眼前这位儒雅的老者是谁。

"丹阳，这位是我的研究生导师蔡教授、蔡老师。这位就是我的未婚妻谢丹阳。"我有些不好意思地说。

这是我第一次在别人面前介绍谢丹阳是我的未婚妻，丹阳听了美滋滋的。

"您好，蔡老师，早就听庆堂说起过您，您可是庆堂的恩师！"谢丹阳很有礼貌地说。

蔡教授见了谢丹阳也很为我高兴。

"小谢是做什么工作的？"蔡教授和蔼地问。

"在航空公司工作，是空中小姐。"我连忙介绍说。

"这可是收入很高的工作。"蔡教授略有惊讶地说，"丹阳，庆堂是个事业心很强的孩子，干我们这行的手里握的是患者的生命，你要多支持他呀！"

“蔡教授，您放心，我会一直盯着他！”谢丹阳诡谲地说。

蔡教授笑了，“丹阳啊，相爱的意义在于夫妻朝同一个方向注视，而不是双目凝视。”

“我明白您的意思，我就是上帝派来专门看着他的！”谢丹阳挽住我的胳膊狡黠地说。

蔡教授听了哈哈大笑。

我哭笑不得地说：“什么呀，老师的意思是说，要想事业成功，夫妻必须同心协力。”

正说着话，蒋叶真一个人走了过来。其实我和谢丹阳一进大厅，蒋叶真就瞟见了我，她一直瞟着我和蔡教授离开主宾席，因为我也用余光看着她，看见自己曾经爱过的女人要嫁给另一个男人，心里不是个滋味。

蒋叶真一见面就揶揄道：“庆堂，听说你要做爸爸了，恭喜你呀！”

我被蒋叶真说得有点无地自容：“叶真，别拿老实人开心了，这可是天大的冤枉！”

谢丹阳见蒋叶真来者不善，便针锋相对地说：“叶真姐，这就叫做兵不厌诈，不然你能如愿以偿地嫁给大画家吗?！恭喜你！”

“师兄，我这个未来的嫂子可懂兵法，以后有你受的！”蒋叶真话里有话地说。

“叶真，丹阳是个性情中人，没有你说得那么可怕。”我狡辩道。

“蔡老师，您得给我作证，我这位师哥在大学时可没少欺负我，从来没这么护过我！”蒋叶真造作地说。

“不会吧？蔡老师，我听说庆堂可是在最困难的时候被人家甩掉的呀！”谢丹阳打抱不平地说。

蒋叶真被丹阳揭了短，脸上露出不悦的表情说：“蔡老师，我爸爸请您到主宾席。”

蔡老师连忙打着圆场说：“好好好，庆堂、丹阳，快就席吧。叶真，咱们走。”

两个女人的交锋让我捏了把汗。我知道谢丹阳是得理不饶人的，上来野蛮劲儿，蒋叶真肯定不是对手。我更看出了蒋叶真骨子里是嫉妒谢丹阳的，因为谢丹阳的心计远胜过她一筹，我能感觉到蒋叶真忘不掉我，也不知道她爱不爱这位梳着马尾辫的所谓艺术家。

婚礼可谓高朋满座，有市委书记、市长、秘书长、厅长、局长、区长，还有中将、少将、大校、上校等。蒋叶真的父母虽然是在嫁女儿，但却像在娶女婿。在婚礼上的程序也很有意思，按级别的高低，领导们都分别讲了话，我感觉婚礼有点像开会。领导都讲完了，蒋叶真的父亲才说：

“今天是小女叶真大喜的日子，叶真诞生于爱，成长于爱，是我的掌上明珠。俗话说，女大当嫁，我和她母亲一直期盼她能受到爱神的光顾，今天她终于找到了自己的如意郎君，我衷心为两个孩子高兴！两个孩子生长在富裕年代，我不希望他们染上浮华之气，在今后相濡以沫的岁月里，要创造、培养、磨合、建设、维护、完善你们的婚姻，最后我送你们四句话：真心献爱人，孝心献父母，诚心献朋友，忠心献祖国！”

宴会终于开始了，新郎和新娘挨个餐桌敬酒点烟，看那新郎的年龄好像比蒋叶真小一些，但外貌很英俊，浑身充满了艺术气质。

“堂哥，我们也结婚吧！”谢丹阳看见一袭婚纱的蒋叶真自己很羡慕地小声说。

“你不怕嫁错人委屈了自己？我可是个花花公子，是被蒋大小姐甩了的人！”我逗她说。

“爱是无价之宝，可以赎回一切，拯救一切。”谢丹阳一本正经地说。

我没有想到我的野蛮女友能说出这么有分量的话，这话还有一定宗教味道。

“丹阳，”我深情地望了她一眼说，“来，让我们为爱干一杯！”

我和谢丹阳正要干杯，蒋叶真和新郎走到我的身边。

“二位在为什么干杯呢？”蒋叶真妩媚地问。

“在这么美好的时刻，我们只能为爱而干杯！恭喜二位！”谢丹阳站起身傲慢而大方地说，然后与新郎新娘碰了杯。

“恭喜二位琴瑟好合，幸福美满！”我也站起身举起杯祝福说。

“苏洋，这位是我的研究生师兄林庆堂，”蒋叶真向新郎介绍说，“未来的神经外科专家。”

“哪里，哪里，不过是个医生，比不上你们艺术家让人羡慕。”我谦逊地说。

“林兄太客气了，其实我一直认为医学是最高级的艺术，手术刀是最有分量的画笔。”苏洋颇有见地地说。

“想不到苏洋对医学有这么浪漫的认识。”我敬佩地说。

“我在油画领域一直在研究人体美，说不定哪天还得向林兄请教大脑的艺术，还望不吝赐教啊！”苏洋客气而谦逊地说。

“好说，好说。不过，人类要真把大脑的秘密研究明白，人类离毁灭也就不远了。”我危言耸听地说。

“林兄，您的观点很深刻，这就是一幅很深的抽象画主题。”苏洋敏锐地说。

“师兄，”蒋叶真插话说，“你别见怪，苏洋就是这个毛病，三句话不离本行。”

“哪里，贵老公是个很有思想的人，令人佩服！”我真诚地说，心想，三句话不离本行倒很像我。

很显然，新郎并不知道我和蒋叶真真实的关系，蒋叶真毕竟是我昔日的恋人，我看见这个又帅气又有艺术思想的新郎，既为蒋叶真高兴，心里又有些酸酸的。

谢丹阳似乎看透了我的心思，她用手指在我后背戳了一下，然后又狠狠地瞪了我一眼。这一戳一瞪使我终于明白，我和蒋叶真的关系已成往事，尽管往事并不如烟。

这时，蒋叶真递给我一支烟，我接过烟叼在嘴里，新郎用火柴给我点上。

“祝你们白头偕老，幸福百年！”我深吸一口说。

两个人说了声“谢谢！”然后转身去给其他客人敬酒。

新郎新娘刚走，谢丹阳一把夺过我嘴上的烟扔在了地上，用脚踩灭。

“丹阳，你这是干什么？”我不高兴地说。

“瞧你那没出息样，你和她的爱情之火就像这烟头一样，彻底熄灭了。”谢丹阳霸道地说，“我对你只有一个要求，就是以后心中不能有别的女人，只对我一个人好。”

我有时真受不了谢丹阳近乎肤浅的小心眼儿，但我又怕失去这得来不易的爱情，一个出生在偏远县城小职员的儿子要娶出生在局长家庭的空中小姐做终生伴侣，这本身就像天方夜谭。小月的死和蒋叶真的离去让我面对爱情时总有一些紧张和无奈。

这时，参加婚礼的人陆续离去，我本想与蒋叶真告别再走，谢丹阳不让。

“你还恋恋不舍，是吧？人家已经嫁人了！”谢丹阳酸溜溜地说。

我心想，丹阳说得对，我必须从蒋叶真的阴影里走出来。这时，许多亲朋好友、同学与新郎新娘在礼堂前合影，我没有过去，谢丹阳拽着我的胳膊离开了，身后是蒋叶真幸福的笑声。

17. 秀楼

我和谢丹阳打了一辆车，我茫然地问："丹阳，咱们去哪儿？"

"去一个你从来没有去过的地方。"谢丹阳的大眼睛闪着光说。

出租车直奔民航大院，我心里知道了，谢丹阳是想请我去"秀楼"。"秀楼"可是她给我规定的禁区，今天为什么破例？

出租车进了民航大院，停在了楼前，我俩下了车。秀楼前冷冷清清的，没有人。

"丹阳，这可是你给我设置的禁区。"我笑着提醒道。

"平时不让你来，是怕你走进花园起贼心，今天是国庆节，飞航班的飞航班，放假的都浪漫去了，所以我才敢让你来。"谢丹阳振振有词。

"丹阳，你对我是不是有点太过工于心计了？"我不满地说。

"这说明我爱你。你这个人连人脑袋都敢开，什么胆儿没有啊？"

谢丹阳的解释让我哭笑不得。我望着她可爱又可气的孩子样，不禁被她逗乐了。

"秀楼"的走廊里一个人也没有，我随丹阳走进她的宿舍，宿舍里没有人，四张床，整洁干净，充满了女孩子的气息。

"丹阳，哪张床是你的？"我试探着问。

"你猜猜？"谢丹阳诡谲地问。

我观察了一下，发现了端倪，有一张床上挂着一条粉红色的内裤。这条内裤我认识。我和谢丹阳做爱时见过，我一屁股坐在这张床上。谢丹阳一看我坐在了她的床上，就知道我猜出来了。

"你怎么知道这是我的床？"谢丹阳坐过来温柔地问。

"你猜猜？"我卖关子地说。

"猜不出来。"谢丹阳想了一会儿，然后摇摇头说。

"是它告诉我的。"我指了指那条粉色的内裤说。

谢丹阳的脸一下子就红了。

"林庆堂，你是个大流氓！"谢丹阳听后一边笑一边说。

我一下子抱住她，动情地说："丹阳，嫁给我吧！"

“你能保证一辈子对我好吗?”谢丹阳羞怯而认真地问。

我深沉地点了点头。

谢丹阳幸福地趴在我的怀里,接受我的抚摸。与小月、蒋叶真不同,丹阳身上有一种栀子花香,这是她的体香。其实,从一开始就是丹阳的香气吸引了我,每次我抚摸她凝脂般光滑白皙的皮肤时,都忍不住闻她的香气。

丹阳喜欢我的抚摸,特别是抚摸她玲珑的脚丫,那白皙粉嫩的脚丫像刚出生的小白鼠,小得不可思议,甚至我都担心她的小脚撑不住她一米六八的身材。每次握着她的脚,我都情不自禁地吻下去,她的脚太美了,仿佛一件艺术品。恍惚之间,我觉得她的脚就像春天里的草莓,又像樱桃那般鲜艳,晶莹欲滴。

丹阳受不了我的撩拨,轻声说:“我要!”

“这屋子安全吗?会不会回来人?”我有些不安地问。

“没事,我也常堵住她们。”谢丹阳满脸潮红地说。

于是我揽她入怀,从发梢吻到耳朵,又从耳朵吻到双乳。丹阳开始瑟瑟发抖,一股暖流从体内溢出。我掩不住兴奋,一阵驰骋,引来丹阳细碎的娇吟,一切都不能抵挡爱的力量,爱不需要表白、不需要言语,只需要尽情地拥有彼此的激情。

说实在的,小月死后,蒋叶真离我而去,我的心一直在孤苦中漂泊,是丹阳的爱让我有了一种回家的踏实感,我太渴望家的温暖和爱的甜蜜了。

激情过后,我俩静静地躺在床上沉醉在爱的甜蜜中。

“堂哥,你爱我吗?”丹阳幸福地问。

“爱你是我的一个梦想!”我喃喃地说。

“我让你说‘我爱你!’”丹阳偎在我的怀中说。

“我爱你!”我痴痴地说。

“堂哥,你知道你的爱对我有多重要吗?我是依赖你的爱而活着的,我不允许你心里想别的女人。你能做到吗?”谢丹阳有些胁迫地说。

我沉默地看着她。

“你能做到吗?”谢丹阳追问道。

“能!”我有点口是心非地说。

“我总怕你心中有别的女人。哪天没准儿我要考验考验你,看你能不能经得住诱惑。”谢丹阳狡黠地说。

我对她的狡黠有一种莫名的恐惧。

“你除了任性世故一点外，上来脾气还有点野蛮，偶尔冒出点儿鬼主意，没别的毛病。”我用手刮了一下她的鼻子尖儿，半开玩笑地说。

“对你这样的人就得野蛮点！”谢丹阳趴在我的怀里娇嗔地说，“堂哥，我就是改不掉任性的毛病，你不会因为这一点不喜欢我吧？”

“你可爱就可爱在任性上了。”我温柔地说。

“庆堂，我们结婚吧！”谢丹阳深情地说。

“我还没正式见你的父母呢，不知道二老什么意见？”我认真地说。

“我爸妈对你印象可好了，要不一会儿到我家见我爸妈吧！”谢丹阳迫不及待地说。

“太突然了吧？”我有些紧张地问。

“不突然，”谢丹阳诚恳地说，“我爸妈早就想见你了。”

“那好吧，我早晚要过这一关。”

18. 情书

傍晚，我来到谢丹阳的家。她的母亲做了一桌子好吃的，老人是一所中学的校长。丹阳的父亲自从手术后左腿有点不太听使唤，他的脑动脉瘤虽然很大，但由于穆主任技术精湛，手术后头脑还很清醒。出院后，他辞掉了卫生局局长一职，但组织上仍然给他保留了党组书记的职务。这样工作压力不大，每天上班就是喝喝茶、看看报。

谢局长看见我很是高兴，饭桌上老人一个劲儿地劝我喝酒，酒是五十二度的茅台。

“庆堂啊，年轻时，我是很能喝酒的，现在不行了，做了这么大的手术，等于又死了一回。”谢局长感慨地说，“人生啊，忙来忙去什么都是零，只有身体健康才是一呀。”

“伯父的身体恢复得很好，只要注意锻炼和休养，会越来越好的。”我宽慰着说。

“多亏有穆怀中这样的名医主刀，不然我的命早就没了。庆堂，其实你也是我的救命恩人哪！”谢局长高兴地说。

“伯父，您太客气了。我哪有这么大的本事，多亏了穆主任处置得当，手术时真是惊心动魄呀！”我连忙解释说。

“庆堂,今后有什么打算呀?”谢局长慈祥地问。

“我想考穆主任的博士,将来做一名像穆主任那样的优秀的外科医生。”我信誓旦旦地说。

“好,年轻人就应该有点志向,”谢局长赞许道,“那些远离成功的人总是随随便便地找份工作,稀里糊涂地结婚,尽管他们急切地想改变现状,但是心里的目标非常模糊。我很高兴你心中的目标很清楚,这很难得,这就如同射击,瞄准成功的靶心总比盲目射击更接近目标,哪怕会有一点点偏差。庆堂啊,你说说到底什么是成功的最大因素呢?”

“这我还从来没有想过。”我下意识地摸了摸脑袋说。

“就是长远的计划和与之相符的坚持不懈的行动。当然最好还有一位乐于帮助你实现梦想的妻子,”谢局长一边说一边微笑着问,“丹阳啊,你愿不愿意呀?”

“爸,我也有梦想,我也需要一位愿意帮助我实现梦想的丈夫。”丹阳抿着小嘴说。

“说说看,你有什么梦想?”谢局长慈祥地问。

“我还没想好呢?”丹阳撒娇地说。

“你这丫头要多向庆堂学学,做事要脚踏实地。”谢局长慈爱地笑道。

“爸,我是空中服务员,整天头顶着天,你让我怎么脚踏实地呀?”丹阳诡辩道。

“贫嘴!”谢局长哈哈笑着说。

“庆堂啊,你既然已经和丹阳谈婚论嫁了,就把这儿当自己的家吧。”伯母一边给我夹菜一边说,“我呀,就这么一个女儿,丹阳是我们老两口的掌上明珠,希望你以后好好待她。”

“就咱们丹阳那脾气,不欺负庆堂就不错了。”谢局长打趣儿地说。

“爸,瞧你说的,我又不是母夜叉。”丹阳撅着小嘴说。

两位老人慈祥地笑了。

自从去了谢丹阳家后,二位老人接纳了我,我隔三岔五就住在丹阳家,特别是丹阳休息时,我必住在她家。

谢丹阳家的房子很大,是四室两厅的格局。二位老人一间卧室,丹阳一间,丹阳的母亲特意给我安排了一间。本来书房是谢局长的,可由于身体的原因,老人也不怎么在书房里工作,现在书房也让给我复习考博士用。

只要我在家里住，半夜丹阳就偷偷地溜进我的房间，钻进我的被窝。凌晨，她又溜回自己的房间。时间长了，丹阳飞航班时，我也偶尔住在她家。

有一天，我因晚上上夜班多睡了一会儿，起床时，谢伯母陪谢局长去晨练还没回来，丹阳早早就走了。我洗漱完毕走进丹阳的卧室，坐在她的梳妆台前，仔细地看着我和丹阳一起照的照片，心中充满了幸福感。

丹阳的口红、梳子，还有其他各种各样的瓶子、盒子什么的，整齐地摆在镜台上。她是个有洁癖的人，她的房间永远是整整齐齐的，这大概与她的职业有关。

我拿起镜台上的一把梳子，梳着我蓬松的头发，镜中映出我疲惫的脸。这些天为了考博，日夜兼程地看书、做功课，再加上两天一个手术，有时甚至一天两个手术，真是累坏了，总是睡不够觉，所以一脸的疲倦。

镜中映出背后的大衣柜，我起了好奇心，便起身走向大衣柜。一个抽屉一个抽屉打开看。都是些女孩子喜爱的小东西，有针线盒、小饰物，还有丹阳喜欢的音乐磁带、CD碟什么的。

当我打开最下面一个大抽屉时，发现了一个牛皮纸包着一大包四方四棱的东西，牛皮纸破损处露出了一封封的信封，我惊诧了：是谁给丹阳写过这么多的信？

我拿出牛皮纸包打开，里面包了一百多封信，我打开一封信读了起来，读着读着，我惊呆了，我气炸了，我快发疯了。信中写道：

> "亲爱的，什么时候你才能调到西海航空公司，那样我们就能天天在一起了。我想你，你每天都占据着我的心，我们相吻的情景像梦一样经常浮现在我的眼前，是那么真实。爱有时让人如饥似渴，我忍不住幻想做坏事，你来信说也想了，我们快见面吧，我下周飞东京，老地方、老时间，我等你，你是我的真爱。我将永远把你的爱藏在心里……"

我一封情书一封情书地读着，都是些不堪入目的文字，我愤怒了，我有一种被欺骗的痛苦。我甚至想，谢丹阳讲过的那个机长和乘务员在飞机上的洗手间做爱，是不是她自己？我把那些信狠狠地摔在地上，然后一拳打碎了大衣柜的镜子，我难以控制地冲出门去，在楼下正好碰上刚刚晨练回来的谢丹阳的父母。

“庆堂,你去哪儿呀?”谢伯母诧异地问。

我理也没理,跑向马路。我的手在滴血,我从口袋中掏出手绢系在手上,挥手打了一辆出租车,驶向医院宿舍……

19.醉

回到宿舍,我简单处置一下流血的手,然后躺在床上,呆呆地望着天花板,眼泪含在眶里。我尽量控制自己不让它出来,我点上一支烟,狠狠地吸着,心中不仅痛苦,还非常委屈。我心想,自己的命怎么这么苦,连一个全心全意爱自己的女人都找不到,真不知道谢丹阳还有多少秘密瞒着我?

我正躺在床上神志恍惚地胡乱想着,罗元文推门进来了。

“庆堂,怎么了? 脸色这么不好?”

“没什么,这几天太累了。”我定了定神说。

“手怎么了?”罗元文疑惑地问。

“做实验不小心弄破了手。”我故作镇静地说。

“庆堂,考博别太玩命了,就你的水平一点问题都没有。”罗元文一边说一边拽我,“快中午了,我请你喝酒,天天吃食堂的饭吃烦了,医院边上新开业一家小饭店,菜做得特别有味道,走吧,去尝尝。”

我正想借酒浇愁,便一骨碌爬起来说:“好长时间没喝酒了,今天我跟你一醉方休。”

我和罗元文走出医院东门,来到一家叫江南面馆的小酒店,小酒店刚刚开业不久,装修颇有江南特色,窗明几净,门前有一副对联:

人生百味千人共享
江南一面十年不忘

我们在靠窗户的座位坐下,罗元文点了四个江南小炒,又要了一壶绍兴黄酒烫上。很快四个小炒就上齐了。

我因想到谢丹阳对自己感情的欺骗,妒火中烧,恨不得当面向她质问,所以心情特别不好,痛苦不堪,但又不想在罗元文面前流露,酒便喝得很凶。不一会儿，就连干了三杯。罗元文以为我和他是酒逢知己，特别高兴。

“庆堂，听说要考穆主任博士的一共有二十多个人，穆老就招三个学生，竞争很激烈呀。”“多激烈也没有我俩的优势大，我俩占天时、地利、人和。”

“你行，穆主任很赏识你。”

“正因为如此，我的压力就更大，我无论如何都不能让穆主任失望。”

“听说与我们竞争的还有几个外国留学生，其中最有实力的是一位非洲人，叫爱华。”罗元文很神秘地说。

“爱华，有意思。他为什么叫爱华？”我好奇地问。

“不知道，大概是喜欢中国吧。”

“非洲有五十多个国家，他是哪国的？”

“听说是刚果（金）人。”

“刚果（金）正打内战呢，乱得很！”

“庆堂，我跟你想法不同，我倒希望生在乱世，乱世出英雄嘛。”

我没有想到罗元文会有这种想法，便问：“这么说，你觉得自己生不逢时了？”

“也不是这个意思。你看何慧慧的爷爷解放前在上海给党做地下工作，蹲了八年国民党的监狱；解放后，文化大革命时期红卫兵说他是特务、叛徒，又蹲了八年监狱。老爷子现在退休了，仍然老当益壮，笑面人生，每天坚持写一千字的回忆录。”罗元文敬佩地说。

罗元文的女朋友叫何慧慧，是他大学同级不同系的同学，我见过两次，在市电视台广告部工作，人长得漂亮，她爷爷是从市政协副主席的位置上退下来的。

“慧慧的爷爷确实令人尊敬，但真要是把你扔进监狱十年八年，你的人生就废了。”我撇着嘴说。

“不会，说不定，我会成为第二个司马迁，写出一部什么记传世呢！”罗元文不服气地说。

“想不到，你小子还这么不安分。什么时候和何慧慧结婚？”我自饮了一盅黄酒说。

“快了，年底之前肯定结。哎，你和谢丹阳什么时候办？”罗元文脱口问。

我一听他提谢丹阳心里就难受。

“八字还没一撇呢，”我没好气地说，“来，祝你和何慧慧幸福！干一杯！”

我俩举杯碰在一起，罗元文说了声“谢谢”，便一起一饮而尽。

“庆堂，你听说没？曲中谦的老婆跟一个大老板跑了。”

“什么？跟人家跑了？跑哪里去了？”我惊讶地问。

“跑到美国去了。”罗元文神秘兮兮地说。

“怎么回事？说得细点！”我好奇地问。

“曲中谦的老婆是个不安分的女人，本来在咱们医院麻醉科干得好好的，非要下海，”罗元文夹了口菜接着说，“老曲拦都拦不住，为这事两个人没少干仗，再加上老曲这个人本身花花事也不少。”

“他和赵雨秋的关系可不一般。”我插嘴说。

“这事院里上上下下都知道，为了这事两个人也没少吵。他老婆去了一家医药公司，没多久就当上了办公室主任、总经理助理，”我们俩互相点上烟，罗元文接着说，“这不，才下海两年，那个医药公司的老总就卖掉公司要去美国发展，带着老曲的老婆一起去了，扔下一个儿子。”

“还是托尔斯泰说得好，幸福的家庭无不相似，不幸的家庭各有不幸。”我感慨地说，“元文，我看老曲平时对你劲儿挺大，你什么地方得罪他了？”

“别提了，人要是点儿背呀，喝凉水都塞牙！”罗元文自己干了一杯接着说，“我刚到神经外科时，有一次上厕所，发现蹲位门板上用签字笔写着一行醒目的黑字：‘老曲和小赵搞破鞋！’我心想，这老曲一定指的是曲中谦，小赵一定指的是赵雨秋。不知是谁这么败坏老曲，都损到家了。解完手，我发现鞋带松了弯腰系鞋带时，上衣口袋一支签字笔不小心滑出来，掉在地上，我刚要拾起来，老曲进来了，还对我说了一句：元文，笔掉了。然后进了我蹲的蹲位，我一下子想起了那行黑字，本来我想解释几句，转念一想，这事只能越抹越黑，就没当回事地走了。从那以后，老曲见我鼻子不是鼻子、脸不是脸的，总给我穿小鞋。”

“说实话，老曲也不是省油的灯，我一直不太喜欢这个人，”我哭笑不得地说，“你说赵雨秋那么漂亮的女孩怎么会看上他呢？”

“这你就不知道了，赵雨秋的父母都是普通工人，咱们科那些护士哪个没有点背景？所以赵雨秋一直很自卑，我想她巴结曲中谦也是想改变自己的命运吧?”罗元文眨巴着眼睛说。

“改变自己的命运要靠自己的努力,把命运寄托在男人身上也太可悲了。俗话说,儿不嫌母丑,狗不嫌家贫。这丫头也太虚荣了。”我不屑地说。

“每个人都有自己的活法,其实,命运也不是不可捉摸的,你周围的人和环境就是你的命运。比如我们俩,现在穆主任就是我们的命运。”罗元文深刻地说。

“元文,想不到,你还有点哲学思想,来,为了我们俩的命运干一杯!”

我是头一次喝黄酒,有点不适应,再加上心情不好,很快就上了头,胃里一阵阵地往上涌,我怕出丑,便去了洗手间,一口吐到了小便池里。

在小酒店,我和罗元文整整喝了一下午的酒,回到宿舍时,天已经蒙蒙黑了。罗元文没有回宿舍,何慧慧约他去看电影,我只好一个人躺在床上静思。

我知道,我与谢丹阳的关系面临着一场严峻的考验,我在她家一拳打碎大衣柜的镜子,太过分了,但那是在一种被欺骗后的不理智下的冲动,我不知道下一步我与谢丹阳之间会发生什么。不过有一点是清楚的,如果谢丹阳不向我解释清楚这件事,我们之间就算完了。

我忽然觉得爱情对于人生来说,只是一种手段、一封特快专递、一张大款的支票、一辆来路不明的豪华车、一盘光线昏暗的录影带,是前后矛盾的证言、是隐藏在垃圾堆后的窗户、是墨镜后面的不明表情、是光鲜的衣着下一条发黄的内裤。

20.暖

我胡思乱想了一宿,第二天不到六点钟,我就去了科里。我刚走到医生办公室门前,就发现一个倩影从曲中谦的办公室闪了出来,匆匆走向护士站。

我望着赵雨秋的背影儿,心里为这女孩感到惋惜,我知道昨晚的值班医生是曲中谦,值班护士是赵雨秋。

我走进医生办公室打开电脑,想查看一下我分管的几个病房病人的情况。

“小林,来得好早啊!”一个沙哑的声音问道。

我赶紧站起来说:“早晨好,曲主任。”

“怎么,脸色不太好,手怎么了?”曲中谦笑眯眯地看着我问。

我最烦曲中谦打听别人的隐私,便说:“没什么,做实验时不小心碰破了。”

我发现曲中谦胸前仍然插着那支录音笔,一点也看不出老婆跟人家跑了的悲哀。

“曲主任,昨晚值班了吧?”我搭讪着问。

“有个病人昨天做的手术,情况不太好,我不放心,所以替罗元文值了一宿班。”曲中谦用领导的口气说。

“曲主任,熬了一宿,很辛苦,快回去休息吧。”我故作关切地说。

我知道,曲中谦一定是怀疑我看见赵雨秋从他办公室出去了,这是故意来探探虚实,他似乎心中有了数,假惺惺地说:“好,小林啊,工作干得不错,你忙吧。”说完背着手踱了出去。

我在医院忙了一天,傍晚拖着疲惫的身子回到宿舍。我用钥匙开门,门已经开了,我一把推开宿舍门,谢丹阳一个人坐在我床前。我愣了一下,心想来者不善、善者不来。

谢丹阳用眼睛直勾勾地看着我,好半天才说:“你看的那些信我全烧了。我们好好谈谈吧。”

“谈什么?谈谈你那位以身相许的机长?!”我没好气地说。

“庆堂,你误会我了,我是与他相处过两年,不过那都是过去的事了。”谢丹阳极力想解释。

“过去了?恐怕事过去了,心还没过去,留着那些信不就是为了回忆甜蜜的过去吗?”我轻蔑地说。

谢丹阳眼泪流下来了,她继续解释说:“庆堂,是我不好,我早就应该处理掉这些东西。那个人是个流氓,根本不值得我爱。他原来是我们公司的飞行员,我们一起飞国际线,接触多了,就产生了感情。后来他跳槽去了西海航空公司,有一次我去看他,我想给他一个惊喜。下了飞机便直奔他的宿舍,推开他的宿舍门,我被惊呆了,他和一位空姐正在做那种事,他看见我不知所措,我一下子就明白怎么回事了,我飞奔到机场,当天就返回了东州。就这样,我们就吹了。”

“吹了?怎么会呢?不是说你们相吻的情景经常像梦一样浮现吗?”我阴风阳气地讥讽道。

谢丹阳一下子火了，她大吼道："林庆堂，你浑蛋，你偷看人家的信不道德，你非但不道歉，还说风凉话，你以前做的那些丑事别以为我不知道，我从来就没计较过，你凭什么这样对我？"说完她呜呜大哭起来。

我最见不得女人哭，一下就被哭软了，心想：林庆堂，你是个什么东西？有什么资格这样对待自己爱的人？便走过去轻轻地将谢丹阳揽在怀里，她趴在我的怀里哭得更厉害了。

"我爸说，你看了那些信反应那么强烈，说明你心里深爱着我，我早应该把这些事情告诉你，但我怕破坏了我在你心中的形象，现在我俩算是扯平了，谁也不翻谁的旧账，好吗？"谢丹阳一边哭一边说。

我什么也没说，我不知道应该说些什么，只觉得鼻子一酸，眼泪也流下来了，我双手紧紧抱着她，我越来越感到，要真正了解一个人往往要花上一辈子，这就是婚姻的魅力。

"庆堂，手还疼吗？"谢丹阳温柔地问。

"手不疼，心疼！"我咬着嘴唇说。

"你要真有心，就不会做这种傻事了。"谢丹阳娇嗔地说。

冷静下来，我也觉得自己过于冲动，我认真地考虑了丹阳在我心中的分量，爱终于战胜了醋意，我妥协了。

丹阳牵着我的手从宿舍走出来，如水的月光照亮了整个医院。我们情不自禁地走进小花园，走到两棵大银杏树下，脚下是松软的落叶。

"庆堂，你知道丘比特为什么用箭而不是用棉花球什么的？"丹阳挽着我的胳膊问。

"为什么？"

"就是为了让相爱的人心疼。"

"丹阳，你心疼我吗？"

"庆堂，这些天我总是梦见你被人抢跑了。我们结婚吧，我的生活里已经不能没有你了。"

谢丹阳的话是发自内心的，我为我曾有的冲动而羞愧。我觉得信任是爱的前提，而我连这个前提也丢掉了。信任是生命的延续，太爱了便会怀疑，爱从来都是双刃的，可以给被爱的人带来快乐，也可以给被爱的人带来痛苦。我记得一位外国诗人曾经说过，吻过我的都错过了我。小月错过了，蒋叶真错过了，我不能再让丹阳错过。

"丹阳，结婚的事必须等我考完博士再说，我必须先立业后成家，爱一个人就要有能力给她幸福。"我认真地说。

"庆堂,我听你的。"

"我忙了一天,又累又饿,我们吃点东西去吧。"

"你想吃什么了?"

"你说呢?"

"去丘比特餐厅吧。"

我们俩相视一笑。

"好吧,"我点着头说,"那里是我们俩爱的起点。"

我们走出小花园,月光如水,医院门前不时有救护车闪着蓝灯呼啸而至,我不禁感叹人的生命是何等脆弱,相对生命来说,爱就更需要精心呵护了。

第三章　爱情侦探

21. 艳遇

为了以优异成绩考取穆主任的博士，每个周末我都到省图书馆学习，一时冷落了丹阳。她每次打电话都充满了怨气，为了事业有成，我也顾不了许多了。

星期天上午，我正坐在省图书馆阅览室正在看几篇关于神经干细胞基因诱导、移植治疗的前沿文章，斜对面飘过来淡淡的馨香，香味轻柔、淡远、模糊、朦胧，似有似无，清新、温润而绵长。侧眼看去，一位维纳斯型的淑女正在低头看书，披肩直发，黑亮柔顺，遮住半个脸，但仍掩饰不住她的温婉清秀。她好像感觉到我的目光，微微抬头给我一个倾城的微笑，那笑容伴随着体香让人醉魂销骨。我不敢再看，心却被她的笑容搅乱了。

中午，我走出阅览室，脑海里仍萦绕着那个女孩倾城的微笑，我努力想忘掉，却无法摆脱，一个人迷迷瞪瞪地走着，走廊里静极了，高举架和欧式落地窗让人感到庄严肃穆。

初冬季节，阳光透过窗户射进来，温柔而迷人，走廊里回响着我的皮鞋敲打大理石地面的声音。正当我信步走向电梯的时候，一个甜润的声音喊道："先生，等一等！"

我回头一看正是刚才坐在我斜对面的那位淑女。她快步向我走来，妩媚的体态像清丽流动的水，像半空洒落的瀑布，像夜色里星光浩淼的湖水，像春天里的丝丝雨雾，让我看着有一种甜美的瞬间的晕眩。

"先生，您忘记了您的手机！"

我猛然想起，看书时我把手机放在了桌子上，由于胡思乱想，离开时竟忘记了。我接过手机腼腆地说了一声："谢谢！"

她嫣然一笑说："不客气！"

我们站在电梯前，彼此情不自禁地相视一眼，女孩淡淡地一笑，腋下夹着一本时尚杂志。她漂亮得让我发窘，电梯门开了，我下意识地让她先上，她又微微一笑，跨步走进电梯，我紧随她上了电梯，电梯里顿时弥漫着女人香。

我一直认为女人香可能比漂亮的脸蛋更容易引起男人的注意，因为气味无形却有很强的穿透力，能提高女人的魅力。更何况眼前这位美女皮肤白皙粉嫩，眼睛清澈得如同二月的池水，鼻子高挺圆润，嘴唇若樱桃般诱人，长发泛着淡淡的红色，她的头高贵典雅地仰在白如象牙塔的脖子上，线条风韵流畅，浑身上下散发着一种青春靓丽的气息。

我们谁也没说话就这么静静地站着，突然她夹在腋下的时尚杂志滑落到地上。我不假思索，很绅士地弯腰捡了起来，并掸了掸递给了她。她接过杂志莞尔一笑。

"谢谢！"她温柔地说。

"不客气！"我也颇有绅士风度地说。

电梯门开了，她飘然而去，我呆愣了半天，留下了一片麻木的茫然。

每个周末，离开省图书馆时，我都在附近吃点快餐，然后到省图书馆对面的左岸咖啡馆喝一杯咖啡。我喜欢这家咖啡馆的人文气息，上下两层，并不沉重的木门，底层是大堂，其实也并不能称其为大堂，不大的空间，不长的吧台，几张小圆桌，厚实的地毯，墙上挂着几幅时尚油画。与其说是一家咖啡馆，倒不如更确切地称其为文化沙龙。因为邻近省图书馆，便有很多喜欢读书的人，一边喝着浓浓的咖啡，一边在这儿阅读。

我从房屋中心穿堂而过，寻找我常坐的靠近大玻璃窗的座位，不料被一位女孩占了。我仔细一看是黑色长裙，胸前一抹紫色的月牙儿，好不典雅，旁边搭着黑色裘绒大衣，这不是我在电梯里遇见的那个女孩吗？

这时，女孩已经发现了我，冲我微微一笑，这一笑妩媚极了，那张秀丽的脸楚楚动人，很是耐人寻味。我的内心一阵莫名的兴奋。

"这么巧，一起坐坐吧！"她略带羞涩地说。

我搭讪着说:“真巧!”便不客气地坐了下来。

这时,耳边传来了我特别喜爱的日剧《东京爱情故事》里的那首《当爱情忽然来临》,那熟悉的旋律让我着迷。

透过沿街的大玻璃,倾斜而入的午后阳光,让我倍感温暖。磨制或烧煮咖啡的奇怪机械,错落地摆放在台上,柜台后是陈年威士忌、奇异的咖啡豆、久违的老式胶木唱机。因为我常来,所以服务小姐已经认识我了。

“先生,还是一杯速溶咖啡吗?”

我笑着点点头。

“我们认识一下吧,我叫姚淼,是搞舞蹈的,在省歌舞团工作。”

舞蹈对于我这个出生在偏僻小县城的小职员的儿子来说充满了神圣和神秘,我做梦也没有想到会结识一位像女巫一样漂亮的舞蹈演员,内心世界一阵躁动。

“我叫林庆堂,在北方医科大学附属医院神经外科工作。很高兴认识你。”

“这么说你是一位外科医生?”

“正是。”

姚淼伸出纤纤玉手,我们握了手。和她握手的一瞬间,似乎能感知到她的特质,柔软到极致的纤手稍稍有点凉,让人觉得握在手中的是流动的水、吹过的风、飘拂的云。

“我小的时候也曾梦想着做一位外科医生。”

我正苦于神经外科与舞蹈之间很难找到什么共同点时,她很自然地抛给我一个台阶。

“这我倒没看出来。”

“真的,我爷爷就是外科医生,我从小就崇拜他。”

“这么说你父母也是医生了?”

“不是,我父母都是搞舞蹈的。”

“从小练舞蹈很苦吧?”我搭讪着问。

“我的舞蹈启蒙老师常说,要搞舞蹈,必须有用鲜血染红舞鞋的精神。想在舞蹈事业上有辉煌的成功,就得付出极大的代价,甚至准备牺牲一切。”

我没有想到眼前这个女孩一出口就令人震撼,我一下子联想到蔡恒武和穆怀中两位恩师,他们似乎就是为了崇高的事业准备牺牲一切的人,相比姚淼我有点自惭形秽。

这时，服务小姐给我端上了刚刚冲好的热咖啡。

“能谈谈你这位老师吗？”我非常虔诚地说。

“她既是我的启蒙老师，也是我妈妈的老师。为了舞蹈事业，她终生未嫁，我从小就听她说，女舞蹈演员不应该结婚，退一万步说，纵使结婚，也绝对不能生育，否则肯定损害身体形象，而损害了形体，势必危及事业。她年轻的时候生活在香港，整日忙于演出，生活没有规律，不幸患了急性阑尾炎。朋友们把她送进了医院，当时主刀的外科医生是个舞蹈的‘发烧友’，并且与她熟悉，就责无旁贷地为她施行了阑尾手术，同时考虑到她献身舞蹈事业的神圣决心，就自作主张地顺带着为她做了子宫摘除术，就这样，她永远失去了生育机会。最令人惊讶的是，许多年以后，每当人们问她是否恨这位外科医生时，满头银发的她总是淡淡地一笑说，‘不，我们一直是最好的朋友，那位外科医生是我的终生舞迷。’”

“看来舞蹈已经成了你这位老师生命中的主要部分。”

“每一个在事业上取得辉煌成就的人都会将事业融为生命的一部分。”

此时在我心目中，姚淼内心世界的魅力早以超出她容貌的美丽，我知道这不是一位普通的女孩，这是一位至情至性的舞者，是绽放在舞台上的牡丹，是一位充满思想灵性的知音。

姚淼端起咖啡慢慢地品着，生动柔美，清新温婉，安宁祥和，给人无尽的遐思。

“姚小姐很喜欢咖啡吗？”我只好以咖啡为题问道。

“我更喜欢喝咖啡时的心情。”姚淼略带羞涩地说。

“心情？”

“对，其实品尝咖啡就是为了追求一种感觉，轻轻地喝上一口，闭上眼睛，口中依旧回旋着涩涩的苦味，所有的心情便因此而荡漾。”

“姚小姐不愧是搞艺术的，说出话来都飘着咖啡的醇香。”

我注意到，姚淼看我的眼神带着一种忧郁的美，这种眼神是女人最勾人的那种，我几乎不敢与之对视。心想，这是一位非凡的女孩，与我相隔一张咖啡桌，身上的香味竟有压倒咖啡的气势。

我拿起她放在桌子上的时尚杂志，翻开扉页，却发现空白处写着一句话：“我不在家就在咖啡馆了，不在咖啡馆就在去咖啡馆的路上了。”我看到这句话情不自禁地念出声来。

“这是一位维也纳艺术家的话，我很喜欢。”姚淼解释说。

“其实咖啡能反映出优秀舞蹈的本质。”我放下杂志说。

“怎见得？”姚淼好奇地睁大眼睛问。

“表面上看，咖啡是静的，但一杯意大利浓咖啡充满了力的对抗与激情，就如同在舞蹈中以力与美达到最完美结合的拉丁舞。”我有些卖弄地说。

“想不到你这么懂艺术，居然能用咖啡形象地比喻舞蹈，看来你一定是位好的神经外科医生。”姚淼惊讶地说，显然被我的见解所打动。

“在意大利有句名言，”我略微傲慢地说，“男人要像好咖啡，既强劲又充满热情。”

“我就喜欢这样的男人，我这样说你不介意吧？”姚淼很大方地问。

“不介意。其实好的外科医生都是艺术家，这种艺术叫生命艺术，特别是我们这种专门研究大脑的医生，必须要有咖啡一样的性格。不过我离这种境界还差得很远哪！”我神侃道。

很显然，姚淼对于涉及艺术的话题都感兴趣。

“照林先生的说法，我们是同行了？”姚淼凝视着我目光妩媚地说。

“不不不，对不起，姚小姐，我的意思是说，大脑与艺术是有联系的，”我不好意思地说，“好的神经外科医生要有琴心剑胆，而好的舞蹈者应该首先是个智者，因为她的舞蹈是用心、用智慧跳出来的，不仅仅是用肢体。”

“你是个有思想的人，我喜欢，”姚淼深情地说，“从现在开始我们就是朋友了，请不要再叫我小姐，叫我的名字，好吗？”

“那你别再称呼我为先生，也叫我名字好吗？”我心里有些惊喜地说。

“好的，林先生，噢，不，林哥。”

我望着姚淼好看的窘态哈哈大笑，引来许多邻桌的目光。

“姚淼，有很多人盯着我们看。”我笑着低声说。

姚淼也注意到了这一点，她向四周看了看说：“不奇怪，一个生存在舞台上的人本来就需要有获取目光的能力。”

“这话有道理。”我赞许地说，姚淼便露出骄傲的表情。

我看了看表，已经是下午三点钟了。姚淼看出我有要走的意思，便向服务员要了纸和笔，写下了她的联系电话递给我。

“林哥,有空打电话吧。”

我接过纸条看了看,便也在纸上给她写了联系电话。

埋单后,我们一起走出咖啡馆,她向门前一台白色本田车走去。

“林哥,你去哪儿?我开车送你吧。”姚森一边走一边说。

“那多不好意思。”我难为情地说。

“别客气,上车吧!”姚森真诚地说。

我再推辞就显得小家子气,便上了车。

“林哥,你去哪儿?”

“去北方医科大吧。”

姚森熟练地开着车,车内一股女人的香气让人想入非非。我们都没说话,不知为什么,我对这个女孩有一种似曾相识的感觉。总觉得她好像对我很熟悉,特别是她看着我的眼神像是早就知道我。

“什么时候有演出告诉我一声,让我们普通医生也开开眼。”

“一看你就是个大忙人,会有这种闲情逸致?”

“我是一个善于忙里偷闲的人。”

“我可是一个善于闲里偷心的人。”姚森带有挑逗性地说,然后,她用一双杏目看了我一眼,我被看得有些发窘。

车驶到医院东门,我心中不舍又故作大气地说:“好了,就到这儿吧,谢谢你送我。”

“林哥,认识你我很高兴,别忘了打电话。”姚森说完一打轮,本田车消失在车水马龙中。

我像做梦一样,呆呆地站了一会儿,刚一转身,丹阳站在我身后,吓了我一跳,我的心突突地跳着,心想也不知道丹阳看没看见姚森?

“看什么呢?失魂落魄的。”丹阳狡黠地问。

“你什么时候站在我身后的?怎么像个幽灵似的?”我惊魂甫定地说。

“人家一下飞机就来看你,你还这么说我。”丹阳佯装生气地站着。

我赶紧哄她,“对不起,宝贝,是我不好。”

我接过谢丹阳的拉杆黑皮箱,搂着她向宿舍走去。

22. 老黑

连着一个星期我都想给姚森打电话,这是一个让人过目不忘的女人,跟她谈话简直是一种享受。但是打电话会发生什么？我害怕结果，因为我就要和丹阳结婚了。

理智虽然战胜了情感，可是这种压抑着的冲动让我每个晚上都重复着做一个梦：在一所别墅里，我追赶着一位美丽动人的女孩，那女孩向楼上跑去，我奔上楼梯追赶她，她坐在钢琴前，弹了一首好听的曲子，我抱着她来到楼梯前亲吻，亲吻过后，她笑着跑下楼梯，我奔下楼梯，我们就在楼梯上追来追去，终于我累得喘不过气来。每到这时，我都会因床上的潮湿而醒来。

我重复做着这个梦，让我很痛苦。念研究生时，我读过弗洛伊德的《梦的解析》。在这本书中，梦中的楼梯代表性交，弗洛伊德认为性交的韵律性动作在上下楼中重演了。钢琴的琴键也是楼梯的变异。

每次从梦中醒来，我都为自己做这个梦而羞愧，特别是一个快结婚的人还在遗精，更使我惶恐。

我想起在大学刚见到蒋叶真时，每天晚上都梦见与她做爱，那时并未梦见什么楼梯，而是直接梦见与她上床，那段日子我的枕头下常备放着一条干净的内裤。

这是我头一次梦见上楼梯，由于没有准备，只好半夜起床寻找内裤，搞得罗元文莫名其妙。

不过，白天工作忙起来，就把姚森忘到脑后了，心里劝自己，这不过是一次普通的艳遇，没有什么值得留恋的。

星期一上午，我正和罗元文在医生办公室的电脑前工作，一位身材高挑、气质儒雅的黑人留学生走了进来，他看上去不到三十岁，前额却已经秃得黑亮了。

北方医科大学有很多非洲留学生，他们乐观奔放，喜欢追中国女大学生，听穆主任说过，他的一位女学生在上世纪六十年代初，历尽千辛万苦嫁给了一位刚果（金）留学生。

“请问赵雨秋在吗？”

罗元文见是老外找一位女护士，好奇地问：“你是哪位？找她有什么事？”

“我叫爱华，是刚果（金）的留学生，我是赵雨秋的男朋友。”爱华一颦一笑、一举一动都洋溢着非洲人特有的奔放和激情。

我一听心中暗笑，心想这赵雨秋可够风流的，与曲中谦的关系搞得满城风雨，怎么又冒出个老黑男朋友？

“赵雨秋昨晚夜班，现在不知道走没走，你去护士站问一问吧。”罗元文热情地说。

“谢谢！”爱华说完，便转身走了。

“元文，这老黑够爽的，自称是赵雨秋的男朋友，这要是让曲主任知道了，鼻子还不得气歪了。”我打趣地说。

“庆堂，你可真是个书呆子。这小子就是跟咱们一起竞争穆主任博士的刚果（金）留学生，据说这小子的水平不在你我之下。”罗元文笑着说。

“是吗？他怎么会与赵雨秋认识呢？”我纳闷地问。

“我听陈小柔说过雨秋与这个老黑的事，据说是在医院工会举办的舞会上认识的，”罗元文饶有兴趣地说，“爱华一见到赵雨秋就爱上了，可是赵雨秋对这个老黑却带搭不理的。”

“也难怪，爱华毕竟是非洲人，要是美国人情况就会倒过来。”

“庆堂，你倒是蛮了解赵雨秋的。对了，我忘了，她曾对你有过意思。”罗元文哈哈笑着说。

“元文，你小子别拿老实人开心，这要是传到曲主任耳朵里，还不得给我穿小鞋！”我不高兴地说。

“哎，庆堂，听穆主任说，上世纪六十年代初，他有个女学生远嫁到非洲，好像就是刚果（金），你说这个爱华会不会跟穆主任的女学生有什么关系？”

“你是说爱华有可能是这位女学生的儿子？不会那么巧吧！”

“难说，要不怎么叫爱华呢！要是真让我们言中了，这小子的后门可比咱俩硬多了。”

“穆主任的后门谁敢走？凭你小子的本事还怕这个老黑不成。”

“不得不防啊，哪天问问穆主任，了解了解这个老黑是什么来路。”罗元文诡谲地说。

“你不问，我也要问，爱华真要是穆主任女学生的儿子，故事肯定很传奇！”

“庆堂，你说爱华能把赵雨秋追到手吗？听陈小柔说，这个老黑确实动了真情。”

“我看不太可能！”我摇着头说。

“为什么不可能？”

“刚果(金)又热又穷，赵雨秋那么虚荣，怎么可能遭那种罪。”

“有道理，有道理。”罗元文点头说。

“元文，你小子不是说近期结婚吗？怎么还没动静？”我好奇地问。

“我本来想考完博士再结婚，可是慧慧的爷爷催得急，要抱重孙子，我想好了，元旦就结婚。”

“你小子找个好媳妇，电视台广告部可是个赚钱的地方，以后你小子一定是个有钱的主儿。”

“哪有你小子浪漫，找空中小姐，看你见了谢丹阳的样儿，将来没准儿怕老婆。”罗元文有些嫉妒地说。

“究竟谁怕老婆，咱们走着瞧。”

罗元文一边笑一边看表说：“不跟你贫嘴了，我得去重症监护室看看我的几个病人了。”说完急匆匆地走出医生办公室。

这时，赵雨秋也从医生办公室门前走了过去，身后跟着那个爱华。我走到门前看着两个人的背影，赵雨秋傲慢地往前走，爱华殷勤地在后面跟着，心想，看来这个老黑确实爱上了赵雨秋。

我回到电脑前刚坐下，手机短信提示音就响了，我从腰带上取下手机一看是一条短信：“今晚六点钟我在清江大剧院有演出，你来吗？我给你留了票。姚淼。”

看到这个短信后我有些激动，又有些紧张，激动是因为姚淼居然主动与我联系了，紧张的是一旦被丹阳知道了，后果不堪设想。但是人是很难抵挡得住诱惑的，我壮着胆子给姚淼回了电话，约定五点半在清江大剧院门前见面。

23. 朝圣

一整天我都心不在焉，好容易熬到下班，饭也没吃，就打车去了清江大剧院。

大剧院门前人流如潮，巨幅宣传广告非常醒目，上面写着：

大型音乐舞蹈《朝圣》，由著名舞蹈演员姚淼倾情打造，舞者们用肢体语言自然地表现了藏族同胞的宗教、图腾、爱情、劳动、欢唱，用极其质朴的歌声和舞蹈，展现了藏民族生活的绚丽多彩。

总编导居然是姚淼。

我正看得出神，一位小伙子问："你是林先生吧？"

"对，你是……？"

"姚老师让我把票给您。"小伙子说完，塞在我手里一张票就跑了。

我愣了一会儿打开票一看，居然在三排十五号，这么好的票是很难搞到的，我不禁有了些感动。

检票入场后不久，演出开始的铃声响了，大幕徐徐拉开。

第一场《天国》，朝圣者跋涉在路上，转经筒始终陪伴着他们，他们一次次用身体丈量着道路，一次次地亲吻着大地。尽管风吹日晒，尽管雨雪交加，他们心中却燃烧着大火。最后，他们走向神山，走向理想的天国。

表演大量地选用了藏文化的许多舞蹈元素去表现人性之美，服饰以藏族牧区的袍服为主，肥大宽敞，色彩以黑、红、黄三个基调为主，歌中唱道：

天国之中有一片金色的云，
金色的云里有一个金色的太阳，
金色的太阳照在金色的山上，
金色的山上长满金色的树，
金色的树上有一只金色的鸟，
金色的鸟唱着一支吉祥的歌……

十几个藏族打扮的姑娘载歌载舞服装典雅，音乐曲调热情奔放、古朴动听，具有独特的藏族古代音乐特征和浓郁的乡土气息，这些舞者给我的印象不是在表演，而是陶醉在自己的仪式里。领舞的就是姚淼……

我被姚淼的舞蹈震撼了：这不是肢体的舞蹈，这是灵魂的舞蹈。她在舞台上有一种深不可测的魔力，一举一动，哪怕是一个休止符，都有如微风从一泓止水上空掠过，寂静的身体里，便有了细浪追逐的声音，她让人动情于自己的感动、自己的发现，她的世界无需用人的语言就能读懂。

我完全被感动了，我的心好像在随着姚淼的节奏跳动，从她那令人赞叹的指尖细腕的微妙语言里，领悟到舞蹈神韵中含有一份灵气，这份灵气散发着一股隽永的心灵之美，让人对生命、爱情与死亡产生了一种本能的浪漫意识，姚淼宛如一位传递着天地自然生息的神秘使者，舞动着美丽动人的轻盈身影，流泄出丝丝入扣的生命律动，这种律动很纯很纯，离现实的炊烟很远很远，却离我们心灵所渴求的东西很近很近，姚淼简直就是一位舞蹈诗人，简直就是在用肢体朗诵。原来舞蹈是这样源于生活，又超凡脱俗的。

姚淼在整台演出中共有四段舞，但不是独舞，而是群舞，只不过是群舞中的领舞罢了，但这更给人一种平和的承受的状态，让人切身感受到藏族女人在承受生活时的那种沧桑感，并从这些高原妇女身上体会到人性是共通的，生命的真实是最具震撼力的。虽然舞蹈太肢体、太情绪、太视觉，但这正是真实的具体体现。

我没想到原来舞蹈也会让人落泪，我被感动得泪眼模糊，深深地沉浸在美的享受之中。

一个半小时的演出结束了，全场响起热烈的掌声，演员们谢了三次幕，观众才陆续散去。我想去后台表达一下谢意，又想人家刚演出完，改天再说吧，便随人流往外走。

我刚走到门口，姚淼没卸妆就跑了过来。

“林哥，别走，等我一会儿，我卸妆后马上过来。”

姚淼热情地挽留我，我心里很滋润。我只好站在那儿等着，看着她窈窕的身影跑回后台。我心想，应该请姚淼吃晚饭，以表谢意，但不知她喜欢什么口味？

大约二十分钟，姚淼身穿一身典雅精致的绣花唐装翩翩而至。

“走吧林哥，我请你吃饭。”

“你这个总编导刚刚演出完，不与同事们一起庆贺，怎么有时间陪我？”

“也不是第一次演《朝圣》，没有新节目，大家都演腻了，我特别想听听你的看法，走吧。”

我们一起走出剧场，来到姚淼的白色本田车前一起上了车。

“姚淼，晚上我请客，你想吃点啥？”我诚恳地说。

“那我就不客气了，我喜欢吃川菜。”

“那就去狮子楼吧。”

“真是心有灵犀一点通啊，我就想去狮子楼。”姚淼一边开车一边说。

“姚淼，你是怎么创作这台大型舞蹈的?”我敬佩地问。

“三年前，我为了寻找舞蹈创作的灵感，决定去采风。用了大概两年的时间，四次进藏，走遍了大半个西藏，与藏民面对面交流，获得了不少灵感，又专门去了四川的凉山、甘孜等地寻找素材。我觉得如果只是跳普通的锅庄，那藏族舞蹈就没什么意思了，于是在这台大型音乐舞蹈中设计了天国的场景，没有舞蹈动作，只是通过音乐、灯光、朝圣的动作将其中的精神展示出来，你不觉得很精彩吗?”姚淼得意地说。

毫无疑问，姚淼对自己的作品很满意。

“你竟然去了那么多次西藏，真羡慕你，西藏是我做梦都向往的地方，也不知到什么时候能去上一次。”

“现在正在修青藏铁路，等铁路修好了，我陪你去，到了西藏我可以给你当向导。”

“真的？说话算数。”我唯恐姚淼反悔。

“当然算数!”

“不过我可真佩服你，一个女孩子为了舞蹈事业竟敢只身前往西藏，还创作出这么优秀的作品，我坚信，你会创作出越来越多的优秀作品。不是有人说，越是民族的就越是世界的吗，全国的民族舞蹈资源这么丰富多彩，你按着这个路子坚定地走下去，将来一定能震撼世界舞台。”

姚淼听后很高兴，她妩媚地说：“林哥，你真行，快成我的知音了，我心里想到的都被你说出来了。”

“其实我们有说不清、数不完的民族文化资源，凡是能把心沉到生活中的艺术家，从中摘取点滴或片段，把这些宝石上的灰尘拂去就是精品。当年的《丝路花语》就是靠挖掘民族文化宝藏进行再创造诞生的艺术精品。只不过这种挖掘和创造，需要真正的眼光和品位，需要全身心的投入和热情，更需要静下心来，深入生活。”我有点卖弄地说。

“林哥，想不到你对艺术有这么深的理解，都可以到我们团搞策划了。”姚淼发自内心地说。

“我不过是班门弄斧，是你的演出太精彩了，使我有感而发。”我憨笑着说。

“其实，外科手术也是一种舞蹈。”

“这话怎么讲?”我觉得姚淼的比喻很有意思。

“刀尖上的舞蹈啊!”

"你们搞艺术的想象力就是丰富。"

"林哥,我觉得你无论做什么都能成功,你是那种既能沉住气,又能抓住要害的人,"姚淼看了我一眼接着说,"上次在咖啡馆的谈话,给我的印象特别深刻,一个能把咖啡和舞蹈艺术地联系在一起的神经外科医生,这本身就让我很感兴趣。我本来以为你会给我打电话的,但你很沉得住气,我知道如果我不给你打电话,你就再也不会理我了,我不想失去一位可能成为知音的朋友,其实,你是一个自尊心很强的男人,我说得对吗?"姚淼妩媚地问。

我看了一眼姚淼,只是笑了笑,并未说话。

24. 狮子楼

姚淼停好车后,我们一起走进狮子楼。礼仪小姐引领我们坐在靠窗的座位,服务小姐递上了毛巾,又倒了茶。

"两位吃点什么?"

"我点还是你点?"我看了看姚淼问。

"你点吧,林哥,我想看看你点的菜合不合我的口味。"

我笑了笑,翻着菜谱一连点了四道菜。

"林哥,你可真会点菜,都是我喜欢吃的。"姚淼高兴地说。

我又要了两瓶燕京啤酒,然后说:"姚淼,没看出来你这么能吃辣的。"

"我从小就爱吃辣的,工作后人家都以为我是四川人。"

不一会儿,菜就上齐了。我斟满了两杯啤酒。

"姚淼,感谢你让我欣赏到一场别开生面的舞蹈,大有酣畅淋漓之感。来,我敬你一杯,祝贺演出成功!"

"林哥,虽然我们是邂逅相遇,但有一见如故之感,"姚淼端起酒杯动情地说,"林哥的思想和学问让小妹佩服,找知己难,找知音更是难上加难,虽然我们只见了两次面,但小妹像是遇上了知音,倍感幸运,来,林哥,这杯我敬你。"

川菜吃到嘴里又麻又辣,嘴里仿佛像着了火,一杯啤酒下肚,让人格外清爽。

"姚淼,我看你的舞蹈,感觉好像在与神对话,好像灵魂从身体里飞了出来,就像灵魂在舞蹈,你是怎么做到的?"

“每当我伸展双臂起舞时，我就感觉到我的灵魂在无限延伸，与天地融合在了一起，这种美妙的感觉让我整个身心都得到了最清净的安抚。跳舞就是为了和神对话，在跳舞时要感觉到神触摸到了自己的手，要知道，跳舞不是表演、不是职业、不是所谓的艺术，而是一种生活方式，一种同天地相沟通的仪式，这才是舞蹈的本质。”

“这么说，我们外科医生刀尖上的舞蹈也是在与神沟通了？”

“当然了，最起码是在与死神沟通！人吃五谷杂粮，谁都免不了生老病死，这就是生活方式，每个外科医生拿起手术刀时，都想救活病人，这个时候需要你的心灵要像天地一样纯净，才会排除杂念。林哥，我说得对吗？”

听了姚淼的话，我感到姚淼或许是一个精灵，一个上帝派到人间用舞蹈来传达生命与自然极致之美的精灵，她天性淡泊、率性而起、由心而舞，跟她在一起，就仿佛远离了欲望横流的浮躁世界。

“姚淼，你好像从不为自己设定梦想。”

“舞台有局限，生活却没有局限，我希望梦想如水。”

“好一个梦想如水。行云流水，随性而至，却浸润着生命，这样的梦想既博大，又很容易知足。”我由衷地赞叹道。

“小时侯，我妈妈给我讲过一个故事：有一个小偷到一家寺庙偷东西，结果什么都没找到，一气之下跑到方丈那里质问为什么庙里这样穷。方丈指着天上的月亮说，我们这里很富有啊，我们有满园的月光和青山绿水。其实，人最大的财富是心灵。”

姚淼说话时，她的眼睛水波般柔软而清澈，荡漾着一种几乎令人心疼的美丽。

“上大学时，我的解剖课老师也给我讲过一个故事：有一位医生经过多年的努力，终于成了最优秀的外科医生，当他成为外科主任的时候，同事朋友都来祝贺，他却显得闷闷不乐，朋友问他：‘你荣升外科主任了怎么好像并不开心呢？’他感慨地说：‘我从来就不想当外科医生，可我却为此获得了成功，我现在已经无路可逃，如果我失败了，还有重新选择的机会，但是现在我已经动不得了。’他的朋友不可思议地问：‘你在开玩笑吧？’他说：‘没有，我从小的梦想是当一名舞蹈家，可是我的父母不允许，我不得不服从，我是一个懦夫，现在我父母希望我成为优秀的外科医生的梦想实现了，可是我成为一名优秀舞蹈家的梦想却破灭了，你说我能开心吗？’”

“林哥，这位想成为舞蹈家的外科医生该不会就是你这位老师吧？”

“姚淼，你真聪明，就是他自己！”

姚淼听罢咯咯大笑起来，那笑容美得灿若桃花。

“林哥，感谢你让我这么开心，为我们的相识、为我们的友谊干一杯！”

我没想到眼前这个美女还是个重情重义的性情中人。我和姚淼正在推杯换盏，有人拍了一下我的肩膀。

“师兄，真是好雅兴啊！”

我抬头一看，脸“腾”的一下红了，原来是蒋叶真。心想，坏了，蒋叶真非误会不可。

“呀，是叶真呀，真巧，”我故作惊喜地说，“姚淼，这位是我的研究生同学蒋叶真，现在是省卫生厅的副处长。”

“幸会！我叫姚淼，在省歌舞团工作。”姚淼主动伸出手说。

两个漂亮女人的纤纤细手握在一起就像有排斥力一样，相互点一下就松开了。

“叶真，又有饭局？不介意就坐一会儿。”我邀请说。

“姚小姐若是不介意，我就坐一会儿。”蒋叶真不客气地坐在我旁边说。

“师妹遇师兄应当喝一杯！”姚淼很大方地说。

姚淼给蒋叶真倒了一杯酒，又给我满上。

“叶真，咱俩难得碰上一次，来，我敬你一杯！”我端起酒杯说。

“在学校时，你就像个书呆子，想不到现在会有搞舞蹈的朋友，我真是越来越佩服你了。来，师兄，还是我敬你吧。”

蒋叶真醋意十足地说完，与我碰了杯，然后一饮而尽。我只好随着干了。看得出蒋叶真自从去了省卫生厅以后，言谈举止越来越官气，远没有姚淼那么冰清玉洁。姚淼似乎看出蒋叶真对她与我在一起有些嫉妒，她很大气，但却很少插话。

“叶真，今天又是什么饭局？”我略带揶揄地问。

“庆堂，可惜我们同学一场，你竟一点也不关心我。昨天厅党组下文，任命我为医政处处长，今天处里的同事聚一聚，算是对我的欢迎。”蒋叶真责怪地说。

我听了以后心里的滋味怪怪的，只好说：“叶真，你天生就是从政的坯子，来，祝你高升，我们再干一杯。”

我给三个杯子倒满酒，姚森也端起杯，蒋叶真略有得意地说了声“谢谢”，然后一饮而尽。

“师兄，前些日子我去美国开会，给你带回来一些资料，一直想给你送去，就是没倒出时间来，抽空你到我家去取一下吧。”

“哪方面的？”我迫不及待地问。

“都是神经外科最前沿的研究资料，还有一些是经蝶窦入路切除侵袭海绵窦、斜坡和蝶骨平台等部位肿瘤的资料，保证是你急需的。”

“真的？叶真，你可真是雪中送炭，我正想借读博的机会向这个禁区进攻呢。”我兴奋地说。

“就知道你需要，我到美国找了不少朋友才搞到的。”蒋叶真得意地说。

“叶真，太感谢了，来，我敬你一杯！”我感激地说。

“算我一个，我为林哥有叶真姐这样的师妹而高兴！”姚森凑热闹地说。

我们仨把杯碰得叮当响。

痛饮之后，我关切地问：“苏洋怎么样？画出什么大作了？他可是一位有思想的画家，将来艺术成就不可限量。”我对苏洋的印象很深刻，总觉得她和蒋叶真是两种人。

“去西藏了，说是要创作什么天葬系列，一张画也卖不出去，快成凡·高了。”蒋叶真牢骚道。

“画画是不能分心的，要完全沉浸其中才能画出好作品的。”姚森插嘴说。

“他是完全沉浸其中了，两个人的家只能靠我一个人挣钱养着，这不刚才还从西藏打电话来，说又没钱了。”

我和姚森听了只能面面相觑。

这时一位男同事走过来说：“蒋处长，你怎么在这儿？弟兄们早就到了，一直在包房里等你呢！”

蒋叶真站起身说：“师兄，姚小姐，我先告辞，下次我请客。庆堂，给谢丹阳带好，就说我很喜欢她。”说完与我和姚森握了手，咯咯笑着和男同事一起走了。

我听得出来，蒋叶真故意说出谢丹阳的名字，意思是提醒姚森，林庆堂身边有很多女人。

我正胡思乱想着，姚淼却说:“林哥，你这个师妹看你的眼神可不对头呀!”

“姚淼，你也跟我开玩笑。”

“不是开玩笑，女人的直觉是最准的，你师妹一定爱过你，而且现在心里还有你。”

“在大学时，我和她确实有过一段感情，但阴差阳错地都过去了，”我坦诚地说，“现在她不仅仅是省卫生厅医政处处长，而且是一位尚未成功的画家的老婆。”

“可我觉得她并不幸福。”

“怎见得?”

“很简单，你师妹身上的官气太浓，这是真正搞艺术的男人最反感的。”

“苏洋给我的第一印象就很有个性，是个特立独行的人。”

“所以这两个人走到一起可能是个错误。林哥，你要小心，她不会放过你的。”

“净拿大哥开心，来，喝酒。”

姚淼哈哈大笑起来，笑过之后，她认真地说:“其实，很多女人都是男人的一个经过，要成为男人的永恒才是最高境界。”

“怎么才能成为男人的永恒?”

我没想到姚淼会这么直白地讨论男人。

“得到爱后，要找准爱的距离。”

“有道理，姚淼，想不到你还是个爱情专家。”

“不是的，人家只是有感而发!”姚淼娇羞地嗔道。

我听罢哈哈大笑起来。

“林哥，附近有一家野豹子夜总会，我们一起去蹦迪吧?”

“好啊!”我欣然应允。

我埋了单，姚淼也没跟我争。不过，去野豹子夜总会我心里有些打鼓，因为我口袋里只剩下三百多块钱，怕埋不了单出丑。

野豹子夜总会门前停了百八十辆车，出租车也排着长队，这是东州市最火的一家夜总会，我平时很少到这种地方，所以心里有些发紧。姚淼停好车，挽着我的手走进野豹子夜总会。

舞池里人头攒动，快节奏的音乐让人们激情似火，我们先找了一个散座坐下。

“两位要点什么?”服务小姐问。

我囊中羞涩,没敢开口。

“一个果盘,两听可乐。”姚淼顺口就说。

然后她一把拽起我,“走,林哥,咱们去跳舞。”

说心里话,这段时间工作、学习太紧张,我正想找机会发泄一下,便和姚淼一起扎进人群,疯狂地跳起来。

姚淼对我的舞技很惊讶!

“林哥,想不到你的舞跳得这么好!”姚淼在嘈杂的音乐中大喊道。

“我在大学时跳舞得过头等奖。”我也喊道。

一曲狂舞之后,换了一首慢四的曲子。姚淼贴得我很近,我搂着她纤纤细腰,一本正经地跳着国标舞,可是我握着她温润的手,心里却沉醉了。姚淼的手柔若无骨,仿佛能无限延伸,延伸,在光影间轻盈欲飞,含情若语。

渐渐地姚淼把头倚在我的肩上,我的脸贴着她的头发。我表面沉静,心里却突突直跳,不知是哪辈子修来的福,会遇上姚淼这种高档次的女孩,她的美丽大方深深地震撼了我。

我们默默无语,相依相偎地跳着……一曲终了,我竟不知道下来,姚淼拉了一下我的手,我才反应过来怔怔地走出舞池。

我们就这样一支舞一支舞地跳着,终于跳累了。

“姚淼,不早了,我们走吧。”我轻声说。

姚淼倚在我的肩上,好像没听见,我只好不松不紧地搂着她跳,终于有了湿漉漉的眼泪滴入我的脖子,我下意识地搂紧她。

“庆堂哥,我累了,我们走吧!”姚淼轻轻地说。

我发现,她不再称我林哥,而是直接称我为庆堂哥了。

夜已深沉,车流稀了,姚淼开车把我送到医院宿舍门前,我们静静地坐了一会儿,我推开门下了车,又伸进头说再见时,姚淼还在拭泪。

我的心有些发紧,关上车门,又挥了挥手。

车开走了,我望着消失在夜幕中的白色本田车,无比惆怅。这时腰间的手机发出尖锐的提示音,我一看是丹阳的短信:“你去哪儿疯了,为什么不回话?”

我看看表,已经是后半夜一点钟了,心想只好明天再解释吧。

25. 酥油茶情结

一直与蒋叶真联系去她家取资料，可她忙得总是抽不出时间，当了医政处处长以后，应酬明显增多了，几乎每天晚上都有应酬。我特别想取回她从美国带回来的那些资料，便几乎天天给她打电话，偶尔她有时间了，我又没有时间了，不是上手术台，就是值夜班。

星期五上午我们终于约好，傍晚我去她家取资料，然后一起吃饭。下班后，我打了一辆出租车，兴致勃勃地去蒋叶真家。

一路上，我满脑子都是关于如何由蝶窦入路海绵窦禁区的狐疑，想起古人有"才不近仙者不可为医"的断言，不禁感叹，医学研究的确需要大智慧。但是，我下决心要在世界神经外科状元榜上不断刻上"中国"两个字，这是我的理想，也是我的追求，为此，我不惜卧薪尝胆，勇闯禁区。我觉得我为事业而奋斗的冲劲和激情，尤如早晨八九点钟的太阳正在冉冉升起。

蒋叶真和苏洋的小家住在一楼，下了出租车，刚走进楼道，便听到蒋叶真家里大呼小叫地在吵嘴。我心中纳闷，蒋叶真在和谁吵嘴？难道是苏洋从西藏回来了？

我走到门前没敲门，贴着门缝儿想听出点端倪，果然蒋叶真是冲着苏洋大发雷霆：

"苏洋，你既然离不开西藏，还回这个家干什么？滚回你的西藏去，你这种人不配有家！"

"叶真，你冷静点好不好？我去西藏完全是为了事业！"

"少拿事业骗我，为了你那喝西北风的事业，我们家就差卖房子了，有本事你把房子卖了，让我睡马路去！"

"叶真，我这次回来，就是想和你商量一下把房子卖了，你回你爸妈家住。"

"苏洋，你他妈的浑蛋，你给我滚！"

蒋叶真正骂着，门"呼"的一下就开了，她抱着一大堆东西猛然扔了出来，正好扔在我怀里。我一看是几幅油画，其中一幅是雪山高原上飘荡着云一样的幡，老鹰在白幡间张望，我心想这大概就是苏洋画的天葬系列，这小子可真够执著的，为了事业居然要卖房子。这时，蒋叶真发现我站在门口，一捂脸呜呜哭着跑进屋去。

苏洋看见我一脸的无奈，他接过蒋叶真扔在我怀里的画说："林哥，让你见笑了！"

我只好站在门口劝道："叶真，干吗发这么大的火呀？有什么事不能心平气和地商量。"

"师兄，他是个不食人间烟火的大浑蛋，怎么商量？"蒋叶真说完，哭得更厉害了。

"叶真，苏洋也是为了事业，想干成点事！"我打圆场地说。

"他那也叫事业？整个一个败家子！有本事他不吃不喝，人家男人干事业全是为了养家糊口，他为了事业就差卖老婆了！"蒋叶真不依不饶地哭诉道。

"好了，别哭了，我请你们俩吃饭，咱们坐下来好好聊聊。"我劝慰地说。

蒋叶真不哭了，她抹着眼泪从里屋出来，"师兄，这是给你的资料。真对不起，本来想请你吃饭，全让大浑蛋给搅了，改天吧！"

"这么着，苏洋，"我拍着苏洋的肩膀说，"咱哥儿俩难得见一面，我请你吃饭，你给我讲讲西藏，我做梦都想去，就是没机会。"

苏洋看了蒋叶真一眼，蒋叶真一甩袖子回里屋了，苏洋无奈地摇摇头。

"好，林哥，我正想找人诉诉苦呢，我请你喝酒！我知道一家西藏餐馆，我们去那儿吧。"

我和苏洋打了一辆出租车直奔东顺城路，这条老街以酒吧著称，想不到其间竟夹杂着一家规模不大、风格迥异的西藏餐馆。

一进门，就迎面扑来一股浓浓的西藏风情，除了壁画、木雕、唐卡、藏刀等艺术品外，服务员都穿着藏族服装。在东州古城竟然能找到一家藏族风情的酒家，让我感觉很新奇。

苏洋一路上愁容满面，一进餐厅，就被浓浓的藏族风情化开了，看得出来，苏洋有着浓重的藏族情节。

我们找了一张桌子坐下，我坦诚地说："苏洋，我不懂西藏菜，你在西藏待了那么久，给我介绍介绍藏餐的特点吧。"

苏洋笑了笑说："藏餐的口味讲究清淡、平和，很多菜，除了盐巴和葱蒜，不放任何辛辣的调料，体现了饮食文化返璞归真的时代潮流。最具代表性的是烧羊、牛肉、糌粑、酥油茶和青稞酒。"

这时，身穿藏族服装的服务小姐走过来一边给我们倒奶茶一边问："两位先生吃点什么？"

苏洋老道地说："手抓羊肉、大烩菜、凉拌牦牛舌、灌肠、糌粑、青稞酒和酥油茶。"

我笑着说："苏洋，看来你快成西藏通了。"

"林哥，"苏洋认真地说，"我第一次进藏，就被雪域高原的神山圣水给吸引住了，我的直觉告诉我，这里有我的艺术灵魂。"一谈到西藏，苏洋的表情显得很庄重。

"苏洋，为什么选择去西藏？"我好奇地问。

"对我来说，可能是我难以忘怀的酥油茶情结吧！"苏洋深情地说，"念大学时，我去西宁写生，本来是为了省钱，打算睡在火车站，没想到，车站不准过夜，正在苦苦寻找栖息之处的时候，我发现了一群藏民，盖着羊皮毯子，在街头已经睡得很熟了。因为实在太冷，我顾不得许多，挨着一位老藏人躺下，先试探着把脚伸进去，后来把半个身子也靠进去，里面暖和极了，我很快就睡着了。醒来的时候，藏民们什么也没说，还递给我一碗酥油茶，当时真是太感动了，这就是我的酥油茶情节。"

"我听叶真说你去西藏阿里了？"

"我去阿里是为了临摹古格王国遗址的壁画。那真是九死一生啊！"苏洋摇了摇头，颇为感慨地说，"在那里要饭是基本功，我去之前买了一些丝巾之类的东西，可以到藏民家里换些吃的。不过，最惨的是被困在山里，我曾经吃了十多天牲口才吃的黑豆子，甚至从野狗嘴里抢下了一根风干的牛骨头。"

这时酒菜上齐了，我们酒逢知己似的痛饮起来。我从苏洋的谈话中深深地感受到，他为了追求事业上的成功，对在极致状态下生命的终极意义进行过深刻的思考。

"你临摹古格王国壁画，吃住怎么办？"

"就住在城堡下的山洞里。"

"你一个人吗？"

"一个人。"

"多长时间？"

"几个月吧。"

"吃怎么办？"

“洞里有古时候留下来的各种木制和竹制的箭杆，我就铺床睡在上面，烧火做饭就烧这些箭杆。有一天，我从里面找到了一张皮，我以为是一张羊皮，高兴得不得了，正愁临摹壁画时没有坐垫呢，享用了一段时间后，发现不对劲，怎么这张皮上没有毛呢？仔细观察才发现，皮上竟然有男人的奶头，原来是一张人皮，从屁股一直到脖子，有左胳膊，没有右胳膊。我当时恶心坏了，我竟然在这张人皮上躺了那么长时间，赶紧把人皮扔掉了，扔的时候，手都是抖的，从那以后，晚上就睡不着觉，睡着了也是噩梦不断，我总琢磨这张人皮的主人到底是谁？是奴隶，还是古格王国的大臣，或者是外来入侵者的，是什么情况下被剥皮的？后来我把这段经历画成了一幅画，叫《噩梦》。”

“这么说阿里的壁画对你影响很深啊！”

“对，画是灵魂最直接的反映，阿里的壁画撬开了我生命的灵魂之门。”

“你为什么要卖房子？”

“我想在北京搞一次画展，需要钱。”

“苏洋，是不是特别想得到叶真的支持？”

“林哥，我知道你们曾经有过一段恋情，她在你最需要她的时候离开了你，她就是这样一个人。我多么需要她的理解和支持啊，但是在她的心目中，事业就是当官发财，仕途比艺术尊贵，我们几乎无法沟通。林哥，我已经打开了艺术之门，我再也关不上这扇门了，无论如何我要走下去。”

苏洋的话，我并不惊讶，一个能从世界无人区活下来的人，内心一定有着强悍的力量，我开始为叶真的婚姻担心起来。

我和苏洋喝到半夜才分手，苏洋为了艺术事业义无反顾的劲头，让我深受震撼。与苏洋的事业心相比，我有点自惭形秽，因为我没有苏洋那么纯粹，他为了艺术可以抛弃一切，我不行，我不可能为了事业抛弃爱情。

一想到了爱情，我就想到了丹阳，如果我像苏洋一样，为了事业要卖掉房子，丹阳能支持我吗？我不敢深想，也许丹阳为了爱我可以牺牲掉生命，但是为了我的事业不可能卖掉房子，甚至也会像蒋叶真一样和我吵翻天。那么姚淼呢？

我不知道为什么想到了姚淼，我们只不过是朋友，但是我坚信，即使姚淼是我的红颜知己，也会为了支持我不顾一切的。不过我不是一个自私的男人，自认为自己还有责任感，因为在这个世界上，如果没有爱，赢了世界又怎样?

想到这儿,我不禁想起了张爱玲的小说《红玫瑰与白玫瑰》中的一段话:“也许每一个男子全都有过这样的两个女人,至少两个,娶了红玫瑰,久而久之,红的变成了墙上的一抹蚊子血,白的还是‘床前明月光’,娶了白玫瑰,白的便是衣服上的一粒饭粒子,红的却是心口上的一颗朱砂痣……”

初冬,夜晚的白雾虚飘飘地弥漫着,天地间仿佛是一杯搅得乱乱的、浓得纠缠不开的炼乳,街道两旁的建筑在昏黄的路灯照射下,全变成了模糊的怪兽,远处响起了救护车的鸣叫,我晃晃悠悠地走进北方医科大学附属医院宿舍区时,就像一个找不到地狱的幽灵……

26. 平安夜

日子过得很快,一晃便是圣诞节了,今晚就是平安夜。上午,丹阳让我陪她逛街买衣服,我是最不喜欢逛街的了,可是丹阳有一个理论:观察一个男人和自己逛街的行为,可以看出爱情的将来,购物是很好的爱情试纸。

她经常对那些空姐说,如果一个男人不肯帮你拎大包小包,别指望他在热恋过后会对你无微不至;如果他喋喋不休干涉你买这买那,别相信他将来会尊重你的自由;如果他答应你却又表现得非常不耐烦,他可能是个里外不一的人。因此看一个男人爱不爱你,不要听他怎么说,带他逛街观察观察就知道了。

我知道这个世界喜欢逛街的男人毕竟不多,按丹阳的理论,这些男人没一个能靠得住的,我对丹阳的歪论哭笑不得,只好耐着性子陪她逛。丹阳逛街和别的女孩不同,她逛一天甚至什么都不买,其实丹阳逛街不仅仅是喜欢,简直就是习惯。

圣诞节前夕,许多商店已经改头换面,披起了圣诞的衣装。明晃晃的玻璃门与橱窗上喷写着花花绿绿的英文“MERRY CHRISTMAS AND HAPPY NEW YEAR!”之类的话,喜气洋洋的圣诞老人、红色的衣帽、青翠欲滴的圣诞树、白茸茸的装饰雪片,洋溢着新年的气氛。

随着改革开放的不断深入,中国人过圣诞节成了一种时尚,特别是年轻人,相对于春节来说,他们更喜欢圣诞节。但我一直认为圣诞节是半个情人节，所有拥有另一半的人几乎都在忙碌着。

满大街的俊男靓女都在为自己心爱的人寻找着可心而又别具心思的礼物，空气中有一种甜美的味道。望着川流不息的逛街人流，我不禁感叹：有情人似乎都在等着圣诞节这一天挥霍浪漫。

丹阳非要给我买一件羊绒衫，我只有一件羊绒衫，那还是念研究生时蒋叶真送给我的，丹阳并不知道，但身上这件已经旧了，而且是白色的，我又懒得洗，所以灰土土的。丹阳不喜欢，要给我买一件灰色的，灰色显得更绅士。

我们走了几家商场，丹阳都不满意，我们就一家接一家地逛，终于丹阳在一家羊绒衫专卖店里站住了，她相中了一件灰色羊绒衫，让我试一下。

我刚要试穿时，手机短信响了："今天是平安夜，能陪我吗？请回话。姚淼。"

我心里一阵发慌，怕丹阳看出来，便说："同事给我发了个短信，让我方便的话回电话，我给单位回个电话。"

丹阳并未在意，因为我是神经外科医生，单位随时找，是很正常的。我一边拨号一边离开了专卖店，犹豫了好一会儿才拨通电话。什么事情只要有了开始，就会自己继续的，不管你愿不愿意，时间在替你安排着。

"庆堂，是你吗？"

"对。"

"晚上，能陪我吗？"

"行，在哪儿？"

"晚上在香榭丽大酒店五〇六房间，不见不散。"

我打完手机，呆愣了一会儿，赶紧跑回羊绒衫专卖店，丹阳已经等得不耐烦了。

"什么事？打了这么长时间电话？"

"不好意思，丹阳，晚上我得替罗元文值个班。"

"不行，今晚是平安夜，你得陪我！"

"对不起，我都答应他了。"

"罗元文怎么这样啊，真讨厌！"

"丹阳，别生气，谁都有个特殊情况，这不，还有一下午呢，这一下午我全陪你。"

"那好吧。"

营业员装好羊绒衫,丹阳拉着我的手走出商店。一下午,我都感到心里很惭愧,觉得不应该跟丹阳撒慌,却又抵挡不住姚淼的诱惑。

感情是人生最复杂的东西,能够说清楚的东西不是感情,坚守是一种品德,也是对人性的一种压抑。对我来说,姚淼就像在水一方的伊人,却有着"倚门回首,却把青梅嗅"的诱惑,我说不清,应该与姚淼保持一种怎样的关系,我心里尽量用红颜知己来解释。但是,红颜究竟应该有多红?是否应该红得像夏天的太阳一样热情似火?是否应该红得像春天的桃花一样娇羞欲滴?是否应该红得像炼钢炉里的火一样烫得自己遍体鳞伤?是否应该像明信片上的童话故事一样红得那么清澈透明?我不知道。因为姚淼对我来说越来越有心灵的归属感,她是我心灵的香格里拉。

我就是怀着这种矛盾的心情陪着自己的未婚妻逛了一天街。

送丹阳回家后,我迫不及待地与她分了手。我不能在平安夜空手见姚淼,我走了几家礼品店,都不理想,当我走进一家花店时,放在一张椅子上的五线谱本吸引了我。

"先生,买花吗?"漂亮的女老板问,"平安夜送爱人一束玫瑰花很浪漫的。"

"这五线谱卖吗?"我试着问。

"这是我给女儿买来弹钢琴用的。"女老板笑着说。

"我只需要一张五线谱纸和一支玫瑰花。"我伸出食指说。

"那好吧。"女老板笑着说。

她小心翼翼地剪下一张五线谱纸递给我,我掏出笔在五线谱纸上写道:

平安夜就这么一天,真让人心酸,上帝啊!你干吗不叫平安周、平安月、平安年,好让天堂的温馨撒满那个叫姚淼的女孩的周身,但愿圣诞之光普照你的每一个日子,愿阳光鲜花撒满你的人生旅程。祝圣诞快乐!

我将五线谱纸卷在玫瑰花束上,女老板又在上面修饰了两条彩色飘带。

"先生,你可真会讨女孩子的欢心!"女老板羡慕地说。

我内心也有些得意，我知道姚淼不是那种漂亮的俗女孩，她是个有深度、有内涵、懂情感的女孩，她不会在乎礼物的价值，而是在乎礼物的意义。在她面前，男人的任何媚俗都会让她反感。

不过，与姚淼在香榭丽大酒店五〇六房间约会，让我心里有些紧张，因为俊男靓女平安夜的通俗过法是泡泡吧，开一个别出心裁的概念PARTY，情调烛光晚餐，纵情热舞，把酒狂欢……然而在五星级酒店的房间会怎么过？我不敢深想，却又不得不想，因为我觉得要有事发生……

走进香榭丽大酒店大堂，到处洋溢着平安夜的氛围，圣诞节的气氛在这里尤其体现得淋漓尽致。

香榭丽大酒店是东州声誉最响的一家五星级酒店，争奇斗艳的圣诞装饰仿佛置身在西方的传说里，豪华的圣诞树、圣诞老人、圣诞花环以及风格独特的白雪皑皑的圣诞小屋，把香榭丽大酒店装扮得像曼哈顿。我知道这里今晚必将举办盛大精彩的狂欢活动。

走过富丽堂皇的大堂，上了电梯，沿着铺满红地毯的幽长的走廊来到五〇六房间，我轻轻地敲了门，又按了一下门铃。门开了，姚淼身穿一件咖啡色长裙，含情脉脉地站在我的面前。

望着既端庄又难掩性感锋芒的她，我被电着了，但内心的倒海翻江并未影响自己的风度。我走进房间，把我的五线谱玫瑰递给她，她打开五线谱纸，看后一脸的幸福状。

“庆堂，在五线谱上写下这些祝福的话，太浪漫了，你是怎么想出来的？”姚淼略带羞涩地问。

“这五线谱就像你跳过的舞蹈，联想让人产生灵感。”我得意地说。

房间里已经摆好了一个方形的餐桌，白布上摆着西式冷盘、沙拉、红酒和生日蛋糕。

“姚淼，这蛋糕是怎么回事？”我愣了一下问。

“今天是我的生日，在平安夜与你一起过生日是我的一个心愿。”姚淼幸福地说。

“原来你比上帝早生了一天，”我开玩笑地说，“小心上帝在发笑！”

“上帝不会笑话女人，只会笑话你们男人。”

“为什么？”

“男人一思索，上帝就发笑嘛。”姚淼哧哧笑着说。

“你竟敢篡改这句经典的犹太谚语。明明是人类一思索，上帝就发笑嘛！怎么到你那儿，上帝专门笑男人，不笑女人呢？”

“因为男人大多被理性冲昏了头脑，他们越思索，真理就离他们越远，男人从来就跟他们想象中的自己不一样，男人连自身都无法看清，上帝能不发笑吗？”

“这么说，上帝也在笑我？”

“神经外科医生除外！”

“为什么？”

“因为神经外科医生离上帝最近。”

姚森的话虽然是笑谈，但是充满了哲理，让我心悦诚服，我不得不佩服姚森的聪慧与灵秀。

“不过，我不太明白，我们虽然相识恨晚，但毕竟才认识一个多月，怎么会把这约会当成心愿？”

“说出来你可能不信，在认识你以前，你就已经出现在我的梦中了，我觉得在前世就认识你。”姚森的一对大眼睛直勾勾地看着我说。

“今天是上帝让我们坐在一起的，来，祝你生日快乐！也祝上帝生日快乐！”我动情地说。

我端起两个酒杯，递给姚森一个。她轻声说，“谢谢！”然后喝了一口红酒。我们坐在餐桌边，姚森露出忧郁的神情。

“怎么了？这么忧郁？”我温声问。

“我可能做错了一件事。”姚森面带愧疚地说，“有一天你可能会怪罪我，不过，我不后悔，因为没有这次错误，我就不会认识你。我只求你一件事，如果我做错了什么事，希望你能原谅我！”

“姚森，你说什么呢？莫名其妙的？”我云里雾里地问。

“庆堂，我发现自己走到了爱情的十字路口。你说我该怎么办？”姚森目光迷离地问。

我明白姚森的意思，但我不敢面对她，只好开玩笑地说：“那就站在路口中间，哪儿也不去！”

“为什么？”姚森疑惑地问。

“这样一来，所有追你的人都得听你指挥。”我风趣地说。

“讨厌，人家正愁着呢，你还拿人家开心。”姚森笑了，笑得很甜。

说实在的，我要不是一个情感经历丰富的人真有点扛不住了。很明显，姚森心思很重，确实是站在了十字路口，但有一点我是肯定的，她很喜欢我。我尽量用朋友式或兄长式的口吻与她说话。

“姚淼,为什么心事重重的?”

“我爱上了女朋友的男朋友,庆堂,我该怎么办?”

姚淼不是一个轻易爱上别人的女孩,她言明爱上了女朋友的男朋友,让我心里酸溜溜的,我嫉妒地说:“只有三种选择:第一是全身而退;第二是做红颜知己;第三是把他抢过来。”

“已经没有退路了,抢过来良心不安,因为人家都快结婚了,做红颜知己又不甘心,庆堂,你能给我指点迷津吗?”

“姚淼,我要是爱情魔法师就好了,把你的女朋友变成男的,把她的男朋友变成女的,这样大家还是好朋友。”我诡谲地说。

“可惜你既不是爱情魔法师,也不是女的!”姚淼惆怅地说。

“我为什么要是女的?”我纳闷地问。

“因为你要是女的什么问题都没有了。”姚淼深情地望着我说。

“我不明白。”

“傻瓜,你也有不明白的时候?庆堂,明白的时候千万别恨我!”

“姚淼,你今天是怎么了?”

“没什么,我是说生活总喜欢作弄人。”

姚淼的话让我似懂非懂,她好像要向我坦露什么,却没有勇气说出来。此时姚淼的眼中一颗大如水晶般的眼泪滴落下来,我默默地伸手去拾那泪珠,是那样浓的一汪水,立刻渗在我的手指里,好像早已等待着这泪水的滋润。

“姚淼,爱情不是童话,它是一条河,是一条生命之河。”我颇有沧桑感地说。

“爱情要是童话就好了,”姚淼抹着眼泪说,“那样,你就可以和我远离尘嚣到月亮上去居住,住在月亮上再也不会有人打扰了,那才叫远走高飞呢!”姚淼感伤地说。

“那你爱上的那位女朋友的男朋友怎么办?”

“你不是爱情魔法师吗?当然可以变成我女朋友的男朋友。”姚淼湿润的眼睛触人情怀。

“我可不去。”我开玩笑地说。

“为什么?”姚淼娇嗔地问。

“月亮时圆时缺的,万一缺成个月牙儿,我们就会掉下来摔死。”我逗趣地说。

“与自己心爱的人一起死是一件幸福的事!”姚森坚定地说。

我对姚森的话有些惊讶,认真地问:“你真这样认为?”

“你看我这样像是调情吗?”

我沉默了,现实中红颜不再薄命,而是薄情,遇上一个重情重义的漂亮女人真是让人欲罢不能。

这时,姚森含情脉脉地站起身,缓缓走到我身边,低下身在我的嘴唇上轻轻地吻了下去。我几乎陶醉了,我抱着姚森深情地拥吻。

“坏蛋,你把我给毁了,但我喜欢!”姚森一边吻我一边说。

我听了这话,忽然想起丹阳,一种内疚涌上心头。

“对不起,姚森,很晚了,我该回去了。”我轻轻地推开她说。

“庆堂,你不喜欢我吗?”姚森紧紧抱着我问。

“不、不是,我心里很乱,”我支支吾吾地说,“你、你知道我是个快结婚的人,我,我该走了。”

我穿上大衣就往外走,姚森突然从后面抱住我,我静静地站着,她的眼泪又一次滴在我的脖子上。

我轻轻地掰开她的手,走出房间,又轻轻地关上门,便听到姚森呜呜地哭了起来。我的心都快碎了,无法拂去刚才那触电般的吻,我一直以为女人坚硬如水,而男人脆弱如石,毫无疑问,姚森是一条清澈的溪流,我却早已是河床底部光滑的溪石。

走出香榭丽大酒店,外面已经稀稀落落地飘起了小雪。雪花在马路两侧霓虹灯的照射下,犹如颗颗碎钻,晶莹剔透,美轮美奂,沁人心脾。

平安夜我深深地体会到了一种快乐并痛的感觉,我像是丢失在人生旅途上的木偶,人虽然走在铺满细雪的路上,心却仍然留在姚森的眼泪中……

27.白雪公主

元旦那天,罗元文与何慧慧举行了盛大的婚礼。罗元文处心积虑地将婚礼安排在一艘名为“白雪公主”号的游轮上,新郎新娘将这艘游轮的甲板区都给包了。尽管何慧慧事先知道罗元文将新婚殿堂安排在了游轮上,可是当她走下婚车,面对鲜花和彩带装扮得富丽堂皇的“白雪公主”号的时候，何慧慧还是惊呆了。亲朋好友和医院里的领导、电视台的领导更是赞叹不已。

红色和白色是“白雪公主”号的最大特点，红色是地毯、是玫瑰，而白色则是“白雪公主”号的颜色，红白相衬让“白雪公主”号越发显得美丽动人。

从岸边开始，所有参加婚礼的人便预先感受到了红色的魅力，因为红地毯一直从船上铺到了岸边。随着人们走进典礼的中心区，这种红色诱惑越发强烈，红玫瑰的花瓣几乎将整个中心区给包围了。随着汽笛和礼炮响起，罗元文和何慧慧终于身着盛装在众人的期盼中来到了“白雪公主”号上。望着众多的亲朋好友，罗元文从上船的那一刻起就一直不停地挥舞着双手，向所有的人表示谢意，何慧慧却带着幸福的眼神在四处打量着这艘作为他们结婚殿堂的游轮，好像看不够似的。

轮到新郎讲话时，罗元文自豪地说：“今天既是元旦，也是我的生日，我和慧慧选在今天举行婚礼，预示着我们百年好合，幸福美满。慧慧答应嫁给我时，我问她，喜欢什么样的婚礼？她说她梦想着有一天可以在一艘漂亮的游轮上嫁给我，今天我终于圆了我们的梦想。”

紧接着新娘讲话，何慧慧幸福地说：“为了准备这场婚礼，元文已经辛苦了一个多星期了，就连婚礼举行的前一天，他也一直在‘白雪公主’号上忙碌，我真的是很感动，能够嫁给他是我这辈子最幸福的事！”

谢丹阳望着满天的玫瑰、漂亮的游轮，羡慕得恨不得自己成为新娘，“哇赛，太浪漫了，庆堂，我也要做白雪公主！”

“白雪公主，我只是你的青蛙，还不是王子，这太张扬了，我不喜欢！”我直白地说。

“那你就当你的癞蛤蟆吧！”丹阳不高兴地说。

这时，游轮的汽笛声再一次响起，婚礼终于在带着新郎新娘心愿的气球升空中结束了，接下来是婚宴。婚宴安排在游轮对面的天天渔港举行。

赵雨秋带着爱华也参加了婚礼，这让医院里的同事很惊讶！在酒席上，赵雨秋再一次发挥了收集别人隐私的特长，生动地讲述了罗元文与何慧慧相识的经过，也不知道她是怎么打听出来的。

“你们知道罗元文和何慧慧是怎么认识的吗？”很明显赵雨秋对这场铺张而浪漫的婚礼很嫉妒，她故做神秘地问。

“快说说，罗元文怎么把何慧慧追到手的？”谢丹阳好奇地问。

“追什么？送到手的！”赵雨秋用纤纤嫩手轻轻拍着桌子说。

“别卖关子了，到底怎么回事？”陈小柔迫不及待地催促道。

“一开始，他们俩呀在同一所大学读书，但谁也不认识谁，”赵雨秋见吊足了大家的胃口，眉飞色舞地说，“有一天，何慧慧从图书馆回宿舍的路上突然内急，就近进了在篮球场边上的公厕，舒畅之后拿出手纸刚要用，可是却掉进了茅坑里，只好等待有人进来，可是脚都麻了也没有一个女生进来。这时何慧慧听到隔壁男厕所有人进去，她实在受不了了，就大声喊：‘喂！那边的同学！’没人理她，她又喊：‘那边的男同学！’那边的人这时才迟疑着回答：‘干吗？’何慧慧困难地说：‘麻烦你帮我扔卷纸过来成吗？我等了半天了，天都快黑了。’那边哈哈大笑一直没停，何慧慧急坏了，问：‘到底成不成啊？’都带哭音儿了！后来那个男同学把纸给她扔了过来。等何慧慧蹒跚着出去，那人等在门外说：‘我就想看看是谁这么糗，哈哈哈，我叫罗元文。’当时何慧慧恨不得马上在罗元文面前消失，可是罗元文却说：‘咱们就算认识了，我请你吃饭。’就这样两个人一发而不可收，终于坠入了爱河。”

“赵雨秋，你可真能瞎掰，听着就好像不是罗元文和何慧慧的事，倒像是你自己的经历似的，讲得有鼻子有眼的。”我笑着揶揄道。

“林庆堂，不信你一会儿问问罗元文，有没有这回事！”赵雨秋辩解道。

“你怎么知道的？”我特讨厌赵雨秋背后议论别人的隐私。

“有一次聚会，元文喝多了自己说的。”赵雨秋白了我一眼说。

“雨秋，庆堂不信，我信。来，为你精彩的故事干杯！”曲中谦带着几分醉意说道。

“曲主任，雨秋不能喝酒，这杯我替她喝了。”

爱华心疼心上人，想为赵雨秋挡酒。曲中谦早就看着爱华不顺眼，他不客气地说：“去去去，你算老几，你替她喝！”

“曲主任，我是他男朋友，当然有资格替她喝酒！”爱华不甘示弱地说。

“狗屁！雨秋，这杯酒你得喝，这是元文和慧慧的喜酒，不喝不行！”曲中谦醉眼盯着赵雨秋说。

“好好好，领导发话了，我喝，我喝！”赵雨秋端起酒杯说。

“不行，雨秋，你不能再喝了，再喝就醉了，要喝，我替你喝！”爱华抢过赵雨秋的杯一饮而尽。

曲中谦拿起酒瓶子站起来，晃着说：“雨秋，这杯不算，我给你满上。”

“曲主任,我敬你吧!”赵雨秋拿过酒瓶一边给曲中谦倒酒一边说,她最喜欢男人们为她争风吃醋了。

爱华拦不住,两个人终于干了一杯。曲中谦不依不饶,还要回敬,爱华叫号说:“曲主任,和女人叫劲算什么能耐,有本事咱俩喝。”

“爱华,搞女人你行,喝酒你不是个儿。你说吧,怎么喝?”曲中谦挥着手说。

“老曲,爱华外号叫‘黑旋风’,足球踢得也好!”陈小柔看不过去揶揄道。

陈小柔的老公是东州军区某医院副院长,大校军衔,平时曲中谦对陈小柔也得礼让三分。

爱华拿起五粮液给自己的啤酒杯倒了一杯,“曲主任,我先敬你!”说完一饮而尽。众人齐声叫好。曲中谦的脸有点挂不住了,他也给自己倒了一啤酒杯五粮液一饮而尽。

“爱华,来,我敬你一杯!”

曲中谦说完,又给爱华满了一杯五粮液,然后给自己也满上,就这样两个人连干了三啤酒杯五粮液。曲中谦不行了,他一口喷了出来,正好赶上罗元文和何慧慧过来敬酒。

我赶紧扶着曲中谦去洗手间。曲中谦一边走一边说:“元文,慧慧,恭喜恭喜,大哥我敬你们一杯!”

在洗手间,曲中谦吐完醉眼惺忪地看着我说了一句让我非常吃惊的话:“庆堂,我看出来了,将来神经外科不是穆主任的,也不是我曲中谦的,是你林庆堂的。”

我连忙说:“曲主任,你喝多了!”

“没有,再喝三杯也没问题,你知道为什么不是罗元文的吗?”

我懵懂地望着他没说话。

“因为罗元文鱼和熊掌都想要,你只要熊掌。”

酒后吐真言,曲中谦的话,让我感到了些许恐惧,因为曲中谦这个人很阴险,我在他心目中位置这么重,日后凡事必然处处掣肘。

28.师兄弟

有一天下午,我到穆主任办公室送病历,刚走到门前,爱华从里面走了出来。

“你好，庆堂！”爱华热情地打招呼。

“你好，爱华，找穆主任？”我心里诧异，表面平和地问。

“我有一些问题不明白，来请教穆主任。”爱华说完，摆摆手走了。

我推门走进穆主任的办公室，发现他正凝视着窗外，仿佛想起了什么往事。

“穆主任，爱华好像和您很熟啊？”我试探地问。

“当然很熟了。还记得我给你和元文说过，我曾经有个女学生叫关慧娜远嫁到非洲去了，爱华就是她的儿子。”我听后暗吃一惊，果然让罗元文说中了。

“穆主任，这么说爱华身上有一半是中国血统？”

“是啊，他父亲叫阿里，当年是刚果（金）卫生部部长的儿子，也是北方医科大学的学生，不过不是学神经外科的。他和爱华的母亲关慧娜是在学生会组织的舞会上认识的，当年关慧娜和爱华的爱情真可谓是轰轰烈烈，轰动了校园内外，说啥的都有，许多人认为爱华的母亲‘大逆不道’，‘有辱国格’。同学的冷眼、老师的规劝、亲友的阻拦，关慧娜都没有动摇，真不简单啊！”

“穆主任，当年您是什么态度？”

“我看两个年轻人真心相爱，不仅支持，而且还给了他们力所能及的帮助。现在爱华的父亲是刚果（金）首都金沙萨医院的院长，母亲也是很著名的医生。爱华考我的博士生就是他母亲给我写信推荐的。”

我心里咯噔一下：看来这个爱华的确是个强有力的竞争对手，穆主任这次就招三个博士生，难怪罗元文担心自己考不上。

春节过后，我以第一名的成绩考取了穆主任的博士，第二名是刚果（金）留学生爱华，罗元文是第三名。就这样，我和罗元文、爱华成了同学。

拿到录取通知书后，罗元文提议，请爱华吃顿饭，熟悉熟悉，毕竟是师兄弟了。

傍晚，我们在医院东门的穆斯林餐厅请了爱华。爱华的年龄跟我和罗元文相仿，中文的流利程度让人吃惊。

爱华很喜欢吃涮羊肉，我们就要了火锅。

“爱华，喝什么酒？”我侠气地问。

“涮羊肉当然要喝白酒。”

爱华很豪爽，他亲自向老板娘要了小烧。爱华的酒量很大，这在罗元文和何慧慧的婚礼上，我们都领教了。爱华第一杯全干了，我和罗元文不示弱，也全干了。

我和罗元文很喜欢爱华的性格：活泼开朗，热情豪放。

“爱华，祝贺我们成为同学，来，再干一杯！”我端起酒杯说。

罗元文也端起酒杯，我们仨又一饮而尽。

“爱华，你为什么叫爱华，难道跟你母亲有关吗？”我情不自禁地问。

“当然，我有两个祖国，一个是刚果（金），一个是中国。当年母亲生下我是非常思念中国的，父亲为了填补母亲对祖国的眷恋之情，便给我起名叫爱华。”

“爱华，能说说你父亲和母亲的爱情吗？”罗元文试探地问。

“说说吧，爱华，一定很传奇！”我附和道。

“母亲跟着父亲吃了很多苦，但她无怨无悔。”爱华深沉地说，“当时中国很封闭，两国还没正式建交，很多人觉得一个漂亮的中国女孩同一个黑人结婚有点‘那个’，但是母亲还是选择了父亲。母亲的结婚申请，由学校转到东州市政府，又几经周折转到了中国国家有关部门，最后终于得到了中国政府的认可。当时父亲母亲高兴极了，可是天有不测风云，正当父亲母亲为自己的幸福未来作着无限美好的遐想的时候，我们国家却发生了军事政变，爷爷和全家都成了阶下囚，这一打击对父亲来说简直就是毁灭性的。他在中国的居留日期已经所剩无几，回国就是自投罗网，喜剧转眼之间变成了悲剧。”

“当时你母亲是怎么想的？”我迫不及待地问。

“母亲对父亲说，不管你遇到什么不幸，我都不会离开你，你走到哪里我就跟你到哪里。当时父亲被感动得紧紧抱着母亲，热泪盈眶。”爱华眼睛湿润地说。

“后来呢？”罗元文迫切地问。

“后来父亲在朋友的帮助下，辗转非洲几个国家，在国外漂泊了十几年才回国，现在在首都金沙萨医院当院长。”爱华感慨地说。

我和罗元文被爱华父亲母亲真挚的爱情感动了真正的爱情是能经受住任何风雨的，我不禁暗问自己：我和丹阳能做到吗？罗元文和何慧慧能做到吗？

“爱华，看来你现在要学你的父亲，也想娶一位中国姑娘？”罗元文笑着问。

“我爱雨秋，雨秋就是我心目中的中国姑娘。”

“爱华，你可想清楚了，赵雨秋可是个心高气傲的女孩！”罗元文半认真地说。

“元文、庆堂，你们对雨秋有偏见，其实雨秋是个善解人意的女孩！”

罗元文就喜欢谈论女人，他点了一支烟一边抽一边说：“纪伯伦说，每个男人都爱着两个女人：一个是他想象的作品，另一个还没生下来。你们认为理想的女人应该是什么样的？”

“大凡读过沈复《浮生六记》的人都会忘不了芸娘。芸娘是沈复的妻子，贤淑聪慧，擅风情又解人意，与沈复感情深厚缠绵，不幸早死。沈复把他们夫妻的恋艳故事写得幽芳凄绝，读后令人心醉，以至连林语堂都说，芸娘是中国最理想的女人。”我卖弄地说。

“这么说，谢丹阳就是芸娘了？”罗元文深吸一口烟喷云吐雾地问。

“丹阳是芸娘的‘反动’！”我一挥手说。

“什么意思？”罗元文不解地问。

“野蛮女友呗！”我自嘲地说。

罗元文和爱华哈哈大笑。

“元文、爱华，你们说好女人什么样？”我疑惑地问。

“让我说好女人是一本耐看的书：一是坚决正版，严禁盗版；二是容纳百川，内容丰富生动有趣，随手翻开一页都不会让你失望；三是能在孤独时陪伴你；四是充满书香，让你浮想联翩；五是想看时便看，不想看时没人逼你看；六是不管什么时候，什么场合都能拿得出手；七是心烦时是最好的倾诉对象。这七条融会贯通，一脉相承，方能让人欲罢不能。”罗元文油滑地说。

“庆堂、元文，你们把女人想复杂了，其实很简单，我爱的女人对我来说就是好女人。”爱华坦诚地说。

“你爱的女人是赵雨秋，那么赵雨秋就是最好的女人。爱华，你可别逗了！”罗元文讥笑道。

“在我心目中，雨秋就是最好的女人！”爱华坚定地说。

罗元文和我对望了一眼，我们俩不约而同地大笑起来。

“你们笑什么？”爱华不解地问。

“爱华，赵雨秋可是爱情高手，很难对付的！”罗元文用提醒的语气说。

“元文，你别小看爱华，或许爱华能一物降一物，‘搞’就是一个手字加一个高字，也许爱华能把赵雨秋搞定。”我若有所思地说。

“爱华，到底搞没搞定？”罗元文话里有话地问。

爱华低下了头。

“爱华，你父母的爱情和赵雨秋说过吗？”我笑着问。

爱华笑了笑，未置可否。

“那么，你向赵雨秋表达过了吗？”我又问。

爱华脸有些红说：“我爱她，但她一直不接受我。”

“她拒绝你了吗？”罗元文关切地问。

“没有。她既不接受我，也不拒绝我，这让我很痛苦。不过我很爱她，我不会轻易放弃的！”爱华态度坚决地说。

“爱华，我还以为你是玩玩呢，没想到你这么认真。”罗元文略感意外地说。

“你们俩可是我的师兄弟了，见到赵雨秋要多给我美言！”爱华恳切地说。

我根本不相信赵雨秋会嫁给爱华，又不忍心戳破，只好和罗元文敷衍他。赵雨秋和爱华的母亲不同，因为在她们心目中对爱的理解有本质的区别，爱在赵雨秋看来仅仅是资本。她常和护士们说：漂亮是女人的资本，要善于经营，经营不好，就会让自己破产。赵雨秋是那种想改变灰姑娘命运的俗女孩，为了变成白天鹅会不顾及贞节，罗元文评价她也许是处女，但绝不贞节。眼下赵雨秋最大的愿望是挤走陈小柔，当神经外科护士长，这也是曲中谦能得手的根本原因。

离开酒店时，已经月悬中天了。我们仨喝得七分醉意，罗元文回家搂娇妻，爱华一个人回了宿舍，我只好打车去了谢丹阳家。

自从我一拳打碎她家大衣柜的镜子后，就像投石入了天鹅湖，激起了涟漪，丹阳似乎更爱我了。这种爱，让我整天像情爱小说里的主人公，在诗的灿烂天空翱翔，我幽闭已久的心冲出栅栏，在漫无边际的田野上奔跑，身子却着实在丹阳的床上打鼾。

夜深了，丹阳的父母早已熟睡，丹阳手捧着《苔丝》躺在床上，她嗔怪我回来晚了，让我赶紧洗漱。

我先喝了一杯水解解酒，然后说起爱华父母的爱情。丹阳深受感动！

“庆堂，是不是特希望我像爱华的母亲一样爱你？”丹阳忽闪着大眼睛问。

“我的心是干涸的沙漠，期待着你温情的滋润！”我俏皮地说。

“贫嘴。我倒希望你的心是宽阔的大海，容纳百川。”丹阳用手捧着我的脸说。

“好，那就让爱的巨浪来得更猛烈些吧！”我抱起丹阳转着圈说。

丹阳咯咯笑着让我放下她。我放下她后，又说了爱华追求赵雨秋的事。

“赵雨秋现在需要的不是感情，而是虚荣；不是男人，而是靠山。因此爱华再优秀再爱他，也是枉然。”丹阳认真分析着，“如果爱华是个美国人，赵雨秋会不顾一切地爱上他，因为只有解决虚荣心和靠山的爱，才是她的追求。赵雨秋是那种必须在爱中得到一种切身利益的人。”

“这一点只有曲中谦能给她。”我补充说。

洗漱完毕，我钻进丹阳的被窝。因为快结婚了，丹阳的父母对我们俩睁一只眼、闭一只眼。

“丹阳，婚礼你想怎么办？”

“我想让蓝天、白云见证我们的爱情。”

“你的意思是坐飞机旅行结婚？”

“你真老土，傻帽儿才旅行结婚呢。我是说，我们公司有个航空俱乐部，去年，我们一位飞行员的婚礼，就是这个俱乐部承办的，乘热气球结婚，多浪漫呀！这叫让爱升空，绝对盖过罗元文和何慧慧的游轮婚礼！”

“姑奶奶，那得需要多少钱呀？”我圆睁二目问道。

“租赁、使用热气球及相关设备，驾驶热气球的飞行员出租费以及化妆、检查、检测等系列费用算一起才一万元左右。”丹阳满不在乎地说。

“丹阳，这种方式开销太大了，我们还是节俭一点好。”我用商量的语气劝道。

“我就知道你得这么说，费用我出还不行吗？”丹阳噘着嘴说。

“丹阳，这不是费用的问题。空中结婚好是好，就是不确定的因素太多，比如风太大、下雨什么的，风险也大。总之我不同意。”我拒绝道。

“不嘛。我就是要让所有的人永远记住我们的空中婚礼，记住我们在空中的永恒瞬间！”丹阳娇嗔地说。

“丹阳，这事你一定要冷静一点，再说，伯父伯母也不能同意呀。”

“我爸妈听我的，关键是你。”

“丹阳，我们是结婚，不是玩儿命，像正常人结婚有什么不好？”我有些生气地说。

谢丹阳看我有些火了，便小鸟依人地说：“好啦，人家是逗你玩的嘛。我妈是基督徒，她都定好了教堂，我们在教堂举行婚礼，这总可以了吧？”

“臭丫头，你敢戏弄我？”

我使劲儿胳肢她，丹阳也还手胳肢我，我们虽然闹得厉害，但并不敢笑出声。闹着闹着，丹阳火辣辣地吻过来，我被吻得发毛，一把扯下她的胸衣，张着大嘴大吻她的乳房，我从乳房吻到小腹，又从小腹吻到乳房。

丹阳呻吟起来，她顺手关掉床头灯。我像泰山一样压下去，仿佛压到初春的嫩草上，却又像一叶孤舟在大海上起伏律动。

“庆堂，我真希望这世界上只有我们两个，没有别人，真的！”丹阳轻声地说。

月光透过窗户直射进来，我发现丹阳漂亮的眼睛闪着迷离的光。我心想，这就是我将厮守一辈子的女人，这就是我的最爱。我会给她带来幸福吗？我不知道，我居然不知道。我问自己，能知道什么？我一边律动一边想，终于随着一泻千里想起一句话：爱情死了，婚姻却活了。

29. 第三只眼睛

星期一早晨八点钟，穆怀中主任率全科医生例行查房，这是我和罗元文、爱华考取穆主任博士后第一次以他的学生的身份随同查房，我们仨的心情都很兴奋。

穆主任的表情虽然儒雅，但不怒自威，我们都很紧张，因为每次查房都像考试一样，不知道穆主任会提什么问题，也不知道他会向谁提问题，如果回答不上来，那可是在全科医护人员面前丢面子的。

穆主任随手推开脑溢血病区三号病房，在一位老人的床前停下了脚步。病痛消耗了老人的血肉和精神，枯瘦的脸上露出痛苦的神色。

穆主任搓了搓双手然后摩挲着老人瘦得皮包骨的双手，和颜悦色地问：“老人家感觉怎么样？”

这是一位年近八十岁的老人，老人没有说话。

护士长陈小柔说：“穆主任，老人家心事很重，担心交不起住院费，术后不愿意进食。”

穆主任蹲下身仔细地查看了老人的导尿管，然后起身握着老人的手说："老人家，不吃饭可不行，怎么都要吃一点！"边说边端起放在床头柜上的稀饭，一勺一勺地喂老人。

穆主任像哄孩子一样哄着老人。老人张开嘴，边吃边流眼泪。

站在我旁边的爱华不解地问："庆堂，穆主任为什么要搓手？"

我小声地说："穆主任总是把手搓热了才给病人检查。"

爱华又问："这位老人来头很大吧？穆主任竟然亲自给他喂饭！"

"胡说！"我沉下脸说，"这位老人既不是富商大贾，也不是高官权贵，而是一位无儿无女的孤寡老人，是在好心人的指点下找到穆主任的。"

穆主任给老人喂了一会儿饭，陈小柔俯身说："穆主任，还是我来吧。"

穆主任将饭碗递给陈小柔，赵雨秋推着平车走了进来。

"老爷子，打点滴了。"

赵雨秋把胶皮管系到老人的胳膊上。穆主任严肃地问："元文，病人为啥要用先锋六号，还是进口的？"

罗元文略显紧张地回答："穆主任，作为常规术后感染，现在大家都用先锋六号，也就给这个病人用了。"

穆主任脸顿时沉了下来。

"元文啊，你知道医疗费用对这样的病人和家庭会带来多大的经济负担！这个病人没有明显的感染，术后又很稳定，为什么不用氨苄青霉素？过去我们常用，效果不错又便宜，你是大夫，要多为病人考虑才对！"

罗元文被说得当时就低下了头，脸红得跟猴屁股似的。我心里有些幸灾乐祸，但不得不被穆主任的高尚医德所折服。

这时，穆主任接着说："你们大家切记，医学是一门以心灵温暖心灵的科学，医生对于病人来说，首要的不在于手术做得如何流光溢彩，而在于如何向病人奉献天使般的爱心。"

就在这时，值班主任曲中谦走进病房说："穆主任，泌尿科有一位摔伤的危重病人，生命垂危，怀疑颅内出血，他们科的刘主任想请你过去会会诊。"

"知道了，中谦。"穆主任为老人掖了掖被角说，"剩下的病房你带大家查一查，元文、庆堂、爱华你们跟我去一趟。"

"穆主任，这个病人我知道，大前天我去会过诊，当时没有发现什么异常。"罗元文略显紧张地说。

“好吧，路上说吧。”

我们随穆主任匆匆赶往泌尿外科。泌尿外科在神经外科的后楼，路上，罗元文简单介绍了这位病人的情况。

原来这是一位来自偏远山区的农民工，叫许建民，三天前在北方医科大学附属医院附近的一个建筑工地施工过程中，不慎从五楼的建筑平台上突然坠落，万幸被三楼的防护网接住。但在坠落过程中，头和身体多处受到猛烈撞击，伤后意识模糊，头部伤口流血不止，小便没有了知觉、失禁。被身边朝夕相处的工友们救起后，立即送到北方医科大学附属医院。病人进入医院绿色急救通道。

“穆主任，”罗元文绍完情况又补充说，“当时各相关科室的医生都在第一时间赶到了，神经外科是我去的。当时病人病情相对平稳后，做CT显示，颅内未见异常，骨盆骨折，左肾挫裂伤，所以患者住进泌尿外科观察治疗。”

“我分析活动性出血的可能性非常大，快走吧，听听泌尿外科的刘主任怎么说。”穆主任说完加快了脚步。

当我们赶到现场时，泌尿科医护人员正在严阵以待。泌尿外科刘主任是一位年富力强的博士后，刚过四十岁，对穆主任非常尊重。

“穆主任，您老亲自来了，我心里就有底了。”刘主任心怀敬意地说。

“刘主任，介绍介绍情况吧！”穆主任和颜悦色地说。

“穆主任，”刘主任认真地说，“由于患者属于多处复合伤，颅脑、骨盆、肾脏多处损伤，这些部位的损伤都可能产生严重后果，甚至危及生命；所以，患者转泌尿外科后，全科上下高度重视，一级护理密切观测血压、脉搏、呼吸、体温等生命体征变化，我组织全科对这个病例进行了讨论，对于患者可能发生的各种可能性给予了充分的考虑，并制定了相应的应急预案，经过三天的抢救，患者已经能与医护人员进行简单的交流。没想到今天早晨护士打滴溜时，发现患者不停地拍打自己的左腿，问他哪里不舒服，他没回答。护士迅速向我报告，我得知患者昏迷程度加深后，分析活动性出血的可能性很大，但不知是颅内出血，还是肾脏损伤或骨盆骨折导致的腹腔或盆腔出血，所以首先查看了患者的瞳孔，发现瞳孔已经散大且两侧大小不等。”

“瞳孔放大是发生脑疝患者病情危重、随时有生命危险的表现。”穆主任插嘴道。

刘主任接着说："所以我立即决定给予降颅压脱水药物，并联系放射科做了核磁共振检查。"

"检查结果怎么样？"穆主任沉着地问。

"患者颅内有巨大血肿并已经形成脑疝。"刘主任焦虑地说。

穆主任听完刘主任的介绍后，亲自查看了病人，然后他沉思片刻，说了一句让我极为震动和嫉妒的话：

"立即准备手术。元文，这例手术由你主刀，我和庆堂、爱华给你做助手。"

这么重要的手术由罗元文主刀，这可是罗元文第一次独立主刀完成这么重要的手术，穆主任也不怕出什么意外？我心里很不服气，你罗元文不就比我早来一年吗，手术经验未必比我丰富。但是患者生命垂危，容不得我多想。

此时，患者突然出现了意识不清，双侧瞳孔已经散大且两侧大小不等，对光反射双侧都消失，提示脑疝。这是神经外科最严重的危重症，死亡率极高，头颅核磁共振检查显示：右额叶巨大血肿，出血量大约四十毫升，小脑幕切迹疝。

罗元文决定患者直接进入手术室，并立即通知护士长陈小柔给患者剃头、备皮、备血，准备全身麻醉和开颅手术器械。

手术是从中午开始的。罗元文有一双干净修长的手，这双手的手掌并不大，掌心部分微微泛红。手指修长，每根指肚都饱满而匀称，透出健康的粉色，指甲整合着手指的边缘修剪得整整齐齐的，没有分毫多余。

望着罗元文熟练地切开头皮，锯下额部、颞部骨瓣，切开硬脑膜，我想起穆主任常跟我说的一句话："庆堂，要让你的手成为你手术中的第三只眼睛。"

起初，我对这句话不太理解，今天看着罗元文熟练的手术，忽然领悟了，那就是手术中的手感。

我把眼光移到穆主任的手上。我给穆主任做过几十例手术的助手了，还是第一次认真观察他的手。近五十年的外科手术生涯，给穆主任的手留下了一个特别的标记：他右手的第一个关节向后凸起，指尖习惯性地向大拇指方向微微蜷起，而中指的第一个关节却向无名指方向与第二节向成一个近直角的弧度，所以当他摊开手掌时，如果不刻意地并拢，食指和中指的第一节就会形成一个小小的"V"形。

这双手救过近万条生命，我们院长称穆主任的这双手是“国宝”。是啊，我的手何时才能成为“国宝”呢，罗元文的手已经开始向“国宝”级的手迈出了第一步，我什么时候迈出第一步呢？

胡思乱想着，罗元文已经切开患者的硬脑膜，立即有黑色的血液从脑中涌出。罗元文有些手忙脚乱，穆主任提醒他：“别紧张，冷静！”

罗元文定了定神，很快冷静下来。他仔细地探察了血肿腔，迅速清除了血肿块。罗元文的表现着实让我和爱华心悦诚服，特别是他良好的心态，能够很快镇静下来，只是我的心里酸溜溜的不是滋味。

彻底止血后，严密缝合硬脑膜，骨瓣复位并打孔固定。穆主任赞赏地点了点头。罗元文一丝不苟地逐层缝合头皮，在颞肌下置硬膜外引流袋，手术顺利完成。

许建民的生命体征平稳，散大的瞳孔又缩小了，脑疝的危险解除了。罗元文的脸上流露出轻松的表情。

“元文啊，”穆主任嘱咐道，“手术顺利完成，只是抢救过程的第一步，后面的考验更复杂，他还没有最终脱离危险，随后而来的脑水肿仍然有生命危险和再次手术的可能。”

陈小柔和赵雨秋推着患者去了重症监护室。

我和爱华陪着穆主任、罗元文进了淋浴间。一边洗淋浴，穆主任一边说：“你们三个人回去后，每人写一份对这次手术的心得庆堂、爱华，你们要记住，作为一名神经外科医生，心理素质很重要，我们不能拿患者的生命练技术。我知道元文今天上手术台，你们有些不服气，等我对你们有十足的把握时，我也会给你们当助手的。”

我看见罗元文听了穆主任的话，露出了很得意的神情。

第二天上午，我就把手术心得送给了穆主任。没想到穆主任看到一半时就让我拿回去检查完再拿回来。

我只好拿回去检查了两遍，发现有一个错别字，改过来后，下午刚上班，我又给穆主任送去了。穆主任虽然认真看完了，但仍然让我拿回去再检查。

我心里很不舒服，嘀嘀咕咕地走了。刚出穆主任的办公室，就迎面碰上了陈小柔。

“怎么了，庆堂？阴沉着个脸？挨批了？”

我一肚子怨气地说：“昨天的手术心得，我按着穆主任的要求做完了，送给他看，他让我拿回去检查，我检查完了，他还让我检查，我就检查出一个错别字，穆主任是不是太小题大做了？”

陈小柔笑了笑说：“庆堂，走，我领你去趟资料室。”

“去资料室干什么？”

“去了你就知道了。”

我不情愿地随陈小柔来到资料室。陈小柔找了半天，递给我一份发黄的病例。我的脸当时就红了。

“庆堂，这是穆主任四十七年前用英文打印的一份病例。当年，他老人家才二十几岁，你看这份病例从格式到文法修养写得多么规范，他老人家让你修改是对你用心良苦啊！将来他给你的不光是一把手术刀，更重要的是严谨的治学态度和追求完美的科学精神。”

陈小柔跟着穆主任做过很多大手术，号称“黄金搭档”，对穆主任非常敬重。陈小柔的话令我自愧不如，更为自己辜负了老师的一片苦心而羞愧！

我当即对自己的手术心得做了认真检查，终于发现结尾处有几个英文单词写得不规范。当我再次把这份作业交给穆主任时，穆主任欣慰地笑了。

30. 爱不厌诈

我和丹阳的婚礼定在了“五一节”。“五一节”的前两天，我父母到了东州。丹阳的父母盛情邀请我父母住在他们家里，我觉得不方便，没同意，再者说，我父母是小地方人，爸爸虽然是县建筑公司经理，去过一些大城市，但相对于丹阳家来说，毕竟是小门小户，特别是母亲活了一辈子几乎没出过汤子县县城，要是真住在丹阳父母家，我父母会很不自在。所以我和丹阳商量后，把二老安排住进了我们医院的宾馆。

自从小月死后，我再也没回过汤子县，心里对父母有一份歉疚，晚上为了和爸妈唠家常，我也和父母住在了一起。母亲见我终于出息了，眼泪止不住地流，捧着我的脸看不够。

“庆堂，你妈是高兴的！”我爸一边抽烟一边说。

“妈，儿不孝，一直没回去看你们二老。”我也眼睛模糊地说。

“儿呀，你出息比啥都强。妈就盼着你混出个人样来，成为扁鹊、华佗那样的神医，悬壶济世，多积善行德，让你们老林家的祖坟也冒冒青烟。”

“爸、妈，爷爷奶奶的身体还好吧？”我关切地问。

“你爷爷奶奶的身体还算硬朗，听说你要结婚，娶了那么好的媳妇，都嚷嚷着要来。我怕他们年纪大了，路上再有个闪失，劝他们别来。爷爷奶奶嘱咐，一定要把你和新媳妇的照片带回去，千叮咛万嘱咐的。”我爸换了一支烟一边抽一边说。

“爸、妈，小月家还不和咱们家说话？”我试探着问。

“这个结算是解不开了！”我爸唉声叹气地说。

“儿呀，”我妈擦了擦眼泪说，“冤家宜解不宜结。妈相信早晚有一天能解开。小月死后，我和你爸一直愁你的婚事，怕小月的死对你的婚姻有影响。这回妈放心了，我儿终于成家立业了，等生下个大胖小子，妈给你带！”

“妈，要是生个丫头呢？”我笑着问。

“庆堂，这你放心，别看咱老林家三代单传，但是你爷爷奶奶并不糊涂，早就说了生男生女都是宝儿。”我爸接过话茬说。

我听了我爸的话笑了，心里释然了许多，原先担心爷爷奶奶封建，怕断了老林家的香火，想不到爷爷奶奶如此开通。

“五一”节那天，我和丹阳终于走进了教堂。在教堂举行婚礼是丹阳母亲的意愿，自从丹阳的父亲做了大手术以后，丹阳的母亲就信了教，成了一名虔诚的基督徒。

其实，我从心里不喜欢在教堂举行婚礼，因为我和丹阳都不是基督徒。不过，我和丹阳的同事大都没有参加过教堂婚礼，所以都很感兴趣。

婚礼是在恒春路的国际礼拜堂举行的，我的伴郎是罗元文，丹阳的伴娘着实让我大吃一惊：她就是姚森。当我在教堂发现姚森时目瞪口呆，不知所措！心里七上八下的，仿佛掉进了迷魂阵。我不知道丹阳和姚森是怎么认识的，看样子熟得很，我脑海中顿时想起圣诞节那天，姚森过生日跟我说过的话：“庆堂，我爱上了女朋友的男朋友，怎么办？”这个女朋友是不是就是丹阳？那么女朋友的男朋友当然就是我了，我一下子恍然大悟！

“庆堂，这是我的中学同学、我最好的朋友姚森，省歌舞团的舞蹈演员。”丹阳向我介绍说。

“丹阳，你有这么漂亮的女同学，怎么从来没有跟我说起过？”我故作镇静地问。

“难道你们不认识?”丹阳诡谲地问。

我心里一惊,心想:难道丹阳知道我和姚森约会过?

“庆堂,我们邂逅的事我都和丹阳说了。”姚森看了丹阳一眼眨了眨眼说。

“邂逅?”我惊讶地问。

“行了,我知道你们是怎么认识的,婚礼后再解释吧。”丹阳满不在乎地说。

我看了看姚森,发现她的眼神掠过一丝痛苦的忧郁,我知道姚森和谢丹阳之间一定有什么事瞒着我。姚森和谢丹阳是好朋友,谢丹阳却从未和我说过,而姚森不会不从谢丹阳那儿打听我,我说怎么总觉得姚森好像很熟悉我似的,难道姚森事先知道我的身份?我心里忐忑极了,有一种被愚弄的感觉。反正姚森突然出现在我的婚礼上,我心中充满了狐疑。

教堂圣坛的中央是庄严的十字架,左右两边是两个烛台,摇曳的烛光温馨浪漫,在雪白的百合花的装点下显得格外圣洁,四周的坐席上也都装点着鲜花。

我和伴郎罗元文在牧师的引领下从边门进入教堂,随后男女花童手捧花篮将红色的玫瑰花瓣撒落在鲜红的地毯上,一直延伸至圣坛,其后紧跟的是伴娘姚森。

《婚礼进行曲》在钢琴声中流泻而出,身披婚纱的谢丹阳踏着红地毯挽着慈爱的父亲缓缓走入教堂,全场沸腾了。当岳父将女儿的手,交到我的手中时,我几乎听到自己的心跳声。

接着是新人祷告,听牧师证道,当牧师问我们是否愿意接纳对方时,我和谢丹阳的回答都很坚定。随后是彼此起誓,在那一刻,全场静极了,似乎都在屏息聆听我们的心声。然后,我和丹阳交换了戒指,拥吻在一起。

唱诗班美妙的乐声飘荡在教堂,大家热烈鼓掌祝福我们。就在这时,我发现蒋叶真站在教堂的一角静静地注视着我们。

仪式完毕后,大家在教堂前和我们合影留念,然后步行到附近的天元大酒店参加婚宴。此时已经是傍晚时分。参加婚宴的除了我和丹阳的领导外,蔡教授老两口和穆主任老两口,还有罗元文、何慧慧、赵雨秋、爱华、陈小柔、曲中谦等都来了。

在婚宴上,我父亲和岳父讲完话后,我父亲深知我有今天多亏了蔡教授，邀请蔡教授讲几句。蔡教授盛情难却，他拿出一张光盘说：

“前些日子我和老伴儿去美国看儿子，在儿子和儿媳结婚十周年那天，移居加拿大的女儿给他哥哥寄了一份礼物，就是我手里的这张光盘。这是一张游戏光盘，名字叫《别让那只鸟飞了》。我儿子没有玩游戏的习惯，因此就把他当做一份纪念品收藏起来。有一天我发现我八岁的小孙子翻出这张光盘玩了起来，孙子对我说：‘爷爷，这里面有一只鸟，弄不好就会从窗口里飞走，一飞走，游戏就砸了。’在小孙子的提醒下，我试着在电脑上运行这张光盘，游戏打开之后，映入眼帘的是一栋具有皇家风范的豪宅，豪宅里各项生活设施应有尽有。游戏者进去之后，可以以主人的身份在这里生活。你想打高尔夫球，可以去高尔夫球场；你想看书，可以走进书房；想喝咖啡，可以让仆人给你送去；想举行舞会，可以邀请包括麦当娜在内的一百位世界级影视明星……”众人觉得很有趣都哈哈大笑。

蔡教授接着说：“想去旅游吗？车子就在门口，上了车可以周游世界。总之，在这里，你可以随心所欲地生活，可以按着自己的意愿想怎么样就怎么样。但是与现实不同的是这栋豪宅里有一只飞鸟嘴巴上叼着一只篮子，在豪宅里的每个房间里不停地飞。这只鸟有一个特点就是，不论你是外出上班或旅行，还是在家看书，你都不能忘记往这只鸟的篮子里放东西，假如你忘了，到了一定的时间，它就会从某个窗口里飞出去。一旦出现这种情况，屏幕上就会出现这样的画面：豪宅倒塌，野草丛生，夕阳下，一个孤独的身影慢慢地消失在黑暗中。那么，该向那只篮子里面放些什么东西，才不会使鸟儿飞走、豪宅倒塌呢？游戏里有一份菜单，上面有包括金钱、花朵、微笑、哭泣、亲吻在内的一百五十二种日常用品和日常行为。它是游戏公司从全球五十万对金婚老人那里征集的，每一件东西、每一个行为都按照五十万对金婚老人投票的多少被赋予了不同的时间价值，有的代表一个月，有的代表三分钟。至于哪种代表一个月，哪种代表三年，上面没有说明，得完全由游戏者根据自己对它们的认知来判定。这到底是怎样一只鸟呢？我送它金钱，它只在家里待三分钟。我送它一枝花朵，它竟可以待上三个小时。后来我终于发现，它是只婚姻鸟，并且它有许多不起眼的救星。一个轻吻、一个微笑、一个拥抱、一句关切的话语、一份小小的礼物、一段短暂的离别，都可以把它留下。这不再是一个游戏，而是五十万对金婚老人在婚姻生活中的感悟和发现。它告诉我们，一句微不足道的赞许、一杯顺手递去的热茶、一枝十块钱的玫瑰，这些日常生活中微不足道的东西，具有滋养婚姻的神奇力量。前不久我特意让女儿从加拿大给我也寄来一张这种光盘，就是想作为婚姻礼物送给庆堂和丹阳，希望他们从中悟出一些婚姻道理，时刻想着把心带回家，留给家人。”

蔡教授的话感动了所有佳宾，全场响起热烈的掌声。我激动地接过光盘。穆主任语重心长地说：“庆堂，蔡教授用意深远啊，要用心体会！在爱情婚姻方面，我就不再嘱咐什么了；在事业上，我和蔡教授都希望你能尽快成长起来。今天我也送你一件新婚礼物。”

穆主任说完，从随手带来的皮包里拿出系着红丝带的好几大本日记，“庆堂啊，这是我几十年从事神经外科生涯记下的所有手术的心得，今天作为新婚礼物送给你，希望你更上一层楼啊！”

这份礼物可太重了，我颤抖着双手接过礼物，热泪盈眶地说：“老师，我一定不辜负您和蔡老师的希望，为神经外科的手术刀争光！”

所有的同事都惊呆了，要知道这是穆主任一生的心血，谁得到了这套手术心得，就意味着谁是穆主任心目中的接班人。我看到罗元文的表情特别嫉妒，知道与罗元文的竞争开始了。

接下来，我和丹阳挨桌敬酒。我不知道蒋叶真为什么没有带苏洋来？估计这小子是在西藏扎根了。当我和丹阳过去敬酒时，丹阳脱口便问：“你的大画家怎么没来？”

蒋叶真像是有难言之隐。

“他去西藏了。”蒋叶真的脸上掠过一丝忧郁，这忧郁只有我能看出来。

“苏洋的画展搞成了吗？”我关心地问。

“反正房子卖了！”蒋叶真无奈地说。

“卖房子干什么？”丹阳纳闷地问。

我拽了一下丹阳的衣襟，我不喜欢她打听人家的隐私。

“丹阳，你比我有福气。”蒋叶真笑了笑说，“师兄，娶了这么漂亮的媳妇可不能花心呀！”

蒋叶真一边说一边看坐在旁边的姚森。姚森知道蒋叶真话里有话，顿时脸红了。

“丹阳，来，我祝你们幸福！”

蒋叶真给我和丹阳斟满酒，自己也倒了一杯一饮而尽。

我隐隐感到姚淼与我相识绝不简单，这里面或许有什么隐情。姚淼似乎看透了我的心思，一直回避我的目光。

蒋叶真没有参加完婚宴，就说有事先走了。我看得出这个我曾经爱过的女人心情很复杂。婚宴闹到很晚才结束。

由于资历浅，向医院申请住房一直未批，我只好向医院租借了一套单间，暂做新房。我不喜欢结婚后住在丹阳父母家，这对于一个男人来说有些伤自尊。

由于是租借的房子，新房没有装修，只是收拾得很干净。房子虽然很小，只有五十平米，但很温馨，毕竟这是我自己的家。

我自认为姚淼对我是动了真情的，但又有一种落入圈套的感觉。婚宴后，我送父母去了医院的宾馆。

回到新房时，姚淼正陪着丹阳说悄悄话，见我回来了，起身告辞。我和丹阳一起送姚淼下楼。

“抽空给我打电话，”趁丹阳不注意，姚淼小声对我说，“我有话对你说！”我心里说不出是什么滋味。

送走姚淼，已经是夜半时分。我和丹阳累了一天，简单洗漱后，丹阳整理收到的红包。

“丹阳，你和姚淼到底是怎么回事？”我急不可耐地问。

“怎么？心里是不是很想她？”丹阳醋意十足地问。

“这叫什么话？”我生气地说，“你们之间这么好，为什么从来没有跟我说过？你们之间是不是经常谈起我？”

“老公，别生气嘛，你听我解释嘛，这叫做爱不厌诈。”丹阳温柔地说。

“什么？爱不厌诈？”

“我让姚淼故意勾引你，看你能不能把握住自己。如果她拿到了你的内裤，那么我们今天的婚就结不成了。还好，她说，你是当代柳下惠。”

我一听脑袋“嗡”的一声像是要炸了，二目圆睁地看着谢丹阳，半天说不出话来。

谢丹阳见我有些失常，便起身抱住我说：“老公，我知道我错了，人家是因为太爱你了，怕失去你才这样做的。再说，我是上了赵雨秋的当了，那天我去医院找你，在走廊碰上了她。她说，你在大学时就是个花花公子，可得当心。她还说用美人计试试你，就知道你是不是真心爱我了。我听了后心虚，就求姚淼试你。老公，我知道你不是赵雨秋说的那种人。”

我望着又可气又可爱又可恨的妻子怒吼道："谢丹阳，你是个浑蛋！我真瞎了眼。早知道如此，我和姚淼将错就错，让你鸡飞蛋打。你这种人不配结婚。"

谢丹阳见我真火了，她知道自己玩火玩大了，跪在我面前哭着说："庆堂，这件事是我不好，你怎么罚我都行，从今以后我什么都听你的，别生气了，好吗？"

我望着可怜兮兮地跪在我面前的谢丹阳，哭笑不得，这才明白为什么与姚淼见面时，总有一种似曾相识的感觉。我想起了她的话，"如果做了什么对不起你的事，请你原谅"，当时我不懂什么意思，现在终于明白了。这些年我被女人伤得太深了，实在琢磨不透她们的内心世界。赵雨秋这种女人也太可恨了，得不到我就破坏我和丹阳的关系，居然想出用美人计来试探我。我气极了，但事已至此又不得不克制，毕竟今晚是新婚之夜。

我躺在床上背对着丹阳，她像小猫一样温柔无比，但我就是没有反应，一宿就这样在无奈中过去了。

一个星期后，姚淼给我打电话，非要见我。

"我什么都知道了。"我气愤地说，"你是谢丹阳的爱情侦探，你的使命已经完成了，我们没有必要见面了。"

姚淼一听我这么说，当时就在电话里抽泣起来。我放下电话，她就给我发来短信："庆堂，我错了，但你总得给我一个解释的机会。"

我心软了，只好答应姚淼在左岸咖啡馆见面，因为那里是我们"邂逅"的地方。

我们坐在左岸咖啡馆的老位子上，互相看着对方，沉默不语。慢慢地姚淼的泪水滴落在咖啡里。

"庆堂，丹阳跟我说起你时，我是出于好奇才答应她的。我们第一次在这儿见面时，我就被你的谈吐打动了，心里非常嫉妒丹阳。你征服我是第二次见面看演出时，我发现你是我在艺术上的知音，我对你一见钟情，却又为爱上好朋友的未婚夫而自责，但我欲罢不能，便请你和我一起过平安夜的。其实我从来没有跟任何男人过过生日，你是第一个，那夜我是心甘情愿给你的，但你是个君子，这让我感到很羞愧。我知道我已经深深地爱上你了，但你却不能属于我，所以我非常痛苦。"

姚淼大滴的泪水让我心里酸酸的，我发现生活只是一杯咖啡，一半清醒一半酣醉，眼前的这个女孩已经把我囚禁在心里，逃是逃不出去了，唯一的希望就是将燃烧的爱情彻底埋葬。

“姚淼，”我狠了狠心说，“谢谢你对我的这份感情。我们的故事不会有结尾的，因为我们都见过了九百九十九朵玫瑰。”

“但你是第一千朵，我是把第一千朵当做第一朵的女人，”姚淼深情地说，“爱情是无法逃避的，越是逃避说明爱得越深。”

“姚淼，我已经没有逃避的资格了，我是我自己的城堡，我出不了城了，我们都冷静下来，相信自己，也相信生活，让时间抚平一切吧。”

“庆堂，让我做你的红颜知己吧，我知道你需要我这个精神上的伴侣……”姚淼近似乞求地说。

说实在的，这正是我心里想的，对我来说，姚淼是我的梦，我不愿意从梦中醒来。我伸手轻抚了一下姚淼纤细的手，然后站起身，义无反顾地离开了咖啡馆。我知道再不走就走不了了，因为姚淼的忧伤化成泪水就要将我淹没……

第四章　血色舞鞋

31. 生命禁区

一年以后，我的女儿诞生了。女儿的名字是姥姥给起的，叫林雪，小名雪儿。雪儿是上天赐给我的掌上明珠，我很享受与女儿相处的时光。

雪儿不到半岁的时候，丹阳做出了一个让我难以接受的决定，她要给孩子断奶。这让我非常恼火，谁都知道母乳对孩子的重要性，我苦口婆心地劝丹阳给孩子喂满一周岁再断奶。可是丹阳铁了心，背着我吃了断奶的药，生生把充足的奶水憋没了。

断奶那天，雪儿下半夜突然醒了，从暖乎乎的被窝里钻出来，像吃了什么兴奋剂，手舞足蹈，嘴巴里咿咿呀呀地边叫边把头往丹阳的怀里拱。

"丹阳，给孩子喂奶了。"我睡眼惺忪地说。

"奶水没了。"丹阳支支吾吾地说。

"好好的，怎么没了？"我一骨碌爬起来问。

"吃药了，奶水断了。"丹阳亏心地小声说。

"你疯了！"我难以理解地吼道。

"我没疯，再喂下去，我的乳房就成面袋子了。"谢丹阳反驳道。

"谢丹阳，你简直不可理喻。"我气愤地说。

谢丹阳赶紧给雪儿喂奶粉。奶嘴放到雪儿的嘴边，雪儿根本就不接受这个味道的奶嘴，她本能地躲着奶瓶，再塞给她时，她用一只小手推开奶瓶，小嘴一咧，声嘶力竭地号起来。

雪儿没完没了地哭闹着，哭得我的心尖发颤，头皮发麻，心思乱成一团。雪儿哭得面目扭曲，一脸泪水一脸鼻涕，最后在一声声抽泣中终于慢慢睡去。睡梦中雪儿的小嘴一努一努的，用力吸吮着棉被，发出很响的声音。

我再也忍不住了，责备道："谢丹阳，这么大的事也不跟我商量商量，说给孩子断奶就断了？母乳喂养不能低于十个月，冬天断奶对孩子更不好，也不知道你是不是雪儿的亲妈！"

谢丹阳见雪儿可怜，心里后悔，但嘴上却不留情："你别站着说话不腰疼。再喂几个月，我就成老母猪了，到时候你这个花心大萝卜就有理由嫌弃我了！"

"谢丹阳，你什么意思？谁是花心大萝卜？"我指着谢丹阳的鼻子问。

"林庆堂，别以为我不知道你。瞧你看姚淼的眼神，我劝你别打姚淼的主意，癞蛤蟆想吃天鹅肉，你以为自己是王子呀！"丹阳梗梗着脖子回击道。

自从姚淼的爱情侦探身份公开后，谢丹阳总是疑神疑鬼的，两个人的关系似乎不像以前那样无话不谈了。但是两个人仍然很要好，经常在一起逛街、一起美容、一起泡吧。

"谢丹阳，你别那么无聊好不好，咱们现在谈的是你现在为什么给孩子断奶，跟人家姚淼有什么关系？"

"有，就是有关系。我现在生完孩子要体形没体形、要身材没身材，我知道你不愿意看我，魂都被姚淼勾走了。"

"丹阳，你是不是有病啊？我和姚淼认识是你一手导演的，魂被勾走，也是你搭的桥。"我没好气地揶揄道。

"好你个林庆堂，你终于承认你的魂被勾走了。我说我和她泡吧时，每次聊起你，她都眉飞色舞的。你说，你和她到底是什么关系？"

"什么关系你不清楚？"

"你说，你现在就得说清楚！"

"好好好，谢丹阳，你听好了，我和她的关系就是癞蛤蟆和天鹅肉的关系，满意了吧？"

"她是天鹅，那我是啥？"

"你是癞蛤蟆的老婆！"

“林庆堂,你浑蛋!”

“你才浑呢,为了自己的身材,给孩子断奶,你自私!”

“我讨厌你!”

“最讨厌的是你!”

我大吼完,穿上衣服摔门而去。谢丹阳呜呜地哭了起来。

事已至此,我只好忍了,不过我们的感情从此出现了裂痕。这裂痕虽然在表面上看不出来,但它像一股暗流,让我对爱情的选择提出了质疑。我甚至后悔选择了丹阳,但又不敢面对这个现实,要是当初选择了姚淼……我不敢深想,日子就这样混下去,我也将全部兴趣投入到了博士毕业论文上。

由于科里能上手术台的人少,人手紧张,所以我和罗元文没有脱产学习,我们一直在做穆主任的助手。春末夏初时节,穆主任去美国参加世界卫生组织主办的关于神经外科未来发展的一个研讨会,重要手术就由副主任曲中谦担当。

我虽然一直给穆主任当助手,但是除了做一些手术前或手术后的处置工作外,真正自己独立做手术的时候并不多,做也是一些头部的小手术。

我和罗元文都特别想上手术台独自完成各种手术,因为跟穆主任学习,无论多大的手术都见过了,缺的就是实践。当然罗元文独立完成过几例大一些的手术,但都由穆主任做助手。

穆主任认为,人命关天,我和罗元文还没有到独立承担重大手术的火候,还要深入学习一段。我们俩心里都非常不服气。

这几天穆主任出国了,病人太多,院里同意我和罗元文搭班子做一些小型脑膜瘤之类的手术,我和罗元文换着主刀。几例手术下来,病人情况良好,这极大地增加了我们独立做手术的信心。

就在这时,曲中谦的病房住进来一位患有海绵窦肿瘤的男性患者,年龄比我长十几岁。据说这位患者到过多家大医院求医,都由于手术难度太大而被拒绝。

中午,我和罗元文做完手术刚走进医生办公室,赵雨秋推门进来了。

“林庆堂,曲主任请你去一趟。”

我看了罗元文一眼,心想:曲中谦找我能有什么事?

“曲主任找你,没准儿是什么好事,快去吧。”罗元文揶揄道。

"元文,少幸灾乐祸啊!"我没好气地说。

我知道曲中谦找我,多半没有好事,只好随赵雨秋走出医生办公室。我来到曲中谦办公室门前,轻轻地敲了敲门。

"是庆堂吧,快进来。"曲中谦在里边说。

我推门进去,只见曲中谦正在研究一套核磁共振的片子。

"曲主任,您找我?"

"庆堂啊,有件事想同你商量一下。来,坐。"

曲中谦让我坐在他办公桌对面,先给我扔一支烟,自己也抽出一支,我赶紧给他点上火。

"庆堂,我手头有一位患海绵窦肿瘤的病人,来了好几天了,病情很严重。你知道海绵窦肿瘤的直接手术致残率和死亡率很高,一直被认为是神经外科的禁区。你是这方面的专家,听说你的硕士毕业论文还填补了这方面的空白。不巧的是穆主任去美国开会还得半个月才能回来,病人等不起,我向医院建议这个手术由你来做,院里已经同意了。不过,建议我们科里认真会诊,你看怎么样?这是病人的核磁共振的片子和病志,你看看吧。"

我听了以后心里又激动又紧张:不错,我是在读硕士时认真研究了国人自己的海绵窦显微外科解剖学资料,并填补了空白,但那都是在尸体上进行的科学实验,我还没有真正应用我的研究成果给患者做过这种手术。对于我来说,这个手术难度太大了,担子也太重了。也是初生牛犊不怕虎,我从心里想接受这次挑战,因为我的博士毕业论文就是《关于经蝶窦入路切除侵袭海绵窦并向颞叶底部侵袭的肿瘤的研究》,一旦挑战成功,我的事业将前进一大步。

我没先表态,而是仔细看了片子和病志,觉得自己有把握完成这个手术。

"曲主任,感谢组织对我的信任,不过人命关天,我觉得这个手术由您主刀,我当您的助手会更好一些。"我谦虚地说。

"庆堂,人生都有第一次,这第一次闯不过去,永远只能打下手,机会难得呀!"曲中谦用诱惑的语气说,"我看过你关于海绵窦方面的论文,你是经过大量解剖工作完成的,又搞了两年多关于经蝶窦入路切除侵袭海绵窦肿瘤的研究,要相信自己。"

我想了想,觉得老曲说得很有道理,便答应了。

"那好吧,请元文做我的助手,配两名有经验的护士。"

"好,走,庆堂,咱们去病房看看。"曲中谦高兴地说。

我随老曲走出他的办公室,来到病房。病人被安排在仅有的两个单间病房中的一个。我和曲主任推门进去,病人的妻子满脸笑容地迎上来。

"凤莹啊,这位是林庆堂大夫,穆主任的高徒博士,他是海绵窦方面的专家,老宁的手术就由他来做。庆堂,她叫王凤莹,是病人的妻子。"曲主任的介绍让我有一种飘忽忽的感觉。

"谢谢林大夫,让林大夫费心了。"王凤莹客气得有些敷衍。

让我不解的是,曲中谦对王凤莹特别熟,而王凤莹在丈夫面临生死关头的时刻表情似乎并不沉重。我不由得仔细看了王凤莹一眼,这个女人身穿蓝色碎花吊带裙,天生的欧式眼,涂着粉质细腻的眼妆,高鼻梁有点鹰钩,唇线清晰,薄厚适度,皮肤白皙,有一种天然的既含蓄又风骚的魅力,这女人的美貌一点也不亚于赵雨秋。

"感觉怎么样?"我走到病人床前问。

"林大夫,我知道我的病很重,希望你不要有负担。我已经立了死后自愿捐献遗体的遗嘱,万一失败了,你可以把我的大脑留下做研究!"病人很清醒地说。

听到病人的话,我很惊讶,这个病人竟然立了死后自愿捐献遗体的遗嘱,这究竟是个什么样的人?

"曲主任,病人是做什么工作的?"我充满敬意地问。

"老宁和我们是同行,他是市肿瘤医院肝胆外科的主任。"

我立即肃然起敬,心情十分复杂,心想:病人能把生死甚至身后事都托付给我,这是一份多么沉重的信任啊!

"老宁,您放心,我会尽全力的!"

离开病房,我心情沉重地回到医生办公室。罗元文见我表情凝重,关切地问:"庆堂,老曲找你有什么事?"

我简单地说明情况后,罗元文非常替我担心。

"庆堂,这件事我希望你慎重,万一失手,人命关天啊!"罗元文提醒说。

"元文,病人也是一位外科医生,我们救活他,等于救活许多人。有你帮我,我有八成把握,再说院里已经同意了,我觉得这是咱们俩的一次机会,还是静下心来,好好研究手术方案吧。"我跃跃欲试地说。

“好吧，剩下的二成风险就靠老天保佑了。”我觉得罗元文也有点跃跃欲试。

为了确保手术的成功，在手术的头一天，我专门在尸体上演练了十几次，自认为有把握了。第二天，病人精神状态非常好，这更增强了我的信心。护士又给患者刮了一次头，然后两名护士扶患者躺在平车上。王凤莹动情地安慰着老公，看那情景像是在诀别。

这时，曲中谦也走了过来，他拍了拍我的肩膀说：“庆堂，看你的了。”

“放心吧，曲主任，我上手术室了。”我故作镇静地点了点头说。

“好吧，祝你成功！”曲中谦又捏了捏我的胳膊说。

护士们推着平车来到了手术室。

我进手术室时，罗元文已经做好了一切准备。

“庆堂，昨天晚上我让病人老婆签字时，她一点都不犹豫，没听完我对手术可能出现的风险介绍就签了字，从来没见过这样的家属。”罗元文不解地说。

“她可能是盼着大夫快点做手术，快点解除病人的痛苦呗。”我理解地说。

“但愿如此吧！”罗元文一脸狐疑地说。

这时平车推了进来，护士们把病人抬到手术台上，麻醉师准备麻醉。

我采用全新的手术入路，全神贯注地手术了近八个多小时，终于在显微镜下全切肿瘤。只是在夹闭血管时出现了一点小问题，有些细血管夹闭后很快就出血，只好再夹闭，所以手术虽然很成功，但是我一直担心会造成术后大出血。

手术虽然做完了，但我的心仍然放不下，病人在昏迷中被送到了重症监护室。我和罗元文冲淋浴时，他对手术很满意。

“庆堂，这次手术无论是成功的还是失败的，对你都是终生受益啊！”罗元文坦诚地说。

“现在只求上帝保佑了！”我担心地说。

回到医生办公室，曲中谦已经在这儿等了一会儿了。

“怎么样？”曲中谦迫切地问。

“还算顺利。”我信心不足地说。

曲中谦见我口气不坚决，笑了笑说：“毕竟是第一次做这么大的手术，辛苦了。”

这时，病人的父母进来向我道谢，并询问情况。

“大叔、大妈，手术比较成功，”我安慰说，“不过，具体情况还要观察。”

老两口听了担心起来。

“你们老两口熬了这么多天，先休息休息吧，具体事让凤莹找我。”曲中谦热情地说。

“爸、妈，林大夫刚做完手术挺累的，”王凤莹平静地说，“让人家先休息，走，我们先去吃饭吧。”

病人家属走了。

“庆堂、元文，”曲中谦关切地说，“你们也去吃饭吧。”

“元文，你先走吧，我想先回家静静心。”我虽然很饿，但是没胃口。

罗元文拍了拍我的肩，和曲中谦一起走了。

我回到家，丹阳为我下了面条。她今天休息，雪儿正在睡觉。

吃完饭，丹阳温柔地说：“庆堂，你睡吧，有事我叫你。”

我喝了杯水后，躺在床上迷迷糊糊地睡着了，睡得很沉。在梦里，我去了一条狭长的胡同，两边是高墙，前边有一个美女的背影，走得很快，我越看越像姚淼，我追呀追呀，却怎么也追不上，终于追到一个拐角处，那美女突然转身向我吼道：“你为什么要杀我丈夫？你为什么要杀我丈夫？”我大惊失色，那美女不是别人正是王凤莹。这时，我听到一阵铃声，然后有人推我。

“庆堂，醒醒，庆堂，醒醒。”

我睁眼一看，是丹阳在叫我。

“做梦了吧？”丹阳问，“起床吧，重症监护室来电话，你快接吧。”

“几点了？”我用手揉了揉眼睛问。

“晚上八点多了。”

我下床，拿起放在写字台上的电话。

“喂，我是林庆堂。”

“林大夫，今天手术的病人醒了，但状态不太好，一直说自己头痛。”

“哦，用点降颅压的药吧，如果情况还不好，再给我打电话。”

“好吧。”

我放下电话，病人苏醒过来了，我松了口气。

度过漫长的一宿，终于天亮了。我给重症监护室打了电话，护士说病人情况稳定，我心里很高兴，早餐破例多喝了一碗粥。

下午，病人突然进入昏迷状态。我赶紧安排护士给病人做CT，结果颅内全是血。我再次安排手术，罗元文也把心提到了嗓子眼儿。手术一分一秒地过去，血就是止不住，病人的心脏和血压出现异常，我的汗湿透了全身。血是从动脉毛细血管流出的，平时我自以为对大脑的血管分布了如指掌，但那毕竟是尸体标本水平的，实际情况要复杂得多。

终于病人的血压没有了，心跳停止了，我和罗元文都傻了。手术彻底失败，病人死在了手术台上。

尸体被推出手术室时，病人的父母几乎晕死过去，王凤莹号啕大哭，哭得我的心都快碎了。罗元文知道我的包袱很重，叫我回医生办公室，他负责安抚家属。我默默地走进医生办公室，几位同事知道手术失败了，都拍了拍我的肩膀出去了，我坐在电脑前想抽支烟，曲中谦匆匆地进来了。

"庆堂，怎么搞的？怎么让病人死在手术台上了？"

我看了看他，摇了摇头，又苦笑了笑，没说话。

"庆堂，我知道你尽全力了，反正病人家属签了字，只要我们手术程序没问题，家属我来安抚，你回去休息吧，别背包袱，善后的事我来处理，"曲中谦安慰说，"干咱们这一行的，谁手里没死过人呢？"

曲中谦拍拍我的肩膀出去了。他的几句话让我生出几分感激，没想到关键时刻老曲挺像个领导，勇于为下属承担责任，我甚至后悔过去对曲主任的偏见。

常院长专门听取了我关于手术的汇报。

"小林啊，"常院长语重心长地说，"这个手术是院里决定让你做的，手术虽然失败了，但我们得到了经验教训，院里很看重你，你不要背包袱。海绵窦结构复杂又位于颅底中央，就是曲主任亲自做，也未必不是这个结果。他就是没有把握才推荐你做的，因为你毕竟在这方面是专家，缺的只是实践经验，这一点院里也忽略了。所以手术失败，院里也有责任。失败乃成功之母，回去好好总结一下经验教训，病人的家属院里会做好善后处理的。"

从常院长办公室出来，我并未觉得轻松，因为我并未弄明白出血的原因。我下决心搞清大脑毛细血管的来龙去脉，想来想去，最好的的办法就是解剖死者的大脑。我一下子想起病人做手术前跟我说，万一手术失败了，他愿意捐出大脑供我研究的话。我为之一振，如果能取出死者的大脑供我解剖，我就能查找到失败的原因，或许我真的就能突破这一禁区。病人说这句话时，曲中谦和病人的家属王凤莹都在场，我决定找曲中谦做做家属的工作。

32. 大脑

晚饭后我去了曲中谦家。老曲也刚吃完饭，正一边抽烟一边看电视。

我说明来意后，老曲沉思良久才说："庆堂，怕是不好办啊！王凤莹的工作做起来倒不难，难的是老宁的父母啊！"

"曲主任，你能做通王凤莹的工作就行，老宁父母的工作我去做！"我固执地说。

"那好，你要是能做通老宁父母的工作，其它手续我来办。"

"曲主任，一言为定！"

我没想到曲中谦会这么配合，想到给死者父母造成的巨大痛苦，我的心揪到了一起，我满腹心事地离开了曲中谦的家。一边走一边胡思乱想时，耳边隐隐有老者的哭泣之声，悲悲切切，凄凄婉婉。我抬头一看，自己竟不知不觉走到了太平间，哭声就是从太平间传来的。

太平间在我们院的西北角，由几间平房组成，掩映在一大片杨树中。在神经外科医生眼里，手术台是最接近死亡的地方，手术时死神的阴影始终在无影灯后若即若离，死神像蛇一样阴冷地笑着，盘旋在手术的整个漫长的过程之中，细细地玩味着病人的苦痛。太平间里虽然没有死亡的阴影，但那都是死神已经光顾过的尸体。死神早已离开了那些死者，他只带走了他们的精神。没有了精神的世界，总是特别的宁静。

我走进太平间，看太平间的老陈头迎了过来。

"陈大爷，谁在哭？"

"一对老夫妻，送儿子呢，今天白天做脑瘤手术死的。可怜啊，老年丧子，白发人送黑发人啊！"

我听后心里咯噔一下，难道是老宁的父母？我试着走进去，果然是老宁的父母在哭儿子。老宁的尸体停放在平车上，一袭白布遮盖了全身，只露出一张惨白的脸。

老宁的老母亲用苍老的双手抚摩着儿子的脸，老泪滴滴答答地落在老宁的脸上。老宁的父亲见我走了进来，颤颤巍巍地说：

"林大夫，不怪你，不怪你，这就是个救不了的病。"

老人说罢，我的眼泪一下子涌了出来。

“大爷，都怪我无能，我太急功近利了。如果再等等，等穆主任回来，也不至于……”

“林大夫，我儿子也是外科医生，他知道自己的瘤子长在了禁区，即使穆主任做，也未必能突破禁区。”

想不到老宁的父亲会这么开明，劝老人捐献大脑的话实在是开不了口，我只好安慰了二老几句往外走。

“等等，林大夫。我和老伴就算送过儿子了。儿子临死前有话，愿意把遗体捐献给市肿瘤医院做研究，还特别嘱咐把脑子留给你做研究，希望你能好好研究。争取早日突破这个禁区。”

我听了老人的话，眼泪止不住地往外流，我握着老人的手，半天才说出两个字：

“谢谢！”

离开太平间，两位老人一直送我出来，坚强地依偎在一起。我向他们摆摆手含着眼泪径直向实验室走去。

我突然发现，白天的医院和夜晚的医院大不一样。夜晚的路灯像鬼火，掩映在路灯中的树木就像幽灵一样没有激情，似乎到处都留有死亡的痕迹。我甚至感到一种恐惧，但同时，我更感到一种莫名的压力。

天上下起了小雨，冰凉的雨滴浸在我的脸上透着一股阴郁的恐怖味道，邪气逼人。我觉得自己像个刽子手，死者的亡灵正在向我讨债，恐怖像宇宙中的黑洞吸吮着我，我无力摆脱。但是勇气也隐秘地藏在我心中无尽的黑暗之处，虽然无法描述，却有着黑洞般无法抗拒的巨大吸引力。

我如愿以偿地获得了死者的大脑，如获至宝地躲进解剖室，废寝忘食地研究起来。

我坐在实验台前，注视着刚刚取出的大脑，不禁想起曾经看过的一个资料。上面介绍，爱因斯坦的大脑是这样被取出保存的。

爱因斯坦去世时七十六岁，在普林斯顿医院为他治病的医生叫托马斯·哈维。哈维对科学泰斗仰慕已久，他也一直在考虑爱因斯坦才智超群这个问题。事有凑巧，那天负责验尸的正是哈维，所以他顺顺当当地把爱因斯坦的大脑完整地取了出来。

哈维医生当时四十二岁，他把大脑悄悄带回家，浸泡在消毒防腐药水里，后来又用树脂固化，再切成大约二百片，并亲自动手研究大脑，同时也给科学界提供切片进行研究。

哈维保存大脑几十年，科学界也对大脑研究了几十年。据不完全统计，研究过爱因斯坦大脑的科学家不下百名。

研究结果表明，爱因斯坦的大脑负责数学运算的部分，也就是大脑左右半球的顶下叶区域比正常人大百分之十五，非常发达，大脑表层很多部分没有凹沟（回间沟）。这些凹沟就像脑中的路障，使神经细胞受阻，难以互相联系；如果脑中没有障碍，神经细胞就可横行无阻地进行沟通，思维活跃无比。

不过，我对这一发现持谨慎态度，因为凭着爱因斯坦的一个大脑就得出这样的结论，理由并不充分。因为那可能只是一般聪明的犹太人普遍具有的脑部特征，爱因斯坦尽管生来天才，但如果没有后天的培养和个人努力，天才也难发挥出超人的智慧。

我先将老宁的大脑的两个半球分开，逐一处理，接着将脑干、海马趾神经中枢及扁桃体组织依次取出，再把剩下的脑组织细细归类。特别是毛细血管的动静脉走向，就像蜘蛛网一样密布在大脑内外，在我眼前，大脑已经不是大脑，而是一件艺术品，大自然给了人类一个神奇的大脑就是让我们活着的时候体味死亡的。

我记得蔡教授曾经跟我说过，尽管国内在神经科学的“几个点”上达到了国际先进水平，但总体上仍然相当落后。我决定以这次失败的手术为契机，通过对大脑的比较研究，完成我的博士论文，同时让手术水平再上一个新台阶。

已经是下半夜了，我将分好的大脑放进冰柜，然后吸了支烟。我累了，好在明天没有手术，也没有课，我可以睡个懒觉了。

这时，窗外划过一道闪电，然后是一声炸雷，雨点狠命地捶打着玻璃窗。我在实验室的门后面找到一把雨伞，离开实验室向西走去。走着走着心里忽然想起哪部恐怖片的一句潜台词：魔鬼可能在每个转弯处等着你，当你转过下一个街角时，猝不及防地与你拥抱……

一个星期后，曲中谦和王凤莹结婚了。这件事让我惊得目瞪口呆，全院的人也都议论纷纷。我恍然大悟，我知道我当了一回杀手，让曲中谦当枪使了。当时，如果曲中谦给王凤莹的丈夫做手术，救活了，两个人就结不了婚了；救不活，就会落下谋杀的嫌疑！所以，曲中谦表面上从培养新人、关心年轻人成长的角度出发，把我推到前台，实际上是利用我初生牛犊不怕虎的精神和急功近利的心理，为其所用，达到他不可告人的目的。

我哑巴吃黄连有苦说不出，但是明眼人都看出来了，连爱华都说我上当了，曲中谦太坏了，但并不高明。

不过，曲中谦结婚，爱华最高兴，因为他追求赵雨秋再也没有对手了。其实爱华太小看曲中谦了，我心里有数，曲中谦是不会放过赵雨秋的。

当然，赵雨秋对曲中谦突然结婚也恨之入骨，我估计她在婚礼上就开始盘算怎么收拾王凤莹了。

穆主任回国后约我到他家进行了一次深谈。他并未责怪我，而是讲述了他年轻时犯过的同样错误。

"穆主任，您有过失败吗？"我小心翼翼地问。

"有啊我研究脑血管造影发现一个病人，他的一个血管变成弧形的了。弧形，我就想一定是肿瘤压迫的，我就给他把脑袋打开了，结果没有。"穆主任懊悔地说。

"还好，生命没有影响。"我庆幸道。

"生命倒是没问题，但是病人遭了罪了。我心里觉得对不起病人，以后这种病人不能开了，这是正常的变异，先天就是这样的。庆堂啊，作为一个医生、一个好大夫无非是能吸取经验教训及时改正，做好以后的工作。一个医生要想一辈子没有错误不可能，就是错误多少的问题。所以我认为一个医生需要很多知识，但绝大部分知识是从病人身上得来的，有些病人是因为我们受到了痛苦，甚至可能为我们付出了牺牲，所以我们应该感谢他们，学到知识应该为他们好好服务。做医生最忌好大喜功，因为这是在拿病人的生命开玩笑啊！"

"穆主任，我明白了，我太急功近利了，想自己成名成家想得太多了。"我惭愧地说。

"庆堂啊，医生的名誉思想再重，也重不过病人的生命啊！这样吧，我送你几个字你拿回去自勉吧。"

穆主任离开沙发走到写字台前，铺好宣纸，挥毫泼墨写下了四个大字："琴心剑胆。"没想到穆主任的书法刚柔相济，绵里藏针，力透纸背。

"庆堂，对于我们神经外科医生来说，'琴心剑胆'是永恒的追求啊！"穆主任语重心长地说。

离开穆主任家时，已经是深夜，天是阴的，看不见星星和月亮，我内心有一种伤感。穆主任在我面前就是一座高山，我穷极一生也未必能超越，我不知道这是一种荣幸，还是一种悲哀。

人类关于自身的探索从来就没有停止过，有关脑及神经学的研究到目前为止依然存在着许多未知。或许人类永远也无法全部弄清人脑的秘密，因为人脑与周身其它器官不同，人脑是有意识的，人类不过是自我意识的囚徒，被孤独地囚禁在内心疯狂的梦魇里垂死挣扎。或许大脑的真正秘密就存在于每个人内心永远不会示人的部分，时间在人类的这些部分布下陷阱，生死早就在不远处静静地等待着我们……

我几乎每天晚上都去实验室研究大脑，像着魔一样，对人脑的认识又上了一个新台阶。特别是对人脑血管的分布和解剖特点有了更深刻的认识，并进行了总结，我发现人脑的血管比人体的其它部位的血管更容易出血和栓塞，这主要是由大脑本身的解剖特点所引起的。

由于对大脑解剖的痴迷，每次上穆主任的课进行讨论时，我都会让穆主任感到吃惊。他对我在学业上的进步非常满意，并对罗元文、爱华提出向我学习的要求。

罗元文、爱华也纳闷我这段时间为什么在外科临床上进步这么大，既羡慕又嫉妒，一再向我取经，我当然不敢告诉他们我的秘密。

这段时间，我对两万多个解剖数据进行统计分析比较后，在深入研究颈内动脉颅外段（ICA）走行过程中与其周围特殊解剖结构关系后，提出了一种新的包括整个ICA的分段法，其分段顺序顺血流方向，变异较小，在神经外科实践中具有明显的临床价值。

有时我把脑骨带回家里研究，丹阳吓得不敢靠近我。上次飞航班飞机快降落时，她由于惦记我和孩子，工作时心不在焉，在飞机上广播时，一时口误，出了大笑话。她说："女士们，先生们，由于洗手间就要降落了，飞机停止使用。"回家后跟我说起，差点笑破我的肚皮。

丹阳却生气地说："笑、笑、笑，你还有心笑，都是因为惦记你和孩子，出了这么大的差错，害得我这个月的奖金都没了。庆堂，我妈要是看到你天天捧着死人的大脑，又该喊上帝了。"

"上帝跟我是同行。"我打趣地说。

"净瞎说，你以为你是谁呀？"丹阳嘲弄地说。

"《圣经》上说，夏娃是用亚当的肋骨造成的，那当然离不开外科手术了，所以，上帝跟我是同行。"我得意地说。

丹阳听了哈哈大笑。她这一笑，把正在熟睡的女儿吵醒了，张着小手让爸爸抱。

“雪儿,做梦了吗?”我赶紧抱起女儿问。

“做梦了。”雪儿说。

“梦见什么了?”我怜爱地问。

“妈妈飞走了。”雪儿说。

丹阳听了鼻子一酸,赶紧从我怀里抱起女儿,眼泪簌簌地落在女儿的脸上。

33.靓汤馆

很长时间没有接到姚淼的电话了。过去姚淼两个字常挂在丹阳的嘴上,自从上次因雪儿断奶的事吵嘴后,丹阳很少再提起姚淼。

我沉浸在毕业论文的研究中,不能自拔,简直到了废寝忘食的地步,就像一头即将冲向猎物的雄狮,积蓄着所有的力量,等待时机,试图挽回上次手术失败的耻辱。

傍晚下班时,我正准备去实验室,手机响了。我以为是丹阳,接听手机时不假思索地说:“我晚上不回家吃饭了,实验室有方便面。”

“老吃方便面可不行,身体是革命的本钱。庆堂,晚上我请你吃饭,我们团附近开了个靓汤馆,你该补一补了。”

我这才听出来是姚淼,内心一阵欣喜。

“姚淼,这段时间把我累坏了,你好吗?”我关切地问。

“好不好,来了你就知道了,我等你!”姚淼的口气像是埋怨我没给他打电话。

“那好,我一会儿就到。”

我简单收拾了收拾,出门后打了一辆出租车,直奔省歌舞团方向。省歌舞团毗邻东州大学,离万柳塘公园不远,这一带文化氛围很浓,从省歌舞团大门出出进进的都是靓男美女,让人看得眼花缭乱。我四处巡视,果然在省歌舞团斜对面有一家阿二靓汤馆,门面古朴典雅,门前停了很多车,看样子生意不错。

我走进阿二靓汤馆时,姚淼正一个人坐在包房里低头喝着野玫瑰花茶,玻璃杯里的红色小玫瑰借着灯光映衬着她妩媚的脸颊,宛若一幅柔美的油画,极像童话里的白雪公主。一袭白裙出水芙蓉般纤细纯净,淡淡的忧伤挥之不去，不经意间流露出似水柔情。

“姚森，想什么呢？”

“庆堂，怎么瘦了？眼睛也是红红的，干吗这样拼命？”姚森发现了我的变化，心疼地问。

“没什么，搞毕业论文开了点夜车。”我笑了笑说。

“不对吧，好像跟谁较着劲呢！”

“是憋了一股劲，前一段有一例手术做失败了，影响很不好，开夜车就是想找到失败的原因。”

“找到了吗？”

“找到了，但是还没有机会实践。”

“庆堂，今天我请你来，是有事求你！”

“姚森，我们之间还用这么客气？”

“不是客气，是事情重要。”

“什么事呀？表情这么沉重？”

没等姚森回答，服务小姐领进两个人来。男的高大英俊女的优雅恬静，脸上虽然露出灿烂的笑容，但眉头却锁着一丝惆怅。

“庆堂，这是我们省歌舞团的高团长，这是他的夫人、歌唱家毕老师。”

我赶紧起身与两位艺术家握手。姚森接着介绍说：“高团长，这就是我跟你们提起的林庆堂。”

高团长和夫人似乎久闻我的大名，对我特别热情。大家寒暄后，姚森让服务小姐走菜。

高团长不好意思地说：“林大夫，既然你和姚森是好朋友，我就不客气了，今天咱们能不能只喝汤不喝酒？”

我看了看姚森。姚森解释说：“他们二位都是歌唱家，很少喝酒。”

我当时就明白了，“高团长、毕老师，不客气，明天上午我有手术，做外科手术前最忌讳喝酒的。”

“我们就以茶代酒吧。”

姚森说完，端起野玫瑰花茶，大家同时举杯碰在一起。我隐隐感到高团长两口子和姚森的关系非同一般，更觉得这顿饭大有深意。

“高团长、毕老师，刚才姚森说有重要事情相求，想必是家里什么人病了吧？”我开门见山点了主题。

毕老师听我说到了正题，眼圈就红了，“林大夫，不瞒你说，是我的女儿病了，她今年才十岁。"毕老师有些激动，声音哽咽了起来。

高团长接着说："孩子七岁那年，有一天放学回家，突然感觉视线模糊，晚上就什么也看不见了。从那天开始，孩子就一直生活在黑暗之中，我们四处求医，孩子的视力却没有一点好转。"

"庆堂，这孩子聪明极了，从五岁就开始跟我学跳舞，孩子酷爱舞蹈，是个舞蹈天才，只可惜……"姚淼惋惜地说。

毕老师接着说："起初，我们一直看眼科，后来又看了中医，全都无济于事。姚淼说，是不是脑袋里长了什么东西，压迫了视神经，这才想到了神经外科。今天请林大夫来，是想请林大夫给拿个主意，到底怎么办好？"

我终于明白姚淼为什么表情沉重了，很显然，孩子病得不轻。

"孩子做过CT、核磁共振吗？"我蹙眉问。

"没有，以前就以为是眼睛出了问题呢。"毕老师摇了摇头说。

"明天上午我有手术，这样吧，姚淼，明天下午你们领孩子做个核磁共振，片子出来以后，再决定怎么办。"我谨慎地说。

高团长和夫人连声称好。我一直想在姚淼面前展露一下自己的才华，始终没有机会，我期待着孩子的病不重，靠我的水平足可以治愈，这样，我在姚淼的心目中就真成白马王子了。

我胡思乱想着吃完了这顿饭，本想和姚淼单独坐一坐，但看高团长两口子愁眉苦脸的，我和姚淼都没了情绪，我打车回到医院才八点多。

34. 挑战

第二天上午我和穆主任做了一例脑垂体瘤手术。午饭后，我就在医生办公室等姚淼电话，果然一点多钟，我的手机响了，姚淼说老高两口子带着孩子马上就到。

我赶紧下楼去接，刚出电梯口，就看见姚淼在前，老高两口子领着孩子在后，走进了门诊大楼。

我一眼就被孩子的大眼睛吸引住了，那双水汪汪的大眼睛像嘴唇一样荡漾着笑意，像鸟儿的翅膀一样忽闪忽闪的，仿佛会说话。

我赶紧走过去蹲下身，抚摸着孩子黑亮的头发问："你叫什么名字？"

"高蕾。叫我蕾儿吧，叔叔，你能治好我的眼睛吗？"

我一时不知怎么回答孩子。

“蕾儿，叔叔会努力的。”

“叔叔，你要是能治好我的眼睛，我给你跳孔雀舞，好吗？”

“好的，蕾儿，叔叔最喜欢孔雀舞了。”

“庆堂，孩子能做上核磁共振吗？”姚森关切地问。

“放心吧，我都打好招呼了。高团长、毕老师，我们走吧。”

核磁共振做得很顺利，片子出来后我大吃一惊：原来在蕾儿大脑右侧海绵窦区长了一颗花生米粒大小的肿瘤，就是这个肿瘤导致蕾儿失明的。

这个病例在国内十分罕见，做手术的难度和风险都很大，老宁死在手术台上的阴影一直在我心中挥之不去，我再也不敢贸然行事了。我简单地介绍了情况后，建议一起去找穆主任。老高两口子一听我的介绍，眉头紧锁了起来。

“高团长、毕姐，”姚森安慰道，“别着急，估计穆主任会有办法的，你们和庆堂去吧，我和蕾儿在外面等着。”姚森是怕孩子听到病情后害怕。

我怀着复杂的心情推开了穆主任办公室的门，简单介绍了情况后，穆主任仔细看了片子，沉思良久没说话。

“穆主任，能治吗？”高团长焦急地问。

“高团长，这是一个神经鞘膜瘤，长在了供血异常丰富的海绵窦区，是神经外科的禁区呀！”

“穆主任，什么是海绵窦？为什么海绵窦是禁区呢？”高团长不解地问。

“海绵窦是六面体结构，”穆主任顺手拿过脑模型介绍说，“它的外侧壁由深浅两层脑膜构成：深层较薄，与覆盖颞骨、斜坡和蝶骨的骨膜连续；浅层较厚，与中颅窝、前床突、蝶鞍、斜坡和天幕的硬脑膜连续。通常认为，海绵窦是一团围绕颅内动脉的粗细不等的静脉丛，相邻的静脉管互相黏着形成小梁样结构。海绵窦外侧壁的两层硬脑膜间从上而下有动眼神经、滑车神经、三叉神经眼支、三叉神经上颌支、三叉神经下颌支；海绵窦内有外展神经。正因为海绵窦区周围有很多根重要的血管和颅内神经，术后轻则引起神经功能障碍，重则出现大出血，使手术无法进行，所以一直视为神经外科手术的禁区。不过，我们医院一直没有停止对海绵窦区直接手术的探索，积累了许多宝贵的经验。”

“穆主任，如果不做手术会怎样？”高团长蹙眉问。

“那肿瘤会继续发展，同样会危及孩子的生命。”穆主任直言道。

高团长听罢瞒脸愁云，紧锁双眉。

“这样吧，高团长，你们先回去。我们会仔细研究孩子的病情，尽快拿出一套切实可行的手术方案，再让孩子住院，怎么样？”穆主任诚恳地说。

“穆主任、林大夫，拜托了！”高团长充满期待地说。

我送老高两口子和姚淼走时，大家的心情都很沉重，我更是忐忑不安，因为这例手术不仅对我是一次巨大的挑战，就是对穆主任也是一场前所未有的挑战，我能体会到姚淼的殷殷期盼之情和孩子父母救女心切的痛楚。

姚淼上车时深情地望了我一眼，目光中充满了鼓励、信任和企盼。我情不自禁地挥了挥手，像是在告别，又像是在挽留。

送走姚淼，我又折回到穆主任办公室。

“庆堂，这是我做过的十四例海绵窦手术的全部资料，男的八例、女的六例，年龄在二十五岁到五十五岁之间，其中，海绵状血管瘤四例、神经鞘膜瘤七例、脑膜瘤三例，你拿回去先看看。另外，我们分头查阅一下国内外的资料，务必救救这孩子。”

我拿着这些凝聚了穆主任心血的资料心里非常激动！

“穆主任，这是您的心血呀！”

“庆堂，要想让中国的神经外科在世界上占有一席之地，光靠一两个名家是不行的，靠我这个七十岁的老头子就更不行了，必须培育一大批德才兼备、年富力强的学科接力人。去吧，我给你一周时间，一周后，我们碰头研究手术方案。”

离开穆主任办公室后，我一头扎进了资料室，并上网查找了国内外关于海绵窦神经鞘膜瘤的所有相关信息，后来又扫荡了省图书馆、母校图书馆，还发动蒋叶真找到了一些国外的资料。

综合了所有资料信息后，一个全新的手术方案在我心中酝酿而成，我的信心大增，有一种跃跃欲试的感觉。但上一次手术失败的教训提醒我，要冷静，要沉着。

随后的几天我一头扎进解剖室，在尸体上反复演练，验证自己的手术方案。谢丹阳见我整天魔魔怔怔的，嫌我不理她，找茬儿和我吵架。我没时间搭理她，她越发恼火，有一天竟然在我耳边喊：“林庆堂，姚淼来了！”我一下子精神了，“哪儿呢？哪儿呢？”气得谢丹阳大骂我无耻。我也只好忍了，因为我心里清楚，我之所以对这个病例这么着魔，确实有姚淼的因素。

一周时间很快就过去了，我怀着兴奋的心情向穆主任汇报我的手术方案。穆主任听完我的汇报后，许久没有说话，他慢慢点上一支烟，缓缓地吸着，沉思许久才开口。

"庆堂，即使采用神经影像导航技术精确定位，用最先进的'MED—REX'开颅手术系统，手术的难度和风险仍然很大，不过眼下这是最好的办法了。我向院里申请一具和患者一般大的女孩的尸体，你现在的任务就是反复地演练，争取手术万无一失。"

"穆主任，那我就通知患者住院了。"

"好吧，到时候我给你做助手。另外，我将这个病例的情况也告诉了元文和爱华，他们也做了相应的准备，希望我们齐心协力闯过这个禁区。"

我被穆主任的殷切期望所鼓励，怀着激动的心情给姚淼打了电话。

"姚淼，通知老高让孩子住院吧。"

姚淼听了很高兴，"庆堂，你一定找到好的办法了。"

"只能说是目前国内最好的办法。"

"手术后会是什么结果?"姚淼还是有些隐隐的担忧。

"不出意外的话，蕾儿不仅可以重见光明，还可以继续和你学舞蹈。"

"真的吗?"

"不过，姚淼，手术风险很大，我会尽力的!"

"庆堂，你一定要成功，这是老高和毕姐的第二个孩子，第一个孩子死在美国了。"

"怎么回事?"

"老高和毕姐是我父母最好的朋友。十二年前省歌舞团应邀去美国演出，不承想出了车祸，我父母和老高八岁的儿子都死在了异国他乡，老高和毕姐幸免于难。那年我才十五岁，这些年他们待我像亲人一样，庆堂，所以恳请你一定要救救蕾儿。"

想不到姚淼还有这么伤心的往事，我沉默了半天才说："姚淼，通知老高和毕姐让孩子住院吧。"

我不敢把话说满了，我知道挡在我面前的是怎样的一座高山，翻越靠的不仅仅是胆略和勇气，最重要的是医学智慧。挂断姚淼的电话，我才感到这一家三口在姚淼心目中的分量。

35.红舞鞋

我把高蕾安排在了单间病房，姚淼几乎天天来护理蕾儿，看得出来，这个孩子在姚淼的心中就像是自己的孩子。能和姚淼天天见面是我求之不得的，我把这份爱隐藏在心中化作攻克手术的动力。

手术的前一天，我去病房看蕾儿。老高和毕姐不在，姚淼也没在，蕾儿一个人坐在床上，手里摆弄着一双漂亮的红舞鞋。

“蕾儿，你的红舞鞋太漂亮了！”

“是姚老师送我的，可惜我看不见它，只能用手摸。”

“蕾儿，你一定会看见它的。”

“真的？林叔叔，你保证！”

“我保证！”我郑重地说。

“林叔叔，你听过红舞鞋的故事吗？”

“没有。给叔叔讲讲好吗？”

“好的。”蕾儿忽闪着大眼睛说，“从前有一双非常漂亮、非常漂亮的红舞鞋，女孩子无论谁穿上它都会成为舞蹈公主，因此女孩子们见了这双红舞鞋眼光都发亮，都兴奋得喘不过气来，谁都想穿上这双红舞鞋翩翩起舞一番。可是女孩子们都只是想想而已，没有谁敢真的把它穿在脚上跳舞，因为老人们说，这双红舞鞋是一双有魔力的鞋，一旦穿上跳起舞来，就会永不停止地跳下去，直到耗尽舞者的全部精力为止。但是仍然有一个喜欢跳舞的女孩实在抵挡不住这双红舞鞋的魅力，不听家人的劝告，悄悄地穿上红舞鞋跳起舞来。果然，她的舞姿轻盈美丽，无人能及，女孩感到有舞不完的热情与活力，她穿着红舞鞋跳过大街小巷，跳过田野乡村，她跳得所有女孩子都投去羡慕的目光。女孩自己也感到极大的满足和幸福，她不知疲倦地舞了又舞。夜幕不知不觉地降临了，观看女孩跳舞的人群也都回家休息了，女孩开始感到疲倦，她想停止跳舞，可是，她无法停止脚步，因为红舞鞋还要跳下去。狂风暴雨袭来了，女孩想停下来躲风避雨，可是脚上的红舞鞋仍然在快速地带着她旋转，女孩只得在风雨中跳下去。女孩跳到了陌生的森林，她害怕起来，想回温暖的家，可是红舞鞋还在不知疲倦地带着她往前跳，女孩只得在黑暗中一面哭，一面继续跳下去。最后当太阳升起来的时候，人们发现女孩安静地躺在一片静静的草地上，她的双脚又红又肿，女孩累死了，她的旁边散落着那双永远不知疲倦的红舞鞋。林叔叔，我的故事好听吗？”

“这个小女孩真可怜！”

“我倒是很羡慕她。”蕾儿认真地说。

“为什么？”

“为自己喜爱的舞蹈而死很值得！”

蕾儿的话让我很震惊。这简直就是第二个姚森，记得刚认识姚森时，她在左岸咖啡馆里说过一句话，好像是她的导师讲过的，热爱舞蹈就要有用鲜血染红舞鞋的精神。是啊，这个世界不就是因为有无数对事业执着追求的人才变得绚烂无比的吗？

“庆堂，你来了？”

这时，姚森拎着水果走了进来。

“蕾儿正在给我讲红舞鞋的故事。”

“这个故事是我讲给她听的，是安徒生的童话。”

“安徒生是个令人难以捉摸的人，一生写出那么多浪漫的爱情童话，自己却一生没有结婚。”我有些感慨地说。

“他选择了一生守望，守望着他的初恋爱人。他的爱情就像他的故事红舞鞋一样，没有涉足爱的领域时，是那么的向往，愿倾所有去换取那双艳丽的红舞鞋，他如愿了，遇到了一生挚爱的詹妮，从那一刻起，充满魔法的红舞鞋就永远也无法停歇了，带着他永远地舞着，当然，詹妮最终嫁给了别人，但他一直深爱着詹妮，直到死去。死去时，人们在他的脖子上发现了一个小布袋子，里面竟然是詹妮曾经给他写的一封情书，多么凄美，就像红舞鞋一样，即使死去也无法脱掉它。正是这个小布袋子支撑着他一生的爱，即使他很累很累，可他还是要舞蹈，因为他爱詹妮，生命的后期，他也试图去爱另一个女人，就像跳舞的小姑娘想脱掉累坏她的红舞鞋一样，但是他失败了，安徒生无法忘记他的詹妮，守着一生不变的爱是常人所不能的！每当他抚摸脖子上的小布袋子时，内心该是怎样的悲凉！我想这就是他写出《丑小鸭》在湖中仰天哀鸣的心声吧！”

姚森的话一语双关，仿佛她就是安徒生，我就是詹妮。面对将爱深藏在心中的姚森，我无言以对，安徒生一生都跳着绚丽的舞蹈，可见穿红舞鞋舞蹈一生没什么不好，起码好过一生从未曼舞过要幸福，哪怕是累到终结也值得，它换来了安徒生绚烂的人生，留下了美好的故事。

如此说来,手术刀就是我的红舞鞋,既然穿上它了,就要翩翩起舞,跳出最美的舞姿,哪怕付出生命的代价!

晚上,姚淼亲自为蕾儿剪掉了美丽的头发。蕾儿哭了,她为自己失去一头漂亮的头发而难过。我请高团长和毕姐到医生办公室在手术通知书上签了字。签字后,毕姐依偎在老高的怀里抽泣起来。此时,我的心情也很复杂。

我一个人来到实验室,捧着泡在福尔马林里的老宁的大脑暗自祈祷,希望老宁在天有灵助我一臂之力。老宁是我一生的愧疚,他是死在我手里的第一个病人,我下决心不再有第二个。

第二天早晨,陈小柔和赵雨秋推着躺在平车上的蕾儿去手术室前,蕾儿的手里紧紧地握着姚淼送的那双红舞鞋。我怕搅乱自己的心绪,没再见老高两口子和姚淼,直接去了手术室。

走进手术室时,穆主任的表情格外庄重,罗元文和爱华也面无表情。我知道对于我来说,这是一场圣战,只能胜不能败!

手术开始后,仿佛如有神相助,手术异常顺利,顺利得长达八个小时的手术没有给蕾儿输血,这简直是一个奇迹。

我压抑着激动的心情,结束了手术。术后,穆主任带头鼓起掌来,我却由于过于集中精力的突然放松下来,瘫在了地上。

蕾儿毕竟是生命力旺盛的孩子,术后苏醒后就清晰地看见了自己手中的红舞鞋。老高两口子握着我的手不知说什么好,姚淼也激动得抹起了眼泪,那一刻,我幸福得一塌糊涂。

36. 连理枝

蕾儿出院后不到一个月,有一天我下班回家,丹阳兴奋地说:"庆堂,姚淼晚上有演出,给了我们两张票。"

"几点钟的?"

"七点钟的。"

"肚子饿着呢!"我故意假装不情愿的样子。

"我买了面包,你先垫垫,看完演出,姚淼请我们吃饭。"

我心想:姚淼是怎么了,又请看演出又请吃饭的,也不怕把丹阳这个醋坛子打翻了。我和丹阳一人吃了一个面包,打车去了清江大剧院。

刚到剧场门前，高团长一家三口正在门前迎候我和丹阳，小高蕾见了我更是“林叔叔、林叔叔”喊个不停。谢丹阳丈二和尚摸不着头脑。毕大姐拉着丹阳的手往剧场里请，一边走一边说：“林大夫可是我们家的大恩人，我们全家真是感激不尽。”

“毕姐，你过奖了，救死扶伤是医生的职责，你和高院长如此隆重地迎接我们，让我心里过意不去。”我谦逊地说。

“林大夫，为了今天这场演出，姚淼做了精心的准备，她要用舞蹈感谢你对蕾儿的救命之恩。”毕大姐真诚地说。

这是一场精彩的歌舞演出，有歌有舞，高团长和毕大姐都上台一展了歌喉，压轴时段姚淼跳了一段精彩的双人舞《连理枝》。

浑厚的画外音介绍道：

“传说中相恋的人不能相爱，死后也没能葬在一起，但是他们的坟墓却同时各长出一棵树，并紧紧缠绕在一起，这就是人们所说的连理枝。舞蹈灵感来源于白居易的《长恨歌》‘在天愿做比翼鸟，在地愿为连理枝’两句，舞者通过曼妙的舞姿表现了人类灵肉交融的爱情。”

在一阵自由、热烈的鼓声中，舞台上，姚淼柔软的手臂与男舞者结实有力的手臂紧紧相绕、旋转，像一对情人似的形影不离。接着，一阵悠扬深情的巴松独奏旋律，把观众带入天籁与人籁交融的境界，宛如两棵树互相缠绕，枝干相依，又宛若两个相爱的人耳鬓厮磨，相爱缠绵。

姚淼的身姿柔顺、拧曲、小巧、纤细，如风中杨柳，美得令人窒息；男舞伴的身姿直立、挺拔、高大、阳刚，与姚淼形成刚与柔的对比，达到了灵与肉交融的境界。

舞蹈结束后，全场响起了经久不息的掌声。紧接着大幕徐徐拉开，画外音传出高蕾的声音：

“我是一个失明的女孩，黑暗中我多么渴望看一眼我心爱的红舞鞋。然而我只能用手触摸，用心灵想象。爸爸妈妈带我看了不知多少家医院，都治不好我的病。有一天我穿上了心爱的红舞鞋，红舞鞋带着我穿过森林、越过山河，终于，找到了让我重见光明的白衣天使……”

这是小高蕾特意为我跳的一段舞蹈，我被孩子的真情深深感动了。蕾儿冰清玉洁的舞蹈讲述了自己从失明到重获光明的过程，曼妙的舞姿活脱脱一个小姚淼，一双红灿灿的舞鞋，仿佛充满了灵性，这孩子不是在用脚跳舞，而是在用心灵跳舞，这果然是个小天使，她杨柳般摇曳的手臂，仿佛路径没有泥泞,铺满光华,仿佛她的舞蹈世界是一个童话世界,有鸟语花香,有高山大海,有白雪公主,有青蛙王子。

孩子越舞越灵动,让我的思绪随着她的红舞鞋转动,我开始意识到做为一名外科医生的神圣,这种神圣让我有了一种庄严的使命感,这就是忠于祖国,诚于事业;忠于病人,诚于奉献。想到这儿,我有了一种"昆山采琼蕊,可以炼精魂"的自豪感。

演出结束后,老高两口子请我和丹阳吃了海鲜。席散后,姚淼开车送我和丹阳。在车上,丹阳一反往常的喋喋不休,而是沉默不语,连姚淼都纳闷起来。

"丹阳,想什么呢?"姚淼一边开车一边问。

"姚淼,你向往的爱情真的像《连理枝》那样缠绵吗?"丹阳认真地问。

"怎么,丹阳,难道你不喜欢吗?"姚淼不解地反诘道。

"总觉得少了一些激情和冲动。"

"丹阳,缠绵的爱情是觉醒的爱、本质的爱、执著的爱,是发自内心的,而不仅是一种莫名其妙的冲动,或者是一种很慌乱的激情。"

"可是充满激情和冲动的爱情才来得惊心动魄、才过瘾啊!"

"但是这种惊心动魄太狂乱、太汹涌、太澎湃,也太盲目,激情过后往往会两败俱伤。"

"人必须要受到某种创伤!"

"意义何在?"

"意义就是让你知道什么是痛!"

"丹阳,爱不一定非要感受到痛,爱是人生命的一部分,是一种真挚的、类似于生命本质的东西。对我来说,无论它给我带来的影响是什么,我都能接受和包容它。"

"你们俩别争了,让我说,爱是说不清楚的,不爱却能说清楚,因为爱是感觉,不爱是事实。"我以评判者的口气说。

"这么说你为什么爱我也说不清楚了?"丹阳觑了我一眼说。

"丹阳,你就不要咄咄逼人了。爱情不是科学,不可能有标准答案的。"姚淼解围地说。

"谁说没有标准答案!"丹阳不服气地说。

"那么,说说你的标准答案。"姚淼疑惑地说。

"标准答案就是三个字:我爱你!"谢丹阳得意地说。

“别说，凡是相爱的人都离不开这三个字。丹阳，那么你相信这三个字，还是相信感觉?”姚淼认真地问。

“当然相信感觉啦。”丹阳抿嘴说。

“这么说标准答案不可信?”姚淼诡谲地问道。

“可信不可信只有感觉知道。”我哈哈笑道。

“好了，别斗嘴了，到家了。你们俩回家再争论吧。”姚淼笑道。

我和丹阳只好下车。姚淼按了一声喇叭，深情地望了我一眼，一打轮，本田车消失在夜幕中。

“林庆堂，姚淼看你的眼神勾不勾魂?”谢丹阳酸溜溜地问。

“勾魂，魅力无限!”我故意气丹阳。

“林庆堂，你浑蛋，我就知道你的魂被勾走了。”

“谢丹阳，搞对象时看着你挺大气的，现在怎么越来越像从醋缸里泡过似的? 别说我和姚淼没事，就是有事也是你逼的。”

说完，我头也不回地进了楼道。谢丹阳紧追上我，一边捶我的后背一边说：

“你帮她那么大的忙，为什么不告诉我，为什么不告诉我!”

37.风情酒吧

博士毕业后，我和罗元文回到神经外科开始独立承担手术。爱华为了赵雨秋并未回国，而是留在学校任教，并和赵雨秋联手在医院东门开了一家名叫非洲风情的酒吧。

我和丹阳、罗元文和何慧慧经常去酒吧捧场，何慧慧还利用自己是市电视台广告部副主任的身份负责给这个酒吧做过广告，所以，生意越来越好，搞得旁边陆续开了很多酒吧，什么步行者、二十五时、天地人、说你说我、欲望都市、感悟泥性等，医院东门成了酒吧一条街了。

每天晚上这条街上都人流如潮，出租车排着长队一直到下半夜四五点钟，这里也成了东州市老外聚会的场所。

实际上，赵雨秋心里是很爱爱华的，但是爱华除了爱，什么也不能给她，这是她不能接受的，比如，她想当神经外科护士长，爱华能给她吗? 但是爱华的父母为了爱可以冲破任何艰难险阻的勇气一直激励着这位开朗而痴情的非洲人，为了爱，他毅然留在了中国，这份爱又让赵雨秋心里感动，所以，她和爱华开了这个酒吧，根本不是为了赚钱，只是为了帮爱华。

神经外科的同事都来过非洲风情酒吧，只有曲中谦除外。曲中谦和王凤莹也来过酒吧一条街，但他们去步行者、二十五时、说你说我等酒吧，就是没进过非洲风情酒吧。不是由于曲中谦不想进，赵雨秋请过他，只是王凤莹不让他进去。

王凤莹早就知道赵雨秋以前与自己的老公有一腿，自己没有赵雨秋年轻，而曲中谦又是一个拈花惹草的高手，自己就是在老公住院期间，被曲中谦勾引的，所以王凤莹最知道曲中谦的弱点，他不得不防赵雨秋。

赵雨秋也觉得自从曲中谦娶了王凤莹后，对自己有些敬而远之，赵雨秋心中一直不快，她很想找机会教训一顿王凤莹。

丹阳父亲的身体一直不太好，她母亲的全部精力都放在照顾父亲身上，雪儿只好找人照看。我们隔壁楼单元有一个退休老太太看了六七个孩子，丹阳觉得老太太挺干净，几个孩子在一起也比较好，就把雪儿送了去。谁知雪儿不适应新环境，她抱着自己的东西一坐就是一天，不吃也不喝，三天后才开始跟小朋友说话。老太太说，雪儿是个很特别的孩子。

雪儿的特别劲儿像我，我小时侯在托儿所就不合群，经常和碰我东西的小朋友打架。丹阳说她小时候上幼儿园时特别合群，经常把爸爸妈妈给她买的好吃的东西分给小朋友。不过，现在一点儿也看不出来她的大方，倒是大手大脚的，喜欢的衣服一买一大堆，扔在家里很少穿。

我最讨厌空姐之间互相攀比，以为在天上给人家端茶倒水就高人一等，虚荣得不得了。谢丹阳在这么个小圈子里工作，难免沾染上一些俗气。

雪儿有人照顾把我解放了，有时我和丹阳忙起来干脆就不接雪儿，雪儿也越来越喜欢老奶奶了。

晚饭后，丹阳拽我去非洲风情酒吧。

“不去了，白天做了一天的手术，我想早点睡。”我疲倦地说。

“不去不行。你一天到晚就知道手术，多长时间没陪我了？”

“能怪我吗？我想陪你的时候，你在天上呢。你落地了，我又上手术台了。”

“结婚前，我也整天在天上飞，你怎么随叫随到啊？”

我被丹阳问得一时哑口无言。的确，男人在追求一个女人时，无法不被她的一颦一笑牵动心灵，结婚后，好像一切都得逞了，就再也不需要急着献殷勤。这和女人热恋时精心打扮自己，结婚后不再刻意打扮的心态是一样的。

“那时候我又笨又傻，当然听人摆布了。”我故意气她说。

“花心大萝卜，你傻会把蒋叶真迷得五迷三道的？”

“丹阳，老提这些陈芝麻烂谷子的有意思吗？”

“谁让你说话噎人了？庆堂，去吧，晚上姚淼也来。”丹阳不露声色地说。

我一听心里一阵兴奋，但却装出不高兴的样子。

“你又想雇爱情侦探探我什么？”

“林庆堂，别赚了便宜卖乖。你们俩背后眉来眼去的，别以为我不知道，不跟你计较，你还没完没了，你到底去不去？”丹阳不耐烦地说。

“去去去！”我服软地说。

女人之间的姐妹情挺有意思，它不像男人之间的兄弟情来得义薄云天和肝胆相照，却较久长。男人之间一旦有了芥蒂就很少来往，女人却可以一边和老公诉说着姐妹的不是一边约她泡吧。

自从给高蕾成功做了手术之后，我与姚淼的感情更进了一步，她经常在丹阳飞航班时约我吃饭泡吧，我们几乎无话不谈，俨然成了名副其实的红颜知己。

姚淼也经常找丹阳逛街，我知道，她太想从丹阳口中知道我的一切。当然丹阳对姚淼一直有警觉，但是女人有太多的心事需要说给女人听。

这两年姚淼的舞蹈事业如火如荼，推出的许多优秀舞蹈在圈内都有一定的影响。在全国舞蹈大赛上，她的舞蹈《天鹅如梦》获得一等奖，姚淼的名气越来越大。这让我这个普通的神经外科医生，有些望尘莫及，不过我在心里一直祝福着她。

我和丹阳走进非洲风情酒吧时，姚淼已经等在那里了。她坐在落地玻璃窗下，一袭粉红色吊带连衣裙，明媚动人，看上去像是好莱坞大片中的一个镜头。

姚淼见到我和丹阳显得有些兴奋。大家落座后，爱华过来打招呼，我向姚淼介绍了爱华，爱华赞叹姚淼的美丽，老黑表达得太直白，搞得姚淼十分羞涩。

姚淼的一颦一笑还是让人荡气回肠，我尽量让自己镇静。

“各位喝点什么？”爱华热情地问。

我向大家推荐了墨西哥的科罗娜啤酒，我介绍说，“科罗娜啤酒酒色黏黄，泡沫丰富，口感醇厚，回味悠长，很适合女士。”

姚淼马上赞同。不一会儿，服务小姐端上四瓶科罗娜啤酒，每个瓶口都插了半片柠檬，更显得酒的尊贵典雅。

爱华敬了我们说：“你们先聊，太忙了，一会儿雨秋过来陪你们。”说完忙去了。

姚淼的目光像火一样灼烧着我，这目光让我心旌摇曳，心中充满一种带有犯罪感的喜悦。

“庆堂，丹阳跟我讲过爱华父母相爱的故事，很感人，我想把这个故事编成舞蹈。”姚淼认真地说。

“这个创意太好了，什么时候让爱华仔细给你讲一讲。”我赞许地说。

“庆堂，知道我为什么想编这个舞蹈吗？”

“感人呗。”

“不全是。这个故事让我懂得了什么是真爱！”

“世间真情不少，真爱不多，真爱可是爱的最高境界了。”我若有所思地说。

“爱的最高境界是纯爱！”姚淼强调说。

“纯爱？”我似乎还不太理解。

“对呀，纯爱是一种灵魂之爱，爱到极致与性无关！”

“你说的是柏拉图式的精神恋爱？”

“不是。是两个人心灵相通的心灵之爱！”

“现实中有吗？”

“有。只是你需要发现！”

我一下子沉默了，我真怕坐在我旁边的丹阳听出来姚淼话里暗含的玄机。

“庆堂，听说你研究大脑的秘密都到了痴迷的程度，有什么重大发现吗？”姚淼似乎看透了我的心思，绯红的嘴唇上漾着微笑问。

我心想：姚淼这次来非洲风情酒吧就是为了见我，彼此互送的秋波是酒吧最烈的酒，爱一旦冷却可以冻僵灵魂，如今，一瓶科罗娜啤酒要烧掉命运中的诺言。我的目光太羸弱、太残缺，我提醒自己，她就是我的病人，于是我有了胆量，回复了犀利的目光。

“重大发现谈不上，不过，我发现了爱情的来源。”我饶有风趣地说。

“哦，那么爱情来自哪里呢？”姚淼惊奇地问。

“爱情来自大脑中的爱情激素，它的学名叫催产素。催产素启动了一个人爱另一个人的愿望，使人产生了与爱人在一起的那种温柔陶醉的感觉。”我用学术性的口气说。

“姚淼，你别听她胡说八道。”丹阳插话说，“他一天到晚跟死人打交道，都快成精神病了，哪还懂什么爱情！”

“丹阳，古今中外成大事者，哪个不是精神病呢？”姚淼反诘道。

“知我者，淼妹也。”我大笑道。

“一个普通的外科医生能成什么大事？”丹阳不屑地说。

“丹阳，真不知道你爱庆堂什么，竟然不知道他的价值！”姚淼不客气地说。

“丹阳是不喜欢无影灯，只喜欢霓虹灯。”我揶揄道。

“林庆堂，外科医生没钱没势的，有什么好？”丹阳争辩道。

“丹阳，多么有钱有势的人，一旦躺在手术台上都得归外科医生领导，”爱华走过来插嘴说，“有位富翁的妻子不小心跌了个跟头，断了一根股骨。富翁请城里最好的外科医生为他妻子手术。医生用一根螺丝钉将病人的骨头接好了，手术很成功。医生向富翁收费五千美元，富翁很不高兴，认为医生只不过用了一根螺丝钉就收这么多钱，太不公平了。于是他写了一封信给医生，要求列出收费明细账。很快他便收到了医生寄来的账单：一根螺丝钉一美元，知道怎么放进去四千九百九十九美元，总计五千美元。富翁哑口无言。丹阳，这就是外科医生的价值。”

“爱华，我有一个比你更精彩的笑话。”我接过话头说，“三个有名的外科医生在一起吹牛。一个医生说：‘有一个人断了一只手，我给他接上了，如今他是音乐会的小提琴手。’另一个医生说：‘这算什么！一个家伙两条腿断了，他来找我，我给他接好了，如今是马拉松选手。’第三个医生不屑地说：‘你们两个做的手术太简单，有一天，我碰到一起可怕的车祸，现场除了一个马屁股和一双眼睛，什么都没留下，如今那人坐在美国参议院里呢。’”

“什么意思呀？”丹阳没听明白。

“马屁精啊！”

姚淼说完，丹阳哈哈大笑。

“谁是马屁精呀？”这时，赵雨秋袅袅婷婷地走了过来。

“马屁精没有,小妖精倒有一个。”我略带嘲讽地说。

“丹阳,庆堂又打谁的坏主意了?”赵雨秋用挑拨的语气问。

“我们庆堂从来不打别人的坏主意,都是别人打他的坏主意。”丹阳酸溜溜地说。

赵雨秋一来,难免刮来一阵俗气。她一身名牌时装,手拿芬迪手袋,鲜红的指甲油,表演出来的小资做派,让人望而生畏。

“男人当然打女人的主意了,好男人当然是想坏女人了。”我揶揄道。

服务生给赵雨秋拿了一瓶科罗娜。

“你是好男人,我当然就是坏女人了,好男人理应是找坏女人,看来你娶丹阳是娶错了,你说呢,丹阳?”赵雨秋毫不示弱地说。

“女人不坏,男人不爱,你先天就是让男人爱的,后面跟着一堆马屁精,哪轮得上我们家庆堂啊!”丹阳的嘴从不饶人。

我想三个女人一台戏,这回有好戏看了。

“别斗嘴了。”姚淼接过话茬儿说,“我今天来是想告诉你们,下个月我去法国演出,你们有什么事吗?”

“去法国演出,太好了,可惜我这周不飞欧洲线,要不好好给你服务一次!”丹阳有些遗憾地说。

“姚淼,给我带一套法国时装或最好的香水好吗?”赵雨秋兴奋地说。

“没问题。庆堂,你呢?”姚淼爽快地问。

“我只希望你演出成功,别的什么也不需要!”我真诚地说。

姚淼听了我这句话显得有些失望,看得出她特别希望我能让她带点东西,然而对于我来说,爱是不需要馈赠的。

酒喝到很晚才散去,姚淼还是开她那辆白色本田,她上车时看我和丹阳的目光很深情。本田车很快就消失在夜幕之中,我的心也开始像夜幕一样垂落。

“走了,老公。”丹阳推了我一下说。

我懵懂一样醒过来。

“我看你魂儿都快被勾跑了!”丹阳娇嗔道。

“魂儿在人们的头颅中,只有我见过。”我恐怖地说。

“行了,大半夜的,又拿你那一套吓唬我。”丹阳胆怯地说。

“你要怕我被别的女人把魂勾走,你当初就应该嫁给一个火车司机。”我逗趣地说。

“为什么?”丹阳懵懂地问。

“这还不明白,火车司机不容易‘出轨’呀!”我风趣地说。

“林庆堂,你讨厌!”丹阳咯咯大笑地说。

“我当初就选错了行,为了防止娶妻出轨,就应该去读铁道学院。”我快活地说。

丹阳娇嗔地用拳头捶我,一边捶一边说:“你这个大坏蛋,让你欺负我,让你欺负我。”

为了躲丹阳的打,我只好往前跑,丹阳就在后面追。月光如水,我的心却似乎已经飞往法国……

第五章 大医精诚

38. 女处长

第二天上午，常院长找我谈话。

“小林啊，”常院长语重心长地说，“省卫生厅组织五十支青年医生扶贫下乡医疗队，各医疗队成员基本上都是具有硕士以上学历的医务人员，年龄都在四十五岁以下。院里选派了一支由十五人组成的医疗分队，考虑到院里的领导都过四十五岁了，不符合要求，你是医院重点培养的青年专家，院里决定给你压压担子，锻炼锻炼，所以这支医疗队由你任副队长。”

“队长是谁？”我试着问。

“队长由省卫生厅医政处处长蒋叶真担任。”常院长笑着说，“这五十支医疗队的队长都由省卫生厅处级干部担当。”

我听了以后心里有一种异样的感觉，没想到扶贫下乡会和蒋叶真在一起。

“小林啊，有什么困难吗？”常院长和蔼地问。

我摇了摇头，诚恳地说：“谢谢院领导的信任。”

“小林啊，”常院长笑着说，“我们北方医大附属医院在全国也是很有影响的医院，但现在面临老医生年龄偏大、青年医生尚未接上班的窘境。医院对你们这些年轻博士很重视，特别是神经外科在全国影响很大。”

“那是因为有穆主任那样的老专家。”我由衷地说。

“是啊，院里有决心再培养出几个挑大梁的名医，”常院长满怀希望地说，“小林啊，你要努力啊！”

我听了常院长的话，心里很激动：想不到院里对我这么重视，自己是应该干出个样来。

更让我没想到的是，这次蒋叶真和我带队的这支由十几个人组成的医疗队奔赴的第一个地点竟然是我的家乡汤子县。

阔别多年，冷不丁地要回家乡，我的脑海中一下子浮现出小月的身影和送葬那天大雪纷飞、我背着小月的尸体被小月的五个哥哥驱赶的情景，我的心情复杂极了，我曾发誓再也不回北滩头，然而，命运捉弄人，想不到我竟会以扶贫医疗队副队长的身份回去，不知道这算不算衣锦还乡。

这次我们带了两辆车。我和蒋叶真一起坐在北京吉普内，十几个队员坐在一辆面包车内。一路上，蒋叶真见我一言不发，知道我又想起了往事，便凑到我身边想开导几句。

“师兄，想什么呢？”

“没什么，不回家乡则已，一回家乡心里特别想念年迈的爷爷奶奶和我的老爸老妈。”我满腹心事地说。

“庆堂，这次厅里组织五十支扶贫医疗队，如果没有汤子县，我不一定下来，本来厅里也没打算让我带队，就是因为有汤子县，我才主动请缨的。我跟领导谈了两个条件，一个是去汤子县由我带队，另一个就是由你任副队长。”

“为什么？”我不解地问。

“庆堂，”蒋叶真沉思片刻说，“小月是因为你而死，但是这些年，小月的死在我心中一直是一个心结，如果小月不死，那我们现在可能就……唉，反正是我不好，我一直反省自己，觉得是我对不起你，当年不应该在你最痛苦的时候，不问青红皂白就和你分手了。现在想起来，还……当然，都过去了，我一直想找机会和你回一趟北滩头，给小月上上坟，算是我的忏悔吧，没想到这次扶贫医疗队成全了我。”

蒋叶真可谓是用心良苦，我没想到小月的死会给她留下这么深的心结。当年如果我对小月负点责任，早一点向小月说明我的心迹，向蒋叶真说明我和小月之间的真相，或许悲剧就不会发生，我也不至于要用一生对小月进行深深的忏悔。

"叶真,事情过去了那么多年了,何必还挂在心上?"

"庆堂,怎么会忘记呢?和小月比起来,我觉得当初我对你的爱很渺小、很自私。小月是个敢爱敢恨的姑娘,现在有几个女孩敢为心爱的人殉情?"

蒋叶真的话深深地触动了我。这些年,每当我想起小月,内心深处还隐藏着对小月殉情的怨气,不禁有些汗颜。是啊,我根本配不上一个至纯至性的女孩子为我轻生,我有什么资格怨恨小月的轻生呢?连蒋叶真都惦记着为小月上上坟,我竟然发誓不回北滩头,简直是一种逃避。

"叶真,小月糊涂,我根本不配她为我轻生。你比我有勇气,敢于直面这件事情,这些年我一直在逃避。也好,我们就去给小月上上坟。"

"蔡恒武教授一直呼吁县以上医院都要建立神经内外科,他老人家一直致力于这方面人才的培养。省厅在汤子县医院做了个试点,成立了脑科中心。你心里要有个准备,我们为脑科中心剪彩后,你要作一场学术报告。为了听你的报告,附近几个县的医生都慕名而来了。"

"叶真,神经外科代表着外科的最高水平,县里即使成立了脑科中心,也很难开展手术啊!"

"这个省厅领导也想过了,会定期派专家下去为患者手术,同时带队伍。这次你除了要作报告,还要做几例手术。"

"手术条件具备吗?"

"省厅拨了专项资金,当然肯定比不了省里的大医院。"

"叶真,到了县城,能不能给我一个晚上,让我陪一陪老爸老妈?"

"放心吧,这次我拽你一起来,不光是为了给小月上坟,更主要的是让你回家看看父母。我要是不拽你一起来,怕是这辈子你都不会回去,一个是你忙得脱不开,再就是回来你不好面对小月的家人。"

我被蒋叶真的真情感动了。该想的她都想到了,生活的磨练让人成熟,蒋叶真再也不是我曾经爱过的那个任性的大家闺秀,而是透着高雅气息的女处长。

离家乡越来越近了,公路左侧不远处就是静静流淌的小清河了。水面上辉映着夕阳明亮的光芒,河边上一群光着屁股的小孩子在河滩上追逐、嬉戏;洗衣服的村妇们正在收拾晒在岸边草地上花花绿绿的衣服。

小清河是从北面流过来的县河,水面像深秋那样开阔,平静地围着汤子县绕了大半圈,向南流去。河水清得可以看到河床中的五彩鹅卵石,清得可以看到鱼儿怡然地游在水中……

阔别家乡多年，我觉得小清河就像是一位慈祥的母亲，展开她那柔软宽阔的胸怀迎接游子回家。

车到县招待所门前，迎接我们的是县政府办公室王主任和县卫生局康局长。队员们在招待所安置完后，王主任热情地说："两位队长，本来我们主管文教卫生的赵副县长要亲自来迎接的，但是今天县委正在召开常委扩大会，研究抗洪抢险工作，一会儿散会后，我们县委书记和县长都要过来给你们接风洗尘呀！"

"怎么，小清河要发洪水吗？"我警觉地问。

"省气象局预报，未来几天上游可能有暴雨。怕洪水下来，我们县是个穷县，小清河的防洪堤坝年久失修，我们书记、县长很着急，今天的常委扩大会专题研究抗洪问题。"王主任解释说。

"王主任、康局长，我们医疗队不是来做客的，用不着什么接风洗尘。县领导工作忙，我们就不打扰了，晚饭还是吃工作餐吧。"蒋叶真客气地说。

"那怎么行？蒋队长，赵副县长特意嘱咐做不好接待工作拿我们试问。大家休息一会儿，我估计书记、县长很快就到。"

我最不喜欢接风洗尘的应酬，心里思念多年未见的父母，打定主意不参加。我小声征求了蒋叶真的意见，蒋叶真犹豫了一下笑着说："那好吧，你去吧，这里我来应酬。代我向你父母问好！"

我点点头，抱歉地说："王主任、康局长，我好多年没回家乡了，思念父母心切，今晚的宴会就不参加了。"

"那怎么行？林队长，吃了饭再去看你的父母也不迟嘛，书记、县长马上就到。"王主任、康局长热情地挽留。

"两位领导，实在抱歉，老母亲望眼欲穿地盼着我呢，明天医疗队就得开展工作，我就没时间回去了，还请两位领导理解！"

王主任、康局长还要挽留，蒋叶真打圆场说："王主任、康局长，还是让林队长走吧。林队长是神经外科方面的专家，平时忙得很，难得回来一趟，他现在是归心似箭啊。"

蒋叶真出面说情，王主任和康局长只好作罢。王主任要派司机送我，我婉言谢绝了，因为我家离县城招待所不远，离家多年，我很想一个人走走，看看县城这些年都发生了哪些变化。

39. 乡情

远远地望见家门前老父亲苍老的身影，正手搭凉棚四处张望。几年不见，父亲背驼了许多。去年父亲从县建筑公司经理的位置上退了下来，和妈妈一起打理小饭馆。离开县城前，我给家里打了电话，老两口听说我要回家，高兴得不得了。

雪儿出生后，母亲要给带，但是爷爷奶奶年岁大了，离不开人，把雪儿送到老家丹阳又不放心，所以，自从雪儿出生后，父亲和母亲一直没见过。这次回来，丹阳特意给二老带上了几张雪儿近期的照片。

我快步向父亲走去，饱含深情地喊了一声："爸！"

父亲见到我，满脸的皱纹一下子绽开了，他伸出粗壮的手摩挲着我的手动情地说："庆堂，想死我和你妈了！"

"我妈呢？"

"给你熬羊汤呢！"

我们家的小饭馆以母亲熬制的羊汤而著称，母亲熬羊汤的手艺是和我姥爷学的，我们家的羊汤汤白如奶，肉质细嫩，色纯味香，风味可口。母亲还擅长温拌羊肉、调羊肝、红烧羊蹄、炒羊鞭。母亲靠着自己的绝活支撑着小饭馆，生意做得有声有色，在小县城里远近闻名。

母亲知道我爱喝她亲手熬的羊汤，一大早起来就精选了羊肉，听到我回来的声音，三步两步地从屋里迎出来，"儿呀，让妈看看，快让妈看看。"

"妈，我回来了！"

母亲用粗糙的手抚摩着我的脸，眼泪一下子就涌了出来。

"儿呀，瘦了，工作累得吧？"

"妈，你身子骨还好？"

"好好。他爸，咱儿回来了，赶紧摆桌子吃饭！"

母亲做了一桌子丰盛的晚饭，我陪父亲喝了半斤小烧。半斤白酒下肚，我和父亲都有些兴奋，我破例卷了一支父亲爱抽的旱烟，呛得连咳嗽了两声，父亲看着我的窘态喜上眉梢。

"这种烟冲！悠着点。"

"爸，爷爷和奶奶的身体怎么样？"我关切地问。

"大病没有，小毛病不断，毕竟岁数大了。我和你妈琢磨着把他们接到县城来住，他们不愿意来，只好我和你妈轮流去。好在小饭馆生意还行，你妈找了个远房的妹妹给照应着。”

“妈，这是雪儿的照片，临走时丹阳特意给挑的。”

母亲接过照片，喜得合不拢嘴，“俺娃长得这个俊，像她妈一样水灵。庆堂，啥时候你领着媳妇回来看看，你爷爷奶奶盼着呢！”

“妈，会的，丹阳也想回来看看。”我敷衍着说，心想：丹阳没白没黑地飞航班，哪有时间呀。

“庆堂，”我爸欣慰地说，“你学有所成，爸心里很高兴，这次随扶贫医疗队回到家乡造福乡里，爸就更高兴了。想不到我老林家祖上积德，能出息一个外科专家，好儿子，你给爸妈争光了。”

父亲的话说得朴实，却是发自肺腑的。我却因为不能在二老身边尽孝而内疚。

“爸，这次回来要跑几个乡镇，第一站就是庙堂乡，到时候我去看看爷爷奶奶，还想……”

“还想什么？”父亲疑惑地问。

“还想给小月上上坟！”

父亲听到这话半天没言语，良久才说：“你能这么做，我很高兴。这些年我们家跟小月家始终有个结，是该解开的时候了。这次即使你回北滩头，你也见不到小月她爸妈，小月她大哥升任副县长了，把她爸妈接到县城里住了。”

我听了父亲的话很惊讶。

“爸，县里有位主管文教卫生的赵副县长，难道就是小月的大哥？”

“正是。你见到了？”父亲点了点头问。

“没有。只是赵副县长今晚宴请我们医疗队，想必他已经知道我回来了。”

“庆堂，”父亲劝慰道，“冤家易解不宜结呀。当年小月她大哥是做得有些过分，但是毕竟人家妹妹是因你而死的呀，慢慢地她家也回过味来了，小月她爸妈见了我也开口说话了。”

“爸，我知道，我心里早就原谅小月她大哥了。”

当年小月她大哥一封举报信险些毁了我的前程，小月出殡时逼着我背尸，让我在北滩头丢尽了脸面。想不到他会升任副县长，而且主管文教卫生。这次医疗队下来，又难免与他打交道，我心里有点不是冤家不聚首的无奈。

和父亲母亲唠到半夜，又写了明日作学术报告的提纲才睡。躺在床上翻过来掉过去睡不着，好容易挨到天亮，天却阴沉沉的。想到一会儿要到县医院脑科中心开业剪彩，小月她大哥一定在，我的心里有些打憷。

吃罢早饭，我的手机响了，蒋叶真让我直接去县医院。我挂断电话，告别父母，直奔县医院。我知道今天上午的重头戏是我，我要给一百多名医护人员作一场关于神经外科方面的学术报告。

快到县医院时，就看到县医院门前挂满了各色条幅，都是周边县医院祝贺汤子县人民医院脑科中心开业的贺幅，门前还铺了一块红地毯，上面站着七八个礼仪小姐扯着红绸子，周围停了许多县领导的车。

蒋叶真正在与一个人说话，见我过来连忙介绍："庆堂，这位是汤子县主管文教卫生的赵副县长。赵县长，这位是扶贫医疗队副队长、神经外科专家林庆堂。"

我刚要伸手与赵副县长握手，发现眼前这个发福的中年男人不是别人，正是小月的大哥。我的手伸了一半尴尬地停住了。

赵副县长马上意识到了什么，热情地握住我的手说："庆堂，你终于回来了。"

我不自然地笑了笑说："赵副县长，你好！"

"庆堂，还像以前那样叫我大哥吧。"

小月她大哥这么一句话，让我心中涌起一股暖流，我赶紧改口说："大哥，想不到赵副县长就是你。叶真，这就是小月的大哥。"

蒋叶真这才明白过来，连忙握住赵副县长的手说："大哥，让我也这样称呼你行吗？"

赵副县长似乎早就知道眼前的女处长就是当年和我谈恋爱的蒋叶真，微笑着点了点头。

"我和庆堂这次回来有个心愿，就是希望给小月上上坟。"蒋叶真真诚地说。

赵副县长重重地握了握我和蒋叶真的手说："庆堂、叶真，过去的事就让它过去吧。"

典礼很快就开始了。由赵副县长主持，县长讲话后，蒋叶真代表省卫生厅也讲了话，最后是县领导剪彩，当然我也参加了剪彩。我觉得这一剪子剪断的不是红绸子，而是我耿耿于怀的过去，从此我的内心世界将不再如此沉重。

剪彩仪式后，没想到学术报告因抗洪形势严峻临时取消了。蒋叶真决定医疗队先去庙堂乡义诊，县卫生局康局长亲自陪同，我与赵副县长告别后，车队向庙堂乡进发。

离庙堂乡不远，就看见几辆桑塔纳在路口迎候，乡领导早就等在这儿了。十里八乡的老百姓听说省城大医院的医生来义诊，纷纷赶往庙堂乡。我们在乡领导的配合下，紧锣密鼓地忙，连中午饭都没吃，一直忙到晚上六七点钟。

吃过晚饭后，在乡政府大院里安置好医疗队员，蒋叶真向另外一名副队长交代了几句，拉上我亲自开着北京吉普，直奔北滩头村。

北滩头村离庙堂乡政府不到五里路，吉普车很快就驶进了村子。一阵狗叫声，让我想起了与小月相吻的那个晚上。我摇下车窗向外张望，最先映入眼帘的就是小月家场院上的柴火垛。

本来蒋叶真想先送我去看爷爷奶奶的，但是我摇了摇头说："还是先上坟吧！"

我指挥着蒋叶真将车驶向小清河畔的老林子。

不知为什么，天昏沉沉地阴了一天，此时突然晴了，大有月上柳梢头的意境。苍白的月色中，小月的坟孤零零地长满了野草。我和蒋叶真立在坟前，无限感慨涌上心头。

蒋叶真和我几乎同时跪了下去。我在小月坟前摆满了水果点心，默默地烧着纸。远处小清河哗哗地流着，仿佛在听我和蒋叶真述说心声，它像一位慈祥的母亲，对两岸所发生的一切都给予谅解和宽恕。

火光中，我看见蒋叶真流下了忏悔的眼泪。其实，蒋叶真是无辜的，她完全可以把小月的死忘得干净，然而她忘不了，她为什么忘不了呢？我百思不得其解。

我们离开小月的坟的时候，月亮又隐到云后面去了。北滩头村的地势较高，吉普车始终在爬坡，远处的小清河黑亮黑亮的，哗哗的河水声像是在和我们告别。

蒋叶真的吉普车还离爷爷奶奶家几十米远的时候，我就看见爷爷奶奶站在门前等了。夜色中，两位老人显得特别沧桑。我让蒋叶真停车，下车后，我快速地向爷爷奶奶跑去。

"是我孙子庆堂吗？"奶奶颤颤巍巍地问。

“爷爷奶奶，是我！”

话没说完，我的眼泪一下子涌了出来……

40. 抢救

第二天早晨天晴了，离开庙堂乡的时候，艳阳高照，我们一连跑了两个乡。第三天早晨，县卫生局康局长接到抗洪指挥部的电话，通知医疗队火速赶回县城，县城被水淹了，抢险时，许多人受了伤。医疗队只好取消计划直接赶往县城。

路上大家都很纳闷，天没下雨为什么县城被洪水淹了呢？问康局长，康局长也一头雾水。临近县城时，就看到了道路上一片狼藉，车几乎无法通行，低洼处积水很深，由于县城北高南低，南面仍然泡在洪水中。好在我父母家在县城北，我用手机给家里打了电话，父母向我报了平安。

此时，康局长已经弄清县城发水的真正原因。原来这两天小清河上游突降暴雨，致使上游位于莫丰县境内的清河水库的水位暴涨。由于水库平时蓄水过满，突降暴雨，不得不放水，结果使位于下游的汤子县县城遭了殃。本来二十年一遇的堤坝应该能挡住这股洪水，但是号称五十年一遇的汤子县堤坝由于年久失修，最终没有挡住洪水的袭击。

我们步行进入县城后，发现县医院和刚刚建成的脑科中心都已泡在了洪水中，水有半米多深。赵副县长正组织人力抢救药品和设备，住院的患者已于昨夜转移，他见医疗队及时赶到非常高兴。

蒋叶真与赵副县长握手后说：“赵副县长，洪水刚过，防疫工作要跟上啊！”

“蒋队长，防疫工作就交给医疗队了，我现在实在是缺人手。”

就在这时，十几名武警战士抬着一副担架，趟着没膝的水急三火四地赶来了。

“怎么了？”赵副县长关切地问。

“我们班长在危房内救人时，房屋倒塌，被砸伤了。”一名战士焦急地说。

我和蒋叶真赶紧上前查看，发现受伤的战士已经处于昏迷状态。

“赵副县长，必须马上抢救！”我急迫地说。

“可是医院进水半米多深，又没有电，怎么手术？”赵副县长为难地说。

“有没有发电机?”蒋叶真急迫地问。

“好,我马上想办法。”

赵副县长与康局长想办法搞发电机之际,我命令医疗队员将受伤战士趟着水送入没有电的CT室。此时,我只有一个想法,绝不能让抗洪抢险的英雄牺牲在我的手里。

赵副县长向县长汇报情况后,县长安排农机局送来一台发电机,脑科中心有电了。此时,受伤的战士呼吸、心跳已经停止十多分钟,我的心已经提到了嗓子眼。

我提醒自己,越是在这个时候越要冷静。经CT检查,受伤战士头部乙状窦被撞破裂,左颞、左枕硬膜外血肿导致休克,属于特重型颅脑损伤。

按照一般医学理论,受伤战士呼吸、心跳停止十分钟后,大脑会造成不可逆转的脑死亡,很难抢救成功;但全体医疗队被英雄舍己救人的精神所感动,没有一个想放弃的。

在我的指挥下,医疗队员们在对受伤战士实施常规心、肺、脑复苏的同时,在患者身上同时开通了四条输液通道补充血容量,并对受伤战士实施气管插管,进行人工辅助呼吸。

当给受伤战士输入了浓缩红细胞一千二百毫升、血浆六百毫升后,他的瞳孔开始出现照射反应,血压、心跳逐渐恢复,自主呼吸也慢慢开始。

我的心里一阵激动,赶紧命令医疗队员迅速将受伤战士送入手术室。此时,医院所有的人都在为英雄捏把汗,更为我捏着把汗。

“师兄,我给你当助手!”蒋叶真动情地说。

我点点头,手术在小发动机的轰鸣声中开始了。由于乙状窦属于脑部静脉集中的部位,破裂后,将很难止血,这给手术增加了难度。

在手术室条件有限的情况下,我成功为受伤战士实施了左颞、左枕硬膜外血肿清除术。经过四个多小时的手术抢救,受伤战士终于脱离了危险。

当我走出手术室时,赵副县长和康局长紧握着我的手说不出话来,十几名焦急等待的武警战士齐刷刷地向我敬礼,全体医护人员一起鼓起掌来。

“庆堂,这是汤子县人民医院脑科中心成功完成的第一例手术。”蒋叶真兴奋地说。

“林队长,这回我们是真的开眼了。别忘了,你还欠我们一场学术报告，我看就安排在明天吧！”康局长激动地说。

汤子县人民医院全体医护人员齐声喊道：“好！”紧接着，又是一阵热烈的掌声。

“康局长，我一定认真准备！”我郑重地说。

傍晚，回到县招待所，我就病倒了，也许是做手术时精神高度紧张出了许多汗，又在水里泡了四个多小时，高烧三十九度多，可把蒋叶真急坏了。我让她不要声张，吃了点退烧药，就睡着了。

梦中我梦见自己和姚森一起去了法国，我们一起游埃菲尔铁塔，一起游卢浮宫、凯旋门，在戴高乐机场办理乘机手续时，有人高声喊：“林庆堂，我说打你手机你关机，原来跑这儿会情人来了！”

我回头一看，原来是丹阳横眉冷对地指着我。姚森见了丹阳立即化作烟雾消散了，我赶紧喊：“姚森，姚森……”

此时，有人推我。我醒后发现蒋叶真坐在我身边，她关切地问：“庆堂，做梦了吧？”

我羞愧地点了点头。

第二天上午高烧三十八度多，浑身酸痛，疲乏无力，我还是强打精神，为县医院全体医护人员作了一场精彩的学术报告。

下午，医疗队辞别汤子县领导，蒋叶真让车队特意在我家门前停了一下，我告别父母，扶贫医疗队向小清河上游的莫丰县进发。

41. 倾诉

莫丰县是全省最穷的一个县。这个县用穷山恶水来形容一点都不过分，到处是山，却都是秃山，人均耕地很少，主要农作物就是玉米，当地老百姓形容莫丰县的老鼠都移民了。

傍晚，我们到达莫丰县招待所。县委书记、县长带领县委一班人正在等候我们，大家热情握手。

这里虽然是穷县，但接风洗尘的晚宴却十分丰盛，一点都不比城里大酒店的饭菜差，而且还上了五粮液。

蒋叶真坐在主桌，两边作陪的是县委书记和县长。我不喜欢这种场合，更不喜欢上主桌，便随便找了一个桌坐下。

“林队长，你坐错地方了，快过来，快过来！”蒋叶真喊道。

“坐这儿挺好的。”我推辞道。

主管卫生的副县长马上起身把我拽到了主桌。盛情难却，我也只好坐在了主桌。这时，县委书记端着酒杯开始讲话。

“感谢医疗队到我们这穷乡僻壤送医送药。莫丰县是有名的贫困县，用老百姓自己的话讲叫穷家瘦妈干巴哑，我们这里不仅穷，更缺医少药，老百姓有病看不起，只好忍着，‘小病拖，大病抗，抗不过去见阎王。’他们盼星星盼月亮，终于把你们盼来了。来，我代表全县人民敬医疗队全体同志一杯，感谢你们，希望你们多来、常来！”

医疗队队员听了县委书记的话都挺激动，连不能喝酒的也干了。县委书记敬完大家后，县长又敬了一杯，说的话和县委书记的差不多，然后蒋叶真代表全体医疗队队员回敬了一杯并讲话。

“省卫生厅党组高度重视莫丰县农民缺医少药看病难的问题，特意嘱咐医疗队队员要让农民享受高技术的医疗服务，从而解决部分农民‘因病致贫’、‘因病返贫’的问题。我们这支由十五人组成的青年医疗队，由十名硕士、五名博士组成，他们都是临床第一线的医疗专家。贫病往往是一对因果循环的难兄难弟，解决社会贫困应该是一个包括医疗卫生在内的综合脱贫战略。基于这点认识，省卫生厅党组有决心组织全省四百多家医院，将扶贫医疗救助活动深入持久地开展下去。感谢莫丰县县委、县政府的热情款待，感谢全县人民对我们的期待和厚望。在这里，我代表医疗队表个态，我们决不辜负白衣天使的光荣称号，把健康和关爱洒到莫丰县的每一个角落。”

我望着侃侃而谈的蒋叶真，心想：这已经不是我那个又漂亮又可爱的小师妹了，叶真成熟了，成熟得让我有些自惭形秽。人的确是会变的，没想到蒋叶真的政治才能远远高于她的医学才能。我隐隐感到叶真还能升，看来谈恋爱时她想当省卫生厅厅长的戏言，很快就会变成现实。

县里想得很周到，在县委招待所为队员们安排了房间。由于我和蒋叶真还有另一位副队长是医疗队的领导，所以每个人住一个单间，其他队员都是两人一套标准间。

县招待所虽然谈不上什么档次，但很干净。大家累了一天，都想好好休息睡一觉。我睡觉前有一个习惯，必须看几页书才能睡着。我洗漱完毕，刚想上床看书，有人敲门，我开门一看是蒋叶真。

“还没休息?”蒋叶真略带醉意地问。

“啊，想看看书。”我合上书说。

“方便吗？”

“方便。进来吧。”

蒋叶真进了我的房间坐在沙发上。我赶紧给她沏了茶，因为今晚她足足喝了半斤五粮液。蒋叶真端起茶杯轻轻地喝了一口。

“怎么，睡觉前看书的老习惯还没改？”

“怕是改不了了。”

“庆堂，丹阳还好吗？”蒋叶真面带红晕地问。

“好啊！一直飞国际线。”我发现蒋叶真似乎有心事。

“没想到，你还挺浪漫，居然找了一位空姐。”蒋叶真嫉妒地说。

“你也可以呀。”我毫不示弱地说，“找了一位画家做丈夫。”

蒋叶真“唉”了一声放下茶杯。

“有烟吗？给我一根。”

“你什么时候学会抽烟了？”

我从裤兜里掏出烟递给她一支，自己也抽出一支，我为她点上火，也给自己点着。我们都深吸一口没说话。

“叶真，小月的坟也上了，心事该了了，怎么你好像还是不开心？”

“庆堂，我真羡慕你和丹阳，郎才女貌、才子佳人的，可惜当初我不知道珍惜……”蒋叶真伤感地说。

“怎么，和苏洋闹别扭了？”

“谈不上什么别扭，我们根本就不是一路人。上次从西藏回来和我商量，希望我和儿子都跟他去西藏，我没答应，就扬言他自己要在西藏定居再也不回来了。”

“苏洋是个理想主义者，为了事业可以牺牲一切。你又是个有政治抱负的人，你们俩还真是个问题。”我无奈地说。

“狗屁理想主义者，简直就是白痴。”蒋叶真不屑地说。

“叶真，要是答应他去西藏呢？”我试探地问。

“绝不可能！我才不和他去那鬼地方受罪呢，让他一个人受着去吧，这些年如果没有我，他早喝西北风了。”蒋叶真语气非常坚定。

“怎么会搞成这样？”我遗憾地说。

“我和他结合本身就是一个错误。”蒋叶真深吸一口烟说，“结合在一起都是苦于家庭的压力。”

我没想到这个在官场上风光的小师妹，正在吞咽婚姻不幸的苦果。

“叶真，等苏洋回来我劝劝他，男人最重要的是责任，再者说孩子还有个教育问题。”

“他哪里懂得这些！他这种人就不配娶妻生子。”

“以后打算怎么办？”

“能怎么办，拖呗，拖到离婚。”

“就不能好好谈谈？或许还有挽回的余地。”

“太晚了，庆堂，”蒋叶真沉默一会儿深情地说，“我真后悔当初离开你……”

说着她鼻子一酸，眼泪就流了下来。这是我万万没有想到的。我从包中拿出纸巾递给她，她接过纸巾一下子把我抱住，趴在我的肩上几乎哭出声来。我一时不知如何是好，只好紧紧地抱住她。

“庆堂，我好糊涂，当初为什么要离开你，”叶真一边哭一边说，“而且是在你最难的时候离开你……”

“叶真，事情都过去这么多年了，都过去了，都过去了。”

这时，蒋叶真抬起头，她用妩媚的目光看着我。

“庆堂，你还爱我吗？”

我被问呆了，心里一下子涌上了很多东西，却像被掏空的躯壳。我知道过了而立之年，青春因为无可遏止的激情而消逝。我们都过了挡不住诱惑的年龄，我知道今晚蒋叶真想要什么，但我不能给她，因为在我心中，我曾经珍爱过的那个小师妹已经和小月一起死了。

“你一直没有原谅我，对吗？”蒋叶真失望地问。

“不。实际上，我从未原谅过我自己。”

“关于什么？”蒋叶真逼问道。

我沉默。

“关于什么？”蒋叶真步步紧逼。

“关于对与错。怎么，你想让我做《查特莱夫人的情人》中的那个守林人？”

“难道我对你的爱在你的记忆中消失得这么快？”蒋叶真进一步追问。

“我记得有人说过，爱情有一夜之间就消逝得无影无踪的恶习。我同意这种观点，因为这种事情在我身上发生过。”

我推开她走到窗前，又点上一支烟吸着。窗外繁星似锦，我的心却突然静了下来。

“你有老婆孩子,我也不敢有太多的想法,”蒋叶真从后面抱住我轻轻地说,“可是,我做你的情人可以吗?我什么都不要,一个星期见你一次就心满意足了。庆堂,行吗?”

“叶真,这不太合适吧?”我毫不犹豫地说。

“有什么不合适的?我们以前也不是没做过。”蒋叶真仍然抱着我。

“别忘了我们是来干什么的?”我严肃地说。

“我就是为了和你说这些话才要求带这支医疗队的。庆堂,我想跟你说这些话也是下了几个星期的决心的。”

“叶真,你冷静点,既然坚守了就坚守到底。你现在是政府官员,前途无量,不要因小失大,让自己的奋斗在一瞬间化为乌有。再说,这样做我也太对不起老婆孩子了。”

蒋叶真见我的态度很坚定,便很知趣地说:“真羡慕谢丹阳,你本来应该是我的。”

蒋叶真松开抱我的双手,眼睛放出惊恐的光来。我无法理解这种眼神,只好默默地望着她。

蒋叶真叹了一口气说:“庆堂,别当真,我喝多了!”

说完,她凄婉地一转身,默默地开门走了。

我望着叶真的背影,觉得她有点可怜,心里突然为这个小师妹涌上一种莫名的悲哀。

42. 天鹅如梦

第二天,医疗队在县人民医院义诊一天,然后一部分人留在县人民医院负责对当地医生传帮带,我们是想通过传帮带为当地留下一支永远不走的医疗队,另一部分由蒋叶真带队下乡义诊。

本来蒋叶真应该留下负责组织留在县人民医院工作的人员,但她执意要下乡,我要留下,她又不同意,只好委托另一位副队长留下。

早晨,我们带领队员驱车赶往沙河子乡。下午两点,我们完成了在沙河子乡的义诊后,正驱车赶往五十公里外的白马乡,准备到那里的一家敬老院慰问。

汽车驶出沙河子乡已有二十多公里,车上的医疗队员正抓紧时间休息，突然蒋叶真的手机响了起来，我看她的表情就知道有重病人。

“庆堂，又该你出马了。司机，去白马乡卫生院。”蒋叶真接完电话说。

“是什么病人？”我关切地问。

“刚才是白马乡卫生院院长打来的求助电话。他说，白马乡油坊村有一村民在中午吃饭时突然口吐白沫、昏迷不醒，由老伴儿赶着驴车送到了乡卫生院。但乡卫生院无法判断病因，请医疗队的医生帮助救治。”蒋叶真介绍道。

“恐怕是脑出血，时间就是生命！”我焦急地说。

汽车立刻掉头向白马乡卫生院飞驰而去。

在白马乡卫生院，医疗队组成临时抢救小组。我认真给病人做了检查，病人下肢已无反应，我初步诊断为脑出血。

“庆堂，怎么办？”蒋叶真凝眉问。

“白马乡卫生院检查、抢救设施不全，”我焦急地说，“无法做进一步诊断，我建议立即将患者送到县人民医院检查救治。”

“庆堂，来得及吗？”蒋叶真担心地问。

“你赶紧通知县人民医院做好准备，我们马上出发，还来得及。”我冷静地说。

病人于老汉的老伴儿跪下就磕头，恳求医疗队救救她老伴儿。我们也顾不上许多，汽车拉着于老汉和医疗队向县医院进发。

在车上，我给于老汉注射了神经营养药品，每隔十分钟量一次血压。三点三十分，车驶进了莫丰县人民医院的大门。

留在县人民医院的队员们早就做好了手术准备，经过 CT 检查证实了我的诊断，于老汉突发脑溢血，出血面积正在扩大，必须马上手术。

在十五名医疗队员中只有我和蒋叶真精通神经外科，蒋叶真和其他两名队员做我的助手，手术在简陋的条件下开始了。

半个小时、一个小时、两个小时，由于条件有限，本来在大医院一个小时就可以做完的手术在这里做了两个多小时。

抢救成功了，于老汗终于转危为安。

在病房，于老汉慢慢地苏醒过来，感激地流下了眼泪。他老伴儿再一次给我跪下，我赶紧扶起这位纯朴的妇人。

为了防止脑部再度出血，我亲自给患者注射了降压药，又预备了止血药和和抗脑水肿的药。

由于白马乡敬老院的老人们盼星星盼月亮地等着我们，我们只好整装继续前往白马乡敬老院，而此时已经是晚上七点多了，队员们每人中午只吃了一袋方便面。

扶贫医疗队每天都奔波在乡村之间，很辛苦，但我觉得很充实。我越发感到做一名外科医生是神圣的。无影灯虽然不是世界上最美丽的灯光，也没有霓虹灯闪烁耀眼，但它是世界上最神圣的灯光，它点燃了无数患者生命的希望，就像大海中的航标灯，为面临惊涛骇浪的小舟指明方向。

只是蒋叶真自从那晚喝多失态后，一直闷闷不乐，经常和队员们发脾气。看到她为感情而痛苦，我心里非常难受。这注定是一个可怜的女人，我们毕竟相爱过。不过，如今我对蒋叶真的感情已经是死水微澜。

我真正的激情在每晚的梦中，而梦中的主人公就是姚淼。姚淼是我精神世界中的一切。只有在姚淼的世界里我的心灵才是安静、自在的，宛如生长着翅膀四处嬉玩的小天使，无遮无拦，徜徉在天籁和人籁之间。

在这个凡尘俗世的人间，我还从没见过、体验过这样一种令人忘记现实的神圣境地。这个境地是姚淼用舞蹈创造的，用她独有的情调创造的，用她的爱创造的。

我甚至怕我的爱使姚淼化神圣为凡俗，又担心我的爱会亵渎姚淼超凡的情愫。要知道，她是我心灵世界的主人，我的心灵已经渐渐被姚淼的情调包围、感染、熏陶、同化。我欣赏姚淼的情调，崇拜姚淼的情调，追随姚淼的情调，这将成为我一生中生命的宗教。

姚淼离我越远，我的思念就越难以抑制，她去法国后，一直没有来电话，我的心已经开始躁动。不知道为什么忘不了这个女人，只要做梦就一定会梦见她。结婚以来，我一直压抑着这种感情，其结果就是姚淼成了我名副其实的梦中情人。

已经是半夜了，县委招待所一片寂静，只有窗外的蟋蟀在不停地叫着，让夜晚显得不仅静而且幽。

我刚要合上书睡觉，房间里的电话响了。我心想，大概是丹阳，她经常半夜打来电话。

“丹阳，这么晚了还给我打电话，不知道我累了一天了吗?”我拿起电话没好气地说。

“庆堂，我是姚淼，我在法国给你打电话呢!”

我一下子愣住了，浑身顿时热血沸腾，血脉竟涨得发痛。

“姚森，你在法国给我打电话吗？”

“对呀，我正在巴黎演出，不出国不知道，一出国才知道我是多么想你，实在忍不住给你打电话。”

“你怎么知道我在莫丰县招待所的电话？”

“我是从爱华那里知道的。庆堂，你想我吗？”

“想是想，但我知道这不现实，其实，我一直深爱着那个我不曾拥有过的美丽。时间久了，总会有一些美好的东西沉在心里。”

“我也一直深爱着那个我不曾拥有过的坏人。”

“我是坏人吗？”

“我俩都是坏人。”

“为什么？”

“独自一个人在晚上看起来就像坏人。”

“又表演《天鹅如梦》了吗？”

“庆堂，你知道吗？天鹅是非常恩爱的，死了一只，另一只就寻找一片结实的冰面从高高的天空中摔下来，把自己的胸脯在坚冰上摔碎。”

“这一点人类比起天鹅来应该自惭形秽。”

“是啊，世界上最美丽的征服，就是被美丽征服。天鹅之死像梦一样，让人联想起这世间还有凄美的真爱。”

这时，窗外起风了，一扇窗被风吹开。难得与姚森深夜倾谈，我不忍放下电话，可是，风刚刚吹起，雨便倾盆而下，一声炸雷惊破夏夜的长空，连电话那边的姚森也听见了。

“庆堂，好像有雷声？”

“对，下大雨了，我的窗户被风吹开了，雨水已经进屋了。”

“那你去关窗户吧，等我从巴黎回国后再谈，再见。”

“再见。”

我放下电话去关窗户，心忽然涌上一股微甜微酸的感觉，有一种伤感般的快慰。我刚关上窗，电话又响了。

我关好窗，拿起电话。

“喂，庆堂，刚才跟谁打电话，一直占线。”丹阳有些兴师问罪的口气。

“白山乡有个重病号，咨询病情。”我只好撒谎说。

“庆堂，你走了快一个月了，什么时候回来，雪儿都想你了，孩子最怕打雷了,你那儿下雨了吗?"

"不仅下雨,还打着雷呢!"我望着窗外说。

电话传来丹阳的声音:"雪儿,是爸爸,快跟爸爸说话。"

"爸爸,我想你。越打雷我越害怕,越害怕就越想你。"

说着说着,雪儿就哭了起来。

"雪儿,别怕,不哭,爸爸就快回去了,"我鼻子酸酸地说,"到时候爸爸带你去游乐场。"

"爸爸说话算数!"

"算数,听妈妈话,快睡吧。"

"嗯,爸爸再见。"

"再见。"

这时,丹阳又接过电话。

"庆堂,我想你了,你好吗?"

我和丹阳结婚后从未分开过这么长时间,当然不适应。

"宝贝儿,好好照顾女儿,再有一个星期我就回去了。"

"到时候我就该去外地培训了。"丹阳抱怨道。

"丹阳,这就是生活。睡吧,我爱你。明天我还要跑两个乡呢。"

"亲爱的,你多保重自己,拜拜!"丹阳恋恋不舍地说。

我挂断电话,却怎么也睡不着了,我突然觉得日子过于平淡了。每天除了工作还是工作,难道人生出来就是为了工作的吗?我的工作压力太大了,我却不得不压抑情感。丹阳管我管得太严了,经常像审犯人一样问我:为什么跟某个女人说话?都说了些什么?我发现人生有工作疲劳,更有审美疲劳,消除疲劳的最好办法,就是寻找新的兴奋点。

我不知道我与丹阳之间是否存在着审美疲劳,我只知道我与姚淼之间有着天然的诱惑力,我既为这种诱惑兴奋,又为这种诱惑羞愧,就是这种矛盾心理让我欲罢不能。

我觉得爱有两种,一种是为自己自私的爱,这是爱的主流;另一种是一切为了所爱的人,就像天鹅一样,然而这更像是爱的理想。我对姚淼就有这样一种冲动,我觉得她也有。

姚淼就像一只飞舞的天鹅,像画中描绘的,我甚至期盼她快点从巴黎飞回来,飞回到我梦中的天鹅湖。

43. 兰兰

第二天早晨，医疗队正准备下乡，县人民医院院长打来电话找蒋叶真。

蒋叶真接完电话对大家说："县人民医院有一位危重病人，是被人砍伤的，需要我们救治。救人要紧，我们先去县人民医院吧。"

大家赶紧上了车，车疾驰向莫丰县人民医院。好在县委招待所离县人民医院很近，开车五分钟就赶到了。县人民医院院内停了十几辆警车，警察们都荷枪实弹，根据场面判断，案子不会小。

下车后，几个外科医生随我赶到急救室。平车上躺着一位血肉模糊的中年妇女，有一位十一二岁的小女孩眼含泪水守在旁边，她的镇定和一双大眼睛让我很惊讶！

"妈妈，你要挺住！"女孩不停地说。

女人身上被砍了四刀，并不危及生命，危及生命的是头部被砍了两刀。CT 扫描表明，已经伤及脑组织，并且由于病人受伤时间过长，已经发展形成脑疝。

脑疝形成时间越长，抢救成功的机会就越小；脑疝超过六个小时，救治的机会就很渺茫了，而这个病人脑疝已经超过七个小时。

"庆堂，还有希望吗？"蒋叶真关切地问。

这时，那个小女孩一声不响地默默走到我的面前，突然跪了下来哀求道："叔叔，救救我妈妈吧，兰兰不能没有妈妈！"

我急忙将她扶起。当她抬起头的时候，我看到的是一双充满了祈求、略有些麻木的眼神。

一个十一二岁的孩子，应该是无忧无虑地在父母身边玩耍的时候，突遭横祸，从此失去父爱、母爱，那心灵的创伤将是多么刻骨铭心啊！然而我确实无能为力，即使给病人做开颅手术，也无法挽救她的生命。实际上，病人已经脑死亡。

我紧紧抱住孩子。这时进来一位警察问："林大夫，孩子的母亲还有救吗？"

"对不起，"我无奈地说，"孩子的母亲已经脑死亡。"

"那为什么心脏还在跳动？"警察不解地问。

“撤掉呼吸机心脏很快就会停止跳动。”我解释说。

“林大夫，兰兰我们先带走，她全家都被歹徒杀了，这孩子活下来是个奇迹！”警察说，“我们还要向她了解一些情况。”

兰兰一直依偎在我的怀里。我安慰说：“兰兰，不怕，告诉叔叔你是怎么逃出来的？”

兰兰含着泪说：“昨天夜里我正在睡觉，被一阵打架声惊醒了。我以为爸爸妈妈又吵架了呢，这时隔壁的爸爸喊道：‘救命啊！杀人了！’我吓坏了，这时哥哥也惊醒了，他拉着灯就起来开门，我也跟着爬起来，我们俩小心地来到爸妈的房间。灯黑着，爷爷正和一个黑影扭打在一起，那黑影舞着刀乱砍。哥哥急了，他冲进去就被砍倒了，我吓得赶紧跑到另一个房间躲进小柜子里藏了起来。过了一会儿凶手来到我藏身的屋子里，发现了正在穿鞋的妹妹，我想冲出去救妹妹，但我没有。后来我听到妹妹惨叫一声。”

“兰兰，为什么没去救妹妹？”蒋叶真惊讶地问。

“因为，如果我出去了，坏蛋也一定会把我杀了，那就没有人知道谁是凶手了！”兰兰悲痛地说。

“后来呢？”我瞪大眼睛问。

“凶手逃离现场后，”警察接过话茬说，“兰兰在可怕的寂静中又煎熬了十几分钟，才悄悄地爬出了柜子，怀着恐惧去推父母房间的门。她推开一点门缝儿挤进去，只见爷爷倒在门后面，她拉开灯，看到爷爷、爸爸都倒在血泊中，她走过去推了妈妈几下，妈妈似乎还有气，哥哥、妹妹都血肉模糊地躺在地上。在一片死亡的气息里，这孩子却显示了少有的镇定。她首先关掉家里的灯和门，然后跑到隔壁的公用电话拨打了120急救电话和110报警电话。我们接到报警后很快救赶到了案发现场。”

听了警察的叙述，我愤怒地问：“凶手与兰兰家有什么深仇大恨？下如此灭门的毒手！”

“暂时还不清楚。不过您放心，”警察坚定地说，“我相信凶手很快就会抓到，因为兰兰已经记住了凶手的体貌特征。”

蒋叶真作为一个母亲听了兰兰的遭遇有些受不了了，她搂着兰兰跟随警察走了。兰兰虽然有十二岁了，却又瘦又小，看上去像六七岁的孩子。

此时，兰兰的母亲心脏也停止了跳动，护士给她蒙上白布推走了。我走出急救室看着院子里的警察,心情很沉重。

过了一会儿,蒋叶真又回来了。

"庆堂,今天你带队下乡吧!兰兰这孩子太可怜了,而且这孩子的事太让我吃惊了,我想陪陪她。"

"好吧!"我心情沉重地说。

我和蒋叶真告别,召集医疗队员上了车。车驶出县人民医院大门时,蒋叶真正在擦眼泪。

在汤子县和莫丰县整整忙了一个月。这一个月虽然风餐露宿,却受到了当地老百姓的热烈欢迎,医疗队员和许多农民兄弟结下了深厚的友谊。

回城前夕,蒋叶真做出了一个重大决定:她要收养兰兰为女儿。我为蒋叶真的行为所感动,更为她又有了一个机智勇敢的女儿而高兴。

其实,案子当天就破了。凶手是一个住在县城西的无业游民,整日靠赌博为生,因伤害罪坐过牢。兰兰的父亲也好赌,而且赢了凶手两万多元钱,凶手索要,兰兰的父亲不给,凶手怀恨在心,当天晚上带着凶器摸进兰兰的家,抱着鱼死网破的恶念,他采用极端的手法进行了报复。

回城的路上,兰兰坐在蒋叶真旁边一言不发,两只忧郁的大眼睛让人看了心碎。我望着孩子心想,但愿兰兰能把那天晚上发生的事情当成一场梦魇,早日摆脱心中的阴影。

44. 良心

扶贫医疗队回到东州后不到一个星期,发生了一件令我意想不到的事情。早晨刚上班,走过护士站时,我听见几个护士交头接耳地议论着什么。

"穆主任德高望重,做了那么多高精尖的手术,也没这么宣传自己,他上手术台才几天呀,就不知道北了。"

护士们见我过来,像没事人似的,马上不议论了。我有些丈二和尚摸不着头脑,索性不去理会,径直向医生办公室走。迎面碰上了赵雨秋。

"庆堂,行啊你,省报一大版宣传你,都快成明星了!"

赵雨秋的口气显然是在讽刺我。

"雨秋,你什么意思?什么省报宣传我?哪跟哪呀?"

“庆堂,别装糊涂了,省报登了你在扶贫医疗队的先进事迹,你会不知道?”

“有这种事?我真不知道,这到底是怎么回事?雨秋,你的报纸呢?让我看看。”

“没带,在护士办公室呢。”

我赶紧回到医生办公室。一进办公室,罗元文和几个医生正捧着报纸看。

我一进门,罗元文就揶揄道:“庆堂,你这是救死扶伤去了,还是巡回义演啊?搞得跟明星似的。”

我一把夺过报纸,省报第二版一个醒目的标题映入眼帘:《无影灯下的天使——记扶贫医疗队副队长林庆堂》,这篇新闻特写占了将近大半个版面。

我立即想到了蒋叶真,这篇稿子虽然署的是记者的名字,但一定出自蒋叶真之手。这个蒋叶真哪里是在宣传我,简直是在害我,虽然报道的基本是事实,但都是本职工作,根本不值得上纲上线地宣传,再说我最讨厌新闻炒作。也不知道穆主任看了会怎么想,还不得认为林庆堂这小子刚刚取得一点小成绩,就沾沾自喜了。

我一气之下操起电话就拨通了蒋叶真的手机,劈头盖脸地质问道:“叶真,你这是夸我呢,还是想害我呢,怎么事先也不跟我说一声?”

蒋叶真不愠不火地说:“庆堂,你别生气,我觉得宣传一下没什么不好。这次下去,你确实很突出,特别是在洪水中泡着给武警英雄做手术,让我一生都难以忘怀!”

“叶真,这都是正常的工作,做手术救人是外科医生的天职,有什么可宣传的?你这么一搞,让我很被动!”

“是不是有人说什么了?我看他们那是嫉妒。庆堂,走自己的路,让别人说去吧!”

我知道蒋叶真是好意,但她也藏着一份私心。她带的这支扶贫医疗队成绩显著都是她的政绩,当然她不能宣传她自己,只能靠宣传我来突出她,我大有哑巴吃黄连有苦说不出的无奈。

这篇报道出来后,引起了院党委的高度重视,院里也想树立我这个典型,一时间搞得全院上下沸沸扬扬,舆论似乎在向好的方向发展。可是没几天我就感到不太对劲,党办有人向我透露,本来院里想树立我这个典型，准备授予我优秀共产党员称号，可是院党委接到了匿名信，大致意思是林庆堂是在搞个人英雄主义，一个曾经受过留党察看的人不适合授予优秀共产党员称号等等。我知道自己不够格，不授予我倒松了口气，但是匿名信是谁写的呢？我心里一直犯嘀咕。

晚上，爱华约我和罗元文去非洲风情酒吧喝酒，赵雨秋也去了。借着酒劲，赵雨秋说出了匿名信的原创者竟然是曲中谦。我百思不得其解，我评上优秀共产党员跟他有什么关系？罗元文大笑道："林庆堂，他是怕你抢了他神经外科党支部书记的头衔！"我这才恍然大悟。

新闻报道风波终于过去了。一天早晨，我和丹阳正在吃早餐，一阵急促的敲门声把熟睡的雪儿惊哭了。

丹阳很生气地打开门，没好气地问："找谁呀？"

一位六十多岁的农民老汉扑通跪在门前，焦急地说："俺要找林大夫，求求他救救俺儿子！"

我怕丹阳无理，赶紧迎出来双手搀扶起老汉说："大叔，有话屋里说！"

老汉怯生生地问："您是林大夫吗？"

"大叔，我是林庆堂。"

"哎呀，林大夫，"老汉带着哭腔说，"俺是从省报的新闻报道上知道您的。您把死人都救活了，那个抗洪英雄要不是遇上您早就没命了，您快救救俺儿子吧！"

"丹阳，给大叔倒杯水。大叔，您慢慢说，您儿子怎么了？"我尽量安慰着老汉。

"俺是汤子县的农民。俺也不知道俺儿子得了什么病，送到县医院就昏迷不醒了。县医院脑科中心诊断说是脑肿瘤，看病的医生说，快去省城，省城的林庆堂大夫能治这种病，俺这才东拼西凑地借了钱，来到省城，总算见到了林大夫了，"此时，老汉已经老泪纵横，他哀求道，"林大夫，您要不救救孩子，孩子就没命了！"

老汉说完从怀里掏出一沓钱，捧到了我的面前。我同情地握了握老汉的双手，轻轻地把钱推回到老汉的怀里。

"大叔，这钱我不能要。"

老汉急了，"扑通"一声跪在了地上：

"林大夫，您不收这钱俺就不起来。"

看着老汉手里那沓皱皱巴巴的钱和他救子心切的眼神，我只好说：

"那好,大叔,钱我先收下,您快快起来吧。"

丹阳急了,"庆堂,这钱咱们怎么能收?"

我给丹阳递了个眼神,暗藏玄机地说:"丹阳,我心里有数。"

丹阳似懂非懂地进屋哄孩子去了。我搀扶着老汉说:"大叔,走,看看你儿子去。"

我亲自安排老汉的儿子住进了医院。经核磁共振检查,我吃了一惊,这是一颗向海绵窦侵袭生长的巨大垂体腺瘤。老汉确实找对了人,全省能主刀这种手术的神经外科医生除了穆主任就是我。

不过,我只做过一例由蝶窦入路切除向海绵窦侵袭生长的垂体腺瘤,而且肿瘤直径小于三厘米。这个二十三岁的小伙子的肿瘤直径达五厘米,手术难度和风险可想而知。

我立即向穆主任做了汇报。穆主任沉思片刻说:"庆堂啊,垂体腺瘤虽然是常见的神经系统脑瘤,但是其发病率在神经系统肿瘤中高居第三位,占颅内肿瘤的百分之十到十五,人群发病率一般为十万分之一,并有逐年上升的趋势。以往要切除鞍旁和斜坡巨大肿瘤时,需采取经颅入路,手术创伤较大,耗时较长,并发症较多。近来我们神经外科采用微创技术由蝶窦入路切除向海绵窦侵袭生长的垂体腺瘤,取得了良好的效果,积累了丰富的经验,但这种手术方法仍有一定的局限性,比如暴露范围有限,手术视野窄、深,无法切除向海绵窦、额叶底部、颞叶底部和斜坡侵袭的腺瘤,对侵袭性垂体腺瘤治疗效果也不尽人意。好在你一直致力于这方面的尝试,在国内率先开展改良和扩大经蝶窦入路切除向海绵窦侵袭生长的垂体腺瘤,使我们医院在采用微创显微神经外科经蝶窦入路切除向海绵窦侵袭生长的垂体腺瘤方面处于领先水平。庆堂,这例手术虽然风险和难度都很大,但是我对你有信心,你先研究手术方案,我会助你一臂之力的。"

穆主任的话增强了我的信心。经过精心的准备,我成功地切除了这颗巨大肿瘤,挽救了患者的生命。这例手术成为我事业上的一个转折点,从此,我在全国神经外科领域开始崭露头角。

当我疲惫地做完手术走出手术室时,老汉急忙迎上来,面对他期盼的目光,没等他开口,我就给了他一颗定心丸。

"大叔,您放心吧,手术很成功。"说完,我从衣兜里掏出那沓钱,塞到他手里说,"这个钱你收好了!"

老汉一把拽住我的胳膊说:“林大夫,您救了俺儿子的命,这钱说啥您也得收下!要不,俺这辈子心里都不安啊!”

我一听笑了,“大叔,我收了您的钱,您心安了,我可就亏心了!”

老汉眼睛湿润地说:“林大夫,您真是个好人啊!”

晚上下班回家后,谢丹阳鼻子不是鼻子脸不是脸地问:“这几天我飞航班没来得及问你,你把老头给你的钱弄哪里去了?”

我笑了笑说:“还了!”

“我不信,你当时为什么不还。”

“当时还了,老汉还能安心吗?我是做完手术还的?”

“我觉得我老公也不能收这种昧良心的钱嘛。”

“丹阳,哪个外科医生也不会收这种昧良心的钱的,良心不安啊!”

“那也不一定。我听赵雨秋说,曲中谦一年光拿医药代表的回扣就是几十万,要不王凤莹能开上宝马吗?”

“丹阳,拿医药代表的回扣是很普遍的事。也有人给我送,都让我回绝了。”

“你为什么不拿?”

“丹阳,君子爱财取之有道,这叫商业贿赂,拿了就是犯罪!”

“都拿,你怕什么?”

“丹阳,你什么意思?”

丹阳见我急了,温柔地说:“老公,我是说你这么清廉,咱家什么时候能有房、有车呀?”

我搂着丹阳坐在沙发上说:“丹阳,如果没有爱,住上了大房子、开上了豪华车,又能怎样呢?”

丹阳听了我的话半天没说话,她温柔地把头埋进了我的怀里。

45. 女儿

今天丹阳飞法国,不知道能否遇上姚森,雪儿在姥姥家。下班后,我好好洗了个澡,便去岳父家接女儿。这段时间忙得很,半个月没见到孩子了,想得很。

到了岳父家,老人正在教雪儿写字,岳父岳母见到我都很高兴,雪儿见了我更是一下子扑了上来。

“宝贝儿,想爸爸了吧?”我抱起雪儿问。

“想死了!”雪儿美滋滋地说。

我重重地在女儿脸上亲了一下。

“爸爸胡子扎人。”雪儿用小手捂着脸说。

“庆堂,省报的那篇新闻报道我看过了。有一句赞美竹子的诗叫做:未出土时即有节,及临云处尚虚心。你取得的成绩,哪一点不凝结着蔡教授、穆主任这些医学大家的心血,千万不能翘尾巴呀!”岳父谆谆教诲道。

“爸,那篇报道不是我的本意,是蒋叶真背着我做的。您老知道我做人做事喜欢低调,怎么可能做这种事。”

“这就好,我搞了一辈子的政治,最懂得捧杀的厉害。你一心埋头业务不懂政治,我是怕你把握不住自己,摔跟头啊!”

“爸,您提醒得对,我会注意的。”

“不过,到乡下去走走是对的,这对你成长有好处。这次扶贫收获不小吧?”

“虽然辛苦,但学了很多东西。”

“是应该多下去走走。”岳父欣慰地说。

“庆堂,”岳母接过话茬儿说,“晚饭在这儿吃吧。”

我心里特别想和女儿单独在一起,便说:“不了,妈,我想接雪儿回家。”

“也好,一个月没见女儿,一定很想!”岳父微笑着说。

“雪儿,你知道你在爸爸心中有多重吗?”我轻轻地捏了捏女儿的小脸蛋问。

“那也没有姥爷重。”雪儿天真地说。

“为什么?”我纳闷地笑着问。

“你在妈妈面前不是说姥爷是老泰山吗?”雪儿天真地说,“姥爷是泰山当然最重了。”

童言无忌,岳父岳母听后哈哈大笑。

回家后,我和雪儿玩了一阵子拼图。

“爸爸,我饿了!” 雪儿玩累了说。

“宝贝,想吃啥?”我疼爱地问。

“爸爸,我想吃肉馅饭。”

“好,爸爸给你做。”

我一边做饭一边收拾屋子。点着煤气烧上饭，择好了菜，我出去倒垃圾。回来时发现坏了，门被风吹得锁上了。我没带钥匙，雪儿被锁在了屋里，炉子上还烧着饭。

“雪儿，快把门打开！”我赶紧敲门喊。

“爸爸，你怎么把雪儿一个人锁在屋里了?”孩子从屋里喊道。

“不是爸爸把你锁在里面了，”我焦急地说，“是爸爸出去倒垃圾，风把门吹上了。你过来把门打开。”

“爸爸，我够不着锁。”

我在门外看不到雪儿，急忙跑到厨房的窗前，好在我们家住一楼，我透过窗户可以看到雪儿。

“拿个小板凳站在上面就够着了。”我虽然心急如焚，但仍然心平气和地说。

雪儿拿了个小板凳，可是才三岁的雪儿手劲不够，根本打不开锁。

雪儿急得哭了。

“爸爸，我害怕！”

这时，我从外面的气窗上已经闻到了糊味儿，我有些慌了手脚，好多邻居给我出主意。雪儿由于紧张在小凳上没站稳，不小心摔了下来，我从窗户看见孩子的腿摔破了。

因为是一楼，所以前后窗户都是铁栏杆，根本跳不进去。我安慰雪儿，让她勇敢。雪儿站起来，停止了哭泣。

“宝贝儿，去拿爸爸的裤子，钥匙在裤兜里。”

雪儿进卧室拿来我的裤子，我让孩子从裤兜里拿出钥匙扔在地上，因为厨房窗户下就是灶台，孩子太小，无法把钥匙递给我，而卧室的窗户全关着，孩子也打不开。

这时，一个邻居递给我一个竹竿。我把竹竿从气窗口伸进去，够不着。我又让雪儿把钥匙往前扔，终于够着了，但是竹竿的头太粗，无法勾住钥匙。

屋子里弥漫着焦糊的味道。我提醒自己必须冷静，只有冷静才能拿到钥匙。我终于用竹竿钩住了钥匙链，慢慢地、慢慢地把竹竿顺出来，钥匙到手了，我出一身冷汗，邻居们很高兴。

我从窗台上跳下来，赶紧跑到门前打开门，冲进厨房关掉煤气，然后一把将雪儿抱在怀里。

“宝贝儿，没事了！没事了！”我后怕地说。

我拿出红药水给雪儿上药，雪儿的膝盖上擦破了一块皮，因为天热不能包扎，以防化脓。上药时虽然疼，但雪儿没哭，我心疼得紧紧地把孩子抱在怀中。

晚上，丹阳飞航班回来后，一进家门就发现雪儿的腿受伤了，然后就开始对我兴师问罪：

“林庆堂，你还是外科医生呢，连孩子都看不好。我真怀疑你是怎么把人家的脑袋开了又缝上的。”

这段时间我和丹阳都很忙，一直没温存过，我非常想创造出和谐的氛围，可她一开口把我心中对她的渴望全破坏了。

“丹阳，孩子的事我有责任，我心里难受着呢，好在没大事，你就不能安慰我几句，原谅我？非得往我心口上撒盐？”我辩解道。

“你把孩子弄成这样，还有理了？”谢丹阳不依不饶地说，“整个一个书呆子，我当初怎么就嫁给你这个破医生了？”

“医生怎么了？”我没好气地说，“你爸没有医生能活到今天！”

“林庆堂，我爸对你那么好，你还诅咒他，你浑蛋！”谢丹阳更加恼火地骂道。

我没想到谢丹阳婚后会这么泼，简直判若两人，我真不知道人为什么要结婚？这两天我运足了情绪想等她飞回来一次爱个够，可是见了面，竟是这样失望！我不愿意吵架，对孩子影响也不好，只好一个人拿起外套冲出门去。

随着我的关门声，谢丹阳喊道：

“你走吧，有能耐就别回这个家！”

46. 情人

正是盛夏时节，医院大院里乘凉的人很多。我点上一支烟，深吸一口，心中无数感慨。走着走着竟然到了爱华的非洲风情酒吧，一到酒吧我就想起了姚淼，也不知道她回没回国。

出门时忘带手机了，我在附近的公用电话亭里给她打了手机，通了，我心中一阵兴奋。

“喂，哪位？”姚淼轻声问。

"我，庆堂。"

"呀，是庆堂，我昨天才回国，正想给你打电话，我从法国给你带来了礼物。"姚淼兴奋地说。

"是吗？能出来坐坐吗？"

"你在哪里呢？"

"在非洲风情酒吧。"

"怎么了？和丹阳吵架了？"姚淼关切地问。

"没什么，就是想和你聊聊。"

"好吧，我也很想你。你等着，我一会儿就到。"

我推门走进酒吧，一个歌手正抱着吉他唱着美国大片《毕业生》的主题曲。爱华见我进来非常高兴，连忙上来打招呼：

"哎，哥儿们，怎么自己来的？丹阳又飞了？"

"飞了！"我敷衍道。

"撒谎！被人家撵出来了吧？"

"你一个老外，什么都懂，管好你的心肝赵雨秋就得了。"

"庆堂，女人不是用来管的，女人是用来哄的。"

"那男人是用来做什么的？"

"男人是女人一件体面的外套，女人不能没有外衣就上街吧。"

"这么说没有男人的女人都没穿外衣"

"大概是吧。"

"爱华，我看你都快成了研究女人的专家了。"

我们找了一个位置，爱华上了一打百威啤酒，服务生打开两瓶。

"庆堂，不管怎么说，我发现你的情绪不太对。这样吧，今晚我陪你一醉方休！"

"好，爱华，吹一个！"我爽快地说。

我们碰杯后，一口气吹了一个。

"庆堂，我听雨秋说，院里要在你们科里选个博士去日本进修学习，学习期一年。元文已经开始活动了，机会难得，你也应该活动活动。"爱华善意地提醒道。

我一听这个消息心里一惊，但脸上并未露出破绽。

"这事不是谁努力就能上去的，院里有院里的安排。"我表现出无所谓的样子。

“庆堂，你不去太可惜了。我们兄弟三人都是穆主任的学生，但是你是最优秀的。”爱华真诚地说，“我相信，你去日本学习后，将来一定能成为大家。”

说实在的，这个消息对我很重要，但我知道院里一定会征求穆主任的意见。穆主任最讨厌背后瞎鼓捣的人，所以我决定对这件事沉默，以静制动。这么一想心就静了。

“爱华，”我拿起酒杯说，“好长时间没痛痛快快地喝酒了，来，我敬你一杯。”

我们正喝着起劲儿，姚森像天使一样飘了进来。她一进屋就引来不少艳羡的目光，我顿时感到浑身上下无比温暖。

“你好！爱华。”姚森甜津津地说。

爱华见到姚森也很高兴。

“姚小姐，你去巴黎演出这么快就回来了？”爱华笑眯眯地问。

“我都走一个多月了。”姚森坐下说。

“一个多月哪儿够，巴黎可是浪漫之都、艺术殿堂！”爱华向往地说。

“我还是喜欢我们本民族的舞蹈。不过爱华，这次去巴黎我把你父母的爱情故事搬上了巴黎舞台，获得了巨大成功。我用舞蹈全新阐释了爱，因为这个舞蹈，法国舞蹈界几个大的团体都要留我，被我谢绝了！”

“姚小姐，我代我父母谢谢你！”

“爱华，爱是人类最伟大的财富，爱也是全世界最通俗的语言，真正相爱的人心灵是相通的。”

“姚小姐，我对雨秋就有心灵相通的感觉！”

“是吗？雨秋在吗？”

“她今晚在医院值班。”

“噢，那这瓶香水由你送给她吧。这可是我在法国的古董店买的，是经典的香味，非常忠于原始配方，味厚、层次丰富，具有朴实的自然主义特色。”

“这很贵吧？”爱华接过香水问。

“是我送给雨秋的。”姚森大方地说。

“谢谢姚小姐，那你们聊、你们聊。我照顾一下生意。”

爱华收起香水诡谲地笑了笑，很知趣地忙去了。

我静静地看着姚森，心中有无限的冲动。她的笑像阳光一样灿烂，她的皮肤鲜嫩得像刚剥开的荔枝一样，她的体香是她身体的一部分，萦萦袅袅，芳香袭人，挥之不去。

“谈谈巴黎吧。”我打破沉默。

“巴黎，就是这样一个地方，解开了爱情的衣扣，却从来不帮她系上。在巴黎，你可以去法国餐馆来顿浪漫的晚餐，在富有异国情调的街头散步，在塞纳河的桨声灯影里游船，在艾菲尔铁塔最顶端欣赏恋人们接吻，巴黎到处上演着爱情秀，”姚森停顿了一下深情地说，“只是没有你在，心里空落落的！”

姚森描述的巴黎仿佛先有恋爱后有生活。

“给我带什么好东西了？”我贪婪地问。

“美得你，走之前你不是什么都不要吗？”姚森娇柔地说。

“守着丹阳我敢跟你要什么！”

“你连人的脑袋都敢开，还怕老婆？”

“别说得那么难听，什么叫怕老婆，那叫涵养。”

“庆堂，我看你今天情绪不好，是不是和丹阳吵架了？”

姚森这么一问，我心里很复杂，我不知道怎么对姚森倾诉好，索性岔开话题。

“什么也不给我带，我认了，不给丹阳带怕是交代不过去吧？”

“傻样，还真生气了，瞧，这是送给你的。”

姚森从包里拿出一本书，我接过一看，是法国著名神经外科专家MAURICE CHOUX写的《实用神经外科基础与临床》，而且是最新出版的英文版。

我翻看着书，心里一阵激动。法国的神经外科创立于十九世纪末，至今已有一百多年的历史。丹阳常年飞国际航线，去过那么多国家，从来没想过给我买一本国外的神经外科书籍，而眼前这个女人就像钻到了我的心里，连送礼物都能送到人的心坎上。

“姚森，还是你了解我想什么，谢谢！”我一下子抓住姚森的手深情地说。

“庆堂，我给丹阳带了一套时装，”姚森抽出手说，“她和我的身材差不多，大小一定合适，不过改天我亲自给她，否则，她一定吃我的醋。”

“姚森，这酒吧里人太多，太闷，出去走走吧！”我心里特想和姚森单独待一会儿，渴望地说。

“好啊，我开车拉你去兜海风。”

“太好了，咱们走吧。”

我们和爱华告了别，走出酒吧。外面的出租车排成了长龙，我上了姚森的白色本田，坐在副驾驶的位置上。姚森打开天窗，夜风袭袭，好不惬意！

姚森一口气把车开到海边。夜晚的海边人很少，只有海浪的声音在耳边响起。我看姚森静静地坐在车里，望着车窗外悬在海上的月亮，有一种无名的冲动往上涌。我的心狂跳不止，盼望着发生什么，却又害怕发生，在汽车这黑暗的小空间里，孤独感使我们俩变得更亲近。我知道姚森把车开到海边是有备而来，可我还没有准备好。

“庆堂，我一直爱着你，即使你有丹阳，也阻止不了我对你的感情。丹阳不应该责怪我，因为这一切都是她引起的，庆堂，我爱你！我爱你！我实在太爱你了！当我一个人孤独地走在巴黎街头时，心里充满了对你爱的渴望！”

姚森捧起我的脸轻轻地吻在我的唇上，那目光摄魂夺魄，似水幽深。我的心，像万马奔腾，更像火一样燃烧起来。

我们都情不自禁地狂吻起来。感情的闸门一旦打开，便像万马奔腾，姚森是我日思夜梦的情人，今晚的约会我在梦中梦过无数次了。

姚森也无法控制自己，她像火一样燃烧起来。我在她的香吻中能体会到，姚森是在用心灵爱我，这样的爱，纯洁的性会升华它，不纯洁的性会玷污它，不过，以爱的名义，任何错都可以宽恕。

爱情的窗户纸一旦捅破，便会一发不可收拾。姚森在我心中就像是盛开的牡丹花，光彩夺目，她不是渴望结婚的俗女人，她只渴望爱，她认为只要拥有爱就足够了。姚森能这样理解爱，对我来说简直就是一种幸运。

我庆幸与姚森的感情升华了，但又内疚于这种升华。我不知道如何面对丹阳和孩子，但又摆脱不了内心对姚森柔情的眷恋，好在丹阳不天天在家，这让我有了更多接触姚森的机会。

47. 真诚

上午，我做了一例脑膜瘤小手术，午饭后回家想睡一觉。我刚躺在床上翻了几页书，家里的电话就响了起来。

“喂，是庆堂吗？”

“爸，是我，你在哪儿呢？”我一接到爸爸的电话心里很惊讶，因为父母很少给我打电话。

“庆堂啊，我现在在小月她大哥家给你打电话呢。”

我一听在小月的大哥家心里咯噔一下，心想难道这个赵副县长会找我父母的麻烦吗？又觉得自己多心了，上次去汤子县扶贫，赵副县长的态度蛮亲切的。

“爸，赵副县长找你干吗？”我不安地问。

“庆堂啊，是小月她大哥请我过来的。这不小月她爷爷今年八十八岁了，身体一直很好，还能骑自行车呢，可是两个月前骑自行车摔了个跟头，老人以为上岁数腿脚不利索了呢，也没当回事，可是后来骑自行车又摔了几个跟头，家里人就觉得不对劲，上县医院脑科中心一查，怀疑老人脑出血，现在老人已经不能走路了。”

“爸，小月她爷爷头脑还清楚吗？”

“好像还清楚。”

“爸，你让小月家里人听电话。”

“哦，小月她大哥在我身边，让他听吧。”

“喂，庆堂，我是大哥，我爷爷的病你看咋办好呢？”

“大哥，老人的下肢还有知觉吗？”

“没有了，县医院的医生咋捏也不知疼。”

“头脑还清楚吗？”

“倒还清楚，说啥都能听明白。”

“大哥，一定是脑出血。你现在就动身买火车票，马上奔省城，我在医院等你们，否则老人出不了一个月就没命了。”

“这、这能行吗？”

“大哥，不行也得行，只能冒一次险了。”

“好，庆堂，我和我爸妈商量一下，一会儿给你回电话。”

“好吧，我等你电话。”

我放下电话焦急地等待着，心想，果真救活小月的爷爷，对小月也是个补偿。小月她爷爷从小就最疼小月，小月的死对老人的打击最大。

我正胡思乱想着，电话又响了，我赶紧拿起电话。

“喂，庆堂，我是大哥。家里人商量过了，就按你说的办，我们现在就奔火车站。另外你爸妈很想孙女,也想看看儿媳妇,这次二老跟我们一起过去你看怎么样?"

"太好了,那你们就抓紧来吧。"

放下电话,小月那天出殡的情景又浮现在我的眼前。上次去汤子县扶贫,虽然与小月她大哥接触了几次,但是一直没有机会深谈,总觉得还是有隔阂,正好可以利用这次机会好好缓和一下两家的关系。

晚上八点多钟,小月的五个哥哥背着老爷子和我爸妈一起来到医院。我看见苍老的爸妈心里就发酸。

陈小柔和赵雨秋推过来一个平车,小月的五个哥哥抬着老爷了放在平车上,我让陈小柔安排老爷子做 CT。小月的五个哥哥见了我格外的客气,再也没有以前见我就拳打脚踢的霸气。

特别是赵副县长见到我后很真诚地说:"庆堂,要不是你发话,我真不敢把老爷子折腾到省城来。"

CT 的结果出来后,我吓了一跳,老爷子脑袋里有三百毫升的血,掐肚皮已经不知道疼。

"庆堂,怎么办?"大哥焦急地问。

"马上手术!"我自信地说。

"林大夫,"赵雨秋知道我和这家人的关系,有些抱不平地说,"老爷子岁数太大了,年岁超过七十岁就不宜开颅了,他都八十八岁了,太危险了。再者说,你还没吃晚饭呢,这一上手术台没准儿就得到下半夜了。"

"我心里有数,你给我泡袋方便面吧。"我冷静地说。

陈小柔亲自给老爷子剃头、刮阴毛、插输尿管,一切准备就绪。

"大哥,"我温和地说,"老人岁数太大了,手术风险很大,不过我会尽力的。你在手术通知书上签个字吧。"

"庆堂,手术怎么做?"大哥担心地问。

"在脑袋左侧打个洞,把血抽出来,手术本身很简单,只是老人岁数太大了。"

"你是专家,听你的。"

赵副县长在手术通知书上签了字。这时,丹阳赶了过来,她刚下飞机,见我没回家,知道我加班,便过来看我。

婚后,这是丹阳第二次丑媳妇见公婆。

"丹阳,我马上要做手术,一会儿你带爸妈回家。"我嘱咐说,"另外安排大哥他们在医院招待所住下吧。”

“庆堂，让弟媳带大叔大婶回去休息，”小月的大哥说，“他们年纪大了，我们哥儿五个无所谓，等手术完了再琢磨住的地方，不然谁也睡不踏实。”

“那好吧。”我点了点头说。

丹阳和大哥他们寒暄后就领着爸妈走了。我吃完方便面就去了手术室。

小月她爷爷的身体真好，我们采用局部麻醉，手术进行了三个多小时，很顺利，手术期间没有出现任何异常。

陈小柔和赵雨秋将平车推出电梯时，小月的五个哥哥赶紧围了过来。手术很成功没有必要去重症监护室，我将老人安排在单间病房。老人很快就苏醒过来，说话清晰，头脑清醒，下肢一掐已经有痛感。

我让雨秋找了两个最好的陪护。这些陪护大多是下岗职工，有搭伙的，也有两口子一起干的，不过雨秋找的两个陪护虽然也是两口子，但却是二婚，女的姓夏，前夫前几年也是脑溢血去世的。当时手术是曲中谦做的，出院后不到一个月又复发脑出血，送到医院没多长时间就死了。

“老爷子你真有福，有这么好的大夫给你做手术。”夏姐羡慕地说。

“现在的社会真好，科技发达，连脑袋都能开，真了不起！”老爷子高兴地说。

“有陪护在，你们留一个人就行了，其他人到院招待所开房间休息吧。”我对小月的大哥说。

“庆堂，老爷子得住多少天院？”大哥不放心地问。

“不着急，老爷子岁数大了，应多住些日子，完全恢复后再出院，估计得二十多天。”我笑着说。

安排完老爷子，我离开病房，小月的大哥送出来。

“庆堂，”大哥握着我的手说，“上次你扶贫回去不巧赶上了洪水，大哥本想和你好好谈谈，再领你看看家乡的变化，结果全没顾上。你抽空还得回去呀，到时候，咱们两家好好吃顿饭，这么多年了也该聚聚了，其实当年是大哥把事儿做过了，大哥给你赔不是了。”

大哥这么一说，我心头一热，眼泪险些涌了出来。

“大哥，以后到省城办事一定给我打个电话，出差时让丹阳给你买打折机票，她可以把你直接送到飞机上。”我真诚地说。

“太好了，以后还真得麻烦弟妹。”

“大哥，别客气，去照顾老爷子吧，我也得看看我爸妈了。”

“对对对，你快回去休息吧。”

我把家里的电话写给大哥，嘱咐他有事打电话，便离开了医院。已经是下半夜了，天有些阴，我点上一支烟深吸一口，多年来对小月的愧疚好像我口中吐出的烟，消失在夜幕中。

爸妈在我家住了二十多天，其间与我岳父岳母吃了顿饭。丹阳与两位老人处得还好，爸妈很喜欢雪儿。两位老人对我这个家、对丹阳这个儿媳妇都很满意。

我陪爸妈逛了东州城的大小景点，我妈是一辈子没见过大世面的人，这次进省城总算开了眼。丹阳给两位老人买了不少新衣服，我也减轻了这些年对两位老人没能尽孝的愧疚。

小月她爷爷终于出院了，老人是被小月的五个哥哥背来的。出院时，老人自己走出了医院，赵副县长忙，老爷子做完手术后，就从县里调来专车回汤子县了，只剩下那哥儿四个。

哥儿四个对我这二十多天的关照很感激，大有相逢一笑泯恩仇的意思。丹阳飞欧洲，没来得及送爸妈，我只好一个人将大家送上火车。

这段时间我在梦中几次梦见小月。小月的音容笑貌经常出现在眼前，我不知道是小月原谅了我，还是我原谅了小月。我感到梦中的风不是在吹拂，而是在吸吮；梦中的路不是在延伸，而是在回溯。

派谁去日本，院里一直没有定下来。曲中谦和罗元文争得很厉害，据说几个院长家，他们都走遍了。我不是不想去，而是讨厌用蝇营狗苟的方式得到机会。

穆主任看出了我的心思，但并未露声色。当然，罗元文找过穆主任，穆主任不说我也知道。不过院里最终的决定让我很意外，罗元文做住院总医生，我去日本进修学习，都是一年。罗元文得到消息，很不高兴，认为我抢了他的机会，这些天一直不爱搭理我。

上午，常院长找我谈了话，嘱咐我出国要认真学习，为国争光，院里对我寄托很大希望。我则向常院长表了决心。

回到医生办公室，陈小柔告诉我穆主任让我到他办公室去一趟。我估计出国的事穆主任一定知道了，他老人家可能要嘱咐什么。

我匆匆去了穆主任办公室。一推门，罗元文坐在沙发上，估计是来诉苦的。见到我很有些尴尬。

“穆主任，”罗元文沮丧地说，“没别的事我就先回去了。庆堂，恭喜你！”

“谢谢！”我点了点头说。

穆主任扔给我一支烟，然后说：“庆堂，这次出国，元文很想去，曲中谦争得也很厉害，院里很矛盾，最后征求我的意见，是我推荐了你。你知道庆堂，我老了，非常希望有人能接我的班。元文也是我的学生，目前水平不在你之下，不过从长远看，你的潜力更大些，而且不浮躁，这一点是我最看重的。日本的脑神经外科技术比我国先进很多，你一定要好好学习，学点真东西回来，千万别辜负了院领导对你的期望。”

穆主任的话语重心长，我内心充满了感激。想想老人家，七十岁的年龄了，还坚持在手术台上，心里真不是滋味，一种责任感油然而生。

离开穆主任后，我往岳母家打了电话，丹阳今天休息，去陪老爸老妈了。我把院里派我去日本学习的事告诉了丹阳，她听后高兴极了。

“林庆堂，你去日本后不会不要我了吧？”丹阳在电话里半真半假地问。

“丹阳，你这叫什么话？”我不高兴地说。

“本来嘛，很多人出国后都变成了负心汉。”

“丹阳，你能不能把我往好里想一想？”

“我就是有这份担心，所以才提醒你！”丹阳说完还咯咯地笑了起来。

我无可奈何地放下电话，对谢丹阳的野蛮无计可施。我一下子想起了姚森，想约她晚上一起庆贺一下。拨通她的手机后，她高兴得不得了，因为省歌舞团正在筹备中日文化交流节目，不久将赴日本演出。我心想，这真是有缘千里来相会啊！

挂断电话后，手机发出了短信提示音，我按健一看是姚森的一句勉励：

留学是浮木的生涯，
浮木是沉淀的生活。

第六章 一衣带水

48. 圆梦

半个月后，我乘上飞往日本关西国际机场的飞机，丹阳把我安排在头等舱里，并亲自为我服务。她为了送我，特意与同事换了班。

关西国际机场建在海面上浮出的人工岛上，是世界上第一个海上机场，也是日本第一个二十四小时昼夜运转的机场。刚刚启用不到一年。

飞机落地时，天已经黑了，我从机窗望出去，灯火辉煌的机场夜景堪称一绝。接我的是我的大学同学马登，这小子毕业就来日本了，在日本读了硕士后娶了导师的女儿，加入了日本国籍，而且还开了自己的医药公司，主要是往中国销售日本的药，据说发了财。

由于丹阳四十分钟后还要返回东州，所以我们在国际出港大厅匆匆相拥告别。我取了行李，办完海关的手续，走出进港大厅，马登西装革履迈着碎步迎了过来。这小子太像日本人了，完全被日本人同化了。我们寒暄后走出机场，上了他的本田车，向大阪城驶去。

“庆堂，我岳父衫本孝和内滕胜教授既是同学、好朋友，又是上下级关系，大阪市立大学医学院的脑神经外科在日本享有盛誉，内滕胜教授在这方面是日本最著名的专家之一，你跟他学习是你的荣幸。”马登一边开车一边说，“我岳父是院长，自然会请内滕胜先生多关照的。”

“马登，想不到你小子混得这么好，能娶到大阪市立大学医学院院长的女儿!”我高兴地说。

“你小子不也娶了一位局长的千金,听说还是一位空姐,庆堂,一定很漂亮吧,什么时候来日本让我见识见识。”

“这次来日本,就是她送我来的。”

“是吗?为什么不多待几日?”

“她今天是飞航班,还得飞回去。你的日本娘子怎么样?”

“她叫美智子,你安定下来到我家做客,她烧日本料理是一绝。”

“是吗?我非常喜欢吃日本料理,看来我要饱口福了。”

“庆堂,你的住房就在大阪市立大学附近,也就是阿陪野区,不过房子小了点。房子是我公司的,租给你,你要按价付费。”

我心想,马登这小子越来越像小日本,都精打细算到我头上来了。不过我也理解,日本这个民族有很多优点值得中国人学习。

“马登,这次到日本,让你费心了,谢谢!”我感激地说。

“庆堂,你是我毕业后见到的第一个老同学。我虽然也常回国,但生意场上来也匆匆、去也匆匆,这些年净为挣钱奔波了,其实,我骨子里更离不开咱们中国人讲的情啊。”

从马登的话里,我能感觉到这十几年他在日本奋斗的艰辛。

一进大阪市区,我就被大阪城迷人的夜景吸引了,毕竟是日本第二大城市,关西第一大都市。早就听说大阪历史悠久,是茶道、文乐、歌舞伎、艺伎等日本传统文化的发源地,而且有天下厨房的美称。大阪的街路霓虹灯五光十色,热闹十足。

“马登,大阪的夜生活一定很好玩吧?”我情不自禁地问。

马登诡谲地笑了笑说:“大阪的夜生活主要活动区在日本桥一带,整路的吃喝玩乐,谁去都会大失血,你感兴趣我哪天领你神游一下。”

“既然来一趟日本,就应该了解到真正的日本文化,什么茶道、歌舞伎、相扑,我都想看看。”

“先安顿下来再说吧,”马登说,“这不,到家了。”

车停在一所高层公寓前。

“庆堂,这个楼里住的大都是单身男女,你小子一表人才,别让哪个寂寞女人拿下了。”

“有这么严重吗?”我不以为然地说。

“念大学时你小子就早熟,”马登开玩笑地说,“你可是咱们班最早搞对象的。”

我听后无奈地苦笑了笑，然后从后备厢里取出行李，和马登一起走进公寓大楼，电梯一直到十一层才停。

房间只有五十平米，但家具和日用品齐全。

我累坏了。

“庆堂，还没吃晚饭吧？洗一洗，我给你接风。”马登邀请道。

“不用了，在飞机上吃过了。现在只想好好睡一觉。”我疲乏地说。

“那好，你好好睡一觉，明天晚上我请你吃饭。”

送走了马登，我为即将开始的新生活而激动，我站在窗前眺望大阪的夜景，不禁为这座现代化的大都市而感慨。来日本前，我偷偷和姚淼道了别，她非常想到机场送我，但是碍于丹阳在不方便，我们只好又去了海边。不过，我在东州机场还是看见姚淼在不远处一直目送我办完登机手续。

一路上我都心绪不宁。在日本我至少要待上一年，我和姚淼都要忍受思念之苦。我开始体会到姚淼在巴黎时心里空落落的感觉。

49. 茅塞顿开

第二天早晨，我简单吃了点丹阳给我带的东西，步行去大阪市立大学医学院如约拜见内滕胜教授。

内滕胜先生是一位庄重严谨的人，我先到他的办公室攀谈了一阵子。我能感到内滕胜先生想通过谈话对我的实际水平进行了解。我把自己这些年在神经外科上取得的一点点成绩做了介绍，内滕胜先生很满意。

内滕胜领我参观了他的实验室，我将在这里跟随内滕胜先生学习和工作一年。通过参观我才感到国内神经外科的落后，在这里，神经外科手术导航系统将检查手段（影像）和治疗手段（手术）合为一体，神经外科医生能够在磁共振或其它实时动态影像的直接引导下，随时确定病变的切除过程，使显微神经外科手术更准确、损伤更少。同时，各种新型人工智能化的手术器械使手术在计算机的控制下完成，真正做到微创伤。

但是最吸引我的还是一台放在实验室角落里的激光手术刀。我走到这台老式机器前，仔细端详，觉得它放在这儿一定富有深意；但是因为与内滕胜先生初次见面不好深问，不过我想，找机会一定要听一听这台机器的故事。

参观完实验室我既兴奋又难受，并感到自己责任的重大。我的工作每天由内滕胜教授打印在一张纸上，下班前，由内滕胜先生的女秘书交给我，我就这样按部就班地由宿舍到医学院，再由医学院到宿舍地生活起来。

一晃两个月过去了。我每天都站在手术台前看内滕胜先生做手术，我发现内滕胜穿手术服是一绝，他拎着手术服的领口一抖，绿色手术服抛向空中，下落时两手顺势向前一伸，手术服就准确地套在身上了，动作之娴熟流畅好像一套舞蹈。但这不是表演，是内滕教授极为严格的无菌意识使然。

不过，最吸引我的还是内滕胜娴熟地使用激光手术刀的技术。激光照射一次就可去除直径一百二十微米、深三百微米的癌变组织，电脑边扫描边发射激光，直到去除指定范围的组织，包括普通手术难以除去的与正常组织交界处的部分。而且，用激光照射不产生热，对正常组织几乎没有影响。

近年来，国内也有大医院引进激光手术刀的报道，但并没有亲眼见过，这还是我第一次亲眼看到这种先进的手术刀的神奇，心里大有跃跃欲试的冲动。然而，内滕胜教授只让我观察，从未让我亲自动过手，我心里有些着急了。不动手就学不到真本事。

就在我苦恼的时侯，马登来电话要请我到他家吃饭，我很高兴地接受了邀请。我到日本两个多月了，还没见过他的日本老婆。

星期日上午十点，马登开车到我宿舍来接我。

“娶个日本女人做老婆感觉怎么样？”我打趣地问。

“日本这个民族应该庆幸他们有世界上最优秀的女人。”马登自豪地说，“这些温柔的女人守护了这个民族。林语堂不是说，人生有三大乐事，吃中国饭菜、住美国房子、娶日本女人吗！”

“听你这么说，日本女人是男人们的梦想，温柔可人，特别适合做老婆喽！”我哈哈大笑地说。

“怎么，才来日本几天就想女人了？”马登开玩笑地讥讽说。

我被马登说中要害，脸一红，骂道：“你小子是饱汉子不知道饿汉子饥呀！”

“庆堂，今天请你吃饭的不是我，而是我岳父衫本孝，他在中国学过针灸，他可是个中国通。”

我听了心里不免有几分紧张。

车开了一个多小时,来到一片别墅区。这些日式别墅背枕莽莽青山,矗立于鲜花掩映的绿树成荫之中。

马登把车停在一个院子前,院子是用栅栏围成的。栅栏上爬满了三叶地锦,那种木制拉门前,站着一位戴眼镜的六十多岁的老者。他身穿黑色和服,脚踏木屐,脸上露出慈祥的笑容,这个人就是衫本孝,我在医学院见过他。因为他是院长,所以很少接触,我也没有因为他是马登的岳父而打扰他。

进院后,没等马登介绍,我便用日语说:"初次见面,请多关照。"

衫本孝却用中文说:"林先生,欢迎你到我们家做客。"

我听后既惊讶又倍感亲切。

"衫本先生,您中文讲得真好!"我敬佩地说。

"我在中国学过针灸,并且酷爱中国文化。"衫本孝笑着说。

我们在门厅前脱掉鞋子,走进格子拉门,温馨的榻榻米让我不禁惊叹它的细致。客厅的布置给人一种智慧的恬静。屋子里有一幅墨宝:

大道低回,
大味寡淡。

我向衫本孝先生赠送了景德镇瓷器制做的笔筒,衫本孝先生连声道谢。我们盘坐在榻榻米上,马登的媳妇美智子亲自给我们上茶,我们寒暄后,在美智子进退起跪调理茶具时,我仔细看了看美智子,觉得这个女人洁净得出奇,甚至让人联想到她的脚趾弯里大概也是洁净的。普通的眉眼玲珑,悬直的鼻子下是小巧的柔唇,嘴唇滋润光泽,脸部的肤色白里透红,显得有些妩媚。这个女人算不得美人,起码跟丹阳、姚森的美貌都无法相比,但比她们都显得洁净。

"我们日本人饮茶是很讲究繁文缛节的,"衫本孝先生说,"我们称之为茶道,不过今天都是家里人,没有那么多讲究。"

"衫本先生,我在电视中见过日本的茶道,喝茶如此严谨,一定有什么精神?"我认真地请教道。

"茶道的基本精神,是将茶视为生活规范,藉以修身养性、学习礼仪,以环境幽雅为主体,以高尚享受为目的,不过太费时费事,未免脱离现实呀。”

我听后不禁对这位老者肃然起敬，日本这个民族是善于学习的民族，之所以善于学习就是善于发现缺点。怪不得周作人曾惊叹，日本摹仿中国文化却能唐朝不取太监、宋朝不取缠足、明朝不取八股、清朝不取鸦片。再想想日本的茶道、禅宗和歌舞伎，恰恰是这种兼收并蓄构成了日本文化。

“父亲，庆堂君在国内已经做过一千例手术，他希望在日本能有更多的实践机会。”马登用推荐的语气说。

“庆堂君，小医生靠经验，大医生靠艺术，什么是医生的艺术境界，这种境界是一种感觉？我认为是一种感悟。‘感悟’是你们中国哲学的精髓，我对‘感悟’的理解是从针灸开始的，神经外科手术的目的是切除肿瘤而不损伤脑、颅神经及重要血管，这样选择适当的手术入路就成了关键的一步，这种思想与针灸的思想是相通的，这就像针灸必须找准穴位一样。内滕君是神经外科的大家，跟他学习要善于跳出原有的思路看问题。跳出来是一种飞跃，小医生思考医学上的问题只停留在微观上，这不行，要有综合思维的才能，这就是思维方法的飞跃。所以看手术是观察、总结的过程，目的是培养你的思维方法。林先生，你在内滕胜教授的实验室一定看到过一台退休的激光手术刀。”

“正是，我觉得这台激光手术刀一定不同凡响！”

“那是内滕胜先生发明的日本第一台激光手术刀。他在发明这台激光手术刀机器时，真是历尽千辛万苦，他用这台激光手术刀挽救了一千多位患者的生命啊！”

“怪不得内滕胜先生操作激光手术刀如此娴熟，原来激光手术刀是他发明的。”

“是啊，如今激光手术刀已经发明二十多年了，世界各地正在普及，中国在这方面进展如何？”

“中国在这方面才刚刚起步。”我惭愧地笑了笑说。

“中国的改革开放创造了经济腾飞的奇迹，你们中国的神经外科大家穆怀中就创造过不少的医学奇迹，令国际同行刮目相看啊！”

“衫本先生，我就是穆教授的学生。”我自豪地说。

“是啊，名师出高徒，希望林先生在日本不虚此行啊！”

听了衫本孝先生的话，我大有顿开茅塞之感。

三个男人谈得正酣时，美智子请我们到餐厅就餐。我的肚子早就咕咕叫了。

走进餐厅，餐桌上早已摆满了碗碟，我好奇地数了一下，好家伙，能有五六十只碗碟，那些大勺子、小勺子、筷子之类还未算在内。

饭菜很丰盛，有寿司、生鱼片、日式火锅、烤鱼，桌子上还有一个火炉正在煮当地很有名的一种豆腐。

衫本孝先生的酒量很大，虽然是日本清酒，但多喝也上头。自始至终美智子也没上桌，她不停地伺候三个男人，那种待客的贤惠劲儿，真是男人的福分。我心想，仅宴后洗碗就够她累的。我不得不敬佩日本女人的耐力。

离开衫本孝先生的别墅已经是下午两点多了，马登开车送我回宿舍。日本清酒有些上头，我略有醉意。

"马登，你和美智子是怎么认识的?"我好奇地问。

"我读我岳父的硕士研究生时，岳父请我给她女儿教中文，时间久了就产生了感情。"

"美智子是学什么的?"

"她也是学医的，嫁给我之前在一家医院工作，嫁给我之后就专心在家做家务了，你知道这是日本的传统。"

"真可怜，日本女人嫁人后只能一辈子做厨娘啊!"我感慨地说。

"在日本，有一条不成文的规矩，日本男人的工资在扣除了夫妻、孩子的保险金后，全部打到妻子的账号上，男人要用一点钱，都得向妻子要才行，除非他有妻子不知道的外快。这样到男人快退休时恐慌的是男人，而不是女人。在日本，男人极少提出离婚，因为钱都在女人手上。"

"看来，你小子是属于有外快的那种日本男人了。"

"这几年背靠日本，"马登得意地说，"专门开拓中国市场，确实赚了不少钱，你知道药品的利润特别大。庆堂，有没有兴趣和我一起做药品生意？我在中国缺一个信得过的帮手。"

"我哪是做生意的料，能把手术做好是我最大的追求。"

"你小子真是个书呆子，还真以为自己能成名成家呀!"马登不屑地说。

"马登，人各有志，你可别拉我下水。"

"好好好，现在还真有你这种嫌钱烫手的人，哎，过几天我去中国，需不需要给夫人带点什么?”

“我手里有一些在日本拍的照片,你帮我带回去,再给我带回几张我女儿近期的照片。”

“怎么,想女儿了?”

我没回答,不知怎么,马登这么一问,我心里涌上一股思乡之情。

50. 清酒

通过三个月的观察,我发现内滕胜教授每次手术都尽量多地保留血管,特别是对静脉血管的保留,提高了病人术后恢复的效果,这是我最大的收获。在国内手术由于不重视对静脉血管的保护,很多病人术后出现脑梗,甚至死亡。

但是,尽量多地保留血管需要精湛的技术。看内滕胜教授做手术就像欣赏一位大画家在作画,一根动脉穿过瘤体,内滕胜教授可以在不伤及动脉血管的情况下,将包裹在动脉血管上的瘤体全部切除。有一次他不小心将动脉切破了,血一下子喷在了无影灯上,内滕胜教授不慌不忙,一针就将血管缝上了。我看了看表,只用了五十秒。在内滕胜教授的指导下,我的手术水平有了突飞猛进的提高。

有一天晚上下班时,内滕胜教授扔给我一摞病例:“林先生,这三份病例你看看,你觉得对哪个手术有把握,告诉我,我指导你用激光手术刀完成。”

我听罢非常兴奋,一再向内滕胜教授致谢。晚上我认真研读了三份病例,最难做的手术是一位九岁的小女孩,她患有恶性肿瘤,最多只能活一年。这个可怜的女孩深深地打动了我的同情心,想起远在祖国的雪儿,浓浓的父爱油然而生。

女孩的核磁共振片子显示,她的大脑右侧有个非常大的肿瘤。我决定为这个女孩做手术,我要用激光手术刀创造奇迹。

第二天早晨,我早早地来到内滕胜的办公室。内滕胜教授似乎猜到了我会一大早找他,早就在办公室为我沏好了茶。

我一进门,内滕教授就笑着说:“林先生,昨天睡得很晚吧?”

“内滕先生,我仔细研究了这三份病例,决定为这位小女孩做手术。”

“为什么?”

内滕胜似乎有些意外，他原本以为我会挑三个里最简单的一个做。

"因为我也有个女儿！"

我的理由也让内滕胜先生很意外。

内滕胜犹豫了一会儿说："好，如果我是你，也会这么选择的。"

两天后的上午九点，手术终于开始了，这是我到日本后做的第一例手术，只许成功，不许失败。因为这不仅关系到中国人的荣誉，更关系到小女孩的生命。

顺利开颅后，我用手指触摸到了肿块，在密集的血管和神经丛里，长了一个五厘米左右的白色肿瘤。我用激光指向肿瘤，开始切除，一毫米，又一毫米，被切断的血管瞬间就闭合了。

我想起曾经死在我手术台上的老宁，不禁感慨，心想，当时如果采用激光手术刀或许老宁就不会因出血而死。可惜当时院里并没有这种先进的医疗器械。

肿块被我一点一点地剥离下来，五个小时后肿瘤被全部摘除，但是我的心并没有放松下来，因为我等着小女孩恢复意识。

半个小时后，小女孩醒了，她睁开眼睛说："我饿了！"

我这才松了口气，心里既轻松又高兴。

内滕教授对我的表现非常满意："林先生，为了庆贺你在日本的第一例手术成功，晚上我请你喝酒。"

晚上，内滕胜在大阪市立大学医学院附近的一家日本料理店请我吃生鱼片。我到时，内滕胜已经在拉门包厢内烫好了清酒。

"林先生，快请坐。我们日本男人很重视上酒馆，白天工作节奏紧张，大多数白领下班后，都会相约找一家酒馆，既放松心情，又联络感情，如果哪个男人总是早早地回家，老婆多半会责怪他们无能，朋友少，没人请客。我们日本的政治家要商量国家大事，通常会找一家高级料理厅，闭门密谈。"

"这么说日本的大政方针都是在饭桌上敲定的了？"我打趣地说。

内滕胜听罢哈哈大笑，并亲自为我斟满清酒。

"林先生，今天是周末，我们一醉方休！"

我很喜欢日本的清酒，淡淡的清香在口中回味无穷。内滕胜教授平时工作一脸的严肃，没想到还是个性情中人，喝起酒来很爽快。

我回敬了一杯酒后，觉得气氛融洽，就饶有兴趣地问："内滕教授，想不到您就是激光手术刀的发明人，能不能讲讲您的故事？”

内滕胜将一块生鱼片放进嘴里，慢慢咀嚼着，眉头紧锁了起来，仿佛如烟的往事袭上了心头。

“我三十一岁那年，做了一例大手术，患者是一位二十四岁患有脑肿瘤的年轻女性。我那时候在同事当中手术水平是最高的，他们对我都刮目相看。你知道每次切除肿瘤，密如织网的毛细血管就会大出血，当时面对大出血所有的手段都无济于事，手术持续很长时间，但最终没能摘除肿瘤，她死了，我非常难过。”

“内滕先生，我和你有相同的经历，而且死在我手里的是一位肝胆外科医生。”

“两年后，阿波罗十一号成功登月，当时我在医院里收看实况转播。登月过程中，一项实验深深地吸引了我，那就是用激光来测量月球到地球距离的实验。我发现发射到三十八万公里以外月球表面的激光能够准确地返回地球，当时我脑海中就掠过一个念头，这种高精密度的激光应该可以接触复杂的脑组织。从那儿以后，我就开始下决心研制激光手术刀。”

“当时有没有想到，一旦成功，将是一场医学革命？”我饶有兴趣地问。

“当时没有想这么多，只是想更好地解除病人的痛苦，可是研制工作需要大量的经费，我当时几乎倾家荡产，妻子向我哭诉生活太艰苦了，也没有动摇我的决心。”

“听说第一台研制出来时，失败了？”

“是啊，第一台激光手术刀研制出来后，我们研制小组的同事们都很兴奋。大家凑钱买了猪肉，进行了切割实验，猪肉很快就被激光手术刀切开了，在场的人都欢呼起来。我们又对老鼠的肿瘤进行切除，老鼠的肿瘤被切除了，但是十分钟后，激光慢慢消失了。你知道脑外科手术常常要超过八个小时，第一台激光手术刀就这样失败了。”

“那到底是什么原因导致激光消失了呢？”我不解地问，越发想知道其中的奥秘。

“经过深入分析发现，导光臂中有一面反射镜的角度有问题。七面反射镜的角度稍有偏差，激光便无法反射。为了使反射镜可以任意调整角度，我在上面装了六个螺丝，我心想，这次没问题了吧，果然第二次照射实验，连续做了一个多小时都没出现问题。”

“这说明实验成功了！”

“没有，新的问题出现了，我忽略了一个重要问题：三米长的导光臂不能自由移动。”

“就是说，激光不能在任何情况下都能准确地照射到患处。”

“可不是嘛，照射不到患处就没有实用意义。”

“后来怎么办了？”

“后来我破产了，遭到了讨债人的恐吓，只好把老婆孩子送到了乡下，自己整日东躲西藏。”

“躲了多长时间？”

“半年多。终于得到了一家制药公司的支持，我可以继续研究激光手术刀了，可是经过四个半月的努力，还是解决不了导光臂的移动问题，我开始怀疑是不是导光臂根本无法达到自由移动的程序。有一天，我走在秋叶原电器街上，被天文望远镜吸引了，天文望远镜采用的是可以伸缩的套匣式结构，如果采用这种结构的话，激光射线就能够照射自如了。就这样，激光手术刀三号问世了，采用的是可伸缩的关节式导光臂，并且将以前的三个关节改成一个关节，新的导光臂就像手一样可以活动自如。激光手术刀与传统的手术刀不同，它不用接触就能切除肿瘤，这使手术变得更安全。我成功了，并用这台激光手术刀挽救了一千多名患者的生命。它退役以后，我特意放在我的实验室，激励我继续努力工作。”

我被内滕胜的故事深深地折服了，从内滕胜身上看到了蔡教授、穆主任这些为事业孜孜以求的人们的身影。我恭恭敬敬地给内滕胜斟了一杯清酒。

“内滕教授，我能得到您这么伟大的神经外科专家的指导，真是三生有幸，希望您继续多多关照！我敬您一杯！”

内滕胜满饮杯中酒，然后说：“林先生，您在海绵窦方面攻克了不少难关，你在同龄脑外科医生中已经是佼佼者了。要知道每个人都是一座山，世界上最难翻跃的山就是自己，往上爬，哪怕是一小步，也是新高度，我相信你会成为最好的神经外科医生！”

内滕胜的鼓励让我很感动，但是上了十几道菜我还没吃饱。没办法，日本菜就是这个特点，不是日本人吝啬，而是由日本菜的特点决定的。

我在大阪市立大学医学院的食堂吃饭，给的也是少得可怜，几片新鲜蔬菜、四五片肉、一碗酱汤、一小碗米饭，就是一顿饭。难怪有人说，日本菜不是用嘴吃的，而是用眼睛看的。

来而不往非礼也，日本人的习惯是开“二次会，”就是另找一家餐馆接着吃。为了填饱肚子，也为了多向内滕教授多请教些干货，我盛情邀请内滕教授“二次会”。

那晚真是喝了很多酒，却一点醉意也没有。

51. 艺伎

晚上，我正在宿舍看女儿的照片，电话响了，我拿起电话接听，是丹阳打来的。

“庆堂，有一件事我想征求一下你的意见。”

丹阳的口气像是做出了什么重大决定。

“什么事？”

“我想辞职，搞个医药公司。”

“丹阳，你疯了？那么好的工作要辞掉？”我一听就急了。

“马登给我讲了许多做医药公司的好处，我听着很有道理。另外我是跟他合作，他答应投一部分钱，我们投一部分，搞成合资公司，很有前景的。”

“丹阳，你冷静点，马登这小子鼓动我跟他合作，我没答应，没想到他又鼓动你去了。我们跟他不一样，这样的事你得慎重，做买卖哪那么容易，告诉你，我不同意！”

“庆堂，我在空姐中年龄算大的了，再说，当空姐除了一个月几千块钱外，再往下干也没什么前途，无非是伺候一辈子人。我想闯一闯，或许有一条新的前途。”丹阳的口气很坚定。

“丹阳，马登跟你说什么了？你像中邪了一样，怎么这么不听劝呀！”我大喊道。

“你喊什么？我这不是跟你商量呢嘛！”丹阳也急了。

“你这叫商量？你都已经决定了。”

“本来嘛，做医药公司我有条件，别忘了，我爸是卫生局前任局长、现任书记。”

“丹阳，你就做吧，啥时候做出事来，你就知足了。”

我“啪”的一下撂下电话，我知道谢丹阳决定的事，我拦是拦不住了，只好打电话骂了马登一顿。

马登一副生意人的嘴脸，嬉皮笑脸地一阵搪塞，还说改日请我吃日本“女体盛”陪罪。

来日本半年了，大阪的冬季冷得沁人肺腑，没给姚淼打过一个电话，她也没跟我联系过。尽管她通过爱华、赵雨秋都可以得到我的电话。

虽然是平安夜，我照常在医学院做了一例脑胶质瘤手术，走出地铁口时有些筋疲力尽。圣诞节对于不懂得浪漫的日本人来说是很乏味的节日，大多数情侣过圣诞的节目就是到肯德基吃一桶鸡块，接着找一家宾馆开房做爱。找不到宾馆的只好在停车场里草草行事。

我回到公寓时，天已经黑了，停在轿车里的年轻情侣正在接吻，我无奈地摇了摇头，羡慕地上了电梯。

回到房间，我泡了一袋方便面，想到姚淼的生日，便情不自禁地拨通了电话。

“喂。”姚淼的声音。

我没说话。

“是你吗？”

“是我，祝你生日快乐！”

姚淼听到我的声音抽泣了起来，半天没说话。

“对不起，是我不好！”

我这么一说，姚淼哭得更厉害了，我就这样拿着电话听着她伤心地哭。

哭着哭着她问：“庆堂，你还好吗？”

“好，还好，只是，只是……”

“只是你离开我后就应该把我忘掉！”

“我试过，越是想忘掉你，就想得越厉害，我怕是……”

“我怕是再也离不开你了！庆堂，你让我迷失了！”

“迷失了？”

“迷失在你的心里，再也找不到出路。”

“淼，能来日本吗？”

“能，开春，中日文化交流，我们团在东京有个演出。”

“太好了，到时候我们一起去看樱花。”

“庆堂，丹阳辞职了，搞起了医药公司，生意挺火的，只是那么好的工作辞掉太可惜了。”

"你最近见过她吗?"

"我为了知道你的情况,经常和她在一起。丹阳变了,变得越来越实际。"

"真不知道是好事还是坏事,你知道,丹阳想干的事,谁也拦不住。"

"庆堂,丹阳有股闯劲儿,没准儿能行。"

"亲爱的,我饿了,该吃方便面了。"

"你那么累,怎么能用方便面糊弄自己呢?"

"一个人出去吃饭没意思,对付一口就饱了。"

"没找个日本相好的陪陪你?"

"拿老实人开心是吧?"

"人家就是说说嘛!"姚淼在电话里笑着说,"看把你急的。那好,你吃方便面吧,好好照顾自己,记住,我爱你!"

"我也爱你,拜拜!"

放下电话屋子里静极了,姚淼的声音好像还回荡在房间里,话音优美得近乎悲泣。我正一个人望着方便面发呆时,有人按门铃。我纳闷,这楼里单身男人、女人很多,但我很少跟他们来往。再说,今晚是平安夜,单身贵族们大都会情人去了,谁会敲我的门?

我开门一看原来是马登这小子。

"够寂寞的,我就知道你这个书呆子一个人在屋吃方便面呢。走吧,我请你见识见识日本人的真正文化。"

"去哪儿呀?"我喝着方便面汤问。

"到地方你就知道了。"马登卖关子地说。

我穿好衣服,也不多问,跟着他就走。

大阪是个商业气息浓郁的城市,道顿堀和心斋桥是这个城市最迷人的所在。这是两条大道,是热腾腾的商业娱乐区,时尚、繁华而美丽。

马登开车直奔心斋桥,这里是大街串小街,楼挨楼、店挨店,到处是街面和店铺,夜如白昼。今晚是平安夜,就更是热闹非凡。

车进心斋桥,马登左拐右拐地拐进了一条小巷,在一座和式建筑前停了车。我们下车后,一位身穿和服的女老板将我们领进一间宴会厅,室内布置简洁,一幅古画、一盆观叶植物,还有古瓷花瓶等古玩,室内古朴高雅。

我和马登席地而坐在榻榻米上,两排矮脚桌分放在两侧,中间留有足够的空间。大厅一侧有一个铺盖着红布的高台，高台上跪坐着两个头戴发髻、身着华丽丝绸和服的女人，脸上抹着白粉，画着细细的眉毛和樱桃小嘴。我一下子明白了这大概是日本的艺伎，过去在电视上看过。

“马登，你小子不是许愿请我吃女体盛吗?”我挑理地问，“怎么又改看艺伎了?”

“庆堂，女体盛虽然在日本有上千年的历史了，但那是日本文化的糟粕；艺伎虽然在日本也是夕阳产业，但这是日本真正的传统文化。”马登解释说，“另外，艺伎服务的对象大多是熟人或名士引荐，要不是我与店老板很熟，你是绝对欣赏不到这门独特的艺术的。”

我们一边说，服务小姐一边上菜，菜已上齐，酒也烫热，两名艺伎开始抱着三弦琴弹唱。曲子优美柔和，让人听了心里温情脉脉，平和闲静，即使不懂三弦琴的人也能看出她们那纤纤素手的灵巧功夫。

几曲长调过后，她们把拨子夹在琴弦上，拿起折扇翩翩起舞。我一边欣赏舞蹈，一边与马登对饮。

“哥儿们，这大阪有多少艺伎? 平时怎么看不见呢?”我好奇地问。

“艺伎从其产生开始就是为日本上层社会中的达官显贵、富商阔佬服务的，人们只能在那些豪华的茶肆酒楼和隐秘的日本料理厅中看到她们的身影。”

“不管为谁服务，她们总得出门吧?”

“由于受服务对象的地位所决定，艺伎平时很少在大庭广众之下抛头露面，她们深居简出，外出时不是乘放下帘子的人力车，就是安步当车。步行时还要在头顶上扣上一个宽大的竹编草帽，把整个脸部遮盖得严严实实。所以，即使在你面前走过，你也未必注意。”

“马登，我总觉得艺伎一直被笼罩在一种神秘气氛之中。”

“这是因为全日本现有的艺伎也只有数百人了!”马登略有感慨地说。

我们正说着话，跳完舞的两名艺伎迈着碎步走到我和马登桌前，跪着敬酒。这时，我才看清她们的真面目，尽管浓妆艳抹，仍无法掩饰岁月在她们脸上刻下的年轮。看上去她们的年龄少说也在五十岁以上。我一下子就没了情绪，马登似乎看出了我的情绪变化，一个劲地劝我喝酒。我为了掩饰不可告人的心理，着实痛饮了几杯。

几杯清酒下肚，神经似乎开始兴奋。我发现两名艺伎虽然年龄很大，但无论是歌舞还是敬酒，她们都表现得姿态幽雅，谈吐不俗，甚至天南地北、古今中外，几乎无所不知，无所不晓。

“小姐，在日本最有名的艺伎是哪位?”我好奇地问。

“是中村喜春，她是我们做艺伎的骄傲!”劝我喝酒的艺伎说，“先生可以读一读中村喜春的著作《东京艺伎回忆录》，您就会对日本的艺伎文化有一个全面的了解。”

我发现艺伎劝酒是一绝。她们总能找到合适的话题，为了表示尊重，我不时地回敬一杯，这女人便毫不犹豫地端起酒杯一饮而尽，然后深深地向我鞠上一躬，露出涂着一层厚厚白色脂粉的脖颈和红殷殷的脊背，宛如袒露着的水灵灵的裸体。

我发现艺伎与普通身着和服的日本妇女最大的不同就在于此。普通妇女的和服后领很高，把脖颈遮得严严实实，而艺伎们的和服后领开得都很大，并且有意地向后倾斜，所以脖颈全部外露，鞠躬时自然可以看到美背。

马登见我盯着人家的脖颈看，笑着说:“艺伎的脖颈是最能撩拨日本男人的地方。她们个个都是研究男人的专家，最明白男人的想法，欣赏中村喜春表演的客人大都非富则贵，除了本地的明星和巨富外，曾经出访日本的著名影星卓别林、棒球巨人巴布鲁斯和法国画家吉恩科克托等也是她的捧场客。其中，吉恩科克托更深为中村喜春的表演着迷，曾经为她写下一首题名为艺伎的感人诗歌，轰动一时。”

“马登，今天这顿酒喝得值，真正享受到了日本文化，以后这种饭常请着点，你把我老婆弄下岗，我还没找你算账呢。”

“庆堂，你别赚了便宜卖乖，”马登眯着眼说，“你小子能享受艺伎陪酒是沾了你老婆的光。”

“这话怎讲?”我不屑地问。

“丹阳天生就是做生意的料，嫁给你险些让你给耽误了。这不，公司运转时间虽然不长，已经打开了东州市场，财源滚滚，你小子以后在老婆面前就快变成穷光蛋了。我请你喝酒就是为了谢谢你没拦你老婆辞职。”

“说实在的，马登，你长期做医药生意，能不能搞到激光手术刀?”

“干什么？一台激光手术刀得几万美元，莫非你要搞一台?”

“我觉得激光手术刀应用于神经外科，会很快在国内普及。颅内肿瘤经激光治疗复发率低，效果突出，并能最大限度地减轻对脑组织的损伤，切除肿瘤彻底，远优于传统的手术治疗。所以回国时我一定要带一台回去。”

“林庆堂,你真是个疯子,几万美元白送给医院?”

“马登,我有今天的成绩与我们医院对我的培养分不开,我学成回国捐给医院一台激光手术刀,也不枉组织上送我出国学习一回。”

“你可真是个书呆子!现在的人都在满世界捞钱、捞权,没见过你这样的傻子,真不知道你在追求什么?”

“我不追求钱,也不追求权,只追求在世界神经外科手术的状元榜上不断刻上‘中国’两个字。”

“别唱高调了,我问你,钱从哪里来?”

“我在日本省吃俭用有一万美元,其余的我再和丹阳商量一下,动用点积蓄。”

“丹阳现在就能拿得起,但是她不会同意的。”

“怎么你比我还了解我老婆?”

“你少跟我整事,我的意思是丹阳为了你命都舍得,但是为了你的虚荣心她一分钱也不会拿!”

我刚要反驳,马登让陪他的艺伎再弹一曲。于是,艺伎就地挪了挪跪坐的右腿,又拿起三弦琴放在腿肚子上,把腰扭向左边,向右倾斜着身子,丁丁零零地弹奏起来。

这是一曲曾在日本流行的爱情民歌,叫《都都逸》,陪我的艺伎伴着曲子百媚千娇地跳起舞来。此时的我已被这优美的曲子陶醉,忘记了眼前两名艺伎的年龄,却被她们风韵犹存的魅力所臣服,竟情不自禁地拍手唱和起来。

此时早已过了午夜,上帝已经诞生了,我和马登已经乐不思蜀,用来计算时间的点香数,已经过了四十支。

52. 灵与肉

春节过后,我在内滕胜先生的推荐下,加入了日本脑神经外科学会。在我的业务水平大幅度提高的同时,我的思乡之情不时地搅动着我。

丹阳来电话告诉我,说罗元文已经升任北方医科大学附属医院神经外科副主任,与曲中谦平级了,而且何慧慧也当上了东州电视台的广告部主任。罗元文过生日那天,何慧慧送给罗元文一台别克轿车。罗元文现在是要风得风，要雨得雨。

说实话，我对这些并不关心，曲中谦是神经外科副主任，但是做手术老死人，这个副主任当得提心吊胆，没什么意思。做医生的，特别是神经外科医生来不得半点马虎。我自信自己通过在日本的学习，手术水平已经大大超过罗元文。只是丹阳还说，穆主任身体大不如以前了，我走后住过两次院，我真的担起心来。

前几天，我和内滕胜教授到海滨城市新泻开会，内滕胜教授告诉我，海的对岸就是中国。开会之余，我控制不住思乡之情，情不自禁地朝着他指给我的方向走了过去，没想到一走就是两个多小时才见到海。站在日本海边眺望祖国，我久久不愿回去。

海浪轻轻拍击海岸的声音，就仿佛孩提时母亲拍打儿歌的节拍，这种情感真的无法用语言描述。此时此刻，我深深体会到祖国对一个海外游子意味着什么，那是我一生精神的寄托，是我灵魂的归宿，是我力量的源泉。

从新泻回来后，我将要买激光手术刀的想法告诉了丹阳。果然不出马登所料，谢丹阳向我大发雷霆，甚至不惜用离婚相威胁。

我只好向姚淼求助。姚淼二话没说就答应了，她说，过一段来日本演出时想办法带给我。我向她保证一定还她，姚淼笑了，她说，钱可以还，爱能还吗？

春天来了，四月是樱花盛开的季节，无论走到哪里，公路边、河边、庭院、街道上，到处都是姹紫嫣红的樱花，绿的、粉的、白的、混合色的，真是美不胜收。最让人羡慕的是，日本人一家家地出来赏花，或牵着狗，或地上铺一块塑料布，或躺或坐地围在一起，小孩子嬉戏，大人们闲谈对饮，地方不大也互不干扰，这情景真让人叹为观止。

星期五的晚上，我刚回到宿舍，电话就响了，看样子已经响了半天了，会是谁呢？

"喂，是庆堂吗？"

"姚淼，你在哪儿呢？"我激动地问。

"你猜猜？"

"在东州？"

"傻瓜，在东京。"

"真的？什么时候到的？"我欣喜若狂地问。

“来了两天了，一到东京就忙演出，这不才倒出空给你打电话。”

“宝贝，太好了！太好了！”我高兴得不知所措。

“庆堂，昨天我们团在东京ABC会馆演出了我编的舞蹈《烟花三月》，获得很大成功。我跟团长请了假，明天我去大阪看你。”

“淼，真想不到我们会在日本相聚，太好了。哎，《烟花三月》是什么创意？”

“是根据李白的几首古诗的意境，结合中国传统舞蹈及日本现代舞蹈技法创作的。庆堂，大阪是日本歌舞伎的发源地，歌舞伎是日本的国粹，有四百多年的历史了，这次去大阪，你一定陪我看一看。”

“好的，好的，真盼着早日见到你。”

“庆堂，人家比你还急呢，乖乖地等我，明天见！”

“哎，明天见！”

我累了一天，刚才还又渴又饿，这会儿接完电话像吃了顿大餐，也不累了，也不渴了，也不饿了。我决定收拾一下房间，等待明天以崭新的面貌迎接姚淼。

第二天傍晚，我去火车站接姚淼时，她像一阵春风一样从车上飘了下来，我的心顿时有一种绽放的感觉。我们相拥很久，然后又相吻，仿佛分离了一辈子。

“庆堂，我一到东京就等不及了，我必须在每一天中的每一分钟听到你的声音，因为对于我来说，每一分钟就相当于好几天！”

“淼，昨天晚上我一宿没合眼，恨不得连夜去东京接你。”

“庆堂，我被你的爱囚禁了。”

“淼，我也陷入了囚徒困境。”

“我真怕有一天你逃了。”

“淼，我已经无路可逃。”

“庆堂，你瘦了，也黑了，”姚淼关切地问，“在这儿吃了不少苦吧？”

“淼，你白了，身材更好了，变得更漂亮了！”我由衷地说。

“真的吗？是心里话？”

为了有更多的时间在一起，我昨晚就买好了吃的东西，我想起“厮守”两个字，是的，我要和姚淼分分秒秒地厮守在一起。我在日本从来没打过出租车，今天我破例叫了出租车。

我们很快就回到了我的小窝。姚淼的脸上始终露着幸福的笑，远在异国他乡与爱人相会，我们都有一种特放松特自在的感觉。

我走到电脑前，打开了我下载的英文歌"Tonight I celebrate my love"，这是我为与姚森相会特意准备的。优美的音乐让我们的情绪越发缠绵，我们都情不自禁地哼唱起来：

Tonight I celebrate my love for you
It seems the natural thing to do
Tonight no one's gonna find us
We'll leave the world behind us
When I make love to you……

Tonight I celebrate my love for you
And hope that deep inside you'll feel it too
Tonight our spirits will be climbing
To a sky filled up with diamonds
When I make love to you……

姚森坐在我怀里，用鼻子尖碰我的鼻子尖。我感到一股沁人的香气迷醉了我，浑身像要着火，但我仍然控制自己，等待姚森爆发。果然她先是在我的脸上用鼻子蹭，然后将软软的柔柔的甜甜的舌头伸进我的嘴里，我们终于相拥狂吻起来。我们的吻像山洪暴发一样热烈，又像干柴烈火一样熊熊燃烧，这是一个疯狂的时刻，这是一个发泄的时刻，这是一个高潮的时刻；我们醉了，我们化了，我们飞了，像飞在空中一样自由，没有羁绊和约束，此时音乐中唱到：

Tonight I celebrate my love for you
And soon this old world will seem brand new
Tonight we will both discover how friends turn into lovers
When I make love to you
Tonight I celebrate my love to you……

我们在缠绵的音乐中把整个世界抛在了外面，只剩下我们两个人……我们静静地躺在床上。

"庆堂,我忘不了你的好、你的坏,但我更忘不了我们的错。"

"不是我们的错,是爱的错。"

"我们爱的就是这个错,不是吗?庆堂。"

"是的,森,我曾经怕犯错,一直提醒自己,约束自己,但从现在开始我想犯这个错,因为只要是真爱,即使错了也是对的。"

"庆堂,你真好,我就想在爱情中犯错。"

姚森直起身子下了床,走到冰箱前,从里面拿出一瓶日产红酒。这是我昨天买的,因为高兴,买回来就喝掉了三分之一。

姚森将红酒倒在两个酒杯里,她端在手里晃了晃,然后递给我一杯。我接过酒杯,斟在酒杯里的红酒将天花板上的灯光也映得红光摇曳。

"为爱情干杯!"姚森妩媚地说。

我们一饮而尽。

"庆堂,"姚森开心地笑着说,"下辈子,你要做女人,我做男人,我要娶你。"

"那要是我也是男的呢?"

"那就再下辈子,反正我要娶你。"

"宝贝,下辈子我跳舞,你来当神经外科医生怎么样?"

"不行,不行,我怕见死人。"

"死人有什么可怕的,如果没有死,一切生的美好都将没有意义。你说是不是?"

"庆堂,你说话总是那么有哲理,总能给人启迪。对了,把这张 VISA 卡收好,你买激光手术刀的钱足够了,密码是我的生日。"

"森,你哪来的这么多钱?"我不安地问。

"我把车卖了。"

"森,真对不起!"

"庆堂,我知道这台激光手术刀在你手中的意义,不知要有多少人获得新生。世界上没有比生命更可贵的了,所以我非常理解你的心情,你的事业我帮不上太多的忙,车卖了还可以再挣。"

"森,你真是我的天使!"我深情地说。

"庆堂,我只是想爱你!"

"森,回国后,我们找机会一起去一趟西藏吧,我想让神山圣水洗涤一下我的灵魂。”

“我无所谓，就怕你一回国就忙起来，一台手术接着一台手术，没完没了。为了你的事业，你自己都快变成激光手术刀了。”

“去一趟西藏是我很久以来的一个心愿，你答应过我，等青藏铁路一通车，你就陪我去。”

“庆堂，真要通了车，我们从北京一路坐到拉萨，一路上的风光会让我们发疯的。”

姚淼说完，起身又去倒红酒，那一头长发紧贴在背后，腰际的凹陷处宛如两个酒窝。

我痴迷地望着她，心想，这世上极品女人有两种：美女和才女。而绝品的女人只有一种：才貌双全。姚淼是落入凡间的天使，她身上不仅有肉欲的美丽，还有内心的从容，而这两种东西在常人身上往往是势不两立的，姚淼不是一般的女人，她身上具有不食人间烟火的气质，同时又特别会食人间烟火。

我和姚淼正开心对饮的时候，桌子上的电话响了，我赶紧起来接电话。

“喂，哪位？”我用日语问。

“庆堂，我和女儿明天下午三点到大阪。你能来接我们吗？”

“什么？你和女儿明天到日本？怎么不提前告诉我一声？”

“现在告诉你也不晚，我想和女儿给你一个惊喜！听口气你不欢迎我们娘儿俩？”

“瞎说，我高兴还来不及呢。这样，我明天和马登一起去接你。”

我放下电话惊出一身冷汗。姚淼用惊异的目光看我打完电话。

“不会吧？庆堂，我刚到，她随后就跟来了，她看你看得真紧啊！”姚淼失望地说。

“淼，是巧合，丹阳也是第一次来日本看我，还带了雪儿。”

“庆堂，你放心，明天一早我就回东京。”

姚淼眼泪扑簌簌地滚落下来。我连忙上前安慰。

“宝贝儿，本来我想陪你好好看看大阪的樱花，再去京都的南座观赏歌舞伎，可是……”

“算了，庆堂，你有这个心，我就知足了，我特意给你配了一个手机，是国际漫游的，闷了，就给我打电话。瞧你为了一台激光手术刀连手机都不配了。”

姚淼说完把头埋在我的怀里，我抱着她心中一片茫然。面对这份沉重的爱情，我无力自拔，却又不得不正视自己与丹阳的婚姻。从解剖学角度看，其实很多顾忌都源于心太软，心一硬就过去了，没什么大不了的。

我和姚淼紧紧抱在一起躺在床上，像茫茫大海上的两叶孤舟撞在了一起，彼此在迷离的震撼中沉沦。

应该说，我生命中的两个女人我都深爱着，而这两个女人也都深爱着我，只是与丹阳耳鬓厮磨时间长了，有点左手握右手的感觉，但左手和右手谁也离不开谁，这大概是每个男人的通病，哪个男人不想有个温暖灵魂的情人？这就是男人的贪婪。回到家里有娇妻疼着，出门在外有情人温暖，我敢说无论多么正经的男人大多都做过这样的春秋大梦。而如今对于我来说，这已经不是梦，而是事实，丹阳和姚淼都是我的灵与肉，但这一切似乎不能怪我，而恰恰是丹阳一手造成的。或者谁也不能怪，只能怪上帝。

53. 手机

第二天一早，姚淼为我做了早餐，与我含泪吻别后，一再嘱咐我给她打电话，然后匆匆离去。我就像做了一场梦一样，懵懵懂懂地吃了早餐。

去关西机场的路上，马登就看出来我的情绪异样。

“庆堂，不对头啊？”

“怎么不对头？”我搪塞地问。

“像是做爱做到一半阳痿了似的。”

“去你的，你才阳痿呢！”我强烈反驳马登的无聊，但这小子的话也不无道理。

说实话，与丹阳再没感觉也快分离一年了，丹阳无论如何也算是个大美人，小别赛新婚，这心里还真想得很，我下决心接完这娘儿俩，一定要好好陪她们逛逛大阪城。想着想着，车已经停在接站口。

丹阳正领着女儿在东张西望，我连忙把头伸出车窗喊：“丹阳，雪儿。”然后快速下了车。

雪儿一见我兴奋地扑上来：“爸爸，爸爸。”

我抱起女儿说：“雪儿，想爸爸了吧？”

雪儿热切地说："想，快想死我了！"

这时，丹阳娇嗔地向我走来，我心虚地说："老婆，辛苦了。"

"好了，好了，快上车，回家后你们两口子再亲热。"马登催促道。

"马登，听庆堂说，你没少关照他，多谢了！"丹阳大大咧咧地说。

我们上了车，我仍坐在副驾驶的位置上。

马登一边开车一边说："丹阳，你下海，你老公差点把我给吃了，现在你发财了，林庆堂也不谢我，一直为你下海的事跟我耿耿于怀。"

"马登，你小子别赚了便宜卖乖，丹阳要是发了财你就得赚个天，"我不客气地说，"丹阳可是贤妻良母，你怎么不劝美智子下海呀？"

马登急了，说："你看看，你看看，丹阳，你好好跟你老公汇报汇报工作，咱们可是精诚合作的。"

"马登，我们家林庆堂天生就是搞学问的，压根儿身上就没有铜臭气，"丹阳笑着说，"别跟他提钱，一提钱他准跟你急。"

丹阳说的倒是实话。我天生厌恶两样东西：一个是权力，另一个就是金钱。当初蒋叶真追求权力，我们最终分道扬镳；如今谢丹阳开始追求金钱，我内心深处不免有了隐忧。

马登要为丹阳接风，被我婉言谢绝！

"我们两口子快一年没见了，你还是省省吧，多给我们一点温存的时间。"我不客气地说。

"好吧，丹阳，有事尽管吩咐。"马登知趣地说。

我其实特怕马登见我老婆，上次回国见了一次，就把丹阳游说到海里去了，有时我特烦马登那副奸商的嘴脸。

马登把我们送到楼下也没上楼，便拜拜了。我把房间收拾得特别干净，还摆了鲜花，丹阳和雪儿一进来特别高兴。

实际上房间是为迎接姚森布置的，鲜花也是为她买的。但丹阳并不知道，丹阳以为这一切都是为她做的呢，脸上充满了幸福感。

丹阳不顾孩子在跟前，一下子扑到我的怀里就亲吻我，一边亲还一边说："老公，想死我了！"

"妈妈，羞不羞？"雪儿用小手戳着脸蛋儿说。

我也想老婆孩子不得了，便一把将这娘儿俩搂在怀里，我的眼泪都差点流出来。亲热后，丹阳和雪儿到卫生间洗了澡。

洗完澡后，丹阳撒娇说："老公，我饿了，想请我们吃什么？"

“你们俩歇着，”我拉着架子说，“冰箱里什么都有，我给你们俩做饭。”

“庆堂，我们娘儿俩来一趟日本，怎么也得请一顿生鱼片吧？”丹阳不高兴地说。

“老婆，对不起，那太贵了！”我有些发窘地说。

“庆堂，你尽管选地方，咱们有钱，”谢丹阳财大气粗地说，“瞧你在这里舍不得吃舍不得穿的，居然还有心给你们医院捐什么激光手术刀，这不是自己难为自己吗？”

“你下海没多久就赚了钱？”我疑惑地问。

“怎么？不相信自己的老婆有这个能力？”丹阳用一副暴发户的表情说，“走吧，老公，今晚咱们全家好好嘬一顿日本料理。”

丹阳以前花钱就大手大脚的，但今天的底气明显比以前足了，我心想，真是士别三日当刮目相看。

“怕不是靠塞黑钱往各个医院推销药吧？要不钱怎么赚得这么容易？丹阳，就不怕药品监察大队查你？”我担心地问。

“庆堂，你别忘了，药品监察大队归谁管！”丹阳见我道破了玄机，有点恼羞成怒。

“丹阳，你爸可是清廉了一辈子，快退休了，你别给老爷子惹事！”

“林庆堂，你有完没完？告诉你，我挣的都是干净钱！”

“好好好，晚饭看我怎么宰你！”

我悻悻地锁上门，领着娘儿俩离开公寓。此时的大阪已经华灯初放，璀璨动人。

我们打车来到日本桥一路，这里是吃喝玩乐逛街的理想去处，我心想这下子丹阳要大出血了。

我们在一家主要经营生鱼片的料理店坐下，丹阳点了最好的金枪鱼生鱼片，还说今晚她请客，好好给我改善一下生活。

我要了一壶日本清酒，让老板娘烫热，一杯酒下肚，心里热乎乎的。没想到，一家三口能在大阪团聚，而且还能享受这么丰盛的日本料理，不免有些激动，甚至眼眶里还有些湿润。女儿一边吃一边嚷着明日要我领她们看樱花。

的确，现在正是樱花盛开的季节。这是日本最美的季节。我原以为会陪姚森看樱花的，怎奈与姚森相见就像昙花一现，看来我的生命里注定是离不开这两个女人了。

吃完饭，丹阳要给我买几件衣服，便左一家商店右一家商店地逛起来。妻子明显有一种炫耀的心理，我想象不出她做起来的医药公司会是什么样，也不知道她究竟挣了多少钱，不过，看她的张扬劲儿像是有了一些成就。我不喜欢她现在的样子，像个女富婆，但是毕竟快一年没见了，无论如何也要让她高兴。

大阪繁华的夜景让丹阳娘儿俩异常兴奋，看到妻子和女儿如此高兴，我也不免兴奋起来。说实在的，来日本这么长时间了，从来没到这条街上逛过。

大阪是一个巨大的购物迷宫，霓虹灯闪烁，就更使人感到这里是一个花花世界。街两侧汇集了许多高档名牌专卖店，在这里，人们可以在宽敞的人行道上，边浏览商店橱窗边散步。

丹阳一到这里便如鱼得水，流连忘返，恨不得把整条街上的东西都买回去。她不会日语，我只好一边当翻译一边当小工，后来逛累了，在一家咖啡店里喝了咖啡，才打车回到宿舍。

雪儿累了一天，很快就睡熟了。柔和的灯光照在丹阳的脸上，显得她光艳照人里有一些天真，也有一些沧桑，杂糅在一起让我即熟悉又陌生，熟悉得让我感到亲切，陌生得让我感到新鲜。

我们在亲吻中，我的下身已经成了丹阳的玩偶——坚硬的玩偶，任由她把握，我们终于像两条红鲤鱼跃宕在一起，云里雾里翻滚着。

我把头埋在她樱桃般大小的乳头中，她转身坐在我身上，加快了起落。就在这时，我们碰掉了放在枕下姚淼送我的手机，"当"的一声掉在地上，我们却浑然不知，全身心地行云雨情，心里都有一个目标，就是奔向短暂收留我们的太虚幻境。

早晨，我慵懒地从睡梦中醒来时，丹阳穿着睡衣正怒目站在我面前。

"怎么了?"我睡眼惺忪地问。

"这手机是怎么回事?"丹阳冷冷地问。

"什么手机?"我一下子蒙了。

"少跟我装糊涂！姚淼的手机为什么在你这儿?"

"我忘了告诉你了，前两天她来日本演出，看我时落在这儿的。"我从床上坐起来只好实话实说。

"她来日本我怎么不知道？林庆堂，你浑蛋！赵雨秋早就告诉我你和姚淼之间的关系不正常，我还不愿意相信，你们乱搞都搞到日本来了。"

丹阳"呜呜"地哭了起来。

我极力地表现出正人君子的风度说:"丹阳,你胡说什么?赵雨秋的话你也相信?姚淼就是来看了看我,我们之间什么都没有。"

"你放屁,到现在你还嘴硬,还骗我!告诉你明天我和孩子就回国,你心里要是还有我和孩子,学习期满就回国,不许留在日本,否则后果自负。"

这时,雪儿被丹阳的哭声吵醒了。

"妈妈,你怎么了?"

女儿这么一问,丹阳更委屈了。

"雪儿,妈的命怎么这么苦啊?"丹阳一把搂住雪儿哭着说。

雪儿不知发生了什么事情,娘儿俩搂在一起哭了起来,哭得我心如刀绞。

"丹阳,本来没有什么事,却让你弄得这么复杂,"我无奈地说,"我本来想让你把手机带回国还给姚淼的,你们是最好的朋友,你应该相信她。"

"这年头连自己的丈夫都不能相信,我还能信谁?"丹阳一边哭一边说,"朋友夫不能欺,她可好,背着我跑日本勾引我丈夫,天底下有这样的好朋友吗?"

我想要躲过这场风波只能哄她了。

"丹阳,你别说这么难听行吗?没有的事让你说得这么难听,别忘了,当初你让她当爱情侦探试探我,我都没上钩,我可是经得起考验的。"

我心想用事实说话更有说服力。

"少哄我。赵雨秋说,百分之九十九的猫都叫咪咪,百分之九十九的男人都好色。今天我才看透你。"

"我就是那百分之一。"我嘴硬地说。

"剩下的那一个最可恨!"丹阳大声说。

"为什么?"我纳闷地问。

"因为他是个假正经!"

雪儿听了这话破涕为笑,丹阳也抹着眼泪笑了。

"好了好了,"我借势说,"好不容易来一趟日本,干吗弄得不愉快?为了女儿,你也得高兴才是,不哭了,宝贝儿。"

"谁是你的宝贝儿?别忘了,你是有前科的。想让我相信你也行,学习一到期就回国。赵雨秋说,像你这样的人最容易抛妻弃子不回国。"

“赵雨秋，赵雨秋，”我气愤地说，“她是个什么东西你不知道？她的话你也信？我怎么可能留在日本工作？我的事业在国内。”

说实话，我真没有这种留在日本的想法，我恨不得把内滕胜的真本事都学到手，然后快点回国。因为国内有我的病人，有我的老师，有我的同事，有我的亲人！

“丹阳，我全听你的，学习一结束，我就回国，其实我早就归心似箭了。”我诚恳地说。

丹阳终于不哭了，她缓和一下口气说：“你记住，你要不回国，别想见女儿。”

女儿是我的最爱，谢丹阳以为捅到了我的腰眼上，其实为了女儿我更得回国了。

“好了好了，咱们吃过东西后，我陪你和女儿去看樱花。”

我暗自庆幸躲过了这场风波。

女儿高兴起来，丹阳也不好扫女儿的兴，再说，姚森的一个手机也证明不了什么，她也只好作罢。

54. 双刃剑

第二天，丹阳执意要回国，怎么拦也拦不住，马登来送行时也帮我一起劝，丹阳根本不听劝。我心里清楚，她一直担心我会留在日本工作不回国了。

雪儿不愿意回去，想和我多待几天，丹阳不允许，搞得女儿在机场直抹眼泪，连我也忍不住湿了眼圈。丹阳是想用孩子勾起我回国的心。

送走丹阳娘儿俩，我心里空落落的，内心平添了许多忧郁，这些忧郁中藏着许多断枝碎节的人生，与开满樱花的季节极不相称。

想不到当天晚上发生的事情更让我始料不及，或者说让我大惊失色，谢丹阳根本没有回国。我和马登送她和雪儿到关西机场后，她带着孩子转机去了东京。当她敲开姚森住的酒店房间的门时，姚森惊呆了。她做梦也没想到谢丹阳会追到东京去兴师问罪。

当时高团长和毕大姐也都在，他们看见谢丹阳来者不善，很是为难。因为无论是姚森还是谢丹阳，老高两口子都不好偏袒，因为姚森就像他们的亲妹妹一样；谢丹阳的老公也就是我，救过他们家的宝贝女儿高蕾。

老高两口子，心里唯一的想法就是谁也别受到伤害。谢丹阳因为有心理准备，表现得非常冷静。姚淼因为没有心理准备，又当着自己领导的面，脸上有些发窘。

“高团长、毕大姐，你们在太好了，你们给评评理，背后抢自己好朋友的老公，缺不缺德？”谢丹阳劈头盖脸地质问道。

“丹阳，你冷静点，是不是有什么误会？”毕大姐赶紧打圆场。

“毕大姐，不是误会是约会。我最好的朋友跑到一衣带水的邻邦约会我老公，毕大姐，你让我怎么冷静！”

“丹阳，先到我和你毕大姐的房间说说你的委屈，没有过不去的火焰山！”高团长和颜悦色地说。

“高团长、毕大姐，你们的演员充当无耻的第三者，你们作为领导不能不主持公道！”谢丹阳步步紧逼。

“丹阳，我们之间的事我们自己解决，请不要难为高团长和毕大姐。”姚淼平复了一下紧张的心情，终于开口了。

“那好，姚淼，你和林庆堂究竟是怎么回事？敢不敢当着高团长和毕大姐的面说清楚？”谢丹阳咄咄逼人地问。

“我和林庆堂之间的关系很简单，我爱他。如果说有什么错也是你一手造成的！”姚淼毫不让步地说。

“姚淼，你是我最信任的朋友，你却利用我对你的信任，干出这么伤害我的事，你未免太卑鄙了吧？”

“爱和卑鄙是两码事。我承认我对不住你，但是这并不是我的错。当初是你信不过庆堂，把我推到了他的身边，起初我只是想帮你，可是不知不觉，他钻到了我的心里，让我无法自拔。我们爱上了同一个男人，不全是我的责任，我下过无数次决心，试着不爱他，可是我办不到！”

“姚淼，你听好了，我决不允许你与我分享我的丈夫！”

“我可以不与你分享，但是我保证不了不爱他！”

“姚淼，你不仅卑鄙，而且还无耻！”

“谢丹阳，用不着咄咄逼人，你可以阻止林庆堂爱我，但是阻止不了我爱林庆堂！”

“姚淼，你别逼我！”谢丹阳恶狠狠地说。

高团长赶紧站起来说：“丹阳，我听明白了，别吓着孩子。老毕，你陪姚淼到我的房间坐坐，让丹阳和我诉诉苦！”

“高团长、毕大姐，你们也用不着和稀泥。姚森，我警告你，我们之间完了，再打我老公的主意，我对你不客气！”说完，谢丹阳抱起女儿摔门而去。

谢丹阳兴师问罪后一点也没让我知道，我一直蒙在鼓里，姚森也没跟我提起过，是高团长背着姚森给我打了电话。我当时窘极了。老高在电话里说得很坦诚：

“庆堂，其实我们第一次在一起吃饭时，我就看出来姚森爱你，你也很爱姚森。但是我了解姚森，她不是一个爱上谁就跟谁结婚生子的俗女人，她视自己的舞蹈事业如生命。我看得出来，你也是一个可以为事业献身的人。你们之间相爱不是因为什么缘分，而是因为你们心灵一定是相通的，所以我很理解你！庆堂，不瞒你说，在我的生命里，也有过另外一个女人，不过，她在美国的那次车祸中死去了，我大概有两年的时间一蹶不振。好在你毕大姐是一个大度的女人，她容忍了我的过错。我知道灵与肉是很难分割的，但是我希望你在丹阳和姚森之间做一个分割。丹阳是你的肉，姚森是你的灵，这样或许是最佳的选择，因为爱是一把双刃剑，人世间善剑者不多，好在你是外科医生，别让爱情这把手术刀伤了你最爱的人。”

高团长挂断了电话后，我的心情糟透了，惆怅如同水一样四处弥漫。我知道我与姚森的相爱注定不会有理想的结局，但是有一点是肯定的，即使我们断了，永不来往，也注定是相爱的，而且至死不渝。这就是我和姚森、丹阳之间的悲剧，其实我们之间没有第三者，真正的第三者是爱情！

两天后的傍晚，我在房间里正煮面条，电话响了。我拿起电话还没来得及问是谁，姚森抢先说话了。

“庆堂，明天我就回国了，你多保重自己！”

我没敢提起丹阳找她兴师问罪的事，也没敢提起高团长来过电话，我不愿意因为这件事破坏我在姚森心目中的形象，但是我提到了手机。

“姚森，别提了，你送我的手机被丹阳发现了，为这事她与我大吵了一架，这不，气哼哼地回国了。”

“看来，这个朋友是做不成了。庆堂，你是不是很为难？”

“姚森，我不希望这种事搞得很复杂！”我担心地说。

“放心吧，我会保护你的！答应我好好照顾自己！”姚森笑了笑说。

我为姚森的善解人意而感动。打完告别电话，我陷入沉思。这些年我一直在爱情游戏中挣扎，爱情让我欣喜，让我忧伤；让我快乐，让我悲痛;让我费尽思量,欲罢不能。我知道这样的生活迟早要结束,只是不知道何时结束,以什么样的方式结束。

55. 梦圆

姚淼回国后,我把全部精力投入到了海绵窦肿瘤的研究之中,简直到了废寝忘食的地步。在内滕胜教授的指导下,我发现接触式激光可以通过光导纤维,经红外线处理的蓝宝石探头直接接触脑肿瘤组织,比非接触式激光手感强,有很好的反馈效应,能控制切割、分离肿瘤组织。接触式激光加上显微手术可以更精细准确地切除病灶,减少牵拉,有利于保护周围的血管及神经。

此时,接触式激光刚刚在日本起步,我应用我的研究成果全切了几例几乎无法全切的海绵窦肿瘤,并将研究成果以论文的形式发表在日本神经外科权威期刊《脑外科》上,引起大阪市立大学医学院的高度重视。

回国前夕,内藤胜教授受医学院院长衫本孝的委托,把我叫到办公室谈了一次话,希望我能留在大阪市立大学医学院,待遇优厚。我心里虽然很舍不得这里先进的外科技术,并总觉得还有很多东西没有学到手,但是,对祖国和亲人的思念早就让我归心似箭了。

回国前,我请杉本孝先生、内藤胜先生和马登吃了饭,感谢他们一年来对我的关照。席间,杉本孝先生表示,大阪市立大学医学院永远欢迎我。我听了以后心里很感动。

回国那天,马登送我,在机场,这小子很激动,与我热烈拥抱,几乎流了泪。我知道日本之行是我人生的重要经历,匆匆一别不知何时能再与老同学相见。

飞机飞翔在万里白云之上。我从机窗望出去,白云之上太阳光亮光亮的,云像散开的棉花,让人有一种跳下去便会融化的感觉。向远望去,湛蓝湛蓝的天有一种空灵的气象,蓝的边缘有一抹发红的黄,让人想到佛光。这佛光顺着阳光射入飞机的窗户,我觉得这光线穿透了自己的灵魂。

突然,太阳被黑灰色的云遮住了,不一会儿,太阳又冲破云层,云散处向下望去,河流宛若少女的发带从天上飘落下去,在大地上蜿蜒地伸展。

庞大的机身穿过厚厚的白云,俯身向东州机场降落。

我万万没有想到,当我走出机舱时,常院长、穆主任、蔡教授、蒋叶真、罗元文都站在廊桥前迎接我，谢丹阳一只手领着雪儿，另一只手捧着鲜花迎接我。我心想，这还是丹阳第一次在我面前显示神通。我接过丹阳递上来的鲜花，三步并作两步与常院长和穆主任、蔡教授握手。

“庆堂啊，欢迎你回到祖国！”常院长热情地问候道。

“常院长，您怎么能亲自来接我？”我激动得不知道怎么说才好。

“你出国学习，不仅学有所成，还给院里带回来个宝贝，难能可贵啊！我来接你是院党委的决定！”

这时，丹阳走过来说：“常院长，机场贵宾室我安排好了，大家到贵宾室坐坐吧。”

“好，还是丹阳想得周到。穆主任、蔡教授，走吧，咱们到贵宾室坐坐，你们师生也叙叙旧。”

众人一边走，我一边问：“蔡老师，您怎么知道我今天回国？”

“我呀看到了你在日本权威期刊《脑外科》上发表的论文，非常激动，这是一篇有可能让国际同行刮目相看的论文，你从跟我读硕士研究生时，就致力于攻破海绵窦禁区，今天看来你终有所成就啊。我一高兴就给叶真打了电话，问你什么时候回来。叶真就给常院长打了电话，才知道你今天回来。庆堂，听说你还为院里捐赠了一台激光手术刀，老师我真为你高兴啊！”

“庆堂，蔡老师非要来接你，我拦都拦不住！”蒋叶真插嘴说。

这时候众人走到贵宾室门前，常院长将手一让说：“蒋厅长，请！”

我听了一愣，问：“叶真，这么说你升任卫生厅厅长了？”

“是副厅长。怎么，庆堂，只许你取得成绩，不许我有点进步？”蒋叶真骄傲地说。

大家一听哈哈大笑。众人坐定，穆主任说：“庆堂，昨天晚上，我和蔡教授通了个电话，都为你在海绵窦这个禁区取得的成绩而高兴。我估计这篇文章可能引起世界神经外科联合会的关注，我和蔡教授都希望你能以此为契机，在世界神经外科领域占有一席之地啊！”

“是啊，这才是长江后浪推前浪啊！”蔡教授高兴地说。

“庆堂，你走以后，神经外科少了一员大将，可把穆主任、曲副主任和我累坏了。你这一回来好了，穆主任也可以歇歇了。”罗元文用领导式的口气说。

我在日本时就听说罗元文已经升任神经外科副主任了。这时，雪儿从丹阳怀里挣脱出来,步履蹒跚地向我走来。

“爸爸,昨天晚上妈妈哭了。”

我把雪儿抱在怀里问:“妈妈怎么哭了?”

“想爸爸想得呗!”

众人听后开怀大笑。

丹阳轻轻地拍了拍雪儿的屁股嗔道:“小坏蛋,不许胡说!”

我心里清楚,丹阳一定是听到我要回来高兴得落了泪。我心中感动之余,总觉得少了一个人,如果她也能来接我该多好啊!但是她不能,不过我相信姚淼肯定来了,她就在附近的什么地方看着我。

最后,常院长笑着说:“好了,还是把时间留给你们小两口吧,久别胜新婚啊!”

走出机场候机大厅,众人纷纷上了车,没想到丹阳也开上了车,是一辆红色本田。我抱着女儿坐在副驾驶的位置上,看着老婆开车心里美滋滋的。

丹阳做梦都想住大房子、开豪华车,原来指望我为她创造这一切,现在看来,丹阳自己通过努力,正越来越接近目标了。

第七章　万颅之魂

56. 狐狸精

上班后，看到罗元文摆神经外科副主任的派头，我心里很不是滋味。人生就是这样，有所得必有所失。自从何慧慧当上了市电视台广告部主任后，罗元文像是很有钱的样子，每天上下班都开着别克轿车，春风得意。

蒋叶真升任省卫生厅副厅长是我意料之中的事。这就是蒋叶真的理想。这理想中不仅有家庭的言传身教，也有天性使然。不过，我没想到她会升得这么快，蒋叶真成了全省最年轻的副厅长，而且是全省最年轻的女厅级干部。

我知道，蒋叶真在政治上还有更大的抱负，我不知道她为了这抱负会不会付出代价。但是，我坚信一定会有代价的，因为一旦有了这种理想便像吸了毒的人，生理瘾好戒，心理瘾要戒却难上加难。

由于生意上需要蒋叶真帮忙，所以谢丹阳与蒋叶真打得火热。蒋姐长真姐短地一起美容、一起逛街，好像亲姐妹一样。蒋叶真是天生从政的女人，她常说，女人从政使政坛人性化了。殊不知由于男权社会的强大，女性在政坛的这种所谓人性化，越来越趋于中性甚至男性化。

不过，蒋叶真一方面向往权力，一方面向往做女人的这种矛盾心理，让她耐不住寂寞，她羡慕谢丹阳做女人的潇洒，两个女人逛街，谢丹阳是喜欢啥就买啥，蒋叶真是喜欢啥就试啥，就是不买，因为很多服饰和化妆品适合女人但不适合女干部，这不免让蒋叶真内心深处有几分失落。

我回国后，谢丹阳背着我又找过一次姚森，还是劝姚森知难而退，事后我知道姚森并未让步，因为姚森知道，谢丹阳不能怎么样她，她心里没愧，大不了朋友不做了。两个人吵了一通后，想起这么多年的友谊，又舍不得对方，最后，两个人抱头哭了一场，女人总是要靠眼泪来缓解困境、安抚心灵，风波就算平息了，两个人还是好朋友。只是不像以前那样隔三差五不见面就想，现在是十天半个月不见面也没个电话，毕竟心里有了隔膜。

谢丹阳知道自己最好的朋友爱上自己的老公了，此事不能不防，可是防人防不了心，唯一的办法就是死看死守。

每天晚上我下班回家，谢丹阳都会编出许多瞎话来诈我，说什么今天进你办公室的那个女孩是谁？前天陪你去市图书馆的那个女孩是谁？

起初我被她诈得晕头转向，后脖梗子直冒冷汗，后来我弄明白她是编这些瞎话敲打我，给我提个醒，时间长了我就当笑话。

不过，谢丹阳的心胸还是挺宽的，有一次，曲中谦的小老婆王凤莹向她求教。

"丹阳，老公在外面鬼混，万一堵在床上怎么办？"

"你傻呀？堵在床上，以后的日子还怎么过？"谢丹阳支招儿说，"唯一的办法就是躲开，装没看见。"

"可是我不甘心呀！这种事怎么能忍受？"

"不愿意受着，你就去堵，看最后倒霉的是谁！"

"大不了离婚！"

"离婚？你舍得？你这等于给人家主动让位，人家求之不得呢！"

"那怎么办？就这么受着？"

"办法只有一个。"谢丹阳诡谲地说。

"什么办法？"王凤莹以为谢丹阳会给她灵丹妙药。

"一边宠着他，一边死看死守！不给他接触那个女人的机会。"

"丹阳，看住了人，看不住心啊！"王凤莹失望地说。

我知道王凤莹这话是有所指的，因为最近曲中谦与赵雨秋的暧昧关系越来越公开，王凤莹几乎忍无可忍了。可王凤莹还是没有听谢丹阳的劝，与赵雨秋的矛盾终于爆发了。

那是星期五的中午，王凤莹从单位赶来与曲中谦吃午饭，在医院走廊里碰上了赵雨秋，两个女人相向而走，怒目而视，王凤莹忍不住骂了一声"臭婊子"，战争终于爆发了。

赵雨秋对王凤莹也早就忍无可忍，曲中谦离婚后，她本以为能与自己结婚，结果半路杀出个程咬金，而且还背了个杀夫的嫌疑，赵雨秋恨王凤莹，没有她，曲中谦一定会娶自己的。曲中谦没有娶赵雨秋也透着诡道，他知道赵雨秋天生就是做情人的坯子，不是做老婆的料，一旦娶了她，她身上的那股骚劲儿就会变味儿，这是曲中谦不愿意看到的。

赵雨秋听到王凤莹在骂自己，马上还了嘴。

"你骂谁呢？"

"谁接话我就骂谁呢！臭婊子。"

"你骂谁臭婊子呢？你才是名副其实的臭婊子呢！老公躺在病床上就偷鸡摸狗，整个一个狐狸精！"

"你骂谁狐狸精？狐狸精也没有你骚！"

赵雨秋上前几步揪住王凤莹的脖领子"啪"地扇了一个耳光，一边扇还一边骂："我打死你个臭不要脸的！"

王凤莹没想到赵雨秋会动手，她回手也扇了赵雨秋一个耳光，一边扇也一边骂道："你个骚货还敢打人，我今天就好好教训教训你！"

两个人就你扇我一个耳光，我扇你一个耳光，嘴里都骂着难听的话。

病房里的陪护、家属围上来一大堆人，也只是看热闹，医生、护士都知道她们之间的恩怨，不好去劝，都远远地看着。

此时坐在办公室里的曲中谦早就知道了外面发生的事，怕两个女人打到办公室里来，便从楼梯悄悄地溜走了。

王凤莹毕竟长了赵雨秋十岁，打着打着便处于劣势，只有挨打的份儿没有了还手的机会，护士长陈小柔实在看不下去了，她冲进人群奋力将赵雨秋拽走，这才解了围。

赵雨秋一边走一边还骂："打死你这个臭婊子！"

王凤莹不依不饶地追过来，"狐狸精，我跟你没完！"护士们见护士长出面了，也纷纷上前劝架，嫂子长嫂子短地把王凤莹拽走了。

围观的人议论纷纷，说啥的都有，在神经外科住院的病人少则半个月、多则几个月，陪护的家属对医生、护士的医术为人，心里都有一本账，当然对曲中谦和赵雨秋的暧昧关系也非常清楚。一个是曲副主任的老婆，一个是情人，这种架没人敢劝，向着谁也不是，病人家属为了病人，没人敢得罪神经外科副主任，何况曲中谦非常有可能接替老主任穆怀中，更不敢得罪赵雨秋，医生护士都知道赵雨秋凡事都要拔个尖儿。

陈小柔将赵雨秋拽到护士办公室，六七个护士正在吃饭。

赵雨秋进门就说："姐妹们，我周末到上海购物，哪位姐妹捎东西吱声啊！"

众人知道她刚打完架，为了岔开话题给她个台阶，都七嘴八舌地开了腔，有要服装的，有要化妆品的，众人都相信，赵雨秋说周末去上海购物，她就会去。因为大家试过不止一次了。

护士们很羡慕赵雨秋活得这个潇洒劲儿。论财力谁也不如她，因为赵雨秋有两个男人宠着、爱着，这两个男人是很舍得给赵雨秋花钱的，她还有一家很赚钱的酒吧，再者说，谁也没有赵雨秋这种越轨的胆量。因为这些护士不是父母有地位，就是丈夫、公公有身份，当然放不开，而这也是赵雨秋耿耿于怀的，她本来也想找一个露脸的丈夫，但苦于没有缘分，自己一直觉得是世界上最命苦的人。

其实赵雨秋骨子里也瞧不起像陈小柔这样的女人，丈夫是军队的大校，但贵而不富，还有一些护士穿着劣质的内衣，涂着国际名牌口红，在公共汽车上挤了一身臭汗，揣着精打细算的一点钱，却要坐在爱华的非洲风情酒吧里喝一杯摩卡咖啡。

在所有的护士中，赵雨秋无疑是最时尚的。这些年，她一直咬着牙使劲让自己活得像个真正的小资，在潮流面前，她一直站在最前沿保持独特性，她对时髦有着超凡的领悟能力，由于总脱不了俗，所以不仅不能将时尚推至精华，有时还对时尚起到破坏作用。这就使她在护士中有些出众，这种出众时不时会引起同事的妒意，但赵雨秋都能凭借自己的大方化解掉。她知道人心是要收买的，没有哪个护士没得过她的好处，有的人用的是她送的高档口红，还有的人穿着她送的高档丝袜。

赵雨秋时常在镜子前为自己身上流淌着的矫揉造作之美而得意，她终于觉得自己也有资格直着腰做人，也的确有的小护士惊羡赵雨秋脚上穿的高档皮鞋，显得那么贵族。

赵雨秋说到做到，星期一早晨一上班，她就拎着大包小裹走进办公室，姐妹们便唧唧喳喳地领取自己的东西。

赵雨秋是极会买东西的女人，这种独特的审美能力从没有受过什么教育，唯一的老师就是马路上的时尚。

赵雨秋对时装天生的悟性掩饰了小时候困窘生活留下的粗俗烙印。但掩饰归掩饰。这种粗俗毕竟是她的底色,终究是要暴露的,与王凤莹打架就是例证。

王凤莹在医院受了委屈,回到家里自然不会饶过曲中谦,她摔锅砸碗闹了一宿,搞得四邻不安,弄得曲中谦见了邻里抬不起头来。每天上班都要早走几分钟或晚到几分钟,因为怕碰见熟人不好意思。

57. 错

院里的宿舍楼盖得很有档次,这是我到北方医科大学附属医院工作以来第一次盖新楼,职工们盼住新楼望眼欲穿。罗元文在海边已经买了别墅,根本不缺房,按道理我也不缺房,因为谢丹阳开公司后不仅买了车,还在市中心地段买了半跃式住宅,但我们一直没搬,因为我上下班不方便。当然曲中谦是以旧换新,总之,没有人不愿意要院里的房子。

房子终于分到手了,但我、罗元文、曲中谦都不太满意。因为我们都分到了一号楼二单元,我在二楼,罗元文在三楼,曲中谦在四楼。我们不满意是因为二单元正对着医院的太平间。

我和曲中谦是常住在这里的,一楼是骨科的一位副主任医师,五楼是胸外科的一位副主任,有人说住这个单元的人有福气,每天都能看见棺材,一定会升官的。曲中谦爱听这话,他惦记当神经外科主任不是一天两天的事了。

分到房子毕竟是乔迁之喜,爱华请我和罗元文吃饭表示祝贺。罗元文提议,光我们仨没意思,找几个女伴儿,但不许找老婆。

爱华先给赵雨秋打了电话,我想给姚淼打电话,但怕赵雨秋的破嘴向谢丹阳说三道四,便给蒋叶真打了电话。

蒋叶真升任省卫生厅副厅长,我还一直没为她庆贺过,我知道她非常希望得到我的祝福。再者说,蒋叶真现在的身份也能镇住赵雨秋的破嘴。

罗元文找的女孩我从来没见过。这小子也没和我提过,看来是新勾搭上的,看样子像个三陪小姐,长得十分娇媚,打扮得很前卫,身穿黄色吊带裙,露出雪白的乳沟,在左乳上方文了一朵精致的红牡丹,我知道罗元文最近经常出入歌舞厅、桑拿浴,联系了不少这种女孩。结果他介绍说这个女孩叫欧阳梅。

“是写《恋爱宝贝》的欧阳梅吗?”我诧异地问。

“正是。”罗元文得意地说。

原来眼前的女孩竟然是红遍大江南北引起争议的美女作家欧阳梅。媒体称她是用身体写作的典型代表,还说她是下半身主义。网上有很多她的照片,清纯、妩媚、高贵,一个活色生香的女孩足可以让人眼花缭乱,何况还有作家的身份。她的小说里充满了迅速短暂的爱情和性爱。

“元文,这丫头你是怎么认识的?”我小声问。

“她头疼找我看病时就认识了。”罗元文诡谲地说。

聚会定在了春光灿烂大酒店,这里不仅饭菜有特色,音响效果也极好。蒋叶真没想到我能打电话请她吃饭,很兴奋的样子。

赵雨秋、罗元文见了蒋叶真都有些拘束,张口一个蒋厅长,闭口一个蒋厅长。罗元文还有些卑躬屈膝。我心里明白,别看这小子当上神经外科副主任时间不长,心里已经开始琢磨接穆主任的班了,爱华也没太放得开。我心想,蒋叶真至于让你们这么拘束吗?

“各位,叶真不是外人,她是我师妹,你们别厅长、长厅长短的好不好,都叫叶真!”我打圆场地说。

蒋叶真也想放松,自己虽然是领导,但在这些人面前摆架子也没什么意思,更何况平时工作就够累人的了,她知道我是个不争权夺利的人,所以也很放得开。她一放开,大家也开始放松,欧阳梅是最活跃的一个。

“欧阳梅,你不觉得美女作家的称呼有点暧昧吗?”蒋叶真饶有兴趣地问。

“美不美大家心里都清楚,再嚷嚷也没用,每个女人心里都渴望被别人赞扬‘美’,这‘美’有多种可能,有天生丽质的美、有内心世界的美、有感觉灵敏的销魂美、有暧昧摄魂的性感美。有人说,我是文学之树上的怪花,还有人说是树边的毒草,既然证明不了自己的清白,就让自己罪有应得好了。”欧阳梅用特立独行的语气说。

“为什么你的小说里的痛苦、爱情都是病态的?”我插嘴问。

“我发现所有名著都有一个主题,那就是通奸,通奸就是病态!大家都病了,唯独你没病,你就是另类。我们现在看到,作家病了、媒体病了、批评家病了、读者病了,当然有很多人知道自己病了,因为他们还知道寻找良药。”欧阳梅的回答像个哲学家。

“欧阳梅,读你的小说,我有个感觉,好像你对男人很了解呀!一定有很多男人追你吧？”赵雨秋用崇拜的口气问。

“男人不喜欢你，就不会想和你做朋友，喜欢你就不仅仅想和你做朋友。其实真正有魅力、有品位的男人会明白，在这世界上，多数女人对他而言可以弄上床，少数女人可以让他上眼，极少数女人能够让他上心。”

我听了欧阳梅的话，心想，这个女子可真是个尤物，竟然深谙男人的心理。

“欧阳梅，依我看啊，男人对偷情最上心！”赵雨秋有口无心地说。

“其实做情人的女人是最贪心的，比妓女贪心得多，妓女要的不过是钱，情人不仅要钱，还要感情，要宠爱。蒋厅长这么漂亮有情人吗？”欧阳梅口无遮拦地问。

“那是你们美女作家的专利，我可不会写小说。”蒋叶真不太自然地说。

赵雨秋和欧阳梅似乎很谈得来，我知道这是她给罗元文面子，罗元文毕竟是科里的领导，而罗元文之所以不避讳赵雨秋和蒋叶真，敢带欧阳梅来，是因为他知道大家都有小辫子，谁也别笑话谁！此时，欧阳梅的表现让他很得意。

爱华一直很沉默，我端起酒杯，单独敬了他一杯。

“兄弟，为什么愁眉苦脸的？”我关切地问。

“最近我父亲给我来了封信，说母亲身体非常不好，希望我能回国。”爱华眉头紧锁地说。

“爱华，你没有兄弟姐妹吗？”罗元文关心地问。

“没有，母亲生我时难产，大出血，生完我就再也不能生育了。”爱华无奈地说。

“爱华，你父亲没说你母亲得了什么病？”我试探地问。

“母亲在给病人做手术时不幸感染了艾滋病，已经开始发病了，母亲非常想念中国，可是得了这种病……”爱华痛苦地说。

众人无不惊讶！

“你母亲是中国人？”蒋叶真惊讶地问。

“对。”

“怪不得你的名字叫爱华。”欧阳梅插嘴说。

“现在有很多办法可以抑制艾滋病病毒的发展，比如说鸡尾酒疗法，就没想点好办法？”蒋叶真同情地说。

“他父亲就是艾滋病专家。”赵雨秋插嘴说。

“那你为什么不回国?”我不解地问。

“我想为母亲带回去一位中国儿媳妇!”爱华凝视着赵雨秋说。

“你的意中人是谁呀?”欧阳梅颇感兴趣地问。

“雨秋!”爱华毫不掩饰地说。

“美的你,你凭什么娶我?”赵雨秋愠怒地问道。

“凭着我爱你的这颗心!”爱华认真地说。

“这话真让人感动,”欧阳梅插话道,“元文,啥时候你对我说这些话我就知足了。”

我听欧阳梅说这话,知道两个人的关系已经不一般了。我用眼角使劲看了蒋叶真一眼,发现她的素淡里仍有几分艳丽,只是这艳丽被几分官气遮掩,让人觉得怪怪的,这艳丽就成了哀艳了。

酒喝到了月上柳梢头才散,赵雨秋坐着爱华的车回了非洲风情酒吧。欧阳梅自然上了罗元文的车,看罗元文的架势是冲某个五星级酒店开房去了。我老觉得罗元文在玩火。

蒋叶真开了一辆奥迪车,她停在我跟前,顺手开了副驾驶的门,我二话没说上了车。

“庆堂,天还早,换个地方坐坐怎么样?”蒋叶真一边开车一边问。

“除了酒吧、茶馆,就是夜总会,没意思,”我惆怅地说,“还是去海边坐坐吧。”

蒋叶真将车开往环海路,夜风习习,空气中有股咸咸的味道。

“小兰这丫头还省心吗?”我关心地问。

“当然,读高一了,这孩子不仅懂事,学习还特别好。”

“将来考大学,想让她学什么专业?”

“神经外科,庆堂,将来就让她做你的学生吧?”蒋叶真毫不犹豫地说。

我理解蒋叶真的心情,隐隐感到她这辈子有没能搞上专业的遗憾。

车停在了环海路星海桥附近,我一下子想起了我和姚淼的第一次,也是这样的月亮,也是这样的季节,那至纯至真的情感,大海是可以作证的。

蒋叶真见我发呆,温声问:“庆堂,想什么呢?”

“没想什么,下去走走吧。”我被问得一愣神。

我们手里拎着鞋,光脚走在沙滩上。夜海如墨,海风振衣,我们走了很久,突然,蒋叶真紧紧抱住我,让我有些措手不及。

"庆堂,我真后悔当初离开了你,"蒋叶真哽噎着说,"现在懂得什么是爱了,可是已经晚了。"

"怎么了? 叶真!"我隐隐感到蒋叶真心里有事。

"我和苏洋离婚了!"

我怔了半天,心想,叶真和苏洋的婚姻从一开始就是个错误,蒋叶真趴在我的肩上抽泣,眼泪在静静地流,一滴滴打湿了我的脖颈。

"叶真,别这样,一切往前看!"我拍了拍叶真的肩膀,安慰道。

"庆堂,我好怕,看不到前面的光!"

我能理解蒋叶真离婚后内心的苦,但时过境迁,我们之间已经谈不上什么爱,只是还留着一份亲情。

望着夜色中泪眼涟涟的蒋叶真,一种无名的痛从心中升起。人的感情到底怎么了? 真正的爱情真的没有前途吗? 我想起爱华、曲中谦和赵雨秋的关系,想起何慧慧、欧阳梅和罗元文的关系,又联想到我和姚淼、丹阳的感情纠葛,内心充满了无奈,我不知道到底是谁错了,是人性错了? 还是道德错了? 或许都错了。

58. 约会

半个月后的一个下午,穆主任打电话把我叫到他的办公室。

"庆堂啊,我的身体一天不如一天,很快就会退下来,"穆主任慈祥地说,"接下来就看你和元文的了,我已经推荐你担任神经外科副主任,院里同意了,一会儿你到常院长办公室去一趟,他代表组织和你谈话。"

我望着老人家苍老的脸和疲惫的神情,心中油然而生出感激之情。

"穆主任,您的身体还好吧?"我关切地问。

"你知道,咱们做医生的向来是自己的刀削不了自己的把,"穆主任慨叹道,"我再做一例手术就满一万例了,做完这一例手术就可以收山了。"

"穆主任,我建议您做一例普通手术画个圆满的句号。"

"庆堂,你的意思我理解,做一例普通手术给我老头一生画上个圆满的句号,可我不是贪图这种虚名的人。我给你讲过多少遍,做医生不能考虑个人得失,医生的职责就是为了解除病人的痛苦,挽救他的生命,只要尽到了职责,失败了也得承受。这一点你们年轻人要切记呀!"

我听了穆主任的话心里有些惭愧。穆主任催我去见常院长,我只好告辞。刚离开穆主任的办公室，我就接到姚淼的电话。

“庆堂，我要去云南采风，准备挖掘一些反映少数民族精髓的民族舞蹈，大概需要一年，”姚淼语气有些伤感地说，“明天就走，晚上见个面吧。”

自从谢丹阳发现我和姚淼关系暧昧后，一直盯得很紧，所以我们见面要很谨慎。姚淼要去云南一年，我当然舍不得她走，这个面是必须见的，我们定在晚上六点钟在姚淼家里见面，这样可以避免碰到熟人。

我走进常院长办公室时，他正和夫人通电话。他示意我坐在沙发上。

“这孩子真让人操碎了心，”我听常院长说，“老伴儿，别上火了，抽空我和神经外科的几个主任研究一下，看他们有没有什么办法。”

常院长放下电话，走过来坐下，递给我一支烟。

“常院长，孩子怎么了？”我关切地问。

常院长痛苦地摇摇头说：“这小子不学好，染上了毒瘾，逼他戒了好几次了，戒不掉，搞得老婆离婚，孩子没爹没娘，只好由我老伴儿带。庆堂，我最近看到美国、俄罗斯关于手术戒毒的报道。不知道你们神经外科能不能在这方面做一些尝试？”

“我在日本时也看到过这方面的报道，”我谨慎地说，“手术戒毒属于立体定向及功能性神经外科范畴，是前沿科学，我们还从没有尝试过。”

“院里已经决定你任神经外科副主任，院党委对你寄予厚望，希望你以后能够挑起大梁啊！”常院长语重心长地说，“另外，你和穆主任商量一下，看能不能在手术戒毒方面做一些尝试？干脆就拿我儿子开刀吧。”

“常院长，手术戒毒的关键是找准靶点，对人才和设备的要求很高，”我慎重地说，“一旦找不准靶点，后果不堪设想，我看还是等我们有了重大突破再给你儿子做吧。”

“我把儿子交给你们，一是我信任你们，另一个是一旦成功会大振医院的声誉。”常院长鼓励说，“下决心干吧。”

我看常院长态度坚决，也不好再说什么，只是觉得刚上任就接了这么重大的课题，压力很大。

从院长办公室出来已经是黄昏时分，想到与姚淼的约会，便回家换了身衣服。谢丹阳自从做了生意后每天都回来得很晚，有时甚至一身酒气。我们吵了很多次，但没有用，索性我也不再管她，心里想顺其自然吧。

我在医院附近的鲜花店买了一束红玫瑰，打车直奔姚淼的家。说实在的，每次见姚淼前，心灵深处都涌动着一股神秘的冲动。这种冲动让心荡漾、让心灿烂，犹如月色掠过心头。我常想，只要这个美丽的女人活在我的心灵深处，即使让心死去，也会灿烂幸福。

车到姚淼家楼下，我做贼似的看了四周一眼，总怕丹阳又安插什么侦探。姚淼家就在省歌舞团院内家属区，由于院里大多是搞艺术的，个个气质非凡。

来到姚淼家门前，按了门铃，好半天姚淼才开门。我知道女人在见心爱的男人之前一定要先照照镜子，梳妆满意了才会开门。

门开了，一股闺房特有的馨香扑面而来，姚淼穿了一袭粉红色的睡衣，亭亭玉立地站在我面前，深情地望着我，那双水汪汪的大眼睛摄魂夺魄，似水幽深。

我把玫瑰花递给她。她接过花在我的唇上轻轻地吻了一下，然后拉着我的手走进客厅。这是一套两室两厅的住房，有一百三十平米，客厅里除了沙发、地毯、彩电外，还有一架钢琴。姚淼将茶几上花瓶中的旧花去掉，换上我刚送的玫瑰。这是我第一次到姚淼家，环顾四周，发现墙上挂满了一对舞者的艺术照。

"宝贝儿，这墙上挂的是你的父母吧？"我好奇地问。

"这是我爸爸妈妈共同创作的双人舞蹈《飞天》，当时拿了全国舞蹈大赛的大奖。"

"你妈妈可真漂亮，像天女下凡一样，这好像表现的是敦煌。"

"这就是以敦煌壁画中飞天乐舞伎的形态为主要素材，同时还吸取了传统戏曲中的身段、舞步和长袖舞的技巧创作的，长袖是作为飞天女神纤纤玉臂的延伸，借此营造出仙境空灵的氛围。妈妈手中那两条翩翩飞舞的彩带仿佛是飘逸的云霞，可以把观众带到云霞缥缈的仙境。"姚淼自豪地说。

"你爸爸妈妈可真了不起！"我由衷地赞叹道。

"可是他们已经离开我十多年了！"

我听了以后心里微微一震，我几乎忘了姚淼是个孤儿。

姚淼剥了一瓣橘子放在我的嘴里，让我坐在二人沙发上，她深情地望着我，直到我将嘴里的橘子咽下。

"淼，看墙上这些照片就知道你父母是团里的台柱子。"

"我父亲不仅舞跳得好，而且很擅长创作，母亲天生就是跳舞的。"姚淼自豪地说。

“怪不得你既能编舞又能跳舞,原来是有遗传的。”

“我这次去云南,就是要完成爸爸妈妈的一个心愿。”姚淼深沉地说,“中华民族舞蹈的根在民间,爸爸妈妈一直想将少数民族快失传的和最精髓的舞蹈挖掘出来,搬上舞台。那次去美国准备回来后就做这件事,结果却出了车祸。我几次向团里申请做这个项目,高团长也想做,但是几次向省文化厅申请资金,厅里一直说没有经费。我一气之下辞了职,准备一个人自费去云南采风,一定要完成爸爸妈妈的心愿。”

“姚淼,你辞职了!?”我惊讶地问。

“辞职了有什么大惊小怪的?将来我自己要组建一个舞蹈团,全国巡回演出。”

“高团长和毕大姐能舍得你走?”

“他们理解我的心情,知道我是要完成爸爸妈妈的心愿,很支持我,还说团里我随时可以回去。”

“淼,你一个人去云南,我实在是不放心!”

“没事的,西藏我一个人去就过四次,再者说,云南的朋友会帮助我的!我在云南有许多少数民族朋友。”

我心想,我爱的两个女人怎么都辞职了?这难道是一种天意?我不想多想,只觉得姚淼要离开自己一年,心里舍不得。

“我想你怎么办?”

“傻瓜,你可以利用休假时间去看我呀!”

“我知道舞蹈是你的生命!”我喃喃地说。

“我的生命由两部分组成,一部分是舞蹈,另一部分就是你!”

“淼,我对你真的这么重要?”

“你是我的魔鬼!”

“淼,今夜我不关心人类,我只想你!”

“庆堂,今夜我什么也不爱,只有你除外!”

“宝贝儿,我饿了。”

“馋鬼,”姚淼用手指点了一下我的额头说,“就知道吃。”

姚淼拉着我的手去了餐厅,餐桌上摆满了好吃的饭菜,还有一瓶红酒。我上手就抓了一块火腿,她打了我的手。

“不讲卫生,先洗手。”

那语气就像在说一个淘气的男孩。我们互相敬了酒,就像夫妻一样,我们都感觉像结婚多年的夫妻，这种感觉让我们都很放松。我们一边吃饭一边讲自己的故事。

“庆堂，你虽然是我的生命，却不是我爱上的第一个男人。”

“你第一个爱上的男人是什么样？现在在哪儿？”

“他是我爸爸妈妈的同事，我十五岁就爱上他了，当时他二十五岁。他英俊潇洒，是我爸爸妈妈最好的朋友。常到我家来玩，说实在的，我真正爱上舞蹈是受他的影响，可惜人生有太多的悲剧，”姚淼伤感地说，“那年他和我爸爸妈妈一起去美国演出，和我爸爸妈妈一起死于车祸，那年是我痛不欲生的一年，天天陪着我的就是谢丹阳，我和丹阳之间的友谊就是在那段日子里升华的。”

姚淼的语气仿佛玫瑰上的刺划破了她的每一寸肌肤，我几乎嫉妒起这个死去的男人，看得出，至今姚淼也没有忘记他。其实，只要是真爱，就永远也不会从心中抹去。

“庆堂，听丹阳说，曾经有个女孩为你殉情了？到底是怎么回事？”

我便一下子又想起了小月。这些年为了事业而奔波忙碌，小月已经被我忘记了。姚淼这么一问，我心里一阵暗淡，往事却一下子涌上心头。我索性敞开心扉，讲述了我和小月的故事。

姚淼听得很认真，甚至流出了晶莹的眼泪。我一边讲一边在她的眼泪中摇曳，最后声音也恍惚起来。

“小月是个视爱情为理想的女孩，你们之间虽然是个悲剧，但这悲剧是可以理解的，是可以原谅的！”

“小月是含恨而死的。”我沮丧地说。

“不见得，她的梦虽短，但很幸福！”

我被姚淼的话所感动，眼睛也有了些模糊。

“那个被小月看见的女孩就是蒋叶真吧？”姚淼揣度着问。

我心里微微一震，这些陈年旧事一直躲在我心灵深处的角落里，虽然偶尔抛一下风情的媚眼，但都不堪细想，今天却被姚淼问得黯然神伤。我无勇气再细说，便只好点点头。

“你和蒋叶真不成是天意，”姚淼淡淡地说，“你们本来就不是一种人。”

我惊诧了，眼前的女人不仅容貌秀丽、皮肤白皙，而且还有一对坚强的眉毛和深情的眼睛……这眼睛摄人魂魄，由不得你不吐露心声，但这心声吐出后，我便后悔了，一个男人在一个女人面前应该保持一定的神秘感，而我却完全暴露了，这就像天平失衡，我这头明显变轻。

姚淼听了我的故事很长时间没有说话，这种沉默让我感到诚惶诚恐。这时我不经意间放了个屁，这是个意外，本应该憋住的，但由于心虚，便一不小心放了出去，而且出奇地响。姚淼"扑哧"一声笑了。

"听声音不像本地人。"

我也被她的幽默逗笑了，僵局便这样被打破了。我赶紧借台阶敬酒。

"你有勇气说出来就说明你心里没鬼，本小姐就既往不咎了。"姚淼像发布特赦令的女皇。

几杯酒下肚，血往上涌，心里很豁朗。姚淼得知我荣升神经外科副主任也很高兴，只是要离开我一年，有些伤感。这种伤感是那种温馨的，适合男人安慰的。这种安慰本身就透着幸福。

我将她揽在怀里，用唇吻她的眼泪，就仿佛我是深潭，而她是这潭水中自由自在的小鱼。红酒为她白皙的脸庞增添了一层红晕，这红晕美得让人心醉，我情不自禁地吻在她的樱唇上，暮色一点点进来，将屋子蒙上了一层暗，我就像嘴含禁果的亚当，颤抖着体味那爆发的感觉。

59. 第三者

穆主任对常院长的提议很重视，自己亲自牵头成立了立体定向手术戒毒研究小组，组员有曲中谦、罗元文和我。

在查阅大量资料的基础上，我们首先进行了大量的动物实验，建立了大鼠心理依赖模型，并进行了手术戒毒治疗最佳靶点的筛选，然后走访了全国著名的戒毒所，在此基础上建立了灵长类——猕猴的动物模型及心理依赖模型。

大量的动物实验，为手术戒毒奠定了坚实的基础。然而，研究小组在最关键的时刻，遇到了技术难题。手术戒毒类似于导弹的精确制导，要求定位误差不超过一毫米。为了达到这一精度，必须利用先进的影像设备及立体定向仪来选择和定位靶点。这些定位设备包括螺旋CT、1.5T磁共振成像系统、脑磁图以及精确度高的全自动手术导航系统和立体定向仪等。为了解决病灶定位问题，最关键的设备是当今神经外科领域的尖端设备——脑磁图，这是最先进的颅内定位设备。面对这一难题，曲中谦先打了退堂鼓。

“穆主任，没有脑磁图，颅内定位就不会准确，这万一把常院长的儿子做瘫了，咱们可担不起这个责任啊！”曲中谦担心地说。

“穆主任，”罗元文试探地问，“院里有没有可能进一台脑磁图？”

“一台脑磁图三千多万，院里一时拿不出这笔钱，”穆主任若有所思地说，“除非我们成功地完成几例戒毒手术，如果我们手术戒毒获得圆满成功，这将是广大吸毒患者的福音啊！”

“穆主任，想法好不等于事儿能办好，您再做一例手术就是一万例了，本来可以有一个圆满的结局，万一这例手术失败，岂不是毁了您的一世英名吗？”曲中谦提示说。

“中谦，我谢谢你的好意，做外科医生的就忌讳私心杂念，”穆主任冷冷地说，“上世纪五六十年代的时候，条件那么艰苦，我们不也走过来了吗？我们只要全力攻关，相信会有办法的。”

说实话，我心里也为穆主任捏把汗，但老人一辈子不服输，不知攻克了多少难关，我看穆主任坚定的神情，内心也充满了信心。

姚森走之前给我手机发了短信：

“庆堂，我走了。亲爱的，我的影子开始流浪，但心却永远留给了你，我是你心甘情愿的鱼，当海远离我时，你就是我的海。这世界上只有你的爱可以挽留我，让我们在美丽的香格里拉相会吧。”

我看了姚森的短信心里一阵酸楚。我知道她是为了父母而去还愿的，如果没有我谁还会成为她的亲人？

于是我迫不及待地给她回了短信：

“森，在你的河岸上，我是唯一吸吮你甘露的树，爱你是我最后的理想，我要在理想中思念，让每一次思念的情节，都时时有你圣洁的名字在我心海中漂泊。”

就这样，我和姚森再一次分别。

最近罗元文遇上了麻烦，那个靠下半身写作而出名的美女作家欧阳梅对罗元文发起了攻击，逼他与何慧慧离婚，死缠烂打搞得他心情十分糟糕。没办法他只好找我和爱华喝酒解愁。

我们很久没在非洲风情酒吧相聚了，爱华由于迟迟追不到赵雨秋而痛苦不堪。罗元文也生怕欧阳梅做出什么过火的事而伤到何慧慧。好在我还没有什么感情上的麻烦，可以好言相劝。就这样，酒自然成了消愁剂。

罗元文已经有几分醉意,他目光迷离地说:“我问你们,你们说做爱时人的快感和动物的快感有什么区别?”

我一听这话就知道他喝多了。

“元文,你小子开始说胡话了。”我制止道。

“没有,”罗元文口无遮拦地说,“你能区别爱情和性欲吗? 爱华,你明明知道赵雨秋和曲中谦有一腿,你对她还这么执著,为的是什么? 难道真是爱情吗? 如果永远不让你和赵雨秋上床,你还会爱她吗?”

“就一个欧阳梅快让你变成动物了,”爱华不高兴地说,“玩不起就别玩。”

我心想,看来这小子伤得不轻。

“我就不明白,为什么女人总觉得做爱是男人享用她们的身体,而她们总像是吃了大亏?”罗元文手舞足蹈地说。

“这可能与我们的传统文化有关,”我一边吸烟一边说,“旧社会常说,嫁汉嫁汉,穿衣吃饭,好像女人生来就是让男人养的,所以中国人的二奶都包到美国去了。你和欧阳梅的事,何慧慧知道吗?”

“不知道,不过欧阳梅一直威胁我要去找她。”罗元文沮丧地说。

“元文,看来你真是遇上麻烦了,”我出主意说,“你还是找欧阳梅好好谈谈,看什么条件她答应分手。”

“难啊,这个女人是吃定我了!”罗元文说着自饮了一杯。

“我以为这个美女作家只是和你玩玩,想不到玩起真的了。”爱华不屑地说。

“什么美女,简直就是妓女,我问她,我和我的枪,你更喜欢谁? 她说都喜欢。我问,你更喜欢哪个? 她竟然说,更喜欢我的枪!”罗元文说着,用右手做了个手枪的姿势。

我和爱华哈哈大笑。

“元文,这个欧阳梅可真是个尤物啊,怪不得你小子吃不消呢!”我打趣地说。

“比你的姚淼怎么样?”罗元文反戈一击地问。

“元文,你少往我身上扯,我和姚淼可是清清白白的,你别败坏人家的名声!”我愠怒地说。

“你少跟我装蒜,谢丹阳和何慧慧泡吧时喝多了,说姚淼追你都追到大阪去了。”罗元文一副自己被野女人黏住了非要拽个陪绑的嘴脸。

“姚淼到大阪给我送买激光手术刀的款，可不是你想象的那种关系。”我极力辩白，心想，你那个欧阳梅是个什么东西，竟然敢跟姚淼相提并论。

“元文，你小子自己被女人缠上了，可别害庆堂，姚淼可是个冰清玉洁的女人。”爱华打抱不平地说。

“这个世界上哪有什么冰清玉洁的女人，她们只会挥霍爱情。”罗元文玩世不恭地说。

“你和欧阳梅之间是爱情吗？”我不屑地问。

“罗元文，你和欧阳梅之间是爱情，和我之间算什么？”话音刚落，何慧慧怒气冲冲地走了过来，罗元文大吃一惊！

“慧慧，你怎么来了？”

“我来是想问问你，这个给你发短信的欧阳梅是谁？”何慧慧一副兴师问罪的嘴脸质问道。

“什么短信？”

罗元文赶紧摸兜，发现没带手机，他顿时明白了，一定是自己把手机忘家了，欧阳梅给自己发短信被何慧慧发现了！我心想，这回可有好戏看了。

“我给你念念。爱华、庆堂，你们是他最好的朋友也好好听听：‘希望睡前可以轻吻你，希望睡时可以抱着你，希望醒来可以看见你！一直都这样希望，直到永远。’罗元文，你行啊，当着你师兄弟的面说说吧，你们是怎么抱着吻着的！？”何慧慧咄咄逼人地问。

“慧慧，有话咱回家说好不好？”罗元文尴尬地说。

“怎么，怕见人啊，有本事做，没本事承认呀？罗元文，我什么地方对不起你，你竟敢背着我偷鸡摸狗？今儿个你要是说不明白，我就去找你们常院长给我主持公道！”何慧慧指着丈夫的鼻子说。

“慧慧，我错了，我不好，咱们回家说好不好！”罗元文见何慧慧真的急了，一副告饶的嘴脸。我和爱华心里想笑，却不敢笑。

“想回家没那么容易，走，咱们找穆主任去评评理！”何慧慧一边说一边揪罗元文的耳朵。

“好好好，我跟你走，我跟你走！”罗元文龇牙咧嘴地说，“你们哥儿俩喝着，我先走了。”

罗元文无奈地摇摇头，端起酒杯一饮而尽。

60.最后一课

常院长的儿子常小北已经住进了神经外科病房，每天曲中谦就像伺候首长一样照顾常小北。

常小北虽然年龄不到三十岁，却有十二年以上吸食海洛因的经历，而且每天使用的毒品量在两克以上。十二年前，常小北由于好奇，在朋友的蛊惑下，将白粉混入香烟里吸入，体验那所谓的快感，后来毒瘾越来越大，发展到静脉注射海洛因，最多一天注射四次。家里曾多次送他强制戒毒，却总是一而再、再而三地复吸。伤心的妻子扔下幼小的儿子弃他而去。常院长的老伴儿曾经气得自杀，幸亏抢救及时，才没有酿成悲剧。老两口真是苦不堪言。

在穆主任的手术方案没有最后敲定之前，我们只好用美沙酮替代毒品进行药物脱毒，然而，常小北的戒断综合征和强迫性觅药行为非常严重。

早晨，刚上班，常院长就来到医生办公室，我和罗元文正准备查房。

“小北的情况怎么样？”常院长不动声色地问。

“戒断综合征加重，我们这里毕竟不是戒毒所。”我慎重地说。

“庆堂、元文，你们陪我去看看吧。”常院长无奈地说。

我和罗元文随常院长走进常小北的病房，陈小柔站在旁边，曲中谦正在给常小北接尿。我看到这情景，心里不免一惊。罗元文和我对视了一下，看来他也没想到曲中谦会下贱到这种程度，常小北完全可以自己去洗手间撒尿。或者说，接尿也轮不上神经外科副主任。陈小柔手下有的是护士，我不禁被曲中谦的良苦用心所惊诧。

曲中谦知道穆主任做完常小北的手术即将功成身退，最有资格接这个主任的就是他曲中谦，很显然曲副主任对常小北的关爱常院长看在了眼里。

“老曲呀，辛苦你了！”常院长和蔼地说。

“常院长，我看小北毒瘾发作这么痛苦，我心疼啊！”曲中谦端着常小北的尿说，然后进洗手间倒尿。

这时，常小北一阵恶心、呕吐，陈小柔赶紧上前去接。常院长显然露出焦急的神情。

“庆堂，穆主任的手术方案什么时候定?”

“常院长，你放心，”我安慰地说，“穆主任对这次手术很有信心，大概一星期后就能手术。”

“但愿老穆能拿出好办法，帮我把这个畜生从死亡线上拉回来!”常院长说完咳嗽了一声，背着手走出病房。

常小北在医院经过一段时间的脱毒治疗，其尿的毒品定性化验结果为阴性，达到了手术适应标准。同时，穆主任也最后敲定了手术戒毒方法。

下午，穆主任率领手术戒毒研究小组特意向常院长作了一次全面汇报。

“常院长，其实手术戒毒方法并不复杂，”穆主任郑重地说，“但难在‘定位’。我们要在小北的颅骨上钻两个小孔，通过立体导航定位和电生理定位技术，精确定位出小北大脑内毒品依赖部位，也就是病理性快乐中枢，然后用特制射频针予以温控毁损，同时将其情绪环路冲动神经阻断。这样，小北不但能消除心瘾，还能消除毒品戒断的一系列症状，把小北从毒瘾的煎熬中解脱出来。”

常院长听后虽然对穆主任很有信心，但仍然流露出担心的表情。

“老穆啊，小北就交给你了，”常院长深情地说，“你就放开做吧。”

离开常院长办公室，我送穆主任回家。

在路上，我担心地说:“穆主任，这次手术完成以后，你应该对身体做一个全面的检查了，我发现你最近脸色一直不好。”

“庆堂啊，我们做脑外科的医生，早就将生死看淡了。我这一生开了一万个头颅，救了那么多人的生命，应该知足了。我早就想好了，一旦有一天我死了，你就亲自主刀将我的头解剖了，将我的大脑献给医学科研事业。”

我听了穆主任的话，心里无比震撼，眼泪险些流出来。我赶紧仰望天空，一群鸽子正从连绵起伏的屋顶上飞上天空。鸽群盘旋在城市上空，让人感觉城市就是一个大深渊，鸽哨清脆地掠过，仿佛在我心头滑过……

又过了一个星期，为了配合手术，常小北昨天一早就剃了光头，并做好了采血、验尿等常规的术前检查。

今天早晨，赵雨秋又到病房给常小北的头刮了一遍，并戴上了铁制的“头环”，也就是定位框架，然后又做了 CT 扫描。

曲中谦陪常院长和老伴儿跑前跑后，不像是神经外科副主任，倒像是个护士长。常院长就这么一个儿子，常院长的老伴儿非常关爱这个孩子，却又恨铁不成钢，而且常院长的老伴儿是个特别难答对的人，嘴里一边挑毛病一边指使曲中谦干这干那，曲中谦就像他们家的佣人。连赵雨秋都看不下去，背后使劲用眼睛剜老太太。曲中谦怕赵雨秋捅娄子，私下里一个劲地用手指捅她。

就这样忙了一早晨，八点四十分，常小北被推进手术室。这时，穆主任、罗元文和我已经做好了手术前的准备，手术护士是陈小柔和赵雨秋。曲中谦不想放过陪常院长和老伴儿的机会，根本没进手术室。

为了缓解病人紧张的情绪，手术室放起了悠扬舒缓的轻音乐，麻醉师开始对常小北予以头部局部麻醉。局部麻醉可以保证常小北在整个手术中始终保持着清醒的意识。

“小北，别紧张，”穆主任慈祥地说，“现在你感觉冷还是热？觉得哪里不舒服赶紧告诉我们！别怕，我们一定会成功的！”

“穆主任，我觉得头痛。”常小北痛苦地说。

穆主任和麻醉师商量后又给常小北打了一针麻醉剂。

手术开始了，冰冷的手术刀划破常小北的头部，锥形的手动钻在常小北的颅骨钻了两个直径为零点五厘米的小孔，定位出病理性快乐中枢后，将特制的射颅针伸入颅骨，一直深达到大约眼睛的部位。然后根据CT定位系统，通过不断显示的数据找到坐标值，用特制射频针对快乐中枢予以温控毁损。震波的温度在八十到九十度左右，两孔之间大约距离五厘米。

手术中，常小北感觉正常。

“小北啊，”为了缓解他的情绪，穆主任还很幽默地说，“这回手术后，你吸口烟都会觉得是苦的。”

“常小北，这回你该脱胎换骨重新做人了吧?”赵雨秋附和道。

面对赵雨秋的美丽，常小北竟然难得地笑了一下。由于身体原因，穆主任额头不时渗出汗来，陈小柔不时地给他擦着汗。我和罗元文被穆主任高超的医术所折服。在没有脑磁图的情况下，穆主任准确地定位，显示出一个老神经外科医生深厚的功力。

然而，两个多小时过去了，穆主任体力有些不支。

“穆主任，要不我来吧。”我关切地说。

“庆堂，这是我这辈子最后一例手术了，就让我做完吧。”穆主任摇摇头说。

我和罗元文心疼地对视了一眼。我们心里都清楚，一个老兵即将退役时的心情。

又是两个小时过去了，手术结束了，陈小柔和赵雨秋将常小北推出手术室。穆主任疲惫地坐在椅子上，脸色蜡黄。

“元文啊，给我点支烟。”穆主任一边脱手术服一边说。

罗元文赶紧掏出自己的烟点上一支，递给他。

“元文啊，你小子可越来越不检点了，都抽上软包中华了。”穆主任接过烟看了一眼牌子说。

“穆主任，这是参加朋友婚礼送的喜烟。”罗元文不好意思地说。

“庆堂、元文啊，我老了，一辈子兢兢业业，面对名利就总结了两句话，今天送给你们就算我这个当老师的上的最后一堂课吧，”穆主任有气无力地说，“这两句话是：认真又不能太认真应适时而止；看透岂能全看透须有所作为。好了，陪我洗个澡吧。”

穆主任的话让我很震动，觉得老人一生风风雨雨，对人生确实感悟深刻。

我们正洗着淋浴时，没想到意外的事发生了，穆主任突然晕倒在淋浴间。我和罗元文吓坏了，一边掐人中一边把他抬到休息间，穆主任慢慢苏醒过来。

“庆堂，不要惊动院里，帮我穿上衣服送我回家吧。”穆主任非常虚弱地说。

我和罗元文都不同意。

“穆主任，还是住院检查吧！”罗元文劝道。

“我的身体我知道，没大事，就是太累了。”穆主任坚持说。

“老师，你就听我和元文一次吧！”我也担心地劝道。

穆主任拗不过我们，罗元文赶紧给曲中谦打电话。曲中谦一听穆主任晕倒了，赶紧向常院长做了汇报，并抑制着心头的喜悦。常院长知道后非常着急，赶紧安排住院。

穆主任躺在平车上，陈小柔和赵雨秋推着他准备做全面检查。

“庆堂，让我住院可以，先推我到小北的病房看一眼。”穆主任不放心地说。

我点点头,众人推着穆主任来到常小北的病房,此时的常小北已经带着对新生活的美好憧憬沉沉地睡去了。

“老穆,辛苦你了!”常院长感激地说,“小北说他心里不再像以前那样惦记毒品了。”

“常院长,手术已成功地灭杀了小北对毒品的‘顽固记忆’,心瘾已基本告别了他的躯体,出院以后他就是一个新人了,”穆主任很欣慰地说,“你交给老穆头的任务终于完成了。”

常院长紧紧地握住穆主任的手,眼睛有了几分湿润。他摆摆手示意赶紧推穆主任去病房,陈小柔和赵雨秋推着平车走了。我望着因疲劳而病倒的老师,心情愈发沉重起来。

61. 遗嘱

八天以后,常小北康复出院了,穆主任却被确诊为肺癌晚期。我听到这个消息后如五雷轰顶,眼泪止不住地流了出来。

就在这时,谢丹阳的医药公司也出事了。丹阳的公司之所以可以运转,靠的就是他父亲的一些老关系。通过这些老关系,谢丹阳将从日本进口的药推销给各大医院。

我之所以反对她做医药公司,是因为医药界有着很隐秘的潜规则,哪家医院不得到好处,是不会轻易买你的药的。生意做得大,就难免陷得深。

我岳父退休以后,新上来的药监局局长何强原先是市卫生局副局长,是我岳父的对立面。岳父当市卫生局局长和书记时,两个人勾心斗角十几年。我岳父虽然退休了,何强对老爷子仍然耿耿于怀。

这次马登给谢丹阳进了一批治糖尿病的药,在日本临床多年,效果非常理想,在日本很受患者欢迎。谢丹阳给省中医院进了一批药,省中医院院长是何强的夫人,药款有一百多万。何强的夫人迟迟不给钱,丹阳想尽办法要这笔钱,何强的夫人就是拖着不给。后来丹阳和她摊牌,问她什么条件?她说,药款可以给,但必须给她一半的回扣。谢丹阳当时就急了,说了一些难听的话,气得何夫人差点背过气去。

没出一星期,市药品监察大队就查封了丹阳的公司。理由是许多患者举报这种治疗糖尿病的药副作用太大,许多患者吃了以后呕吐、恶心甚至休克，怀疑是假药，药品全部被拉走，还带走了账本。

谢丹阳这些天情绪一直不好，她抱怨我只是一名普通的医生，我虽然厌恶她从生意场上带回来的一身铜臭气，但她毕竟是我仍然爱着的妻子，看见她受委屈，心里也恨自己为什么没有能力保护她。但是，丹阳说话太尖刻，一吵架便将我的陈谷子烂芝麻都抖搂出来，气得我大骂她是个泼妇。最后，她终于说了软话，她求我找蒋叶真说说情，只要蒋叶真出面找何强，事情肯定会有转机。这是我最不愿意做的事情。我不愿意欠蒋叶真的人情，因为一旦欠了她的情，我不知道怎么还，何况蒋叶真已经升任省卫生厅厅长。

"谢丹阳，你和蒋叶真不是打得火热吗？"我揶揄地说，"你自己找她就行，我这个小医生怎么能求得动省卫生厅厅长。"

谢丹阳又哭又闹。

"林庆堂，别逼我说难听的话，卫生系统谁不知道你和她的关系？"

"你放屁，我和她有什么关系？"我气得大吼道。

谢丹阳显然被我的吼声镇住了。

"你们俩是同学关系，"丹阳缓和了口气说，"找老同学说说情有什么不可以的？"

我看谢丹阳的可怜相，既心疼又可气。

"好了，我懒得和你吵，"我不屑地说，"明天上班我给她打个电话吧。"

"明天不行，现在就打。"

"姑奶奶，现在是晚上十一点钟了，太晚了，明天再打。"

"庆堂，明天打就晚了，我辛辛苦苦赚钱为了谁？不是为了咱们的家？为了你和雪儿？这个事不摆平，光罚款就得上百万，公司也得关门，你看着办吧。"

我心想，丹阳说得也有道理，我不帮她谁帮她？

"好吧，不过只此一次，下不为例！"我警告道。

我拨通了蒋叶真的手机，她接到我的电话异常兴奋，我说明了情况，她一口答应了。

"没问题，何强的老婆一直有很多的举报信，厅纪委一直想查她，省中医院的领导班子正面临调整，在这个时候何强不敢不给我面子。庆堂，谢谢你还敢求我！"

我听了这话哭笑不得，我又说了一些关心她的话。

"庆堂,改天在一起坐坐吧,丹阳的事让她来找我吧。"

我道了谢,如释重负地放下电话。

院里考虑到穆主任的年纪再加上是肺癌晚期,决定不做手术,保守治疗。我每天都去病房看看穆主任,他老人家很坚强。

一天早上他交给我一封信,让我交给常院长,我不知道是什么内容,只好遵师嘱去了院长办公室。

常院长看了信以后,沉默许久,他默默地点上一支烟,深吸一口。

"庆堂,穆主任的这封信是一份特殊的遗嘱。"

"遗嘱?什么遗嘱?"我有些纳闷地问。

"穆怀中同志是我国神经外科的一代大师。他一生始终把医德作为自己行医为人的准绳,他清淡人生但嫉恶如仇,他珍爱生命却舍得割舍。他在信中说,死后捐出自己的大脑做科研之用,为自己热爱的神经外科事业再做最后的贡献。他在信中特意嘱咐,要让你做他的解剖医生。"

我听了常院长的话惊呆了,几乎不能自已,想不到穆主任曾经跟我说的玩笑话原来是真的。我不禁为老师的纯粹而折服,我没有向常院长告辞,便默默地走出了院长办公室。

我必须静静心,甚至想大哭一场,然而我没有,我甚至理解了穆主任的想法。是啊,死,不过是生的一个延续,像穆主任这样的人,捐献大脑是他最好的归宿。

蒋叶真请何强两口子吃了一顿饭,市药品监察大队就给谢丹阳的医药公司返回了罚没的药品和账本。一场风波就这么简单地化解了。

虽然谢丹阳也请蒋叶真吃了饭,但是谢丹阳仍然觉得心里欠了蒋叶真的情,她让我抽空也请蒋叶真吃饭。我心里好笑,看来在谢丹阳心里,医药公司比我重,为了公司可以把老公豁出去。

"丹阳,你不怕我掉进狼嘴里?"我开玩笑地说。

"我们仨指不定谁是狼呢!"谢丹阳很自信地说。

穆主任辞掉了神经外科主任的职务,静心养病,科里的工作暂时由曲中谦牵头,这让罗元文很不舒服。

62. 野心

晚上,罗元文约我去喝茶,我们分头去了遛鸟茶楼。罗元文今天很大方，要了六百元一壶的人参乌龙，我看得出这小子今天有事求我，也猜出七八分，但我不露声色，想看看这小子葫芦里卖的是什么药？

果然，罗元文开门见山，没绕一点弯子。

“庆堂，在一个西部小镇上，三个枪手正在进行一场生死决斗，枪手甲枪法精准，枪手乙枪法一般，枪手丙枪法拙劣，假如三个人同时开枪，谁活下来的机会最大？”

“这是个多人博弈问题，存活下来的很可能是丙。”我不假思索地说。

“为什么？”

“生活中的问题远比这复杂，在竞争中，由于强者两败俱伤，存活下来的就只有笨蛋了。”

“就是这个道理，”罗元文一拍大腿说，“庆堂，你不觉得你、我和曲中谦之间的关系就像这三个快枪手一样吗？”

“元文，我听明白了，”我挑明了说，“你想当神经外科主任让我支持你。”

罗元文有些不自在地喝了口茶说：“庆堂，论资历，我比你当副主任的时间长；论能力，我们都比曲中谦强。如果你能支持我，我肯定能当上神经外科主任。到时候，我在科研上支持你，我们互惠互利，共同进步，有什么不好？”

说实话，罗元文的直白，让我有些好笑，却又不知如何招架。因为如果把我、罗元文和曲中谦比做三个快枪手的话，我一定是那个甲，罗元文是乙，曲中谦是丙。从罗元文的口气里我也听出了这种关系。但是苦苦奋斗这么多年，谁情愿把神经外科主任拱手让给对方？

我想当神经外科主任也不是一天两天了，只是穆主任像一座高山横在我的面前，他的伟大让我自惭形秽，我不敢奢望。如今机会来了，我却愈加觉得没有机会了。因为罗元文的那个例子很形象，我就是三个快枪手中的甲，如果参与竞争，很可能我先死掉；如果退出竞争，起码还可以保持良好的人际关系。

我心里清楚，曲中谦有给常院长儿子倒尿的精神，单从这一点我和罗元文就已经不是对手了，更何况他掌握着许多人的小辫子。他胸前的录音笔可不是吃素的。我们拿手术刀行，可是耍手腕是万万不行的。

看在师兄弟的面子上，我善意地点拨道：“元文，好多人失败，不是因为他傻，而是因为他太聪明，你觉得你与曲中谦比是傻呢，还是聪明呢？”

"庆堂,你什么意思?"罗元文有些不高兴地问。

"你要不想被弄得很惨,还是顺其自然的好。"我冷漠地说。

这时,罗元文的手机响了。看他接手机诚惶诚恐的样子,就知道是欧阳梅。

"对不起,庆堂,我不能陪你了。"罗元文通完电话,不好意思地说。

"元文,那个美女作家还没放过你呀?"我略带嘲讽地说。

"我现在才明白,"罗元文无奈地摇摇头说,"有些女人是绝对不能碰的,碰了就会像蛇一样缠上你。"

"像蛇一样缠上你算你走运,如果是条毒蛇,咬你一口,你就没命了。"我觉得罗元文活得既滑稽又好笑。

"我现在被她缠得就剩半条命了!"罗元文站起来苦笑了笑说。

"看来你将成为美女作家下一部作品的主人公了。"我哈哈大笑地说。

"别取笑哥儿们了,今晚我说的事你好好想一想,就算我求你了!"罗元文拿起桌上的烟揣在裤兜里问,"你走不走?"

"这么好的茶,我再喝一会儿。"我有板有眼地说。

罗元文向我摆摆手匆匆离去。

我望着罗元文的背影,生出几分厌恶。心想,是蛹都想成为蝴蝶,就怕出来的是个蛾子。

我不想做蝴蝶,更不愿做蛾子,只想像穆主任那样做一只辛勤劳作的蜜蜂。然而,我却没有蜜蜂勇敢,因为蜜蜂面临来犯之敌不惜牺牲生命反抗,我却只会宽恕。殊不知你宽恕了对方,你就得冒被欺负的风险。

其实,我骨子里是个放荡不羁的人,我曾渴望赌博、酗酒甚至杀人,渴望喝得烂醉后爬进一个姑娘的后窗,与她共枕,她却不问我是谁。我曾认为这就是自由,这就是幸福。然而,当我真正拿着手术刀打开病人的头颅时,我才发现,有勇气主宰自己命运的人才是英雄。

63. 家书

尽管穆主任建议由我出任神经外科主任,但是院里根本没有采纳,曲中谦轻而易举地当上了神经外科主任。眼看着曲中谦走马上任,罗元文情绪非常低落。

由于重症监护室的护士长是部队家属,丈夫调任南方,她也随军去了南方某医院。曲中谦上任的第一项举措就是调陈小柔任重症监护室护士长，而赵雨秋接替陈小柔任神经外科护士长。赵雨秋终于如愿以偿地实现了个人梦想，她下一步的目标是想成为神经外科主任的夫人。

其实陈小柔刚刚与自己心爱的丈夫洒泪相别。她的丈夫叫郑国华，是中国人民解放军东州军区某部医院的副院长，此时，正率领中国维和医疗分队在刚果(金)执行联合国所赋予的阶段性卫勤保障任务。据说那里武装冲突不断，自然条件艰苦，生活物质匮乏，传染病疫情严重，而且维和任务繁重。丈夫一走，老人和孩子都得陈小柔一个人照顾。按理说，陈小柔作为维和军人的家属，院里应该照顾，重症监护室工作非常繁重，而且责任重大，赵雨秋没有家庭负担，她当重症监护室护士长最合适。然而，由于曲中谦任人唯亲，陈小柔不仅没有得到照顾，反而被加重了担子。陈小柔情绪很大。有一天早晨，我刚走进自己办公室的门，刚值了一宿夜班的陈小柔就含着眼泪推门进来了。

"怎么了，陈姐?"我关切地问。

"庆堂，穆主任病重，神经外科的领导就你最值得信任，姐心里委屈，想找你诉诉苦!"

"陈姐，我知道这次人事安排对你不公平，你应该找院领导说说。"

"庆堂，找院领导说了能有什么用，还不是在曲中谦手下干活，他那个人你又不是不知道，要是真得罪了他还不知道要给你穿多少双小鞋呢!我只想和你说说姐的委屈，心里会好受些。"

"姐夫在国外怎么样?"

"他刚给我来了一封信，你自己看吧!"陈小柔十分信任地说。

"陈姐，这是姐夫给你写的情书，我看不好吧!"我为难地说。

"你姐夫是个典型的军人，哪会写什么情书。"

"那我可就看了?"

陈小柔点点头。

我对维和部队的生活充满了好奇，情不自禁地看了起来。不看则已，看罢崇敬之情油然而生。信中写道：

"小柔我妻：离开祖国已经两个月有余，我的耳边始终萦绕着你的鼓励：作为一名真正的军人不能错过上战场的机会。我为有你这样好的妻子而感到欣慰。可是让我不放心的是女儿的哮喘病还没好利索,父亲身患绝症常年住院,母亲身体也不好,真难为你了!

"刚果(金)地处非洲中西部,经过多年战乱,已经贫困到极点,许多老百姓每天只能吃一顿饭。又由于各党派、部族之间冲突不断,局势相当不稳定。加之地处赤道地区,终年高温多雨,蚊虫较多,其传播的传染病较多,艾滋病、疟疾、霍乱等各种传染病时常流行。这对我们这些常年驻扎在北方地区的部队来讲不能不说是一场艰巨的考验。

"'苟利国家生死以,岂因祸福避趋之',作为维和的中国军人,战友们有着强烈的责任感和自豪感。为了祖国和人民解放军的荣誉,我们不怕任何艰难险阻,不惜奉献青春和热血,我们决心用实际行动展示中国军队威武之师、文明之师、和平使者的光辉形象。我们将不辱使命,用闪闪的红星为和平橄榄枝增添新的光彩。

"忙碌了一天,队员们终于都睡下了。营区就在金杜机场旁边,营区周围是铁丝网,营房是搭建的白色活动房,医院就在营房对面,由于条件所限,队员们基本上是三个人住一间,只有一个房间是四个女队员住在一起的。我一个人躺在床上,非常思念你和女儿,非常惦记父亲和母亲。

"昨天早晨,晴空万里。迎着刚果(金)的晨曦,伴着嘹亮的国歌,赴刚果(金)维和医疗分队全体队员举行了进驻以来的第一次升旗仪式。

"升旗场地设在医疗区门前的停车场,周围是两米半高的铁丝网。铁丝网外尘土飞扬的路上,常有采集野菜的黑人妇女走过。停车场中央有一个花坛。我们在花坛中央竖立了一根约十二米高的铁棍做旗杆,这是第五战区联勤官麦克先生帮忙解决的。我们硬是用砂纸把它打磨得铚亮。

"为了升旗我们还专门进行了演练,那天,雄壮的《中华人民共和国国歌》吸引了不少当地百姓。他们在铁丝网外驻足观望,有的还高声喊着:"CHINA! CHINA!"

"在遥远的非洲大地上,看到祖国的国旗庄严升起,官兵们心情无比兴奋和激动,仿佛有种力量在澎湃、激荡。仰望着迎风招展的五星红旗，我们心潮澎湃、思绪万千。那一刻，我们真正体会到了身为中国人的自豪。尽管我们身在异国他乡，但强大的祖国始终是我们坚强的后盾。与刚果(金)的战乱、瘟疫、贫穷和落后相比，中国通过近三十多年的改革开放，加入了世界贸易组织，北京申奥成功，上海申办世博会成功等，无不显示了伟大祖国的强大和繁荣昌盛。我们来到维和任务区后，通过与给我们修建营房和医院的当地老百姓接触，深深地印证了这一点。此时此刻，我才真正体会到，安定团结、和平发展对国家和社会的发展是多么重要。作为维护和平的使者，我们将把中国人民为世界和平所做出的努力，奉献给非洲人民、奉献给世界人民。

"小柔我妻，参加维和是为国争光的最好机会。自古忠孝不能两全，我一定不辱使命，为国争光！为军旗争光！为你争光！多保重，待我凯旋之日再好好谢你！"

我手捧着这封沉甸甸的家书，心情久久不能平静，与郑国华比起来，我心里惭愧极了，想到自己前一段时间为了神经外科主任的位子寝食难安，勾心斗角，不禁汗颜。

"陈姐，为了让姐夫能安心维和，我也得把你的情况向院里反映，我不能让一位受人尊敬的维和军人的家属寒心！"我冲动地说。

"庆堂，算了，困难我能克服，只是心里憋屈得慌！"陈小柔委屈地说。

"陈姐，你公公得的什么病？一直没听你说起过。"我关切地问。

"酸性粒细胞增多症，这种病在现代医学条件下还没有行之有效的治疗方法，所以是一种不治之症。"

"家里这种情况，儿子不在身边怎么行，老人舍得姐夫离开？"

"你姐夫接到命令那天，急匆匆地赶到医院的老干部病房，本来他每天要和我轮换着伺候老人的。他也担心，告诉父亲自己要远赴非洲，父亲到底能不能承受得住，没想到，父亲却说：'孩子，记住，你是一个军人，军人就要服从命令听指挥，家里的情况再特殊，也没有维和的事大，我这把老骨头，有什么好惦记的，要把维和的事放在第一位，完成好祖国交给你的维和任务。爸爸纵是去了，也会含笑九泉的。'你姐夫听了激动地说：'爸爸，你放心，我决不会辜负您的嘱托，一定出色地完成任务。'临别，你姐夫还给病床上的父亲敬了一个标准的军礼。"

“陈姐，我听说老人也是一位军人。”

“我公公是从师作训处处长的位置上退下来的。”

“这真是将门出虎子啊！”我感慨地说。

“庆堂，曲中谦为人阴险，你是一个正直的人，凡事要多个心眼。姐走了，和你诉完苦，心里好受了许多！”

送走陈小柔，我觉得我作为神经外科副主任没有照顾好这位为工作兢兢业业的大姐，我暗下决心，找机会一定要为她讨个公道。

曲中谦上任以后，罗元文一直不服，他根本不配合曲中谦的工作，甚至给他难堪。曲中谦忍无可忍，根本不给罗元文分配工作。罗元文不能给病人做手术，比杀了他还难受，整天破罐子破摔，酗酒、泡妞、洗桑拿，搞得何慧慧叫苦不迭。

何慧慧并不知道欧阳梅正在对自己的丈夫死缠烂打，她以为丈夫的烦恼主要来自于没有当上神经外科主任。电视台广告部主任是神通广大的，她想利用自己的影响搞臭曲中谦。

果然，曲中谦上任后做的十几例手术只成功了三分之一。何慧慧暗中组织一帮媒体的哥儿们、姐儿们在电视、报纸上大肆渲染，搞得曲中谦非常被动，曲中谦明白这是罗元文搞的鬼，两个人的矛盾越来越深。

64. 探望

蔡教授得知穆主任病重的消息非常着急，通过儿子在美国弄了一些好药，让蒋叶真开车拉着他一大早就到了住院部。我接到蒋叶真的电话后，没来得及吃早饭，早早地就等在住院大楼前，蒋叶真的车刚停下，我便迎上去给蔡教授打开了车门。

蔡教授一下车便关切地问：“庆堂，穆主任的情况怎么样？”

“蔡老师，穆主任的情况非常不好。”我心情沉重地说。

“院里都采取了哪些措施？”

“院里成立了专家组，还没有拿出最佳方案。”

“老伙计是累病的。”蔡教授长叹道。

穆主任听说老同学来看自己，非常高兴，情绪比往常都要好，早晨还破例吃了一个鸡蛋。蔡教授一进病房，穆主任就要下地迎接，蔡教授连忙制止，两双握了一辈子手术刀的手紧紧地握在了一起。

“老伙计，感觉怎么样?”蔡教授眼中闪着泪花问。

“老蔡，这回是真的趴窝了!”穆主任风趣地说。

“没问题，你这把老骨头硬着呢! 大修一下还能行!”蔡教授宽慰地说。

“但愿吧，但愿吧!”穆主任摆摆手说。

我亲自给蔡教授沏了茶。

“庆堂啊，”蔡教授关切地问，“穆主任这一病，你们神经外科的大梁谁挑起来了?”

“曲主任接替了穆主任。”我不露声色地说。

“老穆啊，为什么不让庆堂接你这把手术刀啊?”蔡教授质疑地问。

“老蔡，有些事情不是我老头子所能为的了，不过，庆堂很争气，做海绵窦肿瘤手术已经突破五百例了，现在他的手术水平已经不在我之下了，我就是闭眼也安心了。”

“庆堂，我和穆主任都老了，目前全国能做神经外科手术的医生不过九千人，远远满足不了十三亿人口大国的需要，你要好好培养学生，带出一批把中国神经外科事业推向高峰的接班人啊!”蔡教授对我充满了殷切希望。

“蔡老师，您放心，我正在向院里打报告，希望成立北方医科大学神经外科研究所，只要批下来，我就有决心将研究所办成北方地区神经外科的培训基地。”

“不仅要建成北方地区神经外科的培训基地，而且要建成全国神经外科的培训基地。”蔡教授转过头对坐在旁边的蒋叶真说，“叶真，庆堂的想法非常好，你们省卫生厅要大力支持呀!”

“我知道了，回头我跟常院长说一声，让院里跟厅里打个可行性研究报告，我会亲自督办这件事的。”蒋叶真认真地说。

“庆堂，你的论文写好了?”穆主任有气无力地问。

“穆主任，已经寄走了。”我俯身说。

“好，我估计刊用的可能性非常大。”穆主任高兴地说。

“庆堂，又写什么论文了?”蔡教授懵懂地问。

“蔡老师，我把在海绵窦方面取得的成绩写成了论文，寄给了世界神经外科联合会主办的《世界神经外科研究》杂志，也不知道能不能用。”我表情谦逊地说。

“那可是神经外科领域最权威的期刊。好，庆堂，就要有向世界神经外科巅峰冲击的勇气!”蔡教授赞许地说。

这时，以常院长为首的院领导得知省卫生厅蒋厅长到了，赶紧赶了过来，每个人脸上都显露出唯领导马首是瞻的虔诚，立即就将蒋叶真围了起来。

“蒋厅长，不知道您来了，穆主任的病院里很重视，已经成立了专家组，请厅领导放心，我们一定会拿出切实可行的治疗方案。”常院长信誓旦旦地说。

“常院长，穆主任的治疗情况要随时向我汇报。如果你们院里有困难，马上通知我，我会调集全省最好的专家来会诊。”蒋叶真官气十足地说。

“叶真，不用了，谢谢组织上对我的关心，我的病我心里有数。”

穆主任说着从枕头底下取出一个用红绸子包裹的小盒子，打开后从里面拿出一枚奖章来，“这是卫生部授予我的白求恩奖章，庆堂，老师现在传给你，你应该明白老师的意思!”

我的手微微颤抖着接过这枚白求恩奖章，心潮起伏。

“穆主任，您放心，我明白您的意思!”我动情地说。

“庆堂，市场经济的大潮来势汹汹，许多人面对诱惑已经忘记了医生的天职，更记不起白求恩精神了。穆主任一辈子实践着白求恩精神，他传给你的是一笔巨大的精神财富啊!”蔡教授语重心长地说。

临走时，蔡教授紧握着穆主任的双手说:“老伙计，过一段，我要去加拿大看女儿，女儿觉得我和老伴年纪大了，没人照顾，不想让我们老两口回来了。回不回来再说，反正这次走的时间很长，你多保重自己!”

“放心吧，老蔡，有你这个知己，我这辈子知足了!”穆主任眼睛湿润地说。

把蔡教授送上车，蒋叶真见我似乎有话要说，欲言又止，便对常院长说:“老常，你们忙吧，我和庆堂说几句话。”

常院长只好带着院领导先走了。

“庆堂，你好像有话要说?”

“叶真，我希望你跟院里打打招呼，陈小柔的丈夫远在非洲维和，上有老下有小，全是病人，作为维和军人的家属，院里应该多关照，现在不仅没关照，还给人家加担子，从神经外科护士长调到重症监护室做护士长，搞得陈小柔一肚子委屈，这样用人也太不公道了吧！”

“不用说，一定是那个曲中谦搞的鬼！这个曲中谦不仅作风有问题，经济上问题也不少，厅里没少接到关于他的举报信。庆堂，你心里有个数，他这个神经外科主任干不长，陈小柔的事你放心吧，我们不能让为国争光的维和英雄寒心。”

蒋叶真说完上了车，车缓缓驶出医院大门，我心想，小师妹，你太小看曲中谦了。

65. 遇险

早晨，因有一例脑胶质瘤手术，我提前来到办公室，就在我刚刚开门的时候，一个大汉在我的背后一下子勒住了我的脖子，手里还拿着一把明晃晃的菜刀架在了我的咽喉前，我被这突如其来的袭击震呆了，不知发生了什么事？

“别动，否则我就杀了你！”大汉冷冷地说。

我看见眼前的菜刀是一把新菜刀，刀刃十分锋利，我吓坏了，不知道这大汉究竟要干什么。就在这危急的时刻，罗元文从他的办公室里出来了，他的办公室就在我对面，也不知为什么他今天来得这么早。

歹徒一看有人来了，勒着我的脖子把我拖进了办公室，罗元文看见这一幕也吓坏了。

“你要干什么？”罗元文大喊道。

“少废话，把你们院长找来，否则我就杀了他！”大汉凶狠地说。

罗元文这么一喊，医生、护士和病房里的家属都听到了，一下子围上来几十人。歹徒把刀架在我的脖子上，躲在我办公桌旁，他让我坐在椅子上，他用没有拿刀的手拉过来一把椅子坐在我身后，这一坐下我才冷静下来，知道我是被绑架了。

毕竟是同学情深，罗元文大声喊道：“庆堂，你挺住，我想法救你。”

歹徒似乎非常紧张，也是心虚得很，他双手僵硬地握着菜刀，刀刃紧紧地贴住我的脖子，我一动也不敢动，因为稍有一点反抗，刀锋就会割断我的喉管或动脉。

很快就听到了警笛声，不是一辆，而是几十辆警车的警笛齐鸣，歹徒更加紧张了。

我试探着问:“大哥,我俩无冤无仇,你为什么要害我?”

“无冤无仇?”歹徒激动地说,“我跟你们有不共戴天的仇!”

“我们根本不认识,哪儿来的仇?”我冷静地问道。

“我爹就是被你们杀死的,”歹徒吼道,“少废话,让你们院长出来讲话。”

“你爹是谁?”我不甘心地问。

歹徒愤怒地说:“前天被你们害死在手术台上了!”

我一下子明白了,前天死在手术台上的老头是莫丰县农村的一个农民,患了脑动脉瘤,手术是曲中谦做的,术中由于碰破动脉,流血过多而死亡。

我急了说:“哥儿们,你爹的手术不是我做的。”

“都一样,反正你们是一伙的。”歹徒一根筋地说。

这时,警察包围了我的办公室,常院长、曲中谦、罗元文也都来到我办公室门前。

“这位兄弟,我就是院长,有什么话跟我说吧!”常院长焦急地说。

“怎么证明你是院长?”歹徒恶狠狠地问。

常院长掏出工作证扔到我的办公桌上。

“你们害死了我爹,”歹徒看了一眼工作证说,“还让我交四万元的医疗费,你们简直是强盗! 你们不让我活,我也不让你们活!”

说完刀刃在我脖子上按得更紧了。血已经顺着我的脖子流了下来。

曲中谦急了,他沉着地说:“这位兄弟,你父亲手术是我做的,与林主任没有关系。这样吧,你放了林主任,我给你当人质。”

我听了曲中谦的话心里生出几分感激,觉得老曲到关键时刻还够得上个“人”字。

“少骗我,你们都是一伙的,一命抵一命。”歹徒暴躁地说。

“这位兄弟,你父亲的死,我们将认真调查,一定给你一个说法。四万元医疗费医院给你免了,你看怎么样?”常院长认真地说。

“没那么便宜,你们害死了俺爹,你们得给补偿!”歹徒贪婪地说。

“你想要多少?”常院长试探地问。

“你们医院得赔俺十万元钱,”歹徒想了想说,“现在就要,要现金,否则俺就跟他同归于尽。”

常院长为了配合警方拖延时间,故意说:“十万元太高了,能不能降点？”

“不能，一分钱也不能少！”歹徒气急败坏地说。

一上午就这么僵持着，看不到警方的一点点行动。我被歹徒勒得快虚脱了，歹徒也满头大汗。

“你们快点准备钱，否则就等着收尸吧！”歹徒向警方嚷道。

警方的谈判专家劝他冷静，看他满头大汗，就对他说：“天太热了，你看你满身是汗，一定口渴得很，要不要给你拿一瓶矿泉水？”

歹徒一听水，便口渴得直干噎，他大吼道：“你们先给我送瓶水来，不许警察进，让护士送，少耍花招！”

谈判专家说：“好好好，水马上到。”

我看得出警方的谈判专家脸部掠过一丝兴奋，我心想，这大概是警方的一次机会，便倍加警觉起来。

过了一会儿，两名女护士拿着矿泉水走了进来，她们虽然也穿着白大褂，我看了一眼不认识，心想，这根本不是我们医院的护士，一定是警察，是两名女警察，好漂亮的女警察！她们怯生生地走进来，温柔又可爱，连歹徒也放松了警惕，就在歹徒接过水瓶打开瓶盖准备喝水的时候，菜刀离开了我的脖子，但歹徒的两只手还围拢着我的脖颈，形成一个圈。我就顺势往下一蹲，把头脱离了歹徒的双手，说时迟那时快，两个女警察一个箭步扑过来，用擒拿术夺过了歹徒手中的刀。

这时，躲在门口的警察蜂拥而上，将歹徒按倒在地，戴上了手铐。此时的歹徒由于精神高度紧张再加上巨大的心理压力，已经瘫了，警察将歹徒架出了我的办公室。

常院长、曲中谦、罗元文等同事也冲进屋内，将我从地上扶起。

赵雨秋见我脖子上的刀口还在滴血，焦急地说：“林主任，赶紧到处置室我给你包扎一下！”

大家簇拥着我到处置室，虚惊一场，我还没缓过神来，大家你一言，我一语，我脑袋都快炸了。

在处置室包扎完伤口，我疲软地说：“常院长，我得回家休息一下。”

“好好好。”常院长如释重负地说，“元文，你送一下庆堂。”

这时一个警察走过来简单问了我几个问题，然后说：“林主任，你先休息一下，然后把经过写一下，我明天派人来取。”

“好吧。”我有气无力地点点头。

警察走了，罗元文送我回家。

路上，罗元文抱怨说："庆堂，都是他妈的曲中谦惹的祸，本来是不应该发生的事，结果差点要了你的命。这事不能算完，你应该讨个说法。"

我非常疲惫，最讨厌罗元文为了个人得失挑唆我和曲中谦斗。

"元文，我在日本的老师杉本孝常说，'大道低回，大味寡淡'，我希望你好好品味一下这句话！"罗元文还要辩解，我打断他说，"元文，我累了，不用你送了，你还是回去吧。"

我一个人径直往家走去。走到楼梯口，我望了一眼正对着的太平间，心中生出很多感慨。记得刚搬家时，同事们都说，在这个楼口住的人准升官。如今我和罗元文都从一名普通的外科医生成为神经外科副主任。这十几年的成长之路仿佛弹指一挥间。

66. 心乱如麻

大惊一场，我在家里足足睡了两天，丹阳吓坏了，居然两天没有去公司。这两天我只做一个梦：姚淼出事了，不是出车祸了，就是掉到山下去了，惊得满身虚汗，就是不醒。

姚淼在昆明的媒体上看见我被绑架的报道也吓坏了，她不顾谢丹阳有想法，居然把电话打到了家里。电话是丹阳接的。

"丹阳，我看到报道吓死我了，庆堂怎么样？"

"有惊无险，让你惦记了。庆堂是与死神打交道的人，辟邪，命硬着呢，再厉害的歹徒也不能把他咋的！姚淼，你在哪儿呢？"

"我在香格里拉。"

"听人说，香格里拉是天堂的入口。"

"是相爱的人一起去天堂的入口。"

"是吗？"

"我能和庆堂说几句话吗？"

"他睡着了，我不忍心叫醒他，他太累了！"

"那好吧，代我问候他！"姚淼悻悻地挂断电话，我心里非常想听到姚淼的声音，但是丹阳醋意正浓，我只好忍了。

姚淼，随后给我发了一个短信：

"庆堂，答应我保护好自己，你是这世界上唯一让我挂念的人，如果没有你,我不知活着还有什么意义!别太累了,适当地休休假,可以来云南,我陪你!”

我在床上看了短信,心里很感动,但是怕丹阳发现,随手就删了,没想到,在我上洗手间时,丹阳偷看了我的短信,她发现刚才的短信没有了,气就不打一处来。

“刚才是什么短信,还没看就删除了?”丹阳警觉地问。

我一听就急了,问:“你什么意思?调查我呀?”

“你心里要是没有鬼,有什么不能看的?”谢丹阳毫不示弱地说。

“就你这疑神疑鬼的样儿,没鬼也被你吓出鬼来了。”我没好气地说。

结婚以后,我和丹阳不知吵过多少回,但从来没有冷战过,这大概就是我们婚姻还能维持的原因。因为家庭矛盾一旦陷入冷战,说明两个人的心都成了冰疙瘩,离离婚就不远了。

谢丹阳是不把话说出来不痛快的人,她喊道:“林庆堂,你别得寸进尺,你以为我不知道谁给你发的短信,我警告过你,别把我惹急了,否则我让你好看!”

“谢丹阳,你一天到晚胡猜乱想,你累不累呀?”我抱怨道,“你看看你还像个妻子吗?”

“我不像妻子,你找像的去!你不是刚看了她的甜言蜜语吗?”

谢丹阳说完眼泪扑簌簌地流了下来。我知道结束争吵的最好办法就是离开,我说了一声“不可理喻”,便气鼓鼓地开门出去,并轰然把门带上。

只听见谢丹阳喊道:“你要走就永远也别回来!”

下午的阳光懒洋洋的,让人提不起精神来,我在医院大院漫无目的地走着,忽然明白了一个道理:人其实不是累死的,而是烦死的。我扪心自问,我和丹阳怎么了?难道我不爱她了吗?不是,问题在于我既爱谢丹阳,更爱姚淼。男人在女人的问题上是很贪心的,总想鱼和熊掌兼得,最后的结果只能是烦死。

其实,男人骨子里就不适合一夫一妻制,这是男人的本性,就像公狮拥有一群母狮、猴王拥有一群母猴一样,甚至有成就的男人很少有在情感上是检点的,我又陷入了人性与道德矛盾的泥潭。我胡思乱想为自己的出轨找理由,不知不觉走到了穆主任的病房前。

穆主任这些天已经进入弥留状态,老人家可能不久于人世了,一想到与穆主任父子般的感情,我的心一下子就紧了起来。

我推门走进了病房，穆主任打着吊瓶躺在床上，老伴儿正在给他喝水。我走到床前时，老人微微睁开眼，他示意我坐，并伸出手握着我的手，老人的情绪似乎很好。

"庆堂，别难过，"穆主任用低弱的声音说，"我死后，你取出我的大脑，咱们师生还会天天见面的。"

我听了这话，眼睛已经被泪水模糊了。我知道穆主任是一个看透生死的人，跟他不用说什么多保重之类的宽慰话，他有普通人的躯体，却有着非凡的境界，他是万颅之魂。

"老师，您别吓唬我，会好的！"

"庆堂，我与死神打了一辈子交道，从来没怕过它，不就是个病嘛，我们每个人都要体验到死，却无法再总结，而病是生与死的过渡，是可以成为参透人生的一次哲学课啊！能很快治好当然好，一时治不好就与病和平相处，受折磨要认定是天意就承受折磨，最后若还治不好，大不了就死嘛，活着都不怕还怕死吗？庆堂，最让我欣慰的是我有你这样让我放心的接班人！"

"老师，你放心吧，我是你最棒的学生！"我动情地说。

穆主任听了这话，嘴角露出了一丝微笑，同时眼角却流出了两行浑浊的眼泪。我知道这不是老人悲哀的眼泪，也不是老人对生命的留恋，而是对人生的交响，是对这个世界精彩的回应。老师微闭双目似乎睡着了，我知道他的记忆一直飘荡在如烟的往事中。

离开穆主任的病房，我的心情愈发沉重，不知不觉来到非洲风情酒吧，爱华见我进来很高兴。

"庆堂，怎么心事重重的？"爱华拿了几瓶啤酒过来说。

"爱华，穆主任快不行了！"我悲痛地说。

"你刚从病房来？"

"对。"

"我一星期前去看过他，当时元文也在。没想到老师一生救了那么多人的命，到头来却没有人能救活他老人家的命。"

"我看到老师，就想起海明威的《老人与海》，在老师身上就体现了人可以被消灭，但不能被打败的伟大精神。"

爱华听了我的话也很伤感。

"庆堂，我准备回国了。"

“你父亲又来信了?”我关心地问。

“母亲非常思念我,我知道母亲看到我就像看到了自己的祖国。”

我被爱华的话所感动。

“赵雨秋知道吗?”

“她还不知道,我准备单独和她谈一次再走。”

“那你们的爱怎么办?”

“庆堂,我们的爱不会有结果的。”爱华苦笑了笑说,“以前我只是不愿意正视这一点。”

“走之前一定要告诉我,我和元文好好送送你。”

爱华听了非常感动,和我一起吹了一瓶科罗纳。我发现,爱情已经把爱华伤得太重。爱华虽然下决心抽刀断水,但是,他无论如何也斩不断那些与赵雨秋相爱的日子。结局是注定的,一个男人对一个女人全身心的爱,被当做感情盛宴上的一杯茶,这杯茶无论是浓的还是淡的,都不能充饥。

当然,爱华和赵雨秋还剩下一些浪漫,在这些浪漫中还剩下一些感动。然而,这些感动是被情爱逼出来的,只是弦绷得太紧了,箭还没发出去,弦就已经断了。

我在阑珊夜色中踉跄着推开家门,丹阳已经睡了。丹阳是那种无论怎么吵都能睡着的女人,我望着她睡梦中的表情,心想,大概在每个女人心中都有一个对立面,这个对立面即使是虚无的,她们也要猜忌,只有这样她们才觉得安全。应该说,女人是高于男人的,因为她们把温情看得无比重,相对于男人来说,女人更接近于人。

67. 告别

天还没亮,床头柜上的电话急促地响了起来,丹阳睡眼惺忪地接了电话,然后惊诧地坐了起来。

“庆堂,庆堂,不好了,穆主任病逝了!”

我听后激灵地从床上坐起来问:“谁说的?”

“元文说的,刚才的电话是他打来的。”

我一下子明白了,昨晚,罗元文值夜班,所以最先得到了消息。我和丹阳胡乱地穿好衣服,没来得及洗漱就跑出门去,我们一口气跑到穆主任的病房。

我不知道为什么先要跑到病房，大概是不相信穆主任死了，昨天我们还在谈话，而眼前的病床空空如也，只剩下一条雪白的床单。

我拽着丹阳的手飞速跑起来，跑向太平间，丹阳知道我和老师的感情，也不问我去哪儿，只管跟着我跑，跑到太平间，我突然停住了。

老陈头沉重地走过来问："林主任，是来看穆主任的吧？"

我点点头，老陈头弓着腰，把我和丹阳引进太平间，老师静静地躺在冰柜里，面部安详慈善，像是睡着了，睡得很甜，是那种累极了以后的酣睡。我的眼泪止不住地流着，默默地看着他，心潮起伏。

这时，丹阳拽拽我说："庆堂，去看看穆主任的老伴儿吧。"

我这才醒悟，此时最需要安慰的就是师母。我们赶到穆主任家的时候，家里已经布置了灵堂，常院长等院领导、院里各科的主任陆续前来吊唁，曲中谦、罗元文、爱华也来了。陈小柔和赵雨秋安慰着老太太，穆主任的儿女接待着前来吊唁的人。

"常院长，老穆的后事就按他生前的意愿办吧，"师母悲痛地说，"他要把大脑献给医疗事业，不过要由庆堂做他的解剖医生。"

"放心吧，老姐姐，这件事我一定会安排好的！"常院长悲痛地说。

我听到这话几乎不能自已，老师的音容笑貌一下子浮现在我的面前。

"师母，您老多节哀，"我哽咽着说，"我会将这次解剖作为老师给我上的最后一课。"

"庆堂，你回去好好准备一下，"常院长沉重地说，"解剖的事明天上午九点在解剖室进行。"

我重重地点点头。

第二天上午，在蒙蒙细雨中，我和同事们走进解剖室，穆主任的遗体静静地躺在解剖台上。曲中谦率神经外科全体同仁默默地站在旁边，爱华也来了，他眼含热泪，站在赵雨秋身旁，为自己和母亲共同的老师送行！

"庆堂，准备好了吗？"常院长严肃而庄重地问。

"准备好了！"我郑重地说。

"同志们，"常院长沉痛地说，"今天我们用这种特殊的方式为穆怀中同志送行，穆老是我一生中最尊敬的人，他医德高尚、医术高超，无论是人品还是医品，都是我们学习的榜样。今天他用自己生命的躯体给我们上最后一课，他是在用他特有的语言教育我们好好做人、勤奋行医，让我们真正接受一次心灵的洗涤吧。”

泪光中，我开始按照程序操作，脑海中回旋着与穆主任相识、相知的过程，耳畔回响着他那谆谆教诲的声音，心如刀绞。

病魔把穆老的身体折磨得骨瘦如柴，那双灰白间杂的眉毛紧皱在一起，像是还在思考医学上的重大问题。我知道穆老喜欢思考，因此眉毛是紧皱着的。这个一生开了一万颗头颅的老人，目光本来如闪电般明亮，而此时，他紧闭双目，额头上三条深深的皱纹如刀割般清晰，皱纹里蕴藏着饱经沧桑的经历。

我没有剃掉老人满头的银发，因为这银发生得堂皇而又气派，给人一种超凡脱俗的明澄得像水晶一样的印象。

大脑露出来了，穆老的大脑洁白而富有弹性，根本不像一位七十多岁老人的大脑。这里蕴藏着一代医学大师的毕生智慧，这里面充满了知识的宝藏，然而这宝藏还不知有多少智慧等待发掘，老人家却闭上了双眼。

此时的我已欲哭无泪，老师的嘴角似乎略带着一丝微笑，那意思是说，“庆堂，没有比医生更高尚的职业了，好好干吧！”

想到这里，我浑身充满了力量。我将老师的大脑从头颅内取出后切成两块，一块放在冷冻柜内，进行零下八十摄氏度的冰冻；另外一块储存在一个玻璃器皿中，随后将老师的头部缝合恢复原状。

我将放在玻璃器皿中的大脑处理后，切成薄薄的切片，用福尔马林固定剂制成脑组织标本，供研究所用。我想起穆老一直有个愿望，在神经外科建一个脑库，由于大脑捐献者很少，再加上经费不足，一直未能实现。我暗下决心，一定要完成老师的这个心愿。穆老本人就是脑库的第一例捐献者。

我在庄严肃穆的氛围中完成了解剖工作，常院长带领大家向穆老的遗体三鞠躬后，罗元文和爱华默默地推走了老师的遗体。大家擦干眼泪陆续散去，常院长走过来轻轻地拍了拍我的肩膀。

“庆堂，院里对你很重视，神经外科的工作你还要挑大梁啊，穆老走了，神经外科这杆大旗不能倒，要好好配合曲主任的工作，毕竟他是老同志，行政工作的经验比你丰富。”

“常院长，你放心，我会做好本职工作的，决不能给穆主任丢脸，”我憔悴地说，“不过，这段时间我实在是太累了，每天手术压力很大，又赶上遭绑架这种倒霉事，再加上穆主任的病逝，我真有点心力交瘁！”

“你的意思我明白了，”常院长爱惜地说，“这样吧，我放你二十天的假，好好休息一下。”

“谢谢院领导的关怀！”我感动地说。

第八章　香格里拉

68. 手心手背

我有二十天的假期，当然要去云南。出发前，我感觉腰有点疼，便做了检查，彩超显示肾脏没有问题，又验了尿，结果发现葡萄糖四个加号，我知道情况不妙，验了血之后，血糖值是餐前十二，餐后十五，典型的糖尿病。

我的心情一下子晦暗起来，本来应该住院，可是我急着见姚淼，根本没心情住院，再者说如何治疗糖尿病，我心里也有数。

不过，我没敢对丹阳说我得了糖尿病，我怕她不让我出门，也没敢说去云南，而是说去成都，飞机票是丹阳给我订的，直飞成都。

我迫不及待地踏上了旅途，在成都双流机场我和姚淼通了电话，她兴奋若狂，却说不方便去机场接我，让我下飞机后打车去酒店，她在酒店的房间里等我。

这是出乎我意料的！我心想，姚淼为什么不来接我呢？转念一想，管她呢，见面再说。我没出机场就买了去昆明的机票，两个小时后，我登上了飞往昆明的飞机。

从机窗俯瞰大地，云遮雾罩，山河显隐，在纵横分布的山水之间，有无数条道路将彼此隔绝的人群、村庄与城市连接起来，然而我与姚淼之间的连接却是心灵。

我忽然觉得爱情和婚姻是两种生命状态，我与姚淼是爱情，与丹阳是婚姻；与姚淼是手心手背的关系，与丹阳的关系是左手和右手的关系。

爱情是欲望，婚姻是什么？其实婚姻就是过日子，能够温暖已经足够了，何必要苛求兴奋？然而爱情是离不开兴奋的，爱情犹如烟花，是用激情点燃的。

遗憾的是爱情与婚姻犹如鱼与熊掌一样，所有的情感故事都是由于二者不能兼得开始的。其实，爱情倾向于人性，婚姻倾向于道德。一想到与姚淼相会，我就兴奋不已，因为姚淼是我精神的疗养院、情绪的治疗所。

走出昆明机场，我便打车直奔酒店。我一直以为昆明是西南地区的上海，昆明女郎的时尚不亚于上海，虽不一定创新在先，但一定不甘人后，且常有出奇制胜的表现。但昆明的骨子里还是很纯很纯的，因为这里尚有自然原始的人文风貌。这一点是昆明吸引姚淼的地方。

姚淼的舞蹈善于从天地交合、阴阳协调中获取灵性，致使她对于生命、爱情与死亡具有一种本能而浪漫的意识。她的灵慧离现实的炊烟很远很远，却离心灵所渴求的东西很近很近。我甚至以为她是一个用肢体舞蹈的诗人。

偷情好似吸毒，你明知那是不好的，但又抗拒不了诱惑，何况姚淼是我心灵的天使，对我有一种深不可测的魔力。她一举一动哪怕是弯眉一挑，都犹如微风从一泓止水上空掠过，我寂静的身体里便有了细浪追石的声音。

什么事情只要有了开始，就会自己继续的，不管你愿不愿意，时间会替你安排一切。我不知道我和姚淼的结局，对于爱来说，结局并不重要，重要的是每当我心灵受伤的时候，姚淼是医我的药。

我按房间门铃时，好半天才有人来开门。我正纳闷时，姚淼穿着睡衣，身披长发，面色憔悴，手扶着墙站在我面前。

“庆堂，你来得真好，我正想你时，你就来了。”

“宝贝儿，怎么了？”我抱住姚淼问。

“前两天下去采风，淋了雨，昨天晚上开始发烧。”姚淼有气无力地说。

我一摸姚淼的头，烫得吓人，我赶紧抱起她，把她放在床上。

“烧到多少度？”我心疼地问。

“不知道，我这儿没有体温计。”

“淼，去医院吧，我感觉有三十九度多。”

“庆堂，我不去医院，我盼星星盼月亮把你盼来了，我要你坐在我身边陪我，烧就会退的。”

“淼，那我去给你买点药，”我扶她躺下说，“可以不去医院但必须吃药。”

我先去洗手间投了一把凉毛巾，叠起放在她的额头上，姚淼的脸烧得微红，像扑了淡淡的胭红，越发透着一种娇柔的美，这种美是最易唤起男性温柔的，我怜爱地看了她一眼，走出房间。

酒店附近有一家药店，我买了治感冒和退烧的药，快速回到房间。这时，姚淼烧得似睡非睡，我赶紧托着她的头，把退烧药给她吃上，又给她盖好被。

姚淼吃完药后便昏昏沉沉地睡去，这一睡就是一天一夜。我不知道姚淼一个人在云南吃了多少苦，我只知道她是一个以舞蹈为生命的人。

姚淼醒来时，烧已经全退了。

“庆堂，我是不是变成丑八怪了？”姚淼羞怯地问。

“比丑八怪还丑！”我笑着说。

“我就是要变成丑八怪，看你还爱不爱我？”姚淼娇嗔道。

“你丑得还不够，丑到极点就美丽到了极点。”

“男人都喜欢自己的女人在别的男人面前丑，在自己面前美。”姚淼娇柔地说。

“不对，男人都喜欢女人在别的男人面前是个好女人，在自己面前是个坏女人。”我反驳道。

“讨厌，你真坏。庆堂，我饿了。”

“想吃什么？”

“想吃米线。”

“你能起来吗？我们去吃过桥米线。”

姚淼试着坐起来，头却晕得不行。

“庆堂，我太虚了，还是让酒店送两碗肉末米线吧。”

不一会儿，酒店服务员就送来了两碗香喷喷的肉末米线。姚淼确实饿了，她几乎狼吞虎咽地吃了米线。

“淼，下去采风吃了不少苦吧？”我把自己碗里的拨给她一些。

“这段时间，我走了大半个云南，我看到了很多民族歌舞，这些本土化的舞蹈让我痴迷，我几乎找到了舞蹈的本质。”姚淼自豪地说。

“那么什么是舞蹈的本质?”

“我在采风时,哈尼寨有个老太太,让我特别吃惊,腰都弯成拱桥直不起来了,她还在田间地头跳,拿个树叶在地上画着跳。我一下子明白了,舞蹈是生命的需要,是生活的一种方式,舞蹈是人类精神外化的一种表现方式,它就是生活。”

我被姚淼的舞论惊诧了,我没想到这个娇柔得有些弱不禁风的漂亮女人会对事业这么执著,而且升华到精神境界,我自愧不如。因为我尚未把医学作为生活的一种方式。

69. 飞翔

经过一宿的休息,姚淼终于恢复了体力。

早晨一起床,我就问:“咱们到哪儿去玩?”

姚淼把头枕在我怀里说:“昆明西部有一个玉龙湾风景区,有世外桃源的美誉,去那儿怎么样?”

我就喜欢这种远离尘嚣自然风貌原始古朴的地方,便欣然应允。我们在酒店租了一辆本田车,自己驾车来到玉龙湾。

这真是一个风光旖旎,密林幽深的好地方。像我这种神经外科医生,整天与人的生死打交道,难得有这么轻松的心情,又是与自己心爱的女人游玩,更是有一种逃出心狱的快感。很显然,离别使姚淼和我的感情更加醇厚了。

我们在这里走藤桥、过溜索、穿密林、蹚小溪,在这片秀丽妩媚的大自然中,充分感受到回归大自然的妙趣。

我们又一起来到湖边,我提议水上泛舟。姚淼却望了一眼距离水面五十米的人工跳台。

“庆堂,我们一起蹦极吧。”

我望了一眼高高的跳台,心里倒吸了一口凉气,因为我从小就有恐高症,就怕登高。我心里发虚,脸上并未露出来。

“宝贝儿,太危险,还是划船吧。”我劝道。

“危险是检验一个人是否勇敢的唯一标准,如果你爱我就陪我跳一次!”姚淼坚决地说。

我被将住了。我知道姚淼喜欢挑战自己,她迫不及待地报了名,爬上了跳台。我也只好随她一起爬上了跳台。没错，是爬，因为那楼梯的角度简直就是直上直下。

五十米高的跳台，人站在上面往下看一眼便头晕目眩，耳边风声鹤唳，我不免腿有些发软。

两位肤色黝黑的教练员正在为一位小伙子系绳索，系好后，“五，四，三，二，一”，小伙子一个倒栽葱一头扎了下去。我在上面看到他随着绳子飘来荡去，心想，一旦绳索不安全就惨了。

姚森看了兴奋不已，跃跃欲试。我毕竟是一个看惯了生死的人，爱可以让人勇敢，一根维系生命的绳索牵着一腔勇敢的激情，爱的力量是巨大的，它战胜了几十米的深渊，让我决心为爱人做一次真正意义上的投身。

蹦极就是勇敢者的行为，与自己爱的女人像鸟儿一样展翅，即使坠入深渊，也是幸福的。因为血液是沸腾的，自信让人美丽。

“庆堂，人生就像爬上这跳台一样，每往上走一步，都需要勇气，”姚森妩媚地说，“能走到这里的人就已经不能后悔了，你能陪我上来，说明你对我的爱不会改变。我希望我们一起跳下去。”

“姚森，我听你的话像是殉情。”

“就当是一次殉情的游戏吧。庆堂，我只希望能和你承受同样的命运。”

我被姚森的话感动了。风很大，把跳台吹得上下晃动。在教练的指导下，我弯弯腰、压压腿、伸展身体，做好了预先准备。经过教练的帮助，把牵引绳套在我和姚森的脚上。

我们站到跳台边，姚森双手平举在两侧，我抱着姚森，教练将我们的腰束在一起。我望着远处的山峰，眼前忽然浮现出一幅画面：在电影《泰坦尼克号》中，露丝在迈克的鼓励下，站在船头，举起双手，面对大海，她忘记了自己的身份、忘记了自己的烦恼，感觉在飞翔。

此时，我没有感觉到任何恐惧，而是一种轻松、一种自由、有一种跳下去就解脱了的感觉。姚森也没有害怕，她眼望脚下平静的湖水，像是忘记了一切。

“五，四，三，二，一”，我和姚森惊呼着坠了下去，我们紧紧抱在一起，所有的物体都被拉成了一条线，眼前的事物什么也看不见，只有怀中的姚森和即将融入的湖水。眼看距离湖面越来越近，感觉马上就要完全融入湖水。突然被牵引绳拉住，一下子反弹上去，心像被重重地甩到九霄云外，整个人又向上腾飞了起来，朝着蓝天，像两只展翅飞翔的天鹅。

姚淼惊声尖叫着我的名字："庆堂，庆堂！"

不知道是害怕到了极点，还是痛快到了极点，也就是十几秒钟后，当那条弹簧绳终于筋疲力尽不再上下起伏时，我和姚淼紧紧地吻到了一起。

"庆堂，我真的不想停下来。"姚淼幸福地说。

"为什么？"

"我想和你化作一片云、一缕风，永远这样飞翔。"

"像飞翔一样的舞蹈才是真正的舞蹈！"我大声说。

这时，我们被牵引绳倒挂着慢慢放到了停在湖面上的划艇上，我们终于又回到了陆地。我又望了一眼远处的跳台，心里有一种轻松感，也有一种恍若隔世的感觉。

我忽然发现天生丽质的姚淼，不仅有容貌的美丽，还有自信的美丽，而自信的美丽更让人赏心悦目。爱情是生命中最诡异的注定，我和姚淼的爱情虽然是高雅的，但也逃脱不了用缘分这种最不可琢磨的东西来解释。一切皆缘，蹦极之乐让我体味到在垂落之时，爱的人性深度。

"庆堂，明天我陪你去香格里拉吧？"姚淼挽着我的胳膊说。

"就是迪庆的中甸吗？"我兴奋地问。

"对，那里有我许多藏族朋友，我们可以到藏族朋友家做客。"姚淼得意地说。

"太好了，香格里拉可是我梦中的天堂。"我喜形于色地说。

"那里是相爱的人一起去天堂的入口。将来有一天，我先去天堂了，记着到香格里拉来看我！"姚淼说得很认真，让我的心里直发瘆。

"真的有天堂吗？"

"当然有，不过只有相爱的人才能去。"

"为什么？"

"因为只有相爱的人才是最幸福的，不相爱的人在一起是很痛苦的，天堂只接纳幸福的人，不接纳痛苦。"

"淼，你幸福吗？"

"我是世界上最幸福的人，因为我有两个恋人。"

"两个恋人？"

"傻瓜，一个是你，一个是舞蹈。"

"你吓死我了！"

“庆堂，我想搞一台题目叫《寻找香格里拉》的大型舞蹈。”

“这个名字起得好，‘香格里拉’有不同的含义：天堂、世外桃源、心目中的日月……总之，它是人类梦想的家园。你是怎么想出来的？”

“这大半年，我在田间地头采风，观看了无数山寨里土生土长的村民跳的原汁原味的民间舞蹈，我发现这些山民、族人们舞蹈是为了表达对万物的感情，因为他们相信万物是有灵性的，需要去沟通，他们跳舞是在和天地对话，这才是与生俱来的舞蹈的本质。我最讨厌穿着紧身裤跳藏舞，穿着半高跟鞋跳民族舞，完全不搭边，这样发展下去只会乱套，我不懂学院里的高深理论，我对舞蹈的要求很简单：去酸，免甜，避杂。说实在的，庆堂，民间那些质朴的、需要人们珍惜却并未引起关注的、濒临消失的舞蹈状态，让我非常担忧，做一部大型原汁原味舞蹈集的念头油然而生。”

“淼，看来你爸爸妈妈的遗愿就要实现了，可是演员和经费怎么办？”

“演员就用那些山寨里土生土长的村民，经费我想先把房子卖了再说。”

我被姚淼的决绝震撼了，蒋叶真的前夫苏洋为了自己的绘画事业曾经卖掉了房子，当时我就自愧不如，如今姚淼为了我买激光手术刀把车卖了，为了舞蹈又要卖掉房子，姚淼除了我的爱还剩下什么？我为能拥有这么纯粹的女人而感到自豪！

我们开车回酒店订了明天去中甸的飞机票。

晚上，在世博园，姚淼请我吃了正宗的过桥米线，在就餐过程中观赏民族舞蹈表演，由于猜中了民族服饰，一个漂亮的白族女孩送我一个精美的荷包。

姚淼将荷包戴在我的脖子上，开玩笑地说：“真像个新郎官儿。”

“淼，这辈子最遗憾的就是不能与你结婚。”我无奈地说。

“如果我真的跟你结了婚，再生个孩子，那就不是一个故事了。再说，我可能是一个好的爱人，但是因为我的事业不一定适合做一个好妻子，我也不想为了你和我结婚，搞得你妻离子散，我也于心不忍，对你也不公平，所以你还是不要有非分之想，我只想好好地爱你！”

我听了姚淼的话心里很惭愧，我一把握住她的手，不知说什么好。

“庆堂，你是不是以为我们的纯爱是一个错误？”姚淼凝视着我问。

“不，不是。”我连忙说。

“其实，怕犯错误才是最大的错误，因为爱一个人和恨一个人都是不容易的。你知道一个女人怎样才能美丽绝伦吗?”

我摇摇头。

“纯粹!”姚淼闪烁着秋波说。

我忽然明白了,真正的爱情应该是纯粹的,就像香格里拉一样。

70. 扎西德勒

第二天,飞机降落在中甸机场时,天高云淡,瓦蓝瓦蓝的天空飘着淡淡的白云,有一种空灵的感觉,仿佛伸手就能摸到天堂。

姚淼挥手打了一辆出租车,我们没有直接去中甸县城,而是去了一个叫夏那村的地方。

“庆堂,我多次到这里来采风,我领你去的卓玛家有一位老阿爸,前些日子从马背上摔了下来,一直没好,想请你看看。”

“丫头,原来你是另有所求,才陪我到中甸的。”我恍然大悟地说。

“我领你到这儿来是想让你接受一次心灵的沐浴。”姚淼噘着小嘴说。

“不就是给老人看病吗? 遵命就是了?”我赶紧赔着笑脸说。

“我敢保证你在这里待上几天就不想走了。”

“难道会有藏族姑娘爱上我?”

“美得你,我是说你不是一直向往去西藏吗,这里的神山圣水不亚于西藏。”

“你说天堂的入口在哪里呀?”

“据说在碧塔海。”

我和姚淼一路上斗着嘴,出租车已经驶进一处藏民聚居的村落,停在一幢带院子的两层建筑门前。一个漂亮的藏族姑娘正手捧哈达站在门前。

我们下车以后,藏族姑娘上前说了一声:“姚淼姐,扎西德勒!”便把哈达戴在姚淼和我的脖子上。

“卓玛,这就是我跟你说过的庆堂哥,”姚淼介绍说,“我特意请他来给你父亲看病的。”

“庆堂哥,扎西德勒!”卓玛感激地说。

我一边回应着扎西德勒,一边仔细端详着这位藏族姑娘,却惊诧地发现,卓玛就是小月的化身。两个人像极了,唯一不同的地方就是卓玛有明显的腮红。这是因为中甸海拔高、紫外线强的缘故，这也是中甸藏族妇女在艰苦的环境中生存的标志，不失为一种健康的美。我心想，莫非这里真是天堂的入口，小月在天堂得知我来的消息，特意化作藏族姑娘下凡来看我？

卓玛被我看得不好意思。

"庆堂，卓玛可是有丈夫的。"姚森略有些吃醋地说。

"姚森，你想哪儿去了，"我解释说，"卓玛长得特别像我认识的一个朋友。"

"谁？"姚森好奇地问。

"像……小月……"我支支吾吾地说。

"小月？"

这时，从房内迎出一个健壮的汉子，穿着藏袍。

"姚森姐，你可到了，"汉子性格豪放地说，"卓玛在门前快迎了一个小时了。"

"多嘎，这是我的朋友林庆堂，你就叫林大哥吧。"姚森笑着说。

"林大哥，扎西德勒，快屋里请！"多嘎热情地说。

我一进门，按照中甸藏族礼节先向神龛献了一幅哈达，神龛贴有"布达拉宫祥云图"和班禅大师照片等。

藏家最讲究神龛前的供品，一般家庭都要在神龛前摆上一对花瓶，插上扁柏叶、纸花、雀翎；再挂上洁白的哈达，供上酥油灯、香炉、敬水碗；有些家庭还摆上酥油、茶、红糖等，一家比一家丰富多彩。酥油灯和敬水碗随时添油、换水。

"姚森姐，"多嘎亲切地说，"本来每天早晚都由我阿爸定时诵经、供香，可是自从老人从马上摔下来后，就一病不起。"

"我们去看看老人吧。"我关切地说。

"你们是远道的客人，先喝了酥油茶再说吧。"卓玛热情地说。

我和姚森只好入乡随俗。卓玛拿出茶罐洗刷，然后盛上水，一块砖茶放进去抵在火塘边煨。中甸藏家非常好客，按传统礼俗，不管客人有没有吃饭，一进门都要打酥油茶招待。

不一会儿，卓玛把熬好的茶顺茶滤子倒入茶桶，然后加上酥油、盐巴，用一根茶杆搅拌。茶杆伸进茶桶上下运动，水液翻溢，发出很好听的"哗哗"声。这样推拉数十下，里面的液体成水乳交融状后，就倒入锑制茶壶内，再放在火边煨着保持热度。随后，卓玛拿出两个镶银木碗，特地将雕饰更精美的一个放在我面前，然后斟好茶。

“姚森姐、庆堂哥，慢慢请！”卓玛一边敬茶一边说。

我慢慢品着芳香诱人的酥油茶，预感到多嘎的父亲不是因为从马上摔下而不能起床，大概是脑袋出现了病变。喝完茶后，我再次要求看看老人。

多嘎家大厅四周共有四间卧室，其中老人住的房间固定是神龛背后那一间，这主要是考虑靠近火塘，比较温暖，加之老人休息、出来喝茶都非常方便。

来到老人的房间，多嘎热情地说：“阿爸，姚森姐和庆堂哥来看你了。”

老人斜靠在床上，一边摇着转经筒，一边诵着经，看上去已经达到身、口、意完美一致的境界。听到儿子叫他，他欠了欠身体说：“扎西德勒！”

看来老人的神志还算清醒，我掐了掐老人的大腿，没有知觉，又掐了掐老人的小腹仍然没有知觉。

“多嘎，我们还是出去说吧。”我忧虑地说。

多嘎和姚森领会了我的意思。出了老人的房间，我们一边往大厅走，多嘎一边焦虑地问：“庆堂哥，很严重吗？”

“看来你阿爸已经得了脑溢血，下肢没有感觉是脑袋里的血压迫的，得马上做手术。可是中甸这地方条件有限，不知县城医院有没有CT设备？”

“明天早晨我们去县城医院，到时候再定。”姚森果断地说。

多嘎一再表示感谢。

我们又重新回到大厅，卓玛已经备好了青稞酒、糌粑、牦牛肉、羊肉、奶渣。多嘎夫妇一边敬我们酒一边歌唱：

春雨要下透，
朋友请喝够。
美酒融进我的情，
双手高高举过头。
酒歌唱得月儿圆，
云雀飞来不想走。
哈达连着颗颗心，

情与天地共长久。
阿拉里——呀塞，
阿拉里——呀塞。

火塘里有暖暖的火，也有袅袅的青烟，芳香诱人的酥油茶，雪山清泉似的歌声，纯真善良的笑脸，满桌的藏家食品，我心里升腾着一种不可言状的亲切感，这里的人还保留着人性中本真的善良。

多嘎高声唱着，美丽的卓玛长袖轻盈翩翩起舞，姚淼也兴奋地与卓玛一起跳起来，多嘎一杯一杯地敬我青稞酒，我醉了，醉得一塌糊涂。

我慢慢地进入了梦乡，在梦中，我变成了一个《寻找香格里拉》的舞者，和姚淼一起进入了神的世界，我们一起与神共舞，有山神、水神、树神、石神、寨神……无数的神灵在翩翩起舞，姚淼宛若一条婀娜的蛇，蜿蜒在银色的月河，闪亮的身躯缠绕着我，夜晚的星空唱着歌……

渐渐地，姚淼化作了女神，女神啊，是什么给你窈窕的身姿，是什么给你轻盈的舞步，是什么给你圣洁的灵魂，是什么给你柔情而又坚定的心呢？你把这宽容无私的爱温柔地撒向人间，月华满地……就像太阳和月亮永远相随，高山和流水永远相依，男人和女人相亲相爱，天地万物和谐统一。

我和姚淼自由歌唱，自由舞蹈，让爱情随风而舞，让生命自然成长，没有心灵的阻隔，没有世间的烦扰，爱，原来可以这样直接；生命，原来可以这样简单。

这里的山离天很近，这里的青草也会跳舞，我用手术刀将大地划开，血红的太阳冉冉升起，热情、充满力量的太阳神伸出他的臂膀，放射出令人眩晕的光芒，大地苏醒，草木生长，太阳鼓、神鼓、铜鼓齐声敲响，姚淼率领众神齐拜，我也深深地跪下去……

这一跪，也许是对太阳的崇拜吧，是心中蛰伏的愿望吧，是对生命无限的景仰吧，是对爱情虔诚的渴望吧，我觉得女人就是天地间的圣神。

在众神的手舞足蹈中，姚淼化作一只凤凰翩翩起舞。突然凤凰投身火海，我声嘶力竭地喊着："姚淼！"

从火海中腾起一只太阳鸟，围着我飞舞，云中飘落下的羽毛，是彩虹上旋转的裙袂，是心里猜不透的梦兆，是仙子空灵的舞蹈……

此时，我的心要飞了，抛却所有的负累，还有什么比这更美，还有什么比这更让人沉醉……

71. 天人合一

早晨，我是被阳光照醒的。一缕阳光温暖地照在我的脸上，我慢慢睁开眼睛，姚淼和衣睡在我床边。

“宝贝儿，醒醒，”我轻轻地推了推姚淼说，“该去县城医院了。”

“庆堂，你昨晚醉得直说梦话。”姚淼似醒非醒地说。

“都说什么了？”我微笑着问。

“你手舞足蹈地说，女神、太阳神什么的，还说卓玛长得太像小月。”

“是吗？”

我望了一眼痴情的姚淼，点了点头。

我们到县城医院时，已经快中午了。我让多嘎和卓玛看护着老人，和姚淼径直去了院长办公室。姚淼已经通过云南省文化厅的朋友与院长打了招呼。院长姓陈，很热情地接待了我们。当陈院长得知我就是林庆堂后，非常高兴。

“林主任，在医学杂志上，看过您发表的论文，获益匪浅，”陈院长敬佩地说，“您是著名的神经外科专家，难得到我们这个小医院，还得请您给我们上上课。”

“陈院长，您太客气了，院里有 CT 吗？”我谦逊地问。

“有，是一位香港企业家捐赠的。”陈院长热情地说。

“太好了，这样，老人的病情就可以查清了。”接着我又问，“陈院长，手术室的设备怎么样？”

“平时我们只做普外手术，神经外科手术只能做轻微的脑外伤，不过，神经内科我们还有一些临床经验。”陈院长客观地说。

“这就好，手术是个小手术，您给我派个助手吧。”我胸有成竹地说。

“那就派神经内科的刘大夫和神经外科的王大夫吧。”陈院长想了想说。

从院长办公室出来，我们为老人做了 CT，结果显示颅内有二百多毫升的血。

由于陈院长的支持，老人顺利地进入手术室。手术做了三个小时，还算顺利，老人术后很快就清醒了。

由于县城医院护理开颅手术的病人缺乏经验，我只好留下来亲自指挥护理。陈院长对我的到来非常珍惜，让我抽空讲了几堂课。

一晃十多天过去了，老人顺利康复出院。多嘎和卓玛高兴极了，用最好的酥油茶和青稞酒款待我们。

忙了十多天，一直没有洗澡，身上痒得不行。

"多嘎，哪里能洗澡？"我浑身不自在地问。

"为了庆祝我阿爸康复，我们去洗温泉吧。"卓玛抢着说。

"怎么？在香格里拉还能洗温泉吗？"我兴奋地问。

"不仅能洗温泉，而且是天浴，"姚淼神秘地说，"这里的藏族人在每年播种和收割完毕之时，都要举家来温泉泡澡。在温泉四周搭帐篷、烧篝火，边洗澡边休息，要闹一周呢。"

我一听是天浴，便心驰神往。眼下正是收割季节，我催促大家赶快上路。

我们骑自行车赶到下给温泉时，天色已近黄昏，只见下给温泉一片热浪翻腾。满山岩石清溪流淌，奇花异木葳蕤繁盛。

远处林子里有几片草甸，草甸上有几顶帐篷和几群牛羊，已有几家藏人在池子旁搭了帐篷，几个半裸和全裸的姑娘和女人奶着孩子，在泡澡和洗衣服。她们用藏语向多嘎和卓玛打着招呼，并友好地示意我和姚淼下水。

看到这种情景，我一下子明白了姚淼说过的话，美是纯粹的。人在这种纯粹的大自然面前，人性也就回归自然了。人一旦回归了自然，回复了本性，即回复了真，真就是美，本色之美是不可替代的。倒是我这个来自物欲横流世界的俗人心中升出无数邪念，望着池中少女们鲜艳欲滴的躯体浮想联翩，好在我的心灵深处还留有最初的纯洁，我忽然明白了什么是香格里拉的灵魂，这就是人类的纯粹、心灵的纯粹、大自然的纯粹。

此时，在另一个池子边，卓玛和姚淼已经脱光了衣服下了水。多嘎示意我下到临近的一个池子里，我和多嘎也都脱光了衣服下了水。

水微微有点烫，还漂着淡淡的硫黄味。虽然是两个池子，我和多嘎在东池，姚淼和卓玛在西池，但温泉水相通，池中只有一块与水面齐高的石板把我们隔开。

远处池中的几个少女毫无拘束，有说有笑，或聊天或洗头或打水嬉戏……或许是热气，或许是喜悦，令她们脸膛通红，眼睛闪亮。

这时，卓玛喊道："庆堂哥，这温泉是菩萨赐予我们的神水，在温泉里泡澡能洗去一年的烦恼并治病延年，你不是身子痒吗？泡好了，让多嘎给你搓搓。"

我望一眼卓玛姣美的玉体，一下子想起了小月，我心想，莫非是小月到了天堂转世又到了人间，香格里拉就是人间天堂，果真小月转世到此，也是她的福分。

这时，姚淼和卓玛在水中嬉戏起来，弥漫的水汽似有一层薄薄的白纱，轻轻披在两个女人水灵灵的玉体上，宛若两个下凡的仙女。

这真是天人合一的世界，仿佛高原的雄奇、峻伟，在此都幻成一种婉约、一种灵秀、一种天然质朴，它的美是那么纯粹，让人想到亚当和夏娃的伊甸园。

两个女人闹累了，便互相梳起了长发。卓玛一边给姚淼梳头，一边唱起了情歌，歌声在空气里飘荡，充满了迷人的神韵。我甚至怀疑自己是不是在梦里。

我把身体深深地潜在水里，闭目养神，神游在天堂般的意境里，顿时有一种飘飘欲仙的感觉。伴随着这种感觉身体里涌出一股暖流，流经全身，令我热血沸腾。

远处帐篷里未下水的藏民望着天边留下的一抹残红悠然地抽着烟，一轮悬月挂在树梢上，星星也出来了，我躺在热泉里，望着自己心爱的女人和藏女一起洗涤凝脂，心中充满了惬意和美妙。

我惊诧自己内心的宁静，我知道这份宁静来自多嘎和卓玛的善良淳朴，来自姚淼对我纯粹的情感，当然也来自我早已忘记的心灵深处的纯洁。

72. 活佛

一晃在云南待了半个月，临走的前两天，卓玛建议我去一趟葛丹松赞林寺，说是云南最大的藏传佛教寺院，有小布达拉宫的美誉。

第二天早晨，卓玛陪着我和姚淼早早地就来到了松赞林寺。清晨的松赞林寺安静祥和。远远望去，耸立在山坡上的座座寺庙连成一片，俨然一个山城。城上经幡招展，城内铙钹声声。走入寺中，就仿佛走入藏传佛教的圣殿。

寺内老墙林立，巷道纵横。断垣残壁记载着鼎盛的历史，无数跳跃的酥油灯火苗象征着信仰的不灭，一幅幅壁画展示着生死轮回的历程。

这时，一缕极亮的阳光从屋顶泄下来，仿佛佛光，射在壁画上，慢慢地移动。姚淼突然眼前一亮，旋身融入阳光之中，情不自禁地摆起来。她的每一个动作都纯净柔美，宛如传递着天与地自然生息的神秘使者，一个美丽动人的轻盈身影流泻着丝丝入扣的生命律动，她的指尖细婉的微妙语言非常惊人，让人领悟到舞蹈神韵的一份灵性，这是从天地交合、阴阳协调中获取的灵性，这灵性是闪着佛光的，佛光普照着沐浴的藏女，藏女们在佛光中得到一个纯净的灵魂和一个无限的生命。

姚淼的舞蹈引来许多游客驻足观看，卓玛也看呆了，我急忙用摄像机将姚淼的舞姿录下来。

姚淼见我录像，她笑了。

“卓玛，以后跟我跳舞吧，”姚淼高兴地说，“我要搞一台大型舞蹈，叫《寻找香格里拉》，演员全用当地人。”

卓玛高兴极了，她羡慕地说：“姚淼姐，你简直就是舞神啊！”

我们随着开光的人群走向厅堂。只见楼上的厅堂里坐着慈眉善目、仙风道骨的一位老活佛，远道而来的游客个个向活佛跪拜如仪、磕头如捣蒜，为的是向活佛奉上一串项链、一个玉佩、一串珠子甚至一个小小的佩件，让活佛在上面吹三口气、念几句经，那些小玩意儿便成了护身符，再挂回自己的脖子上便珍贵得像贾宝玉的通灵宝玉。

姚淼磕头后也将自己脖子上的玉观音摘下来交给活佛，活佛吹了三口气、念了几句经，然后轻拍了一下她的头算是祝福。姚淼接过玉观音如获至宝。

“庆堂，你戴上它就能一切平安，万事如意。”姚淼把玉观音郑重地戴在我的脖子上。

我笑了笑，心想活佛如此高寿，大概与整天吹气有关，起码锻炼了肺活量。难得有机会向活佛求教生死轮回的大问题，我向活佛磕头后便问：“请问大师，怎样才能消除人类面对死亡的恐惧心理？”

活佛不懂汉语，卓玛代我翻译成藏语后，活佛一愣，没有马上回答，却让我在旁边等一下，他微闭双目，继续吹气、念经。

过了好一阵子活佛还没有召唤我，我心里有点嘀咕，心想难道我的问题太难了？不料，活佛突然睁开眼睛对身边的小喇嘛说了句什么。这位小喇嘛立即用汉语回答了我的问题。

“活佛说:信点啥!”

一听这话,我真是如梦初醒,佩服得五体投地。此话真是高明至极,人没有信仰就像水没有源头,就无法领会宇宙的美丽、万物的巧妙和灵魂的尊严,我们生命中无法逾越的困惑,都缘于我们没有信仰。信仰就犹如花的香气,即使花瓣化作尘泥,但花的香气仍旧存留于空气中,这是一种更好的、更合理的、更为公的永生。一句话抵一本书,果真佛法无边,无难不克。

离开寺院后,我还一直沉浸在佛的气氛中,路上不断看见一个个的嘛尼堆,或长或短,上面经幡飘扬,公路两边的田地里有高高的木架,上面晒满了青稞,田里还有无人看管的牛羊在闲庭信步。

高原草甸上的灌木丛像原野上燃烧的火焰,一直延伸到远处的小木屋,宁静脱俗得仿佛不在人间。

“庆堂,想什么呢?”姚森妩媚地问。

“我有一种预感,不知是否吉祥。”我支吾道。

“什么预感?”

“我总觉得有一天我的灵魂会回归到香格里拉,在天堂的入口与你相会。”我深沉地说。

“为什么?”姚森疑惑地问。

“我也说不好,总觉得前生来过这里。”

“庆堂,其实我也有这种感觉。”姚森认真地说。

“既然这样,你们俩就别走了,就留在香格里拉吧,”卓玛真诚地说,“我们藏民需要你们。”

我望了一眼天真的卓玛,终于明白了香格里拉的真正含义。

告别多嘎和卓玛时,多嘎的老父亲又能骑马了,这让我心里很欣慰。我生存的最大意义就是治病救人,每治好一位病人,我内心都会非常快乐,我享受这种快乐,我常问自己什么是幸福?其实能够享受快乐就是幸福。

姚森在云南的采风基本结束,下一步将进入创作阶段。晚上,在昆明的宾馆里,我和姚森站在窗前,她依偎在我的怀里,月亮像冬天的空气一样清亮冰冷,冷冷地照着黑暗中流泪的女人,我抵挡不住内心深处的凄凉之感,紧紧地搂着她,不知说什么好。

我以为这个心如秋水的女人应该是什么都已看透的，却仍然为我们的分别而恸哭。我知道是我的爱亵渎了她超凡脱俗的情愫，使她的爱因为我而堕落。

这堕落都是缘于爱的激情，但是我不知道人的一生有多少激情？因为生活本身就是在各种压力下一种淡然的寻求。

“庆堂，我总觉得总有一天，我将永远失去你！”姚淼擦了擦眼泪动情地说。

“除非我死了！”

姚淼赶紧捂住我的嘴。

“别说这么不吉利的话，如果你死了，我会陪你去的。”

“淼，有一件不好的事我连丹阳也没告诉，谁也不知道。”

“亲爱的，你能有什么不好的事？”姚淼有些惊异地问。

“宝贝儿，来昆明之前我做了一次体检，”我迟疑地说，“查出了糖尿病。”

“严重吗？”姚淼紧张地问。

“餐前血糖是十二，餐后是十五，比较严重。”

“那该怎么办？”姚淼着急地问。

“我是医生，我会处理好的，不过这病一旦得上，就得陪伴终身，慢慢地就会丧失性能力。”

“得了这么重的病，还开玩笑呢！”

“不是开玩笑，是真的，糖尿病患者有百分之三十七的人会丧失性能力。”

“庆堂，答应我珍惜自己的身体和生命！”姚淼严肃地说。

“只要你珍惜自己的生命，我也会珍惜自己的生命。”

“让我们俩都好好保重自己！”姚淼贴着我的脸说，“我不在你身边，不能天天照顾你，你得糖尿病的事一定要让丹阳知道，这样她才能照顾你。”

“她一天到晚只知道挣钱，心里哪里还有我？我做一天手术累极了，晚上回家连一口热饭都吃不上。”

“那也得让她知道，她知道后就会把心收回来。”

“还是顺其自然吧。”

“我知道丹阳是爱你的，她爱你不亚于我，只是她不知道怎么爱你，爱不到地方，她觉得为你付出了很多，可是你却没怎么感觉到，我说得对吗?”

“也许是吧。”我无奈地说。

“佛说,前世的五百次回眸,才换来今日的擦肩而过,你也要学会理解丹阳!”

“淼,你今天是怎么了,像个法官似的,为丹阳向我讨公道吗?”

“如果,我是法官,我将判决你,终身监禁,监禁在我的心里。”

“我情愿被终身监禁!”

第九章　生死非洲

73. 爱华

我从昆明回到东州时，已经是下午三点多了。我没通知谢丹阳开车来接我，而是一个人坐大巴回的家。我想丹阳一定不在家。没想到一推门丹阳正在洗手间洗衣服。

"丹阳，我回来了。"我故作镇静地说。

谢丹阳从洗手间探出头酸溜溜地问："从哪儿回来的？"

"从成都呗！"我毫不犹豫地说。

谢丹阳又问："到成都二十天都去哪儿了？"

"去了九寨沟、黄龙还有梅里雪山。"我不假思索地回答。

丹阳用戏谑的口吻说："去的地方还不少呢，没带一位红颜知己多寂寞呀！"

我听谢丹阳话里有话，心想，难道她知道了什么吗？正想着，谢丹阳拿毛巾擦着手走了过来，她冷冷地看着我，看得我直发毛。

"林庆堂，我再给你一次机会，你对我说句实话，这二十多天你在哪儿？"

我一口咬定去了成都。谢丹阳一下子火了，她把手中的毛巾重重地摔在我的脸上。

"林庆堂，我什么地方对不起你，你跟我撒弥天大谎，"谢丹阳大吼道：

“你别忘了我在航空公司工作那么多年，你的行踪我早就让售票处的朋友在电脑里监控了，你爱姚森干吗和我结婚？你吃着碗里的惦记着锅里的，今天你不跟我说清楚，咱俩就没完。”

我的心“咯噔”一下，心想坏了，我忘了丹阳在结婚前就让姚森做过爱情侦探，我更忽略了她在航空公司工作多年，找个小姐妹在电脑上一查，就什么都清楚了。怎么办？我下决心不服软，我知道一旦服软，一切就完了。

“谢丹阳，你别无理取闹，我去成都了，也去云南了，怎么了？这跟姚森有什么关系?”我镇定地说。

“林庆堂，算我瞎了眼，嫁给你这个王八蛋，”谢丹阳骂道，“你有胆量偷鸡摸狗，为什么没有胆量承认?”

“我承认什么呀？再说，你凭什么监控我?”我无奈地反驳道。

“凭我是你老婆，凭我是雪儿的母亲!”谢丹阳吼道。

丹阳骂着骂着呜呜地大哭了起来。哭着哭着，她开始收拾东西，我一看不对头，连忙阻止。

“丹阳，你要干什么?”我认真地问。

丹阳大喊道：“分居！离婚!”说完，拎起收拾好的衣服包冲出门去，然后狠狠地摔上了门。

我呆若木鸡地站着，心里清楚事情闹大了，不好收场了。不过，有一点我心里有底，就是丹阳不会轻易和我离婚，如果那样，就等于把我拱手让给了姚森，何况，丹阳仍然爱着我，不然她不会反应这么强烈，我想，也只好让彼此冷静后再说了。

深秋了，风也料峭起来，医院小花园里，被秋风吹干的老槐树叶子打起了卷儿，从枝条上轻轻脱落下来，洒了满地，踏上去沙沙地响。爱华要回国了，因为他已经得到母亲病危的消息，父亲让他速归。

晚上，赵雨秋、罗元文、何慧慧还有我相聚在非洲风情酒吧，为爱华送行。看得出来爱华恨不得马上飞到母亲身边，他非常希望能带着雨秋走，然而这注定是不可能的。

席间，爱华流下了伤心的泪水。得知爱华要走，赵雨秋一下子失魂落魄起来，她没想到这个苦苦爱着她的非洲人会有一天要离开她，而且这一去很可能再也见不到了。

其实，赵雨秋的骨子里是深爱着爱华的，只是虚荣遮蔽了她的双眼。她终于当着爱华的面哭了，而且哭得那么委屈。

“对不起，爱华，”赵雨秋鼻涕一把泪一把地说，“你就当我死了。”

“雨秋，即使你死了，也是死在我心中。”爱华动情地说。

我知道赵雨秋为了一些虚荣的想法压抑自己的感情太久了，她怎么可能不为一个真爱过自己的男人即将离去而痛苦。

何慧慧今天打扮得光彩照人，一副事业有成的傲慢相。不过，她劝赵雨秋的几句话还颇有几分哲理：

“雨秋，别哭了，你们俩相爱过，这就足够了，人生的真正价值就是互相爱过，爱华就要回国了，给他一份好心情。爱华，对你来说，最重要的事情就是别让你的母亲失望，别为雨秋担心，我能看出来雨秋爱你，世间不是所有的真爱都能走到一起的，你们的心里都有对方，就为彼此互相祝福吧！”

爱华和赵雨秋听了这话都很感动，很显然，爱华的心情更复杂。许多事情涌上心头，来不及整理，乱麻似的一团，只能靠酒精来掩饰。我和罗元文都舍不得和爱华分别，为了抑制即将流出的眼泪，只好大干啤酒。

何慧慧发现我没带夫人，便问：“庆堂，为什么没带丹阳来？”

我苦笑了笑算是回答。

“这小子不知怎么得罪老婆了，丹阳跑回娘家与他分居快一个月了。”罗元文幸灾乐祸地说。

何慧慧态度有些傲慢地“唉”了一声。

“庆堂，其实，家就是有一个人在等待你，相爱就是两个人实实在在地生活，每天都不能离开。”

何慧慧的话虽然很有道理，但我心里并不服气。我知道何慧慧还蒙在鼓里，那个美女作家欧阳梅一天也没有停止过取而代之的想法。罗元文这小子不知道能不能逃出这张情网。

“爱华，这酒吧怎么办？”我岔开话题问。

“交给雨秋打理吧。”

我心想，非洲风情酒吧在东州已经赫赫有名了，全部交给赵雨秋等于爱华留给她一大笔钱。看来爱华对赵雨秋已经是仁至义尽了。

酒散时，外面下起了小雨夹雪，我和罗元文与爱华相拥而别，想起同窗的日子，又想起逝去的穆怀中教授，我们都泪如泉涌。

74. 矛盾

爱华回国以后，赵雨秋情绪很不稳定，曾当众让曲中谦下不了台。曲中谦知道赵雨秋是因为爱华而神经质的，也不与她一般见识，而且心里因为少了一个情敌而窃喜。不过，曲中谦对赵雨秋的迁就终于酿出了事故。

晚上，赵雨秋值夜班，由于非洲风情酒吧有几个痞子酒后滋事，惊动了警察，赵雨秋急忙过去处理，结果擅离职守，一个刚做完手术三天的病人失踪了。

最先发现病人失踪的是病人的儿子，他夜间起夜回来，发现自己的母亲不见了，急忙找值班护士，结果赵雨秋不在岗，等她下半夜回来时，病人的儿子快急疯了。

赵雨秋一听情况严重，赶紧给曲中谦打电话汇报，曲中谦正在睡梦中，听了赵雨秋的话惊出了一身冷汗。

"赵雨秋，你怎么敢擅离职守？值班医生呢？"曲中谦斥责道。

"不知道。"赵雨秋理亏地说。

"太不像话了，你好好安抚病人家属，我马上到！"曲中谦又急又气地说。

曲中谦赶到病房时，护士站已经围满了人。脑肿瘤、脑外伤、脑出血三个病区的值班医生都不在，曲中谦让赵雨秋通知所有在岗的护士以及医院的保安抓紧时间找病人，这时我和罗元文接到通知也赶到了病区，一些病人家属也帮着找，大家围着医院找了起来。

众人找了两个多小时也没找到，这时天已经蒙蒙亮了。一个医院的保安发现在医院正门附近的立交桥上站着一个头缠绷带、身穿住院服的老妇人，正在四处望风景，他赶紧上前搀扶病人回到病区。病人终于找到了，众人松了一口气，病人的儿子却不依不饶，非让医院给个说法不可。

早晨一上班，曲中谦就被常院长叫到办公室撸了一顿。

"老曲，穆怀中同志在神经外科主任的岗位上，一干就是几十年，从来没出过任何问题，你才干几天呀，就出这么大的事故，你让我怎么向院党委交代，你知道我是顶着多么大的压力才把你扶到这个岗位上的？你可好，一上任就把陈小柔调到了重症监护室，搞得科里议论纷纷，都传到蒋厅长耳朵里去了，谁不知道陈小柔不仅工作一向兢兢业业，而且郑国华同志正在非洲执行维和任务，你这样用人怎么可能调动手下人工作的积极性？从今天发生的事故看，我还得感谢你没把那个愣头青赵雨秋安排在重症监护室，否则就得死人！你回去赶紧开个主任碰头会，拿出检查和整改意见，对责任人要严肃处理！”

曲中谦带着气回到神经外科办公室。他让赵雨秋通知全体医务人员到会议室开会。

在会上，曲中谦铁青着脸说：“昨天晚上发生的事情，性质是严重的、影响是极坏的，刚才常院长对我进行了严厉的批评，要求我们查明情况，找出原因、认真检查、定出整改措施。元文，你作为值班主任，你先说说吧。”

罗元文一听曲中谦把球踢给了自己，气就不打一处来，心想，你曲中谦这是推卸责任，找替罪羊啊，没门儿！其实这都是你平时疏于管理、包庇纵容的结果。

“曲主任，”罗元文清了清嗓子说，“出了这么大的事你当主帅的应当先说说，最起码给弟兄们指指明路呀。”

“元文，这叫什么话？病人差点失踪了，你这个值班主任难道一点责任都没有？”曲中谦阴着脸问。

罗元文立即反驳道：“科里的规章制度形同虚设谁的责任？神经外科队伍涣散谁的责任？再说，曲主任，你作为神经外科主任你查过几次房？”

曲中谦见罗元文不给自己面子，恼羞成怒地说：“罗元文，你什么意思？”

“什么意思你自己心里清楚。”罗元文冷笑着说。

“我希望你正视问题，配合工作！”曲中谦加重了语气说。

“作为一把手应该先从自身找问题，而不是推卸责任，找替罪羊！”罗元文毫不示弱地说。

“罗元文，谁推卸责任？”曲中谦气愤地问，“请你把话说清楚！”

看来罗元文是豁出去了，他根本没把曲中谦放在眼里。

“我的话说得够清楚了！”罗元文大声说。

“罗元文，你这是无理取闹！”曲中谦一拍桌子说。

“曲中谦，你也少他妈的整事！”罗元文也一拍桌子说。

曲中谦急了，他快步走到罗元文面前说：“你跟谁妈妈的？”

罗元文红着脸说：“我跟你妈妈的怎么着？你这种人就是欠骂。”

我一看事不好，赶紧上前制止，众人也上前相劝，赵雨秋和几名医生把曲中谦劝出会议室，我和几名医务人员拽着罗元文，会议不欢而散。

这次会议后，罗元文和曲中谦的矛盾更深了，因病人失踪一事医院给病人免了一部分医疗费，安抚了病人家属，对于这起事故院党委也没有深究，只是曲中谦代表神经外科写了一份检讨，不了了之。

75. 任务

自从丹阳和我分居后，我的心里空落落的，我岳父岳母看不下去，把我们叫到一起做了认真细致的思想工作。谢丹阳哭得像个孩子，她伤心欲绝的表情我一辈子也忘不了。

丹阳终于原谅了我，决定回家住。我也向岳父岳母表了态，决不再让二老操心。不过，这件事过后，我和丹阳彼此都有了一种家的伤感。好在女儿住校，我们的矛盾没有在女儿面前暴露过。

深长的冬天过去了，早春的天空分外美丽。天上，像雾似的薄云里有时会投射出强烈的阳光。这阳光直射海面，迸射出千万点碎金似的耀眼的闪光，在海面上闪烁跳跃，照得人眼花缭乱。

这几天，我的心情特别好，几例比较难做的海绵窦肿瘤手术都让我攻克了，曲中谦在业务上越来越看中我，这让我感到很充实。

早晨，我刚走进办公室，赵雨秋推门进来了。

"庆堂，曲主任让你到他办公室去一趟。"

"雨秋，爱华回国后的情况怎么样？"我关心地问。

"来过一封信，说回国后一直在军队的医院中服役。"

"他母亲的身体怎么样了？"

"已经病逝了。"赵雨秋难过地说。

"雨秋，爱华的母亲是一位令人钦佩的母亲，她和爱华父亲的爱情才是真爱情，面对他们的伟大爱情，我们的爱太功利了。你是不是很思念爱华？"

"庆堂，像我这样的人是一辈子都不配得到真爱的！"

我发现赵雨秋的眉宇间有一层深深的愁苦，脸色也有些憔悴，大大的眼睛枯涩无光，微笑时，眼角略显出鱼尾纹，我知道这丫头的内心一定很苦。我转念一想，在这个世界上又有谁的心里没有苦呢？

走进曲中谦的办公室时，老曲正在接电话："好的，常院长，您放心，我一定做好工作。"

曲中谦放下电话，请我坐，并给我沏了杯茶。

"曲主任，亲自给我沏茶一定没什么好事吧？"我开玩笑地说。

"庆堂啊，组织上确实有一件重要的任务要让你牵头，"曲中谦态度和蔼地说，"省卫生厅接到国家卫生部的任务，要求我省派一支医疗队援助非洲刚果（金），时间是两年，省卫生厅把任务交给了我们医院。院党委研究决定由你任援助非洲刚果（金）医疗队队长。"

我听了这个消息半天没有说话，思想进行着激烈的斗争，陈小柔的丈夫郑国华是以中国维和医疗分队队长的身份去的刚果（金），为什么那里需要维和，说明那个国家不太平，爱华回国前多次和我谈起过他的祖国，再加上陈小柔曾经把郑国华给她写的信给我看过，我对刚果（金）的情况也有一些了解，这是一项非常艰巨的任务，组织上能把这么艰巨的任务交给我，说明组织上很看重我，可是如果我接受了这项任务，丹阳一定不同意，雪儿还小，岳父岳母身体都不好，更为严重的是到了刚果（金）不仅环境艰苦，而且各种传染病、战乱都可能危及生命，自己扔在那儿算是解脱，万一队员有人扔在那儿，自己怎么向他们的家人交代，良心上岂不是要背一辈子债？然而，穆主任临终前交给我白求恩奖章的情景又浮现在我的眼前，我心一横，心想，我不下地狱谁下地狱？想到这儿，我心情平静了许多，再者说，又可以和爱华在一起了，在刚果（金）无论遇到什么困难，爱华都会帮助我的，我摸了摸兜想抽根烟，结果没带，老曲连忙把自己的软包中华烟扔给我，我深吸一口烟，沉思片刻说："既然组织上定了，我服从！"

曲中谦以为我有情绪，连忙拍拍我的肩膀解释说："庆堂，冷静点，你先坐下，听我给你解释。说实话，我也不愿意让你走，你是我们科的台柱子，省卫生厅要求我们医院派最优秀的人才，派你去也是院党委再三斟酌的，援非事业是我国外交的一项重要政策，你代表的是国家，任务艰巨而光荣。"

"老曲，你误会了，我知道这副担子的分量，我感谢组织上对我的信任！"

晚上，回到家里和丹阳说了参加援非医疗队的事，她担心地流下了眼泪。

"别哭了，不就是两年嘛？"我安慰说，"咬咬牙就过去了。"

“非洲多乱哪，到处是艾滋病。”丹阳一边抹眼泪一边说，“刚果（金）刚刚打完仗，这一去要多危险有多危险，你们医院就会欺负你这种老实人，你要是有个三长两短我和雪儿怎么办呀？”

“我走了就没人和你吵架了！”我半开玩笑地说。

“吵架也是你对不起我，别看我们俩在一起吵，真分开就想了！”丹阳真诚地说。

丹阳的话说得让我感动，想起过去的恩恩怨怨，一时忍不住，眼泪也涌了出来，我一把抱住丹阳，把她紧紧抱在怀里。

我要去非洲的消息很快就传开了，一天早晨上班，我刚走到办公室门前，陈小柔正站在门前等我。

“陈姐，找我有事？”

“庆堂，你要去刚果（金）的事我听说了，姐想跟你聊聊。”

“好啊，这样吧，中午我请你吃饭。”

“我请，庆堂，姐有好多话要跟你说。”

“好吧。”

中午，我和陈小柔找了一家火锅店，陈小柔点的菜也很慷慨。

“庆堂，”陈小柔一边给我夹菜一边说，“姐非常感谢你为我主持公道，常院长找我谈过话，安排我到重症监护室是因为科里没有人能担起这副担子，让赵雨秋干，院里不放心，上次病人走失就是个例子，院里既然这么信任我，我也只好克服困难，好好干了，总不能给你姐夫丢脸！”

“陈姐，说说姐夫在刚果（金）是怎么开展工作的，或许对我有帮助。”

“国华来信说，他们每天面对的大部分是严重战伤的维和军人，这些维和军人来自不同国家和地区，有着不同的语言和风俗习惯，这些军人中有生命垂危的疟疾患者，也有极度危险的艾滋病人，他们医疗分队严格按照《联合国卫勤保障手册》的要求，认真履行职责，把救死扶伤、发扬人道主义精神作为服务宗旨和行为准则，真正做到了技术上精益求精、工作上极端负责、服务上热情周到。看到刚果（金）缺医少药，当地居民就医治病极度困难的情况，医疗分队力所能及地提供医疗救助，为当地老百姓排忧解难，积极参与联刚团组织的各项公益活动，挽救了一个又一个生命垂危的患者，体现了高尚的职业道德，在当地群众心目中树立起了中国军人的良好形象。”

“看来，刚果（金）的老百姓的确需要我们援非医疗队。”

“国华说，刚果(金)是个传染病高发、病程凶险、治疗难度大的国家，你们援非医疗队去了要不断总结实践经验，摸索出一套行之有效的治疗方案。只要你们医疗队把每一次收治和抢救病人作为锻炼队伍、提高技术、积累经验的难得机会，边实践边总结，探索规律，就一定能打开局面，开展好工作。姐对你特别有信心！另外我会把你要去刚果(金)的消息告诉国华，他知道后一定很高兴，有什么困难你们可以互相帮助。”

“到时候，我要向姐夫多多请教!”我由衷地说。

76. 新闻

第二天上午，我做了一例脑囊肿手术，便回到办公室，打开电视，一条爆炸性新闻让我惊呆了。

“据新华社报道，刚果(金)政府九日宣布，该国向乌克兰租用的一架俄制伊尔—76 型运输机八日晚在从首都金沙萨飞往东南部加丹加省首府卢本巴希途中，发生尾部舱门意外打开事故。机上约二百名乘客中大部分被抛出舱外，从高空坠落。

刚果(金)国防部官员称，起飞后四十五分钟左右，在姆布吉马伊上空，这架飞机的尾部舱门发生‘机械故障’，突然打开，导致乘客被抛出舱外。当时的飞行高度在海拔两千米至三千米之间，大大低于这类型号飞机海拔九千米的标准巡航高度。

据报道，这架飞机及其机组人员都属于乌克兰国防部，现在被刚果(金)政府租用。机上乘客主要是刚果(金)军方成员及其家属。刚果(金)官方没有透露具体死亡人数。但两名机场工作人员证实，死亡的乘客可能是一百二十九人。法新社援引刚果(金)军方人士的话说，乘客中只有四十人幸存，以此推断，死亡人数可能为一百六十人。

在非洲，人们经常乘坐经过改装的运输机旅行。这种飞机内部通常只有很少的座位，多数乘客只能坐在地上的行李堆中。

刚果(金)官员说，由于该国公路状况差，长途旅行必须依靠空运，而很多飞机都年久失修，状况令人担忧。”

我听赵雨秋说过，爱华经常乘这种运输机来往于金沙萨和卢本巴希之间，给从战区后送下来的受伤官兵看病，连忙抄起电话给罗元文打手机，这小子关机，再给办公室打，也没有人接。我心想他可能上手术台还没有下来。我没敢给赵雨秋打电话,可她却焦急地进来了。

"庆堂,听新闻了吗?"赵雨秋语无伦次地问。

"听了,雨秋,你别瞎想!"我安慰道。

"不是瞎想,你说爱华会不会在这架飞机上?"赵雨秋的表情非常恐慌。

我望着赵雨秋焦急的神色,心里反倒为爱华感到欣慰,毕竟有一位远在异国的姑娘牵挂着这位老黑。

我让赵雨秋坐下,劝她不要着急,并给她倒了一杯水。她双手捧着水杯,不住地在抖动。

"雨秋,你太紧张了,哪儿会那么巧爱华就在这架飞机上。"我安慰道。

"爱华是军方的人,又常在金沙萨和卢本巴希之间飞,能不让人担心吗?"赵雨秋激动地说。

"雨秋,看来你还是爱爱华的。"

"爱他又能怎样?我和他没有缘分。"

"有爱就足够了。为了打消你的疑虑,我看你给爱华写封信吧!"其实,我心里也是七上八下的。

这时,罗元文晃晃悠悠地进来了。

"庆堂,刚果(金)的这场空难太离奇了吧?"看来这小子也看新闻了。

"离奇得让人不可思议。"我摇着头说。

"雨秋,干吗愁眉苦脸的?"罗元文不解地问。

"还用问吗,当然是为心上人担心呗!"我开玩笑地说。

"你们担心爱华会在这架飞机上?笑话,世上哪有这么巧的事。雨秋,你能不能盼爱华点好,心里惦记人家,还不跟人家走,真不知道你心里是怎么想的。"罗元文不客气地说。

"罗元文,你少说风凉话,我干吗要跟他去那种鬼地方,有本事你也向庆堂学学,参加援非医疗队呀!站着说话不腰疼!"赵雨秋恼羞成怒地说。

"哎,赵雨秋,我怎么得罪你了,你像吃了呛药似的!"罗元文像是个丈二的和尚。

我心里暗笑了,心想,你罗元文碰上母夜叉了。

"元文,爱华经常坐这趟飞机,雨秋确实担心。"我连忙打圆场地说。

"想不担心还不容易,参加援非医疗队呀!"罗元文火上浇油地说。

"你以为我不敢!"赵雨秋一仰脖子说。

"雨秋,你要是真闹心就跟我一块儿去刚果(金)吧,正好我的援非医疗队缺一位好的护士长。"我认真地说。

"远在非洲,你们俩别擦出火花来。"罗元文意味深长地扬了扬眉毛说。

"去你的,没正形。"赵雨秋嗔道。

我和罗元文哈哈大笑。

蒋叶真没想到院党委会安排我做援非医疗队队长。她打电话说:"庆堂,如果你不愿意去,我给你说说话。"

"不用了,院党委已经定了的事,不好更改,再说,我不下地狱谁下地狱?"我谢绝道。

"庆堂,没那么严重,"蒋叶真笑着说,"你这次锻炼很重要,你们医院主管业务的副院长很快就到站了,你是最佳人选,我已经向省卫生厅组织部推荐了你。"

"叶真,谢谢你的好意,我天生就不是当官的料。"我笑着说。

"主管业务的副院长整天与业务打交道,也算不上什么官,这对你的事业有好处。"蒋叶真用心良苦地说。

"谢谢了叶真,还是顺其自然的好。"

"听你的口气,总像是在怪我,我有什么地方做得不好吗?"蒋叶真有些挑理地说。

"不是,不是,是我没有当官的福。"我连忙解释。

"这样吧,庆堂,晚上,我请你吃饭,"蒋叶真恳切地说,"一来我有事向你请教,二来算我为你送行。好吗?"

我想,蒋叶真一直对我不错,人家也确实没有什么对不起我的,毕竟是师兄妹,我不应该让她太伤心,便答应了。

77. 本真

傍晚,蒋叶真开着一辆奥迪车来接我,我坐在奥迪车上,她开车直奔环海路。在环海路上,来回绕了两圈,就是不去酒店。

"叶真,你是请我吃饭,还是请我兜风?"

"先请你兜风,再请你吃饭,你看晚霞中的大海多灿烂啊,我真想让心在灿烂中死去。"

“怎么了？叶真，你一直是积极向上的，怎么突然伤感起来？”我疑惑地问。

蒋叶真把车停在一棵梧桐树下说：“没有爱的人生再辉煌又有什么意义？”

我一下子明白了蒋叶真的苦衷，她离婚多年，是孤独让她伤感的。

“为什么不找个伴儿？”

“庆堂，爱不是可以随便呼来唤去的，人生哪是找个伴儿那么简单。”蒋叶真忧郁地说。

“叶真，是不是工作压力太大了？”

我看见蒋叶真美丽的眼睛周围罩着痛苦的黑晕。她振作一下自己说：“庆堂，在我的世界里，早就消灭了冲动，只剩下规规矩矩的日常生活。我周围的人包括我自己都在被规定的位置上，干着被规定的例行公事，谁也不敢做一个正常的人。我真羡慕你！”

“我有什么可羡慕的？”我不解地问。

“你是一个敢越雷池的人。”

“你怎么知道？”我知道她话里有话。

“因为你的灵魂深处还有冲动。只不过这冲动不是为了我，听说是为了一个跳舞的美人，这个美人就是姚淼吧！”蒋叶真说这话时眼睛直勾勾地看着我。

“你听谁说的？”我惊愕地问。

“有没有这回事？”蒋叶真诡谲地反问我。

“蒋叶真，你是请我吃饭，还是审问我来了？”我佯装生气地说。

蒋叶真也觉得有些过了，便收回话题说：“不是我审问你，而是你老婆对你不放心。”

“我和我老婆之间的事就不用你操心了，还是管管你自己，找个老公赶紧嫁了算了。”

“我嫁不嫁人跟你有什么关系？”蒋叶真娇嗔地说。

“好好好，我不操心，不过，我饿了，厅长请吃饭，总得吃点像样的东西吧？”

“你想吃点什么？”

“挺长时间没吃海鲜了，有点馋了。”

“好吧，咱们这就去日月渔港。”

在酒店，我们坐在面向大海的露台上，酒菜很快上齐了。蒋叶真先敬了我一杯。

“庆堂，祝你去非洲一切顺利！”蒋叶真动情地说。

“谢谢！这可能是我一生中最难忘的一次远行。”

“我以省卫生厅厅长的名义命令你，一定要安安全全地回来！”

“谢谢！叶真，儿子怎么样？”

“不太好，最近老嚷嚷头疼，我忙得也没时间带他上医院看看。”

“叶真，你也是神经外科毕业的硕士，怎么这么大意？孩子无缘无故地头疼，有两种可能，一是因为发育太快造成的；另一种情况就是脑袋里有问题，应该马上去医院检查。明天来医院做个核磁共振吧。”

“庆堂，有这么严重吗？”

“小心无大碍，苏洋在西藏就一点也不想儿子吗？”

“想能怎么样，他也帮不上什么忙，只是寄几个钱来。”蒋叶真无奈地说。

“他在西藏是不是又结婚了？”

“不太清楚，听说长期与一个藏族女人同居。庆堂，我不愿意提他。”

“小兰快成大姑娘了吧？”我话锋一转问。

提起小兰，蒋叶真面露喜色。

“这丫头挺争气，已经考上北方医科大学临床医学专业了。”蒋叶真自豪地说。

“是吗？我怎么一点都不知道？”我兴奋地说，“她一定听过我的课。”

“听过，对你佩服得五体投地。”

“是呀，哪天让她来见见我。”

“她大学毕业还要考你的研究生呢。”

“好啊，这个学生我收了。”

几杯酒下肚蒋叶真的话明显多了起来，也更温柔起来，她生来就是个美人坯子，虽然当厅长这些年弄了一身官气，可是一旦抛弃官气，活脱脱又是个美人。

“庆堂，生命中什么是最神圣的？”蒋叶真若有所思地问。

“生命本身就是最神圣的。”

“不对，生命中最神圣的是爱，这是我失去你和离婚后的心得。我虽然明白了，却再也找不到真爱了。”

“叶真,你太悲观了,我相信你一定能重新找到真爱的。”

我看得出蒋叶真今晚约我出来不是为了给我送行,而是寻找心灵慰藉的,可能还有些根据我的反应来抉择的将计就计的用意。我当然不会给她这个机会。不过,我还是想多给她些兄长般的关爱。

这关爱似乎有些迟了,以至于这个表面辉煌、内心却孤苦的女人多了一些对我的怨恨。这怨恨又是缠缠绵绵的,里面还残存着阴差阳错的爱。这爱当然是情爱。我想将这情爱转化为友爱,却又容易转化为怨恨,我也变得无奈起来,只是下决心以后多关心她一点、多爱护她一点,也好融化她内心积聚的怨恨。

“师兄,过几天,蔡教授和师母就去加拿大看女儿了,二老这次走很伤感,总怕叶落归不了根,穆主任走了以后,蔡教授苍老了许多,我每次去看他,他都问起你,你参加援非医疗队的事我没敢告诉他,怕他担心。”

“叶真,二老走时,我们一定要送送,我关于海绵窦肿瘤研究的论文已经被世界神经外科联合会主办的《世界神经外科研究》杂志刊用了,一直想给蔡教授送去,可是一直没倒出空来。”

“庆堂,这么大的事,你也不说一声,太不够朋友了,蔡教授知道了不知有多高兴呢!”

“叶真,你别挑礼,我有多忙你心里最清楚。”

“庆堂,这不仅是你个人的事,也是我们省卫生厅的大事,更是你们院的大事,我要给你申报省科研成果奖。”

“叶真,想不到,我取得一点点成绩你会这么高兴!”

“师兄,你说什么呢,别忘了,我们永远是师兄妹!”

夜已深沉,星星像刚洗完澡,清爽而明亮。空气中透着一股淡淡的咸味,这是大海的气息,环海路上车流稀少,蒋叶真却把车开得很慢。

其实,从酒店出来她就一直在流泪,蒋叶真一旦恢复了本真,便让人觉得明慧温婉、楚楚可怜,我甚至想用人世间最缠绵、最痛苦的爱来融化她,让她摆脱功利之心和潜规则的束缚,然而,这仅仅是我的一种冲动。我知道,在我的心中,有了姚森和丹阳,再也容不下第三个女人。

车到北方医科大学门口,蒋叶真轻轻地抱住了我,我仔细地看着她的脸,她的眼睛里藏着很深的忧郁,忧郁得让人心碎。一缕黑发不知什么时候从额头上散落了下来,歇在脸上,楚楚的美。

我轻轻地替她把黑发掠到耳后,她却紧紧地抱住我,给了我热烈而深长的吻。这吻是带着泪花的，因为我嘴里有淡淡的咸味，就像海风吹来的气息。

78. 信

送蔡教授去机场那天，我和蒋叶真都流下了依依不舍的热泪。蔡教授拿着我在《世界神经外科研究》杂志上发表的论文，非常激动，但是听说我参加了援刚医疗队，又为我担心起来，对蒋叶真从路上一直责怪到候机大厅。

“叶真，我们培养一位优秀的神经外科医生多不容易呀，你怎么忍心让庆堂到那么危险的国家去，万一有个三长两短可怎么办，到时候你哭都来不及!”

我还是第一次看见蔡教授这么着急，按理说，蔡教授应该支持我去援刚医疗队的，阻止我不是老人的性格，也可能是离别的伤感让老人的心肠软了下来，也可能是他太珍惜人才了，无论我和叶真怎么解释，蔡教授就是不依不饶地责怪蒋叶真，终于把蒋叶真的眼泪说了出来。蒋叶真的眼泪一出来，我的眼泪就止不住了，我真怕这次援非真出现意外，再也见不到老师了，蔡教授见两个学生都哭了，也抑制不住流下了浑浊的眼泪。

送走蔡教授后，我的心情一直很低落，为了调整自己的心态，我全身心地投入到出发前的封闭训练中。

这次赴刚果(金)的援非医疗队一共十一人，为了更好地适应当地的环境，医疗队需要进行一个月的封闭训练。一晃半个月过去了，队员们都觉得很有收获。

刚果(金)地处非洲中西部，自然环境恶劣，经济凋敝，基础设施差，小范围武装冲突不断，加之地处赤道地区，终年高温多雨，蚊虫较多，由其传播的传染病也较多，艾滋病、疟疾、霍乱等各种传染病时常流行，这对医疗队是一场艰巨的考验。

越训练我越觉得责任重大，如果不能健康安全地带回队员，我将无法向院党委和队员家属交代。

早晨，医疗队员正在操场跑步，赵雨秋突然来到训练基地找我。她的眼睛红肿，还藏着深深的悲哀。看得出，她昨晚没睡好，还哭过。

我不知道发生了什么事情，赶紧问她。她从包里拿出一封信递给我，

我一看是从刚果(金)寄来的。我似乎明白了什么,连忙打开信看,信是用汉语写的:

雨秋小姐:

你好!

我是爱华的父亲阿里,我知道你是一位漂亮善良的姑娘,上世纪六十年代我在中国留学的时候,也爱上了一位漂亮的中国姑娘,她就是爱华的母亲,爱华的母亲一直希望爱华能娶一位中国姑娘,爱华找到了爱,但是你们没有缘分,当你接到这封信的时候,爱华已经不在这个世界了,他死于一次意外的空难。我就这么一个儿子,他的死让我的心都快碎了!雨秋小姐,爱华很爱你,生前一直为你雕这个木雕,他的寓意是两个相爱的年轻人心心相连,很遗憾爱华不能亲手送给你了,我把这个木雕寄给你,留个纪念吧,这一定是爱华的遗愿!对爱华来说,也许,一个永远得不到的幸福就是最大的幸福。他是在这幸福中死去的,别悲伤,孩子,我作为一个父亲,永远祝你幸福!

愿真主保佑你!

爱华的父亲 阿里

二〇〇三年×月×日”

我的眼睛湿润了,想不到爱华真的会死于那场空难,徐志摩的散文《想飞》中的几句话一下了撞进我的脑海:

“同时天上那一点黑的已经迫近在我的头顶,形成了一架鸟形的机器,忽的机檐一侧,一光球直往下落,砰的一声炸响,炸碎了我在飞行中的幻想,天空里又添了几堆破碎的浮云。”

我不知道如何安慰赵雨秋,她的心似乎已经变得千疮百孔,不过憔悴的脸似乎露出一种坚定,这是我从来没有见过的一种表情,果然她做出了一个惊人的决定。

“庆堂，我把非洲风情酒吧卖了，我要跟你去刚果(金)。”

“医疗队队员已经确定了，正在进行训练，怕不好办。”我有些为难地说。

“我不管，反正我要去，你去找蒋叶真说说情吧。”

赵雨秋的口气不容商量，我知道是爱华的死让她重新认识了自己。

“好吧，你先回去等我消息。”

赵雨秋走了，我望着她那修长的背影，几乎不敢相信这就是赵雨秋。

培训期间一直封闭学习、训练，所以，二十多天没回家。晚饭以后，在宿舍里想静静地看会儿书，手机响了，我一看号码是姚森打来的，心里一阵兴奋。

“为什么不向我祝贺?”姚森劈头就问。

我被问蒙了，“祝贺什么?”我纳闷地问。

“我创作的大型舞蹈《寻找香格里拉》获得巨大成功，难道你没看电视?”姚森兴奋地说。

“对不起，宝贝儿，我参加了援非医疗队，正在封闭训练，还有十几天我就起程去非洲刚果(金)了。”我非常抱歉地说。

“这么大的事为什么不告诉我?”姚森生气地问。

“我知道你最近为创作《寻找香格里拉》忙得很，我怕影响你的创作情绪。”

“庆堂，下星期我们去北京演出，你等着我，我一定回东州为你送行!”姚森虽然缓和了口气但仍很焦急地说。

“不用，我们从北京坐飞机走，你在北京等我，我们在北京见面吧。”

放下电话，我的内心掠过一丝惆怅，我仿佛看见与姚森相见时的婆娑泪眼，又仿佛看见与丹阳分别时的无语凝噎。

窗外灯火迷离，面对孤枕，我煎熬在两个女人的情感旋涡之中。走廊里嘻嘻哈哈地走过几个女人，打断了我的沉思。我赶紧打开电视，整点新闻正在播报姚森的信息：

大型舞蹈《寻找香格里拉》，日前在云南昆明首演获得巨大成功。作品用最乡土的和最现代的、最人性的和最神圣的舞蹈元素进行艺术重构，在时空错位和视觉错位中强化某种亦真亦幻的感受，大有耳目一新的感觉。来自滇山村寨的上百名舞蹈演员，用她们极其质朴的歌声和肢体语言展现了云南少数民族原创乡土歌舞的魅力。姚森在这些原创乡土歌舞的基础上又融进现代舞蹈语言,构建组合了这台强烈、古朴、真挚却又现代而震撼的民族舞蹈,展现了香格里拉纯粹而深沉、天人合一的意境,时而大气磅礴,时而温婉动人,看后让人有视觉的冲击和心灵的震撼。

我为姚森的成功而高兴,我从舞蹈的一些片断中体味出我们在下给温泉天浴时的一些感觉,那种心在天堂的感觉。

香格里拉就是人间天堂,既然是天堂,人们便希望在俗世中遭遇的疑问能够在天堂里找到答案,在欲望里迷失的道路在天堂里能寻回方向。这便是寻找香格里拉的意义。

姚森通过舞蹈告诉我们,每个人对寻找的意义都有自己的理解,每一种理解都应当受到尊重。

79. 金沙萨

经过我的一番努力,赵雨秋参加了援非医疗队。看得出来,她是想通过去非洲化解自己内心的悲伤,我说不好她和爱华之间是怎样的一种爱。这些年她和爱华同居,又做曲中谦的情妇,她纠缠在这种复杂的情感纠葛中太累了,或许她自己已经厌倦了与曲中谦的感情游戏,她想摆脱,也想忘却,而眼下最好的方式就是去非洲。

训练终于结束了,明天我们将去北京,由北京踏上去非洲刚果(金)的旅途。丹阳为我做了一顿丰盛的晚餐,整个晚上她的眼里都含着泪,我们相濡以沫这么多年,虽然吵过无数次,甚至闹到分居,可到了真正要分别的时候,爱还是占了上风。

“丹阳,你怕我死吗?”我不知道为什么要问这句话。

“不怕! 你死了,大不了我做风流寡妇!”丹阳抹着眼泪说。

“口是心非!”

丹阳猛然抱住我用牙咬着我的肩膀半天不松口。

我轻轻捧起她的脸,结婚这么多年了,我从未像今天这样打量她,莹滑的肌肤,细巧的红唇,玲珑的鼻子,细细的眉毛,长长的睫毛在眼睑下投下淡黑的影子。

爱是无需语言的,妻默默地为我打点行装,我让她把穆主任临终前赠送给我的白求恩奖章带上，她精心地用红绸子包好。我默默地望着她，心中充满风暴般的怜爱。

丹阳是能够让我燃烧起来的女人，其实这些年，我每取得一点成绩都离不开她的支持、理解和鼓励，我一下子想起丹阳的许多好，愧疚之感搅乱了我的惆怅，而此时的丹阳也忍不住离别的泪水，她一头扑到我的怀里，我紧紧地抱着她，心中充满了无穷的力量。

在首都机场，我下飞机便接到姚淼的短信：

“我在酒店等你，一直等！”

我心里有些激动，这时来接站的国家卫生部和外交部的领导走过来热情地与队员们握手，在机场贵宾室，省卫生厅的刘副厅长和常院长简单地汇报了医疗队的基本情况。

国家卫生部的领导说：“先回酒店吧，晚上我设宴，给你们送行。”

晚宴后，我急忙赶往姚淼住的酒店，她住的酒店离我住的酒店不远，走路就十分钟，我却打车过去的。

推开酒店的门，我愣住了，几个月不见，姚淼竟憔悴了许多，眼窝深陷，脸色也不太好。

“宝贝儿，病了吧？脸色这么不好！”我关切地问。

“相思病！”姚淼抱住我说。

“不对，是不是太累了？”

姚淼犹豫了一会儿伤心地说：“我在香格里拉，因为想你，晚上睡不着觉，这期间工作特别累，所以便成了这个样子。”

我双手捧起姚淼的脸深情地说：“淼，为了我不值得！”

姚淼担心地说：“我听说刚果（金）刚打完仗，你去了一定要注意安全！”

我“嗯”了一声说：“两年时间很快就会过去，回国时你来机场接我。”

“来，亲爱的，把这个玉观音戴上，我特意找活佛开过光的，一定能保佑你平安！”

姚淼用纤纤玉手给我戴上，淡淡的香气笼罩着我，我觉得我的灵魂也化作了淡淡的香气升华了。我在升华中感到我作为医生是救人生命的，而姚淼是救我人性的。这种曼妙的感觉来源于肉体，却享受于精神。这不是每个女人都能做到的，这需要心灵的纯净，这种纯净绝不是道德的，而是灵魂的。道德只关心男女之间是否发生了肉体关系，却从没有关心过男女之间的灵魂关系。面对这两种关系我不能自拔,因为世人只知道肉体与肉体、肉体与精神、精神与精神的关系,而心灵也需要良性循环。

我热爱现在流淌在我和姚淼心灵之间的贞守,它像春雨一样滋润着我们,却忘了夏天有酷热、秋天有落叶、冬天有风雪。

第二天经过六小时的飞行,我们抵达孟加拉国首都达卡机场。在这里队员们休息了六个小时,又重新登机。经过七小时五十分钟的飞行,飞机降落在埃塞俄比亚首都亚的斯亚贝巴机场。在这里又停留一个小时四十分钟左右,再次登机。

飞机穿过云层,我从机窗望去,一轮明月一直伴随着飞机飞行,仿佛怕飞机迷失航向。这可是非洲上空的月亮,我却觉得是从北京一直跟来的。我第一次在飞机上这么仔细地观察月亮,仿佛有一盏明灯正在为我们指路。

天亮了,快降落时,我看见路两边全是杂草,还有大堆大堆的蚂蚁做的土丘,然后就是三三两两的屋棚,和头顶着大大包袱身上裹着大块大块花布的妇女,背着木炭的男人以及衣裳褴褛的孩子,半个小时后,飞机终于抵达刚果(金)首都金沙萨国际机场。

一下飞机,扑面而来的热带气浪就给我们来了个下马威,热得我们连喘气都费劲。地图上标得明白:此地紧挨赤道。这热也就不足为奇了。

前来金沙萨机场迎接我们的有中国驻金沙萨大使,刚果(金)卫生部官员及金沙萨医院的院领导,我们被安置在金沙萨医院准备好的宿舍后,大使馆派车来接我们,金大使要为我们接风洗尘。

车队驶入金沙萨市区时,刚下飞机的兴奋劲一下子全没了,破败的街区里全是颓败的楼房,没有玻璃的窗户露着黑乎乎的窟窿,满大街跑着破旧的出租车,裹挟着噪声,喷吐着黑烟。商业街上最大的商店也不比东州的便利店大多少,队员们的表情开始沉重起来,我知道,这里的环境要比我们想象的还糟,我们即将在这样的环境中工作生活两年。

中国大使馆位于风景秀丽的刚果河畔,与对面刚果(布)首都布拉柴维尔隔河相望,整个建筑中西合璧、别具一格,屋顶的旗杆上五星红旗迎风招展,门前悬挂着两个圆形大红灯笼和四个菱形灯笼。大使夫妇正站在门口迎候我们,大家寒暄后,大使夫妇把我们请进了会客厅。

会客厅内的挂毯、字画、瓷器等中国特色艺术品让我们感到非常亲切。我向金大使汇报了医疗队的基本情况,大使也介绍了刚果(金)的局势和金沙萨医院的情况：

“中国和刚果（金）两国虽然相距遥远，但两国人民的友谊源远流长，”金大使兴致勃勃地说，“长期以来，两国友好合作关系始终顺利健康发展。在上个世纪六十年代，刚果（金）的经济与加拿大相差无几。可是，经过多年的战乱和党派、部族不断的冲突，这里的经济日渐衰败，人民生活非常困苦。刚果（金）内战始于一九九八年八月，大约有三百万人在内战中丧生，在这三百万死亡者当中，至少有百分之八十五的人死于那些并不很难治愈的疾病以及营养不良。三百万人死于战乱，这一数字是令人震惊和骇人听闻的，这是人类历史上人道主义的大灾难。上周就有一千人死于部落屠杀。这次部落屠杀事件发生在刚果（金）内战各派四月二日签订的一项和平协议仅一天后。据乌干达驻扎在刚果（金）东部的部队官员说，被害的人都是当地的赫马族人，袭击者是赫马族的世敌伦杜族人。屠杀是在当地时间四月三日早晨五点至八点钟进行的，凶手对伊土里县德罗德罗镇的十四个村庄内居住的赫马族居民进行了有组织的屠杀，遇害者中包括大量妇女、儿童，凶手使用了弯刀、步枪等凶器，并在施暴后逃匿。所以，林队长，队员们上街千万要结伴而行，要特别强调组织性、纪律性。”

“请金大使放心，远离祖国和亲人到刚果（金）救死扶伤，是对每一名援刚医疗队员政治思想、作风纪律、身心素质、工作能力的一次全方位考验。全体队员牢记祖国和人民的重托，识大体、顾大局，发扬白求恩精神，强化安全教育和责任意识，时刻保持高度警惕，确保一切行动在组织管理监督之中，使医疗队始终保持高度的集中统一，实现医疗队满怀信心援刚，安安全全回国的目标。”我信心十足地说。

“好，看来林队长是个十分干练的人，医疗队有什么困难尽管来找我。”

“我们医疗队虽然只有十一个人，但代表的是祖国，有困难我们会尽量克服的。”

金大使听了我的话，很高兴。

“好，欢迎你们到金沙萨，希望你们发扬白求恩的国际人道主义精神，为国争光，为中非友谊作贡献。宴会开始了，我给你们接风！”金大使高兴地说。

庭院内经过修剪的草坪绿色茵茵，芒果树和非洲特有的“扇子树”枝叶茂盛，碧水涟漪的游泳池清澈透底，中式凉亭的柱子及曲径旁的照明灯柱上环绕着五颜六色的彩灯，院里铺着整洁台布的长条桌子上摆放着茅台、五粮液、长城干红、张裕葡萄酒等各种名贵国酒，以及使馆厨师精心制作的各类中西式点心和菜肴。

在柔和的灯光下，大使馆的庭院里回荡着悠扬的古曲《春江花月夜》，一位风度翩翩的老者走到我身旁操着一口流利的汉语问道："您就是爱华的同学，援刚医疗队队长林庆堂先生吧？"

"是啊，您是爱华的父亲阿里院长？"我将信将疑地问道。

"正是正是，林队长，欢迎你到刚果（金），我代表金沙萨医院全体医护人员衷心地欢迎你们！"说完，紧紧握住我的双手，仿佛看到了自己的亲生儿子爱华。

我们医疗队的法语翻译是刚从法国留学回来的医学博士，叫杜清杨。小伙子不到三十岁，一米八的大个，眉清目秀，一表人才。小杜是专攻骨科的，这次参加医疗队既是医生又是法语翻译。他见我和金沙萨医院院长亲切交谈，怕我不懂法语交谈吃力，便主动走过来给我当翻译，却没想到阿里院长是个中国通。

这时，赵雨秋端着一杯饮料走了过来，我赶紧介绍："雨秋，你知道这是谁吗？"

阿里院长慈祥地说："林队长，先让我猜一猜，是雨秋小姐吧！"

"您是爱华的父亲，阿里大叔？"赵雨秋激动地问。

"正是正是，想不到我们会在刚果（金）见面，可惜……"阿里院长激动地抹了抹眼泪。

"大叔，真对不起，您寄给我的信和木雕我都收到了，想不到爱华会……"赵雨秋的眼泪也一下子涌了出来。

"不哭不哭，孩子，看到了你们我就像看到了爱华呀！"阿里院长轻轻拍了拍赵雨秋的肩膀说。

"大叔，抽空能到爱华的墓上看看他吗？"赵雨秋伤心地问。

"从几千米的高空坠落，根本找不到尸体了，你们就当爱华葬在刚果（金）的每一寸土地上了，你们来帮助刚果（金）人民，爱华在天有灵一定会很高兴。雨秋别难过，爱华没有爱错人。"

阿里院长这么一说，赵雨秋的眼泪涌得更厉害了。

在集训时，杜清杨给医疗队上法语课，奇怪的是，课堂上他从不提问赵雨秋。我当时看出了一些端倪，但这只是杜清杨的一厢情愿。爱华死后，赵雨秋对感情问题似乎已经心如止水，所以每次杜清杨主动与赵雨秋搭讪，赵雨秋都很冷。不过，我心里还是为赵雨秋祈祷，希望她能获得这份爱情，相信爱华在九泉之下也会瞑目。此时，杜清杨看见泪流满面的心上人，很想安慰几句，却又不知道说什么好，我看出了端倪，邀请阿里院长去见医疗队的其他队员。

在酒会上，刚果（金）卫生部官员对中国人的盛情和各种美酒、特色食品连连称好，酒会在祥和的气氛中结束。

80. 黑人妇女

非洲的月亮从黑黑的林子里升起，天空雾蒙蒙地像飘着轻纱。正是满月的月亮从枝头升起来，圆圆的仿佛覆盖了整个金沙萨。

我开窗望去，月亮是黄色的，是那种淡淡的橘红，在雾蒙蒙的天上，飘晃着，似乎要滴下一滴水。空气中一丝风也没有，在刚果（金）根本没有四季的概念，不像东州四季分明。

我打开笔记本电脑分别给丹阳和姚淼报了平安。我搞不清自己看到的世界和体验到的世界哪个更真实，但却知道自己这一生注定要在这两个女人的挚爱中死去。人生来注定就是要死的，这是人生最大的恐惧。

我在香格里拉松赞林寺向活佛请教时，还不明白恐惧是与生俱来的困境，离开祖国，忽然想到如果此时我死了，就再也见不到丹阳和姚淼，还有我那可爱的女儿，这是一件多么恐惧的事呀！

想着想着，我竟流出泪来。

我一宿没睡好，早晨，我早早就起床了，我要熟悉一下金沙萨医院四周的环境，我信步走出医院，向美丽的刚果河走去。

刚果河上游穿越赤道后，折向西北，然后折向西南，再次穿过赤道，来到了刚果（金）首都金沙萨和刚果（布）首都布拉柴维尔。这一段是刚果河中游，从中游起，刚果河才真正叫刚果河。中游具有平原河流的特点，水流平稳，密如蛛网的支流主要在这一段注入刚果河。

金沙萨和布拉柴维尔犹如一对明珠点缀在刚果河中游，两个国家的首都一水之隔，遥遥相望，这在世界上也是少见的现象，被人们称为中部非洲两个隔河相望的姊妹国家。金沙萨雄峙于河东，布拉柴维尔龙盘在河西，南半球赤道附近的地理位置使这里终年气温较高，雨量丰富。这里的植物四季常青，繁花似锦，所以，这两座美丽的热带都城都有“花园城市”之称。

我望着浩浩荡荡、气势磅礴的刚果河，心想，粗犷的河水所显示出的强劲的威力，就代表了刚果(金)人民不屈不挠的坚强性格。

上午，我先给队员们开了个会，然后指挥队员们安装我们带来的医疗器械，忙了大半天，刚进办公室喘口气儿，一名黑人医生就急匆匆地推门进来了，他用法语式英语还不时夹着一两句当地的斯瓦西里语，连比画带说地表达了半天，我也没听太明白，便给杜清杨打了电话，让他过来一趟。

不一会儿，杜清杨就来了。他和黑人医生交谈了一会儿以后，告诉我说：“林队长，一名十九岁的黑人妇女被河马咬伤了，伤势严重，需要帮助。”

“人怎么会被河马咬伤?”我不解地问，在我印象里河马是一种温顺的动物。

“这名黑人妇女在距金沙萨六十公里的刚果河边，划独木舟与他人一起去刚果河捞东西时，由于独木舟擦到了河马的后背，被激怒了的河马当场就咬伤了这名妇女。”杜清杨解释说。

“清杨，手术由你负责，走，我们一起去看看。”我认真地说。

黑人医生已经命护士将病人推进了手术室，这时阿里院长也来了，我和杜清杨与阿里院长简单做了沟通后，对这名黑人妇女做了认真的检查。

“林队长，这位妇女左下肢被咬断多处，肌肉严重毁损，多处骨折，骨质外露，由于伤后救治不及时，加上天气炎热，伤处严重腐烂，病情十分严重，如不马上截肢，将危及生命。”杜清杨作为主刀医生先提出了治疗方案。

我望着病人散发出恶臭气味的伤腿，与阿里院长和黑人医生交换了意见，阿里院长和黑人医生同意截肢。杜清杨立即准备手术，我给小杜做助手，赵雨秋做护士。手术立即进行。

手术前，我让赵雨秋和两名护士一起，先给这名黑人妇女进行了清洗，不知道她有多长时间没洗澡了，用了五六盆水才洗掉了她身上的腥臭味。

手术进行了两个多小时，下午一点半左右结束，其大腿中下三分之一被截掉。病人返回重症监护室，神志清醒，各项指标正常。阿里院长十分满意。

我和杜清杨走出手术室准备吃点东西，听到走廊里一位在医院里打工的当地人说："伤成这个样子，她丈夫肯定不会要她了。"

我们听了以后，心情都很沉重。

晚饭以后，我去重症监护室看望了这位黑人妇女。

"庆堂，"赵雨秋焦虑地说，"从她的情绪上看，她很害怕，很难过，不过语言不通，我和她无法沟通。"

"在当地人中找一名翻译吧，"我惆怅地说，"能沟通才能帮助她树立起重新生活的勇气。另外，你们几个护士为她制订一个护理计划，只有悉心照料，才能让她迅速康复。这是我们到金沙萨医院做的第一例手术。一定要成功！"

"你放心吧，她有一个一岁大的孩子，我让护士把我们带来的奶粉给了她母亲，她知道后很感动。"赵雨秋善解人意地说。

自从参加医疗队以后，赵雨秋的表现非常好，看不到以前的世俗与虚荣，就像换了一个人似的，她的表现让我很欣慰。

这时，杜清杨也走了进来，这小子是盯上赵雨秋了，不知道在感情的旋涡里刚刚上岸的赵雨秋能否束手就擒。

81. 畅谈

八一建军节前夕，我就接到了金大使的邀请，参加由大使馆举办的中国人民解放军建军七十六周年的招待酒会。

八月一日晚上六点钟，我和杜清杨、赵雨秋再一次来到中国大使馆。金大使夫妇一直站在门口迎候，六点半才来到交谈的人群中。八一前夕，由于东部的伊图里地区又发生了仇杀事件，几百人丧生，所以过渡政府和联合国驻刚果（金）特派团（简称联刚团，MONUC）的一些要员都赶去平息冲突，没有来参加酒会。即便如此，仍然有不少官员前来参加中国使馆举办的建军节招待会，这其中有：小卡比拉总统的妹妹、MONUC副司令及各国使节、武官及其夫人等。

在悠扬的中国传统乐曲中，大家不分肤色、不分国别，持杯彼此热情地交谈着，汉语、英语、法语、西班牙语、阿拉伯语，偶尔还冒出一两句当地的斯瓦西里语，不时响起一片笑声。来宾们盛赞中国经济迅猛发展，国力增强，在国际上的地位日益提高，中国军队的现代化水平也在不断提高。

这时金大使领着一位中国维和军人微笑着走到我身边,“林队长,我给你介绍一位同行。”还未等金大使介绍我们就兴奋地互相叫了起来。

“庆堂!”

“姐夫!”

只见站在我面前的中国维和军人身着迷彩服,颈系蓝丝巾,脚穿迷彩靴,大校军衔,非常引人注目。这个人正是陈小柔的丈夫郑国华。

“原来你们早就认识,那就不用我介绍了。”

“金大使,我爱人和林队长不仅在同一家医院工作,而且在同一个科室工作。”

“太好了,既然你们是他乡遇故知,就好好谈谈吧,我先去招待客人。”

金大使一走,郑国华和我紧紧地拥抱在了一起。

“兄弟,见到你就等于见到祖国了!”

我的心深深地被郑国华的这句饱含深情的话震动了,漂泊在异国他乡,远离祖国和亲人,孤独是不可避免的,何况是在失去了母语的生存环境中,长期不能与周围的人进行深入的沟通。郑国华率领的中国维和医疗分队又处在比我们援刚医疗队更危险的环境中,在刚果(金)首都金沙萨相对于其它地区是最安全的。

“姐夫,出国前陈姐让我给你捎了一封你女儿给你写的信,还有一些家人的照片,一直没机会给你,晚上住我那儿吧,咱们好好唠唠!”

“好。”

这时,杜清杨和赵雨秋走了过来,赵雨秋一眼就认出了郑国华,她忽闪着大眼睛惊讶地说:“姐夫,真的是你吗?”

“怎么,雨秋,认不出来了?”

“姐夫穿上这身军装太帅了!要不是庆堂站在你身边我真的不敢认你呢。”

“雨秋,我也没有想到你会参加援非医疗队呀。”

“姐夫小瞧人,我可不比你手下的女兵差。”

“姐夫只是担心,雨秋这么漂亮,要是在这儿晒上两年,变得跟非洲人一样黑,可怎么嫁人啊!”郑国华话音刚落,我和杜清杨被逗得哈哈大笑。

招待会从始至终一直洋溢着友好的气氛。从来宾们的言谈中,不难看出各个国家对我国在世界上地位的认可,此时此刻,作为援非医疗队员,站在非洲这片陌生的土地上,我胸中有一种难以言表的自豪感,圆满完成任务的信心倍增。

几个小时过去了，中国人的盛情和各种美酒、特色食品使来宾们流连忘返，酒会在人们依依惜别声中结束。

晚上，杜清杨找阿里院长在我房间临时搭了一张床，我和郑国华从酒会上捎回来一些酒菜，我们一边喝一边聊。郑国华特别想从我口中多了解一些祖国的情况，我也特别想从他的口中多了解一些刚果（金）的情况，大有他乡遇故知的感觉。

“姐夫，你这一走，小柔姐可太难了！”

“是啊，她选择军人做丈夫就等于选择了奉献和牺牲。”

“姐夫，你们驻扎的金杜比金沙萨的环境怎么样？”

“差远了，金杜是反政府武装 RCDG 的控制区，营区不远处就有 RC-DG 的一个据点，据点还架着机枪。金杜给人的印象就是个大村子，市内最长的柏油马路连五十米都没有，唯一一栋破烂的二层楼还成了联合国维和部队第五战区的司令部。离城不到一公里的道路两侧，都是一人多高的蒿草，密不透风。周围散落的村庄房屋残破不堪，大部分是土坯加铁皮屋顶。村民们衣衫褴褛，特别是孩子们肚大脖细，到处是乞求的目光，让人看一眼就心酸。”

“你们与当地老百姓接触多吗？”

“我们维和医疗分队营区雇了一位当地人当清扫工。这位雇员叫 JACK，他曾经邀请我们去他家做客。我去了以后，心里非常酸楚，实在是太穷了，三间小屋，堂屋仅摆了几把椅子，两个偏屋住着他一家三口和他母亲。这间小屋里最值钱的东西就是一台收录机，还是他当建筑小工时用 UN 发给他的工资买的，但由于没有电池，也就是一个摆设。再就是一张木床，不仅破旧而且没有床垫，一家三口就挤在这张床上。因为他妻子到五公里外担水去了，没有看见。院子里还有几间大小类似的简陋铁皮顶土坯房，供他大嫂及六个弟妹和孩子居住。他每月的九十六元钱要养活这么一大家子。全家每天只吃一顿饭，主食是当地一种野菜熬的菜粥，我捞了一下，没看见一粒米。JACK 一家对我们这些客人的到来很是自豪，特地换上了自己认为最好的衣服与我们合影。到他家一看，我判定 JACK 当时应聘时穿的皮鞋是借来的。”

“说到底，还是战乱导致刚果（金）人民生活得如困苦的。”

“是啊，我曾在营区与一位十一岁的男孩交谈过，他痛哭流涕地向我控诉了 RCDG 的罪行。这位小男孩有两个弟弟和一个妹妹，父亲整天待在家里，无所事事，不敢外出干活，怕被 RCDG 的士兵当做 MAYIMAYI 抓起来，只有母亲一个人每天到山里寻觅点吃的东西，为全家充饥。全家每天只吃一顿饭，这顿饭也只是吃木薯粉拌野菜糊糊。上学对这位小男孩是一种奢望。更糟糕的是，RCDG 的士兵既没军饷，也不发食品，全靠抢老百姓过活。他的家几乎每天都被 RCDG 士兵光顾一次，几乎是见到能吃的东西、能用的东西就一扫而空。如果什么都没有，就只能挨打。当时我望着这位可怜的小男孩，除了给点吃穿之物以外，实在也帮不了什么！”

“姐夫，有没有遇上过危险？”

“有一天傍晚，我们请乌拉圭江河连的三位军官一起聚了一下，正赶上两名队员过生日，借机会大家热闹热闹，正吃着饭就听见机场方向爆炸声不断，事后才知道，原来是南非工兵分队在机场周围发现并引爆了四十余枚地雷，很是危险。在金杜地区有大量未爆炸的炮弹、标记和未标记的地雷。我们驻地附近没有排净的地雷也很多，有两名军事观察员在我们驻地附近触雷，一死一伤。”

“你们营区不就在机场附近吗？”

“我们营区离金杜机场只有一公里。”

“姐夫，你们的处境可太危险了！听小柔姐说，你们是坐船过来的，怎么没坐飞机呢？”

“因为医疗装备太多，总共有六个集装箱的维和物资和八台维和车辆，总价值近两千万元。同时，押运途中还要协助维和工兵连装卸七十二台工程车辆，我们只好坐船在茫茫大海上漂泊了二十四天。我们从天津港出发，经黄海、台湾海峡、马六甲海峡、印度洋，行程一万多海里到达坦桑尼亚首都达累斯萨拉姆，然后，经陆路到达刚果（金）由反政府武装控制的金杜。”

“途中有没有遇上风暴？”

“我们经过的这段航线，风大浪高，天气多变，万吨级的货轮在大海上航行，就像一片树叶在风中摇摆一样，颠簸不定。平时，人在甲板上连站都站不住，要是遇到暴风雨，更是惊心动魄。有一次，我们真的遇上了暴风雨，狂风、暴雨、巨浪，排山倒海般地向船袭来，不断撞击甲板，人在舱内都感到货船随时都有倾覆的危险。我们的队员从小生活在北方，多数人没坐过这么远的船，都感到天旋地转。我由于饮食不适应，本来没吃多少东西，晕船又呕吐不止，连胆汁都吐出来了。当时最重要的任务就是必须查看物资。冷藏箱内的药品和器材，必须保持恒温，如果冷藏箱损坏后发现不及时，里面的药品就会变质失效，不仅会给国家造成巨大的经济损失，还会给中国维和医疗分队带来极坏的国际影响。我作为维和医疗分队队长心里非常清楚，如果物资在这个时候出现一点闪失，不仅是失职，自己也将成为中国维和历史上的罪人。队员们纷纷争着去，被我制止了，我跟副队长交代：'如果我真的回不来了，你代我行使队长职权。'当我踉踉跄跄地走出舱门时，巨大的海浪劈头砸来，我连呛几口海水，睁不开眼睛，透不上气来。又湿又滑的甲板摇摆不定，根本站不住，随时都有被掀到海里的危险，生命真是悬在了风口浪尖上。我强迫自己忍住呕吐，咬紧牙关，紧紧地趴在船甲板上，慢慢地边爬边查看物资，三十多米的距离我整整爬了半个多小时。当我查看完所有的物资又艰难地爬回舱里时，一直在窗口紧盯着我一举一动的队员们，全都抱住我，一边喊着队长，一边激动得直哭。这样的风浪我们一共遇到十二次。在海上航行，狂风暴雨并不是最大的考验，最大的考验是战胜自己。货轮在赤道附近航行时，气温高达三十多度，简直就像进了蒸笼，又闷又热，船舱内机器轰鸣，令人烦躁不安，尤其是船上的饮食供应，顿顿吃的都是半生不熟、带着血丝的牛肉，看了都恶心，根本吃不下去，吐出来的比吃进去的还多。几天下来，队员们就变得面色苍白，身体非常虚弱，如何生存成为我们押运途中最为严峻的挑战。为了保持旺盛的体力和精力，我们都强迫自己尽量多吃东西，并积极与船方沟通，争取到了热水供应，保证每天都能泡上方便面。就这样，二十四天的航程下来，每个队员都吃了一百多袋方便面。"

"姐夫，我看你们的经历都可以拍成电视剧了。"

"在刚果（金），三股武装势力各据一方，冲突激烈，战火频繁，维和部队的安全很难得到保障。我们到达金杜不久，就先后有两名军事观察员被食人族活活吃掉；战区司令在平息部落冲突时被刺伤；两名军事观察员被劫持，蒙上眼睛赤脚在丛林里走了一天一夜，被救回时，脚掌磨得都露出了骨头，人已经奄奄一息了。我们的驻地与反政府武装的营地仅一路之隔，每天早晨，我们都与荷枪实弹的刚民盟士兵在铁丝网两边共同出操。有一次，我刚上吉普车准备去联刚团司令部，反政府武装士兵的火箭筒走火，火箭弹就是从我的吉普车旁飞过去的，平时冷枪冷炮更是时有发生。”

“姐夫,你可真是九死一生啊!”

“自第二次世界大战以后,伤亡人数最多的战争就是持续了五年而且仍然在继续中的刚果(金)内战。据专家估计,五年的连绵战火以及由此引发的一系列社会和自然灾难,夺走了四百七十万人的生命,相当于连着发生了六百六十六次‘9·11’事件。”

“真是令人难以置信。姐夫,刚果(金)的社会生产力这么落后,并没有威力无比的大规模杀伤性武器,怎么会造成如此惨重的伤亡呢?”

“他们常用的武器跟他们的祖先千百年来用于狩猎的武器几乎没有什么差别,弓、箭、弯刀,当然也有少数外来的来复枪和手榴弹什么的。据国际救援组织了解,绝大多数人是死于由战争所带来的饥荒和疾病。”

“刚果(金)这么穷,是什么原因导致这么惨重的内战呢?”

“和世界上任何一场战争一样,引发刚果(金)内战的原因无非是种族仇恨和对资源的占有欲。正是由于刚果(金)蕴藏着丰富的矿产资源,令对此垂涎已久的邻国纷纷卷入这场战争。卢旺达、乌干达和布隆迪以保卫边境安全为由,出兵支援刚果(金)反政府武装。津巴布韦、安哥拉和纳米比亚应卡比拉政府之邀,出兵帮助平叛,遂使大湖地区的局势复杂化。这场战乱也被称为‘非洲的第一次世界大战’。”

“姐夫,看来你们晚上是伴随着轰鸣的炮声入睡的。”

“我们在睡梦中时常被炮声惊醒。面对复杂多变的金杜局势,我和分队的几位领导始终保持清醒的认识,定期分析安全形势,严格落实各项规章制度,严格人员、车辆管理,坚持二十四小时巡逻,加强重点环节、重点部位的警戒,保证了队员的人身安全。”

“有没有遇到过特殊的病人?”

“我们医治过一名患恶性疟疾的重病人,是从基桑加尼转来的一位摩洛哥军人,发烧,用药后出现酱油尿,Hb 仅 6.2,RBC210 万,有轻度肾功能损害,第二天早晨,复查化验指标显示病情加重,Hb 降到 3.9,RBC 低于 80 万,最后诊断为恶性疟疾并发黑尿热。”

“黑尿热?”

“黑尿热是疟疾的一种严重并发症,是人体对疟原虫所释放的蛋白质产生过敏反应,而致急性血管内溶血,大量红细胞被破坏融解,使红细胞内血红蛋白在血浆中潴留,大量地从肾脏排出,成为带黑色的血红蛋白尿，其溶血原因可能由于患者红细胞内缺乏葡萄糖—6—磷酸脱氧酶，疟原虫释放出的毒素及人体的过敏反应和不规则地应用奎宁类抗疟药对发病也起一定作用。症状是起病急骤，有寒战、高热、腰痛、肝脾区疼痛及酱油色小便。患者大多都有明显贫血、黄疸、肝脾肿大、脉细数、出汗。严重者有尿闭（无尿）和昏迷等状态。”

“你们怎么处置的？”

“全队会诊后，认为这位患黑尿热的摩洛哥军人病情相当严重，必须紧急处理，病人绝对卧床，合理输液，补液量根据尿量而定。我们给病人静脉滴入适量的重碳酸钠，用氯喹、阿的平、氯呱进行抗疟治疗。为改善病情，使用了肾上腺皮质激素，同时，停用奎宁，伯氨喹啉及退热剂。病人病情很快得到控制，并趋于稳定。由于输血困难，而且刚果（金）的血液安全性很差，我和几位队领导碰头后决定，后送为宜。经请示，金沙萨来飞机将这名患黑尿热的摩洛哥军人后送至比利时三级医院。”

“姐夫，小柔要是知道你在这里整天与死神打交道会担心死的。”

“是啊，海涅说：‘只有远离祖国的人才会更加思念祖国，正像远离母亲的孩子更加思念母亲一样。’出征时，我知道在战友的背囊里，都有亲人的照片，父亲的、母亲的、妻子的、儿子的、女儿的，这是战友们思念祖国和亲人的精神寄托。睹物思人，见月伤心，思念因其丰富而成为一种美丽的痛苦。你被别人思念，那是你曾经付出的感情正在得到回报。你思念别人，那是你对别人感情的回答。赤道的阳光再灿烂，也没有祖国的日照暖心；非洲的景色再美丽，也没有祖国的风光迷人。何况这里是战火未熄的战场。出征时，首长们、战友们、亲人们的叮嘱不绝于耳，维和区离祖国有多远，我们对祖国的思念就有多长啊。每当我凝视冉冉升起的国旗时，幸福的泪花就模糊了我的视线。”

“姐夫，是什么在支撑着你们？”

“我给你看一封信你就知道了。”

郑国华说完，从上衣口袋里拿出一封信递给我。我接过来一看是一封中国人民解放军总后勤部卫生部的慰问信。

“驻刚果（金）维和医疗分队的全体同志：

“闻悉你们身体健康、工作顺利、生活愉快，十分欣慰。同时，也为你们努力克服生活、语言等方面的困难，积极开展医疗救治工作，取得显著成绩，赢得多国维和部队的信任和赞誉而感到由衷的骄傲。在此，向你们致以崇高的敬礼和亲切的慰问！

“我们一直十分关注刚果（金）的局势变化，希望地区紧张状态尽快得到缓解，维和行动能够按照预定计划实施。你们在一个复杂而多变的新环境下工作和生活，是在经历人生中一个重要阶段，既是考验，也是锻炼，大家要牢记使命，精诚团结，努力工作，把这次执行维和任务，既当成是我国推进世界和平进程，展示我军形象的重要举措，也当成是丰富人生阅历，提升人生价值的重要机会，写出一份无愧于祖国、无愧于军营、无愧于人生的合格答卷。

“军委、总部首长十分关心你们的安全、工作和生活，多次指示有关部门做好协调工作，为你们创造良好条件。同时，首长们也希望大家认真完成好维和任务，为五星红旗争光，为八一军旗添彩！

“全军卫生系统官兵无不以你们为荣，非常挂念远方的战友，热切盼望你们打胜仗，早日凯旋归来！

“同志们，虽然你们远离祖国，远离军营，但全军广大卫生人员与你们心连心、情相连，是你们的坚强后盾。我们坚信，你们一定能把军委、总部首长的亲切关怀和广大官兵的厚望转化为强大的精神动力，谦虚谨慎，再接再厉，继续发扬我军特别能吃苦、特别能战斗的优良传统，以精湛的技术和热忱的态度为维和官兵提供一流的卫生医疗服务，为维护和平作出积极贡献。

“让我们为圆满完成维和任务共同努力！

“衷心祝愿你们身体健康，工作顺利，生活愉快！”

手捧着这封信，我一下子明白了，来自祖国的问候，无疑是玉液琼浆，只有远离祖国的人，才会深深体会到个人的命运与祖国的命运血脉相连、息息相关。正是因为这些远离祖国、备受战火洗礼的维和战士，更懂得“祖国”这两个字的深刻含义，所以才能更自觉地维护祖国的尊严。万里征途阻隔不了对祖国和亲人的思念，阻隔不了维和战士对国徽和军旗的忠诚！

“姐夫，你们是为了维护和平而来，我们是为了中刚两国人民的友谊而来，其实我们的目标是一致的，都是为了给祖国争光！”

“说得好，兄弟，既然你来了，说不定我们还会相互配合呢！”

我和郑国华谈得畅快淋漓，几乎是彻夜未眠。

82. 一夜无眠

忙碌了一天，回到宿舍打开电脑，分别收到了丹阳和姚淼的电子邮件，两个人都说国内正在遭受非典瘟疫的肆虐，形势非常严峻，我的心一下子揪了起来。丹阳说，她的公司已经放假了；姚淼说，《寻找香格里拉》也暂时停止演出了。说实话，此时此刻，我最担心的是女儿，这种情况，她们学校还在上课。

最近医疗队的十一名队员都得知了国内非典肆虐的消息，情绪波动很大，为了了解情况，我给常院长打了电话，常院长接到我的电话很激动。

“庆堂，”常院长关切地说，“我代表院党委向医疗队全体同志表示最诚挚的问候，你们远涉重洋，到了战乱的刚果（金），冒着赤道地区四十度的酷热，冒着武装冲突和各种恶性传染病随时可能造成的生命危险，凭着过硬的工作精神和精湛的医疗技术，为祖国和我们北方医科大学附属医院赢得了荣誉。你们放心，院里一定会照顾好你们的家属，我们也一定能战胜非典瘟疫。”

我把常院长的意思告诉了全体队员，大家深受鼓舞。借此机会，我尽量给大家多安排工作，队员们为了摆脱对亲人的牵挂，也都投入到忘我的工作中。

早晨，我和几位医生检查病房时，赵雨秋提出了一个护理上的难题。

“林队长，我们的病人大部分都是黑人，注射青霉素给黑人做皮试，在阳性结果的判断上很难断定，我真怕扎出事来。”

我也觉得这个问题很棘手，还是杜清杨聪明，他机智地说：“可以通过询问病人的感觉和观察皮丘的增大程度来判断，对可疑阳性者不要轻易下结论。”

赵雨秋对杜清杨的高见投去了敬佩的一瞥。这一瞥常人不易察觉，但我却觉得这一瞥是饱含深情的，主要是她的眼神有一种内容。我想杜清杨这把钥匙早晚能打开赵雨秋这把锁。

“清杨说得对，”我赞许地说，“不过，多数病人还是采取脱敏注射等积极的方式来解决更好。护理质量要想真正到位，光靠技术也不行，还要和病人沟通，以便及时了解病人的情况，为治疗和护理提供有效的依据。”

“林队长，金沙萨的蚊子太厉害了，我们已有两位队员感染了疟疾。”杜清杨蹙眉说。

这种情况是我早已预料到的，上次与郑国华彻夜长谈时，他也提醒我要高度重视疟疾感染。

“清杨，让全体队员全面做一次体检，另外，每个队员都要按时口服预防药物。雨秋你负责督促。”我认真地说。

其实，在国内出发前，每个队员都服用了“抗虐三号”。抗虐药物主要是通过肝脏排解，有很强的毒副作用。我是过敏体质，又是糖尿病患者，刚服几天就出现头晕、恶心、呕吐等反应，皮肤也开始泛黄。怕影响队员的情绪，我都默默地挺过来了。不过，我没想到非洲的蚊子这么厉害，蚊帐根本挡不住那些头很小的蚊子，就是把领口和袖口系得紧紧的，它隔着衣服也能咬人。

我见赵雨秋对杜清杨不再冷淡，便开玩笑地说：“雨秋，不能老漂着，该成个家了。”

“为什么要成家？”赵雨秋娇媚地问。

“因为爱呀！”我风趣地说。

“爱就需要成家吗？”赵雨秋反问道。

我发现，赵雨秋说话时看了一眼杜清杨。杜清杨被她看得脸红了起来。然后她转身出了病房，曼妙的身姿让人陶醉。

这时，一名护士推门进来说：“林队长，有一名脑外伤患者有生命危险，您去看看吧。”

“怎么受的伤？”我皱眉问。

“是车祸，刚送来。”护士说。

“走，清杨，咱们去看看。”我一摆手说。

来到抢救室，病人满脸是血，已经昏迷。

我一看情况严重，果断地说：“赶紧送手术室抢救。”

护士们迅速准备救治。手术前，检验室送来了血检结果，我看后大吃一惊，病人 HIV 呈阳性。

“雨秋，这是一名艾滋病患者，让检验室仔细做一下。”我嘱咐说。

很快检验室就送来了化验单，结果和第一次一样，HIV 呈阳性。这是我到刚果(金)手术遇到的第一例艾滋病患者,也是医疗队遇到的第一例艾滋病患者。大家都十分紧张。

与我国不同,在刚果(金)HIV 不是术前常规检测的项目,对于被高度怀疑艾滋病的病人,必须在征得同意后才能做此项检查。由于刚果(金)艾滋病病毒携带者高达百分之十,为了队员的安全,我特意嘱咐检验室给每个待手术的患者秘密做 HIV 检测,如果不做这项检测,平日里有没有遇到艾滋病患者,真是不得而知。

我和杜清杨、赵雨秋重新商定了手术方案,因为患者是脑外伤、颅骨骨折,所以手术必须十分小心,因为一旦动脉血液溅到眼睛里或者皮肤上,而皮肤上正好有一个小口,就有感染艾滋病的危险。因而大家要戴上防护眼镜和双层手套,穿上隔离衣。

赵雨秋开始清理创面。血肉模糊的脸露了出来,这是一位漂亮的姑娘,尚且清醒,睫毛很长,眼睛又大又亮,鼻梁高挺,但令人痛心的是,她却患上了艾滋病。

病人痛苦地呻吟着,两只大眼睛充满了对生的渴望。手术器械是一次性的,艾滋病人无法用麻醉机,只好采用局部麻醉。

手术进展得很顺利,仅仅用了一个半小时,但对我这个神经外科医生来说,这是一生中最难熬的一个半小时。我感到自己要虚脱了。

手术终于结束了,赵雨秋将病人推到特护病房,我和杜清杨走出手术室。我长长地舒了口气,一股清风扑面而来,顿时感到空气是这样的新鲜。

“林队长,我们的黑人助手脸上戴着玻璃面罩,你猜像什么?”杜清杨开玩笑地问。

“像什么?”

“活像电影里处理生化武器的科学家。”

我被他逗得哈哈大笑,这是我到非洲后第一次开怀大笑。

晚上,赵雨秋拿着医疗队全体成员的化验单到我房间,我忽然觉得这个曾经暗恋过我的女人美得让人动情。

“情况怎么样?”我控制着自己的荷尔蒙问。

“全体队员一个不少,全部是虐原虫携带者,只是你……”赵雨秋迟疑地说。

“我怎么了?”我有些紧张地问。

“我让检验室又给你做了一次。”赵雨秋神秘地说。

“有这个必要吗?”我更紧张地问。

“庆堂,你都和哪些女孩发生过关系? 特别是黑人女孩!”赵雨秋冷静而严肃地问。

“赵雨秋,你什么意思?”我有些生气地问。

其实,我问她这话,底气也不足。因为看情形我好像检验出了艾滋病病毒。

“庆堂,没什么意思,为你好。”赵雨秋仍然严肃地说。

“我没在非洲干坏事!”我语气坚定而无奈地说。

“真的?”赵雨秋绷着脸问。

“真的!”我郑重地说。

“那以前呢?”

“以前的事,你不是都知道吗?”

赵雨秋“扑哧”一下笑了。

“我知道什么呀?”

我一下子明白了? 这个丫头是在诈我。

“赵雨秋,你也太过分了,”我心有余悸地说,“你差点把我吓死,我以为做了一例艾滋病患者的手术,就被传染上了。”

“你心里没鬼紧张什么?”赵雨秋诡谲地问。

“是谁让你这么干的?”我佯装严肃地问。

“你以为我对你的情史感兴趣呀,是你老婆谢丹阳对你不放心,让我看着你,怕你在非洲不老实,回国带回个黑孩子。喏,这是检验报告,你呀,一切正常。”

赵雨秋把检验报告放在桌子上,转身就走。我望着赵雨秋娇美的背影和乌黑的披肩长发,哭笑不得,生命里最原始的冲动却蠢蠢欲动,然而,在非洲这个宁静的夜晚,即使有澎湃的激情,也不可能享受到澎湃的快感。

我打开笔记本电脑,想给姚淼发个邮件,却看到一个极坏的消息。丹阳发来邮件告知:

“今天上午雪儿全班同学集体发烧,已经被隔离在宿舍里,庆堂,怎么办? 我快急疯了!”

我几乎要崩溃了,怎么会这样呢? 非典期间,一旦集体发烧,后果不堪设想！我急坏了，我知道丹阳更急！

我赶紧给丹阳回邮件：

"丹阳，别急，越在这个时候，越要冷静，积极配合学校采取措施，非典并不可怕，要有信心，何况孩子们也不一定就是非典，有消息赶紧告诉我。亲爱的，难为你了。我在非洲为雪儿祈祷！"

邮件发出后，我的心情仍很焦虑。我怨恨自己为什么要来非洲，为什么要在女儿最需要我的时候我却不在她身边，其实让蒋叶真说句话，就可以不来这该死的地方，可以推给罗元文，也可以推给曲中谦或者别的什么人，为什么不能让别人来？

然而，我眼前闪过郑国华刚毅的面容，那些维和官兵的亲人不也在忍受非典的肆虐？他们抱怨了吗？我拿出穆主任临终前送给我的那枚白求恩奖章，在手中不停地摩挲着，希望穆主任和白求恩都给我力量！我又想起了和姚淼一起去中甸松赞林寺时，老活佛那慈祥的笑脸。是啊，让别人来，别人也要忍受和我一样的痛苦，我不下地狱谁下地狱？我一生救了那么多人，上天不会降灾于我女儿身上。我默默地为女儿祈祷着，辗转反侧，一夜无眠。

笔记本开了一个晚上，也没有得到丹阳的消息。我心里越发紧张起来。我望了一眼镜子，自己仿佛瘦了一圈。本来糖尿病患者是不能这样熬夜的，可是雪儿是我的命呀。我想找赵雨秋或杜清杨谈谈，或者随便和谁谈谈，我的神经绷得太紧了，真想找一个人倾诉一下，让谁和我分担一下，然而，我又不愿意搞得医疗队太紧张，本来队员们就想家，非典肆虐，谁不为家人担一份心呢？我只好一个人在房间里默默地承受着。

我知道丹阳肯定也一夜没睡，一定眼圈黑了，一定眼睛哭肿了，一定脸色憔悴了，对妻子的爱一下子涌上心头。

这时，赵雨秋推门进来问："怎么了？庆堂，上午的手术不做了？"

我一下子想起来，上午还有一例脑膜瘤手术要做。我看了看表，已经是上午十点了。

"雨秋，明天再做吧。今天我不太舒服。"我没精打采地说。

"不会吧，庆堂，昨天晚上不过是跟你开了个玩笑，你今天还真有症状了？"赵雨秋开玩笑地说。

"雨秋，我都快急死了，哪儿有心思开玩笑。"

赵雨秋见我很认真的样子也一下子紧张了起来。

"庆堂,到底出了什么事?"

我把女儿的事说了一遍,赵雨秋听了虽然很着急,但毕竟是旁观者,她很冷静地说:"庆堂,不是还没有结论吗?集体发烧也说明不了就是非典,没准儿是流感呢!"

赵雨秋这么一说,我还真觉得有道理,紧张的心情缓解了一些,这时丹阳发来了新的邮件,我迫不及待地打开看:

"庆堂,雪儿没事了,昨夜专家组连夜会诊,认为是集体感染了流感,再观察两天就可以解除隔离回家了。我知道你一定急坏了,一宿没睡,好好睡一觉吧。多注意身体,我爱你!"

我一下子蹦了起来,紧紧抱住赵雨秋,就像抱住丹阳一样,没想到赵雨秋以更用力的拥抱、更温情的抚慰回应我。我几乎把她当成了丹阳和姚淼,泪水落在她的秀发上。她用手给我擦泪,然后自己也流出了热泪。

"庆堂,这么多年,我一直以为你是个花花公子,今天我发现我错了,原来你对家是这么负责任。看来有家真好,我是该有个家了。"

我也用手给她擦眼泪说:"雨秋,我今天才发现你是世界上最优秀的女人,爱华真是他妈的没福气!"

我的话刚说完,她却抱着我呜呜大哭起来,那哭声透着无限的委屈和悲伤!

"雨秋,杜清杨人不错,还是接受他吧!"我真诚地说。

"这事不用你操心!"赵雨秋一把推开我说,然后抹着眼泪就走了。

我知道赵雨秋和杜清杨的爱情就要结果了,想到这儿,我的心中有一种空落落的感觉。

83.一触即发

初来非洲的新鲜劲儿没维持几天就过去了。接下来就是枯燥乏味、单调寂寞,每天顶着非洲毒辣的太阳工作,一天下来累得直不起腰。晚上,天气闷热睡不着觉,那滋味别提多难受了。

夜里,我让蚊子叮了左肩,肿得很厉害,这不知是与刚果(金)蚊子的第几次亲密接触了,但愿疟疾别发作。好在下半夜下了一场阵雨,进入岁末年初的雨季,从天而降的全是"盆"泼大雨,来得猛烈、去得突然,雨水带着呼呼的响声,打在屋顶瓦楞铁皮上发出类似敲击爵士鼓的急促声音,转眼间就把街道淹成水洼泥泽。

这里不仅蚊虫特别多，晚上喷药，早上地上就有厚厚的一层，而且老鼠、毒蛇也特别多。晚上睡觉时，老鼠曾爬到队员的脸上，毒蛇也钻进过护士站。

老鼠是令人讨厌的动物，不仅偷吃粮食、毁坏物品，而且传播疾病。队员们使用环保手段对付老鼠，阿里院长教我们用老鼠笼子捕老鼠，捕到后把老鼠放在中午的太阳下，赤道的太阳非常毒辣，半个小时就能让老鼠脱水中暑，把晒晕的老鼠放在露天里，不一会儿，枭健的飞鹰就把老鼠叼走了。我们一直没有使用老鼠药，一是担心对环境造成破坏，二是担心饥饿的当地人可能会误食拌了鼠药的食物。

这里的食物匮乏到了极点，在国内吃什么都不觉得香，可到了刚果(金)，能像在国内那样吃一顿可口的饭菜就成了奢望。队员们又整整两个月没有吃到蔬菜了，不少队员由于维生素缺乏，牙龈出血、口腔溃疡。没办法大家只好把方便面当成美食，一盒方便面，我们曾七个人分着吃，吃得连汤都一滴不剩。可是没有一个人叫苦。中秋节那天，郑国华给我们送来十块月饼，我们把它切开，每人分到一小块，在国内很普通的月饼，在这里大家吃得如此香甜，真是百感交集，感慨万千。

援非医疗队在刚果(金)面临的最大挑战就是控制恶性疟疾。恶性疟疾被世界卫生组织列为八大恶性传染病之一，和鼠疫、霍乱、结核病等一样臭名昭著。在全世界，每年造成三百五十万人死亡，在非洲地区则是第一杀手。更可恶的是，与其它一些传染病通过飞沫接触等被动传染途径不同，它通过蚊叮传染，表现出独特的主动传染性。在我们收治的病人中百分之六十是疟疾患者，非常容易造成交叉传染，即使医疗队队员不被蚊虫叮咬，每天接触这些病人也难逃感染。刚果(金)传播疟疾的蚊子与国内的蚊子不同，个头比较小，飞行时悄无声息，冷不丁咬人一口感觉并不明显，既没有痒的感觉，也不起肿包，可是，暗器——疟原虫已经中标。

经过体检，十一名队员血液中全部检出了疟原虫，在分型上，卵形疟一名、间日疟六名、三日疟四名，这些疟原虫可能在两年内无法清除，有的甚至要携带终身。我们都是搞医的，对这个后果的严重性都很清楚，但队员们没有后悔的。

疟疾难以预防，艾滋病对我们也构成很大的威胁。在接诊病人中共查出二十多名艾滋病病毒携带者，不少是强阳性，其中，九人是艾滋病中晚期，平时难免要和他们有密切接触，在治疗中也经常要和他们的血液打交道。对此，队员们既没有怯阵，也没有掉以轻心，我在会上反复强调，在大力倡导爱心和奉献精神的同时，一定要采取严密的防护措施，避免无谓的牺牲。

面对随时可能发生的牺牲，我不禁想起史铁生曾对人生做过的思考："人生有三种根本困境：人生来注定只能是自己，无法和他人进行彻底的沟通，这就意味着孤独；人实现欲望的能力，永远赶不上欲望的能力，这是一个永恒的距离，这就意味着痛苦；人生来注定就是死亡，这就意味着恐惧。"孤独、痛苦、恐惧，对于这三种人与生俱来的困境，作为一名外科医生，我有着最直接的感性体验。

然而，当我踏上刚果(金)土地的时候，当我忍受着对祖国和亲人思念的煎熬的时候，我更体会到了人生的另一种境界。那就是对人生的一种超越，对自我的一种超越。漂泊在异国他乡，远离祖国和亲人，孤独是不可避免的，何况是在失去了母语的生存环境中，长期不能与周围的人进行深入的沟通，但代表祖国援非的使命感和责任感使我忘掉了个人的感受而全身心地投入到救死扶伤当中去。信念的力量真的可以战胜一切现实的压力。何况刚果(金)是一片美丽而神奇的土地。即使我是第一次踏上这片土地，种种神奇的生灵总能给予我感召和顿悟。

国内的非典风波终于过去了，我和队员们都松了口气。黎明时分，天还没亮，有人敲我的门，我从睡梦中惊醒，听声音是阿里院长和杜清杨，我知道他们昨天夜里值班，我懵懵懂懂地开开门，看到两个人十分紧张。

"出什么事了？"我疑惑地问。

"林队长，郑国华刚刚来过电话，请你赶紧准备一下，UN 的直升机马上就到，有一位脑外伤的病人需要你给做手术！"杜清杨焦急地说。

"难道他们连脑外伤都处理不了？"我不解地问。

"林队长，伤者很特殊，是反政府武装的小头目，不接受政府的治疗，中国维和医疗分队是二级医院，伤者伤得太重，按程序应该送到三级医院，可是来不及了，反政府武装正在和联刚团对峙，双方的冲突一触即发。"阿里院长夹杂着几种语言说。

"那好，清杨，叫上雨秋，赶紧做术前准备！"

我虽然听得绊绊磕磕的，但是有一点我非常清楚，事情很紧急，郑国华遇上了非常棘手的事。杜清杨和阿里走后，我赶紧简单地洗漱，还没等吃东西,就听见了直升机发动机轰鸣的声音。

直升机很快就越过雨林,从机窗望出去,雨林青翠蓊郁连绵无尽,蓝得透明的苍穹,美不胜收,让我暂时忘记了这块神奇的土地上的蛮荒、饥饿、冲突、疾病。很快,奔涌的刚果河映入眼帘,如雷的咆哮犹如刚果(金)人民的怒吼,急流滚滚,气势磅礴。

在中国维和医疗分队营区上空,我就看见反政府武装架着机枪与维和官兵对峙,双方剑拔弩张。许多 RCDG 士兵端着枪在医疗区进进出出,用仇视的目光盯着维和队员,气氛凝重,一触即发。直升机降落到营区后,郑国华和几名中国维和医疗分队赶紧迎了上来。

"国华,到底是怎么回事?"我紧张地问。

"前天下午三点,塞内加尔维和分队的一辆吉普车肇事,撞了一名 RCDG 的小头目,引起 RCDG 士兵众怒,持枪拦堵道路,我送走一名军事观察员,回来的路上与他们遭遇。RCDG 的头头要求我们救治,否则,就刀兵相见。UN 只好将受伤的 RCDG 士兵送入我院,陆续赶来的双方人员在医院门口就架起了机枪。

"小头目的伤势怎么样?"

"经检查,这个小头目伤势很重,颅底骨折,耳朵流血,右锁骨骨折,Hb 仅 7.58,由于病情危重,我建议转院到有条件输血的医院,以防病情转化,危及生命,因为一旦这个小头目死在我们医院内,必然引起 RCDG 对 UN 的不满,甚至会酿起一场恶战。RCDG 的头目也同意转院,但鉴于种种原因,既不能送政府控制的金沙萨,也不能按维和人员后送到南非。RCDG 医生主张送基加利,UN 同意送戈马,戈马是 RCDG 的大本营。我们只好等 UN 的消息,RCDG 的士兵只好在我医院过夜了。医生、护士辛苦了一夜,这名小头目总算挺了过来,在医生的处置下,血压等指标还算平稳,耳孔流血也停止了,但仍然糊涂,因外伤疼痛,乱动不止。等到中午也没有后送的消息,尽管飞机已准备好了,但没有金沙萨方面的指示,无法操作下一步。我只好请示 UN 用直升机接你,我告诉他们你是中国最好的脑外科专家,UN 同意中国援刚医疗队支援,我赶紧与金沙萨医院联系,这才派直升机把你接来了。"

"你们能做 CT 检查吗?"

"可以做。"

"好,赶紧做 CT 检查吧。"

这时突然冲上来一名RCDG士兵用冲锋枪黑洞洞的枪口对着我哇啦哇啦地叫唤了半天，阿里院长赶紧解释，这名士兵才作罢。

“庆堂，没吓着吧，这小子问你是干什么的。”郑国华笑着说。

“姐夫，那家伙枪都对准林队长胸口了，你还笑？”赵雨秋不满地说。

“雨秋，没事，我心里有数，他们只是希望救活他们的小头目。”郑国华从容地说。

CT检查很快就出来了，必须尽快通过手术清除碎骨片和硬膜外血肿。由于骨折碎片所致，伤者颈内动脉海绵窦段被撕破，颈内动脉血灌入海绵窦，形成海绵窦动静脉瘘。

面对伤者我心中暗自紧张，因为一旦手术失败，后果不堪设想。此时战区驻扎着的来自南非、塞内加尔、乌拉圭和瑞典好几个国家的维和部队共几百人正在向中国维和医疗分队靠拢，反政府武装也越聚越多。

手术就在这剑拔弩张中开始了。郑国华亲自给我当助手，他手下的几个傲气的博士都听过我的大名，都想开开眼。我就在同行们的众目睽睽之下打开了硬脑膜，清除坏死组织和血肿，进行硬脑膜漏吸颅底骨折修补术，采用颈动脉结扎术孤立海绵窦段颈内动脉瘘。整个手术做得干净利索，将郑国华手下几个傲气的博士被镇得是心服口服。

伤者终于脱离危险了，此时从金沙萨终于发来了一纸传真，同意一小时后将伤者送戈马，郑国华立即命令准备后送，无奈，南非前接后送小组行动缓慢，给病人反复检查，又回BASOKO取护照，因前往戈马RCDG控制区要护照，耽误了时间，等到下午四点才把病人送到机场，飞行员拒绝起飞，戈马方面也不同意着陆，只好把病人又送回到中国维和医疗分队，我和杜清杨、赵雨秋又对这名伤者精心护理了一宿，直到第二天上午九点，南非前接后送小组才把病人送走。

多国维和部队和RCDG纷纷散去了，郑国华紧紧握着我的手说：“庆堂，你的手术太精湛了，为我们化解了一场危机呀！我代表中国维和医疗分队向你们表示衷心的感谢！”

这时，全体中国维和医疗分队的队员们一起鼓起掌来，我望着这些英雄欣慰地笑了。

84.黑马王子

又过了一个星期，晚上，赵雨秋过生日，我们十一名医疗队队员聚在医院附近的一家酒吧，我特意请了阿里院长，队员们都知道杜清杨和赵雨秋谈恋爱了，大家都羡慕地称他们是天生的一对。

“清杨，今晚是雨秋的生日，你给她准备什么礼物了？”我笑眯眯地问。

杜清杨小心翼翼地从怀中拿出一个简陋的雕塑，是丘比特神箭穿心的图形，大家都称奇特。

“清杨，这木雕是怎么来的？”我好奇地问。

“在刚果（金）送生日礼物，必须有当地特色，木雕是这里的特色，但大多不适合做生日礼物，附近的市场我都逛了，就是没有可心的，可把我愁坏了。那天我刚走出医院，忽然看到对面过来一个黑人小男孩，边走边玩这个木雕，我一下子就看中了，激动万分，我掏尽身上所有的钱，换了这份生日礼物。”杜清杨眉飞色舞地说。

赵雨秋接过木雕，脸上挂着幸福的笑容。阿里院长提议，为杜清杨特殊的礼物干一杯！众人响应，大家一起干杯。

赵雨秋有些激动，她眼睛湿润地说：“不怕你们笑我，在刚国（金）真想家，我现在最想吃我妈烙的葱油饼。”说完眼泪止不住地流了出来。

我心想，雨秋不是想妈妈烙的葱油饼了，而是想妈妈了。雨秋一流眼泪，大家也都伤感起来，这时，杜清杨一个人悄悄地离开了。他喝了很多啤酒，我以为他去上厕所，也没太在意。结果杜清杨一走就是一个小时。

“雨秋，你的白马王子去哪儿了？”我逗趣地问。

“喝多了吧。”赵雨秋随口说。

“谁喝多了？我给你们加个菜。”

杜清杨端着一个铁盘，里面竟是一张他亲手烤制的葱油饼。

当着众人的面，杜清杨深情地说：“雨秋，希望今天是你二十九年来最快乐的一天，希望有我陪伴，你会永远幸福！”

大家被这情景感动了，一起鼓起掌来。

阿里院长也很激动，他笑呵呵地说：“我们刚果（金）有这么一句俗语，是一位小姐对她的黑马王子说的，我最美丽的项链就是你的臂弯。”

“怎么是黑马王子？”我惊异地问。

“黑人当然是黑马王子了。”阿里院长风趣地说。

众人听后哈哈大笑，而此时赵雨秋细细地咀嚼着葱油饼，那滋味香到了心底。

“阿里院长，我经常听黑人朋友说“这女子是位民主人士，这是什么意思?”我不解地问。

阿里院长笑了笑说：“要是说某女子是位民主人士，说明她是一位轻率的女人，甚至是位风尘女子。”

众人听后又笑了起来。

“听说阿里院长笑话很多，给我们讲讲吧。”杜清杨大声说。

“好吧。”阿里院长点上一支雪茄吸了一口说，“有这样一个笑话，十个黑人碰到一个精灵，精灵说：‘我可以帮助你们中的每个人实现一个梦想。’第一个黑人说：‘我想变成一个白人。’精灵问：‘真的吗？你可只有一个梦想可以实现啊！’黑人肯定地说：‘我真想变成白人’。精灵依次问过去，结果九个黑人都想变成白人。到第十个人，只见他乐不可支，笑得满地打滚。精灵问：‘你笑什么？你的梦想是什么？’这个黑人说：‘我的梦想就是把这九个家伙全都变成黑人。’”阿里讲得很风趣，众人笑得前仰后合。

“阿里大叔，能说说您和伯母的爱情吗?”赵雨秋深沉地问。

阿里院长一下子沉默了，队员们也一下子沉默了，阿里又点了一支雪茄，沉思良久说：“那是三十多年前的事情了。当时我在中国东州的北方医科大学留学，我们都是学生会的干部，经常在一起组织文娱活动，我们刚果(金)人天生性格开朗乐观，哪怕贫穷到没有钱去买鞋子，光着脚，也会快乐地跳着激情四射的舞，爱华的母亲很喜欢我的性格，我们相爱了，可是学校不允许她和我这个当时还没有和中国建交的非洲刚果(金)留学生谈恋爱，校方想尽一切办法阻止我们相爱，可是爱华的母亲铁了心爱我，最后被学校开除了。在穆怀中教授的帮助下，爱华的母亲在乡下找到了一所小学任代课老师，我们之间只好两地传书寄托着彼此的思念，很快‘文革’开始了，我去了北京，造反派以组织的名义不许爱华的母亲去北京看我。爱华的母亲不听，遭到造反派的毒打。爱华的母亲也没屈服。我在信中得知这一切以后，心急如焚，却没有办法，后来有一个非洲国家驻华使馆在北京举办国庆，我被邀请，我借机向中国政府参加宴会的官员说了我和爱华的母亲相爱的遭遇，才使我们的爱情绝处逢生。就在这时我的祖国发生了政变，我的父亲因为是前政府卫生部部长被下了大牢，全家人无一幸免也都被下了大牢，我有家不敢回，我和爱华的母亲在北京结婚后，签证期也快到了，只好带着爱华的母亲在非洲不同的国家漂泊，直到爱华十岁那年，我们才回到了祖国。想不到爱华的母亲在给病人做手术时不幸感染了艾滋病病毒，先我而去了，临终前她拉着我的手说：'阿里，我一生选择了你，从来没有后悔过，我觉得因为有了你的爱，我的一生很幸福！'……"

说到这儿，阿里说不下去了，眼泪模糊了老人的双眼。队员们也被感动得流了泪。赵雨秋更是呜呜地哭出声来……

我被爱华父母的爱情所感动，这一夜又失眠了，姚森给我发了电子邮件：

"庆堂，我回云南了，我很想你，想念你的声音，想念你的双手和身体，想念你的温柔和幽默，想念你的善良和执著，我更想念你的爱！如果上天让我许三个愿望，第一个是今生今世和你在一起，第二个是再生再世和你在一起，第三个是永生永世和你不分离！"

这是怎样的一种思念，这柔情要将我化成水、变成云，飘向祖国、飘向云南，然后再化作细雨，去滋润我的爱人；再化作彩虹，去照耀我的爱人。

我被这柔情折磨得辗转反侧、不能入眠。我把这种感情委婉地写在日记中，之所以不能直抒胸臆是怕日后丹阳看见，生出是非。

我时常想，也许我是魔鬼，我是周旋在她们之间的魔鬼，既让丹阳痛苦，又让姚森牵挂，或许我生来就是要折磨她们的，让她们为我伤心、为我痛苦、为我撕心裂肺。我活在她们的爱里，却反衬出我人性的黑洞。

没有一个妻子能容忍自己的丈夫在别的女人的床上流连，谢丹阳太聪明了，她总能找到我的蛛丝马迹，但是宽容也是有限度的，何况这种宽容是缘于爱。

我爱丹阳，更爱姚森，这是两种不同的爱，不可以在天平上找平衡，我是贪婪的，因为两个人的爱我都离不开，这正是我的丑陋之处。这种丑陋不能简单地用自私和欲望来解释，因为我是发自内心地爱她们，她们已经成为我生命中的一部分，融化在我的血液之中。

85. 厄运

早晨，红红的太阳被一朵朵朝霞簇拥在茂密的雨林上空，东方变成了金黄色，像一批彩色的绸缎，灿烂的阳光穿过雨林树叶间的空隙，透过晨雾，一缕缕地洒在刚果河上。

雨林沐浴在晨雾之中，像诗、像画、像梦境。我想非洲的魅力就在于它的神秘与魔幻，这种渲染主要来源于变幻莫测的云彩和茂密的雨林，天与地的接合组成了最为和谐的生命交响曲，我甚至忘记了自己正身处于一个充满危险的国度。

昨天晚上，一宿没睡好，我打着哈欠走出办公室，刚穿上白大褂，赵雨秋和一名黑人护士走了进来。

"早晨好！"我问候道。

"庆堂，联合国驻刚果(金)人权部送来一位被反政府武装士兵轮奸致伤的十三岁小女孩，"赵雨秋同情地说，"请求我们医疗队给予帮助。"

"你们通知妇产和普外医生一起去看看。"

我和赵雨秋先去了门诊，黑人护士去通知医生。来到门诊，阿里院长也在。

"阿里院长，到底是怎么回事？"我紧锁着双眉问。

"这名少女半个多月前被反政府武装士兵轮奸了，同时还遭到毒打。两天前才入住一家小诊所，但病情严重，条件差，只好向联合国驻刚果(金)人权部门求援。这不就送到我们这儿来了。"阿里院长介绍说。

这时，妇产和普外医生也到了，经过检查会诊，少女会阴部伤痕累累，多处结痂，阴道口及壁有多处裂伤，向外流出恶臭脓液，最小号的窥阴器都难以插入，好在没有与直肠相通。由于臂部被打伤后肿胀、破溃，还有巴掌大的坏死皮肤脱落，已形成巨大空腔，所以这位黑人小女孩只能两面交替侧卧。我们都看不下去，几名黑人女护士还流下了眼泪。

"简直没有人性，太残忍了！"赵雨秋气愤地说。

"阿里院长，这些反政府武装士兵都是些什么人？怎么连畜生都不如？"我怒气冲冲地问。

"他们是玛依玛依族士兵，经常在雨林中出没。"阿里院长无奈地说，"五年内战，刚果(金)强奸成风，没有人知道到底有多少妇女惨遭蹂躏。

在农村，一支又一支的武装部队轮流控制村落，掠夺村民，用刀和枪逼迫妇女。女孩们不敢上学了，因为她们上学要走很长的路，非常危险，一些妇女甚至不敢在地里干活，她们睡在香蕉林内，认为那里比家里还安全。”

阿里院长说完唉声叹气地走了。我知道他是在为自己国家的状况而发愁。医生给小女孩全身抗炎，局部用药等处置，病人逐渐恢复了平静。

下午，我给金沙萨医院的医务人员上了两个小时的神经外科课，主要介绍国际脑膜瘤手术的发展水平。由于昨晚没睡好，感觉非常累，我想回宿舍好好睡一觉，刚脱下白大褂，办公桌上的电话就响了。电话是阿里院长打来的，他口气很着急。

“林先生，有一个重要的手术还得辛苦你，病人很特殊，是联合国驻刚果（金）维和部队南非分队的一名官员。是从金杜地区前线后送过来的。他开车撞上了地雷，头部伤势很重，金杜二级医院处理不了，听说我们医院有中国的神经外科专家，便转了过来。”

我听明白后说：“好吧，我马上到。”我只好又穿上白大褂，并电话通知杜清杨、赵雨秋准备手术。

自从做了第一例艾滋病患者的手术后，医疗队的队员们警惕性都特别高，但有时候还是防不胜防。这位南非维和部队官员 HIV 检测也呈阳性，而且是艾滋病晚期。他颅底骨折，耳朵流血，右锁骨骨折，很显然他是被爆炸的气浪掀到高空，然后头朝下摔在地上的。

手术仍然是由我和杜清杨配合。手术中，我由于过于疲劳，头有些发晕，再加上脸上戴着面罩和防护镜，手套戴了两层，衣服上还罩了围裙，捂得我喘不过气来，头脑就不十分清醒。好容易熬到缝扎阶段时，我刚刚把手抬起，准备接过赵雨秋递过来的针时，正好碰上了赵雨秋手里的针头。她“哎呀妈呀”一声，我心里一紧，心想坏了，我赶紧把手套脱了，跑到水池旁，用清水清洗，打了几便肥皂，清洗过后，把针刺破部位的血往外挤，大概挤了十多滴血出来然后用碘酒涂抹。简单处置后我接着做手术。

“林队长，我来吧，你赶紧去检验一下血，不是闹着玩儿的！”杜清杨忧虑地说。

“没事，缝合很关键，涉及病人日后的恢复，还是我来吧。再者说，即使感染了也不能马上测出来呀，过半个月再说吧。”我不以为然地说。

其实，我的心里也害怕极了，万一被感染上艾滋病毒，这一辈子就完了。我怀着忐忑不安的心情做完手术。

终于可以脱掉沾满病人血液和体内脓液的手术服，摘下溅满含有艾滋病病毒液体的面罩。赵雨秋愧疚地催我去做血检。杜清杨陪我小跑着去了检验室。

抽完血后，时间一分一秒地过去，此时的我内心充满了恐惧，我心里不停地祈祷：上帝保佑！真主保佑！佛祖保佑！老天爷保佑！

结果终于出来了，没事！我悬着的心总算落了下来，然而，我知道，这次检测不过是为了安慰自己，因为是否感染了艾滋病病毒半个月以后才能检测出来。

我忐忑不安地等了二十多分钟，晚上下班后，没吃晚饭，我就取出了事先准备好的试纸，我下定决心无论结果怎么样，也要测一下。

十五分钟后，我傻了，HIV 呈阳性，我身体里已经感染了艾滋病病毒。我的头嗡地一下，险些倒下，心快窒息了，天旋地转，眼前一片模糊。发生在爱华母亲身上的遭遇在我身上重演了。

就在这时，杜清杨和赵雨秋推门进来了，杜清杨一把夺过试纸，脸色顿时铁青起来，赵雨秋当时就哭了。

杜清杨和赵雨秋赶紧扶住我，我故作镇静地说：“没事、没事，清杨，你们走吧，我要静静心。”

赵雨秋不同意，她抄起电话就把这一消息告诉了阿里院长，阿里本人就是一名艾滋病专家。阿里院长听到这一消息后非常焦急，亲自给我送来了齐多夫定。

“林队长，真对不起，”阿里愧疚地说，“你为刚果(金)人民付出了这么大的牺牲，我们真是不知道该怎么感谢你，赶紧把药吃了吧，齐多夫定经临床检验，对缓解艾滋病症状以及防治艾滋病病毒感染者转变为艾滋病患者，有一定效果。”

“阿里院长，我们中国人从小就知道白求恩，当时他到中国来，为中国人治病，就是因刺破手指，最后得败血症死的。作为一名医生，不能见了艾滋病患者就不给人家治病。”

阿里院长听了我的话眼睛顿时湿润了。赵雨秋端过水，我吃药时看了一眼表，从看到结果到现在正好四个小时。

我严肃地说：“清杨、雨秋、阿里院长，不允许你们把我感染艾滋病病毒的事告诉组织和我的家人，一切都由我自己来应对，务必，务必，拜托了！”

大家都做了保证，我劝大家散了，赵雨秋不愿意走，她觉得是她害了我，站在我面前一个劲儿地抹眼泪。

“庆堂，我答应丹阳好好照顾你，可我却害了你，回国后我怎么向丹阳交代呀！”赵雨秋说完，呜呜地哭了起来。

“哪有护士长在病人面前哭鼻子的？”我强打精神地说，“去吧，让我一个人静一静。”

赵雨秋一脸愧疚地看着我，默默地转身走了。

人都走了，我一下子像落入无底洞一样，心中充满了无限悲哀。我手里摩挲着穆主任临终前送我的白求恩奖章，百感交集。我真怕回国后一旦公开我是一个艾滋病病毒携带者，世人对我的歧视，还有妻子、女儿会怎么看我？姚淼会怎样看我？我还能在我热爱的神经外科岗位上工作吗？不，绝对不能让他们知道，可是，杜清杨、赵雨秋已经知道了，这个秘密还能保住吗？

我彻底茫然了，生活一下子失去了方向，一旦在国内公开这个消息，还将摧毁我的全部人格和尊严。我非常恐惧地想到了死，是啊，艾滋病和死亡几乎是同义语。

我是一个神经外科医生，整天面对病人的死亡，应该说我对生死有着更深刻的体验。可是一想到自己将面对死亡，恐惧便像泰山压顶般袭来。因为我的人生目标还没有完全实现，我有些猝不及防，我对死亡还没有充分的心理准备。

服用齐多夫定的不良反应很快表现出来。起初是恶心、胃痛，后来就是呕吐，还伴有心慌、头晕，我本来就是糖尿病患者，这一下糖尿病已经不算病了，昨晚本来就没睡好，白天又上课又做手术，我累坏了，可是巨大的恐惧和齐多夫定带来的不良反应让我折腾一宿没睡着，却在天蒙蒙亮时睡着了。

在梦里，我梦见了小月，梦见了那个晚上我们在柴火垛上看月亮，梦见了她服毒自杀，梦见了她的灵堂和坟墓，还梦见我和她躺在坟墓里。

小月很幸福地说：“庆堂，我就知道你能来找我！”

我一下子惊醒了，我迷迷糊糊地从床上坐起来，想拿起床头的表看一下时间，却碰倒了装有全家福照片的镜框，我拿起镜框深情地望着，眼泪不知不觉地流了下来。

女儿似乎在问：“爸爸，你怎么了？”

我无法回答。丹阳温柔地冲我微笑，这笑容让我心如刀绞。我又从怀里拿出钱夹，看了一眼夹在里面的姚淼的照片，这是一张特写，宽舒的额角，弯弯的秀眉，明净的双眸，处处展现出她的美丽，可是我知道从此我的生活似乎不应该再与女人有什么瓜葛了。这意味着我将失去爱和被爱的权利，我无法想象在未来的生活中如果没有爱，我将会怎样生活下去。

此时此刻，我最思念的就是亲人，我那苍老的父母，我已经多年没有回去看他们了，汤子县和北滩头的一草一木在我眼前萦绕，是那么熟悉，却又那么远在天边，原来我生命中有那么多值得留恋的东西！活着真好。我只是艾滋病病毒携带者，我的生命还有很长的路要走，活下去。我暗下决心鼓励自己，爱是我活下去的坚定的理由。

想到这儿，我从床上爬起来，洗漱完毕，吃了点东西，像什么事也没有发生过一样，走进办公室。这时已经是上午十点多了。

阿里院长第一个过来看我，安慰了一番后走了，紧接着杜清杨、赵雨秋也来了，我尽量表现得很镇静，我不愿意搞得草木皆兵，让他们担心。

昨天晚上，我就暗下决心，与姚淼断绝关系，从现在开始逐渐疏远，我心里清楚，这样做姚淼会很痛苦，但这是我唯一的选择。而且我也想好了，一旦发病，立即与丹阳离婚。一个不能尽职的丈夫，应该远离婚姻，很多事情长痛不如短痛。我的人生因为突如其来的灾难而改变了轨道。而最痛苦的是要让自己默默地承担。

86. 凯旋

终于接到了省卫生厅关于轮换的重要通知，半个月后新的医疗队来接替我们。得知我们即将回国的消息，阿里院长很舍不得我们走，晚上请我们吃了烤全羊。

半夜下起了瓢泼大雨，雷声在窗前炸响。这是我来到刚果(金)两年中下的最大的一场雨，好像老天爷也在挽留我们。

早晨太阳高高升起，刚果河滚滚的涛声夹杂着雨林深处传来的鸟鸣声，很难让人想到这是个战乱的国家。

快回家了，队员们的心情都特别好，只有我内心充满了忧虑。回国后我不知如何面对妻子、女儿、亲人、同事，还有姚淼，但是为了不露声色，我也表现得泰然自若。

回国的前一个月，中国驻刚果(金)大使为我们医疗队送行，特设烛光晚宴。傍晚，金大使夫妇及政务参赞夫妇等候在门口迎接我们，应邀前来的有刚果(金)卫生部门的官员，还有阿里院长等人。

宴会前，大使盛赞中刚友谊和刚果(金)政府对和平进程所做的努力，介绍了中国近年来飞速发展的经济建设和对刚政策，希望两国加强合作，刚果(金)早日实现和平。

今晚真是高朋满座，欢聚一堂。为了感谢金大使夫妇对援刚医疗队的关照，医疗队员们在杜清杨的建议下，还搞了几个小节目。唱歌、跳舞、说笑话，逗得大使夫妇和贵宾们拍手称好。

席间，阿里院长把我拽到一边，眼含热泪郑重地敬了我一杯酒。

"林队长，我们金沙萨医院会永远记住你的，你是中国的白求恩，谢谢、谢谢！"

阿里说完，我很感动，把酒杯里的酒一饮而尽，然后，我们紧紧拥抱。

一个星期后，我们十一名医疗队队员在金沙萨机场登机回国。就要离开工作了两年的刚果(金)了，队员们既有即将要回国的兴奋，又有一份难舍的眷恋。

在飞机上，我望着茫茫云海，心中一片茫然。两个小时后，飞机到达邻国卢旺达首都基加利，等待了三个小时后，与轮换的医疗队员擦肩而过，我向新队长简单介绍了情况，并送他们上了飞机。

下午两点，我们乘俄罗斯的图一五四飞机起程，五点钟在也门的亚丁机场落地，一个小时后起飞，晚八点四十五分抵达阿联酋的沙迦，又停了两个小时后，直飞印度的加尔各答，在这里停留了两个小时，于凌晨五点半飞赴北京。

经过漫长的飞行，终于于北京时间十五点半到达首都国际机场。国家卫生部、省卫生厅的领导亲自来接我们。

在北京，我们住了一宿，第二天晚上七点钟，抵达东州国际机场。主管文教卫生的省委副书记、副省长，蒋叶真率省卫生厅领导，常院长率医院领导在候机厅举行了隆重的欢迎仪式。

仪式结束后，队员们与家人团聚的场面让我的眼睛湿润了，这时，丹阳领着雪儿向我跑来。我们一家三口紧紧地抱在一起。

好长时间没吃丹阳做的饭菜了，本来全家可以去饭店吃，但丹阳知道我一定想家里的饭了，所以晚饭做得特别丰盛。

雪儿还特意给我讲了一个笑话，她可爱地说："爸爸，你知道白人小宝宝看见黑人小宝宝吃妈妈的奶，说了句什么话吗？"

"宝贝儿，说了句什么？"我慈爱地问。

"一个白人妈妈和一个黑人妈妈正在给她们的孩子喂奶，白人妈妈怀里的宝宝说：妈妈，我也想喝巧克力味的！"雪儿俏皮地说。

我听后哈哈大笑。看着可爱的女儿，我竟一时忘了自己是一个艾滋病病毒携带者。

俗话说，小别赛新婚，可我就怕这一关。洗过澡后，丹阳脸飞红云地穿着浴衣抱住我。

"庆堂，我都快想死你了。"

我心里惴惴不安，愧疚地说："丹阳，今天太累了，改天吧。"

丹阳很失望的样子，但表示理解，这第一晚就这样混过去了。两年没过性生活了，我心里也想得很，但是我不能害了妻子，我真不知道明晚这一关怎么过？

第十章　魂系天堂

87. 万念俱灰

早晨，我早早就去了办公室，本来我有半个月的假，可是我一天也不想休，我怕见到丹阳。

久违了的办公室，花草已经干枯了，办公桌上落了厚厚的一层灰。我简单地收拾一下，打开笔记本电脑，我看到姚淼发来了一封电子邮件：

“庆堂，我后天从云南飞回东州，两年没见你了，快想死我了，见面再谈。我爱你!”

我知道，在我的生命里，果真没有了姚淼的爱，我会死得更快些，然而我没有别的选择，我只有让她恨我，才能让她从离开我的痛苦中重新站起来。我开始策划如何才能让她恨我，人生最大的痛苦莫过于想爱而不能爱、不敢爱。我不知道这样的生命还有什么意义。

回国前，我就听说主管业务的副院长退休了，院里的意思是从神经外科三位主任中选一位，因为神经外科是我院的招牌。出国前，蒋叶真就向我透露过，省卫生厅倾向于我，但我的情况已经不能担当重任了。

在刚果(金)，我就听说曲中谦和罗元文为这个位置争得很厉害，现在我既羡慕他们，又嫉妒他们，更觉得他们可怜。常院长打电话来，让我去他办公室一趟，我想一定与这个业务副院长有关。果然，常院长开门见山就与我谈起了这事。

“庆堂，院里缺一位主管业务的副院长，组织上推荐了你，过两天省卫生厅组织部就要派人来考核你了，你得有个心理准备。”

“常院长，这事不妥，我不是当官的料，院里有那么多的人才，还是选他们吧。”

“庆堂，这是你的真实想法？你知道想当这个副院长的人快打破脑袋了，你怎么这么从容？”常院长不解地问。

“常院长，我从心里感谢组织对我的信任，”我解释说，“可是我真不适合当这个副院长，还是让我专心搞业务吧。您如果为难，我去找蒋叶真说。”

常院长听了我的话很不高兴，他表情严肃地说：“林庆堂，这件事我劝你三思，人生的机遇并不多。好了，一会儿我还有个会，你去吧。”

我悻悻地从常院长办公室出来，心中充满了功名已逝、万念俱灰的遗憾与无奈。回到办公室，我拨通了蒋叶真的电话。她接到我的电话很兴奋。

“庆堂，关于副院长的事，组织部门马上就要考核你了，你心里有个准备。”

“叶真，我给你打电话就为这事，我知道我不是当官的料，还是选别人吧。”

“怎么了？庆堂，你出国前，我们不是说过这事吗？当时你并未提出异议，怎么突然变卦了？”蒋叶真有些着急地问，“业务副院长，对你将来在学术上发展有好处。”

“叶真，真的不行，另外，我身体一直不好，糖尿病很严重，一个人的精力毕竟有限，叶真，我求求你别为难我了，还是选合适的人吧，再说，我听说关于组建北方医科大学神经外科研究所的批文已经下来了，我对这件事情更感兴趣，别忘了这可是穆主任的遗愿！”我坚定地说。

“庆堂，你当副院长并不影响你兼这个所长啊，我怎么觉得你从刚果(金)回来以后情绪不太对，你是不是有什么事瞒着我？”蒋叶真疑惑地问。

“我能有什么事瞒你？你多虑了。”我有些惶恐地说。

“好了，咱先不说这事。”话锋一转，蒋叶真沉重地说，“庆堂，你走的这两年，我儿子抽了好几次，我一直想等你回来看看呢！”

“怎么？孩子的病还没看？”我焦急地问。

“照了核磁共振片子，曲中谦说是脑膜瘤，罗元文说是脑囊肿，都说要做手术，我信不过他们，我就这么一个儿子，是福是祸就交给你了。明天就让小兰把片子给你送去。”

“好吧，再见！”

快到下班的时候，我又犯了愁，我不知道晚上怎么应付丹阳。没办法，只好硬着头皮先回家。

晚饭后，丹阳早早地就躺在了床上，我故意躲在书房里消磨时间，我在网上随便看着信息。这时，丹阳穿着粉色睡衣开门走了进来。

“庆堂，不早了，睡觉吧。”丹阳用手钩住我的脖子说。

“丹阳，我查点资料，你先睡吧。”我敷衍说。

“不行，人家想你了！”丹阳娇嗔地说。

她温柔地亲吻我的双耳，吻得我心里火烧火燎的。我望着丹阳燃烧着情欲火焰的双眼，心中充满了渴望。我一把抱起她走进卧室，把她扔在床上。

丹阳很快脱掉睡衣，露出粉白的双乳，我望着性感的妻子，浑身颤抖，险些扑上去享受这美妙的人生。

然而，我呆立在床边没动，额头上渗出的汗顺着脸颊往下流淌。

“庆堂，你怎么了？”丹阳疑惑地问。

“丹阳，我不行！”我愧疚地说，“我一直没有告诉你，我得了严重的糖尿病，发现时已经得了好几年了，我阳痿了。”

“林庆堂，你骗我，你说是不是又因为姚淼？我今天一定要让你做。”谢丹阳发疯似的吼道。

“这和姚淼有什么关系？丹阳，你冷静点，我说的都是实话。”

谢丹阳根本不听，她扑上来脱我的衣服，我一把推开她。

“丹阳，你别这样，你这样我不好受。”

“你不好受，我还不好受呢。”谢丹阳伤心地哭着。

我从皮包里拿出治糖尿病的药给她看。

“丹阳，我没说谎，我不行我很难过，真对不起！”

丹阳接过药仔细看后，抱着我哭得更厉害了。

“庆堂，什么时候得的病？为什么不早告诉我？”

我紧紧地抱住她说：“丹阳，出国前就查出来了，我怕告诉你，非洲你就不让我去了，我也没想到会这么重。”

我这一招还真奏效，暂时把丹阳给蒙住了。但是，我知道这不是长久之计。

88. 放弃

早晨，我刚走到办公室门前，一位亭亭玉立的女孩梳着披肩长发站在我门前，这女孩眉清目秀，衣着朴素。

她见我走过来便问："是林叔叔吧？"

"你是……？"我疑惑地问。

"林叔叔，我就是小兰呀！"她大方地说。

我恍然大悟，原来这就是蒋叶真收养的女儿蒋小兰。

"小兰，这么多年没见，都长成大姑娘了，快请进！"我高兴地说。

我打开办公室的门，把小兰让进屋内。

"小兰，坐吧，听你妈说，你很想当一名神经外科医生。"我给小兰倒了一杯水说。

"林叔叔，我都读大三了，我想考您的研究生。"小兰眨着大眼睛说。

"好啊，不过，考谁的研究生不重要，重要的是要热爱这项工作。"

"林叔叔，我热爱！"小兰郑重地说。

"好啊，今天来是不是为你弟弟的病呀？"

"是，这是我弟弟的核磁共振片子。"

我接过片子仔细观察，然后问："小兰啊，你的意见呢？"

"林叔叔，我觉得不是脑膜瘤，是脑囊肿，"小兰想了想说，"不过，我妈说，曲主任说是脑膜瘤，罗主任认为是脑囊肿，我就糊涂了。林叔叔，您说呢？"

"你和你罗叔叔的诊断是正确的，"我笑了笑说，"这是一个二乘三厘米的脑囊肿，小手术，只要抽出囊液就行了。回去告诉你妈，让你弟弟来住院吧。手术我亲自做。"

小兰高兴极了。她跷起大拇指说："林叔叔，你真棒，我这就回去告诉我妈。"

小兰走了，我的心一下子又空落起来。这时，罗元文推门走了进来。

"庆堂，听说业务副院长一职你放弃了？"

"我不是当官的料，放弃了。"

"庆堂，我做梦都想当这个副院长，你却放弃了，我真佩服你！"

“元文，这就叫人各有志，不能强求。”

“那是那是，不过，我担心你不干这个副院长，院里会让曲中谦上，那我就更惨了。”

我扔给罗元文一支烟，然后自己也点上一支。

“元文，看在我们俩师兄弟、好朋友的分儿上，我给你一句忠告：你不把别人当朋友，别人就会把你当成敌人。值得信赖的人比能力强的人更容易受到重用，业务上老曲不如你我，可在别的方面，我俩加一起也不一定比他行。”

“是啊，姜还是老的辣呀！”罗元文感慨地说，“庆堂，我找你不是为了副院长的事，我是遇到了麻烦，你帮我出出主意。”

“你小子能有什么麻烦？”

我心想你的麻烦还能大过我的麻烦？我连命都快丢掉了。

罗元文“唉”了一声说：“我和欧阳梅的关系在何慧慧面前彻底暴露了。”

“何慧慧不是早就察觉了吗？”我心想，何慧慧那么精明，你和欧阳梅那点小伎俩怎么能瞒得过去？

“那只是看见了欧阳梅发的短信，哄一哄，编点瞎话就过去了，可是没想到欧阳梅这个骚货竟动起真格的了，逼着我和慧慧离婚，然后和她结婚，我不答应，提出分手，她一气之下就去了电视台找了慧慧，还威胁慧慧，如果不答应她的条件，她就把慧慧贪污广告费的事写信上告市纪委。何慧慧回家和我大吵了一架还把我撵出了家门。现在我是里外不是人。”罗元文愁眉苦脸地说。

我预感到罗元文真是遇上了大麻烦，便问：“欧阳梅怎么会知道何慧慧贪污广告费的事？”

“都怪我这张臭嘴和她好时没把住门，”罗元文悔恨地说，“我是说者无意，欧阳梅是听者有心，再加上我平时给她花钱大手大脚的，她猜也猜出来了。庆堂，你是我最好的朋友，你说这娘儿们真要害慧慧可怎么办？”

“没有别的办法，市纪委不是有廉政账号吗？把你们的不义之财提前打到廉政账号上，这样万一市纪委找慧慧谈话时，她也能说清楚。”

“庆堂，那我们两口子这么多年不是白忙活了吗？”

“元文，你小子要是鱼和熊掌都要，早晚鸡飞蛋打！”我轻蔑地说。

“好吧，你说得对，就是怕何慧慧不同意。”罗元文垂头丧气地走了。

我把烟头掐掉，看了看表，该吃药了。我从抽屉里拿出齐多夫定吃下，内心充满了绝望、忧伤、孤独、无助、恐惧和彷徨，我不知道被病毒侵蚀的生命到底意味着什么。我试图在绝望中找到生的支点，可是我无法找到。因为这个支点就是爱，这正是我要放弃的，为了不伤害到丹阳和姚森，我只有放弃爱，一个人在痛苦中挣扎。

这时，我的手机发出了短信提示音，我一看，是姚森发来的："我下午三点半到东州机场，来机场接我，我爱你！"

看到短信，我的血一下子涌到心头，两年没见到姚森了，这个我生命中为我精神导航的女人。我想不去接她，让她误会而恨我。可我不忍心这样做，因为我太想见到她了，我想还是去机场接她，然后找机会与她分手。

下午，我开罗元文的别克，去了东州国际机场。姚森随人流走出机场大厅，她一眼就看见了我，高喊："庆堂。"

我快步迎上去，我知道分别两年了，朝思暮想的痛苦我最清楚！她丢开行李车，伸开双臂拢住我的脖子便要亲吻，我赶紧推开她，脸色发红地四处张望了一下说："先回家。"

姚森会意地看了我一眼，情意绵绵地挽着我的胳臂，我推着行李车，走出机场大厅。

我目不斜视地开着车，心里沉重极了，焦虑极了，但我不能露出声色，尽可能保持温情和平静的心绪。

在车上，姚森一直用激情四射的眼光看着我，我不敢正视她的眼睛，我一看她的眼睛就会意乱情迷。

终于到家了，刚关上门，姚森便猛地扑到我的怀里，目光迷离，仰脸期待着我的热吻。我望着姚森含情脉脉的眼睛和樱桃般红润的香唇，真想张开嘴巴深情地吻下去，然而可怕的艾滋病毒就像陌生人监视着我，理智战胜了情感。

我推开她说："别这样，姚森，不能这样……"

姚森惊愕地问："庆堂，怎么了？"

我磕磕巴巴地说："我得走了，明天有个重要的手术，我今晚得做准备。"

我没等姚森反应过来，慌忙转身，匆匆走出她的家门。门"砰"的一声关上了，我的心也随着这声音而收紧了，我知道姚森一定蒙了，她不知道发生了什么事情,趁她还没有追出来,我上了别克车扬长而去。

89. 温暖

第二天上午,蒋叶真带着儿子来住院,我安排完以后,赵雨秋小声对我说:“庆堂,姚淼昨晚找你快找疯了,你怎么不开机呢?”

“我什么情况你也不是不知道。”我冷漠地说。

赵雨秋听后沉默不语,转身悄悄地走了。蒋叶真心情很不好,她很怕自己的儿子在手术时发生什么意外。我一再表示没问题。

“叶真,我保你儿子万无一失!”

蒋叶真听后才略微放心地走了,留下小兰护理。

看得出来,蒋叶真现在是为儿子活着,她不可能再有感情追求,没想到我曾深爱过的如花似玉的师妹,会失落在情感世界中,心如止水。

两天以后,我给蒋叶真的儿子做了手术,手术很成功,蒋叶真担心孩子受不了,全程陪同儿子做手术。她不理解为什么我做手术时戴上面罩、眼镜,而且还要戴两层手套。

“庆堂,我儿子又没有传染病,你干吗穿得如临大敌呀?”蒋叶真疑惑地问。

“我从非洲回来不久,身上还有疟原虫,我是怕传染给孩子。”

“师兄,你太小心了。”

“小心无大碍。”

只有赵雨秋知道,我是怕万一不小心传染给孩子艾滋病病毒,因为手术中什么意外情况都可能发生。不过我的行为还是引起了蒋叶真的警觉。

手术后,蒋叶真把赵雨秋叫到一个角落里问:“庆堂在刚果(金)没出什么事吧?”

“没出什么事呀,能有什么事呀?”赵雨秋支支吾吾地说。

“雨秋,庆堂从非洲回来后像变了一个人,你是庆堂的朋友,又是医疗队的护士长,有事你可不能瞒着我。”蒋叶真严肃地说。

“蒋厅长,您和林主任是师兄妹,关系比我还近,有什么事瞒我也不能瞒您啊!”赵雨秋机智地说。

“这倒也是。”蒋叶真想了想说。

其实，赵雨秋回国后，也像变了个人，变得更清纯更阳光了。曲中谦纠缠过她几回，她当着许多同事的面就撅曲中谦，弄得老曲很没面子，下不了台。同时，她公开了和杜清杨的恋爱关系，大家很羡慕这一对，曲中谦只好知难而退，再也不敢纠缠赵雨秋了。

一个星期日的上午，阳光明媚，杜清杨和赵雨秋举行了隆重的婚礼。我做证婚人，大家盛赞才子佳人美满姻缘。

参加完婚礼，我打车回家，路上感觉浑身难受，摸摸头很热，紧接着又咳嗽起来，我心想坏了，难道这么快就发病了？艾滋病病毒应该有半年至十年的潜伏期，可是把病毒传染给我的那个南非人是个艾滋病晚期患者。我下意识地摸了头颈部和腋窝，浅表淋巴结没有肿大。浅表淋巴结一旦肿大，离艾滋病毒感染的最后阶段就不远了。看来是感冒了。

我从出租车上下来，刚要往楼道里走，一辆白色本田车开到我的面前，我一看是姚森的车。

“上车吧，我想和你谈谈！”姚森打开车门冷冷地说。

我怕被丹阳碰着，赶紧上了车。姚森一踩油门，驶出医院家属区。车在大街上漫无目的地开着，我看姚森的脸色很不好，眼圈发黑，这些天，她一定很痛苦。我不忍心看着心爱的人这般痛苦，转脸望着窗外。

我们很长时间没有说话，突然，我忍不住地咳嗽起来，剧烈地咳嗽，她好像意识到了什么，把车停在马路边，然后用白玉般温柔的手抚摸我的额头，好久没体味姚森的温柔了，我感到无限温暖。她摸了我的头后吓了一跳。

“呀，庆堂，怎么这么热？”

我苦笑了笑，然后又咳嗽了起来，她二话没说，开车就走。

“去哪儿？”我强打精神问。

“你烧得吓人，去医院！”

“不用，我就是着凉了，吃点药就好了，还是去你家坐会儿吧。”

我执意不去医院，姚森拗不过我，只好掉转车头往家驶去。

走进姚森的家，我的嘴唇就开始哆嗦。

“姚森，快把窗户关上，这屋子真冷。”我双唇颤抖地说。

“窗户关着呢，你冷是因为你在发烧。”姚森疼爱地说。

她让我躺在床上，我没躺，只是坐在沙发上，她拿过一条毛毯，裹在我身上，又给我倒了一杯热茶，从抽屉里拿出退烧药给我吃下，过了一会儿，我觉得好了许多。

"庆堂,我知道你出事了,为什么瞒着我?"姚淼神情焦虑地问。

"我能出什么事? 别瞎猜了。"我口气坚决地说。

"庆堂,我不是你最爱的人吗?"姚淼眼睛凝视着我说。

"是。"

"那为什么有事还瞒我?"姚淼加重了语气。

"你听到了什么?"我惶恐地问。

"没听到什么,是预感。你知道你是我生命的一部分。说吧,庆堂,有什么困难我们不能一起分担?"

面对天使般的爱人,我妥协了,我太需要爱了,太需要有人倾诉了,我告诉了姚淼一切,我潜意识里也有让她知难而退的意思。

姚淼惊呆了,喃喃地说:"怎么会这样? 怎么会这样?"眼泪像断了线的珍珠滚落了下来。

"姚淼,我们分手吧。我只求你保住我得艾滋病这个秘密,只求早一点结束我痛苦的生命!"我平静地说。

"不! 庆堂,我要帮你,我不能让你死!"姚淼突然大声说。

"姚淼,你冷静点,我的死谁也阻挡不了,让我们结束吧。我不能害了你!"

姚淼一头扑到我的怀里,呜呜地哭了起来,哭得我撕心裂肺。

"庆堂,你的命怎么这么苦啊? 你救过那么多的人,老天爷为什么这样对待你?"

我再也抑制不住内心的情感与痛苦,紧紧地抱住姚淼,眼泪大滴大滴地落在了她的头发上。

"淼,我是无辜的。我不甘心生命会是这样一种结局……"我喃喃地说。

姚淼抬起头,泪眼涟涟地说:"庆堂,你要挺住,现在科技这么发达,说不定艾滋病很快就会被攻克的。"

"淼,我现在没有奢望,只想在临死前清清净净地把神经外科研究所办起来,这是穆主任临终前的遗愿。"

"庆堂,你太累了,先休息一段时间,你不是一直想去西藏吗? 正好青藏铁路开通了,据说去旅游的人很多,不如我陪你去西藏散散心。"

我用绝望的怜爱看着这个天使般的女人,心想,这一生有这样好的女人爱过我,还有什么遗憾的？我已经不忍心用伤害她的方式与她分手了,我情不自禁地点了点头。

“庆堂,明天我去北京参加全国舞蹈大赛,《寻找香格里拉》有望在这次大赛上获大奖,大约半个月时间,这件事一了,我马上赶回来,咱们一起去西藏,好吗?”

“好!”我伤感地说。

我在姚森家整整待了一夜,第二天早上,我让姚森开车直接送我到医院。我刚走进办公室,丹阳的电话就打过来了。

“昨晚你死哪儿去了?”丹阳生气地问。

“参加杜清杨和赵雨秋的婚礼喝多了,罗元文把我弄到桑拿浴休息大厅睡了一宿。”我撒谎说。

“你身体什么样你不知道是吧？你就作吧!”谢丹阳没好气地说完,把电话一摔就挂断了。

这时,曲中谦迈着方步慢悠悠地走了进来。

“庆堂,元文的老婆出事了,你知道吗?”曲中谦有些幸灾乐祸地说。

“慧慧怎么了?”我惊异地问。

“怎么了？贪污受贿被市纪委双规了。”

我一听脑袋“嗡”一声,心想,坏了,罗元文上次和我说过,这一定是欧阳梅干的好事,这个歹毒的女人,得不到罗元文就破坏人家的家庭,还要置人于死地,天底下真有这么歹毒的女人？何慧慧也是,要钱不要命!

曲中谦脸上似乎露出了得意的微笑。

“元文现在怎么样?”我冷冷地问。

“他能怎么样,毛了呗!”

我不愿意看曲中谦一副小人得志的嘴脸,便说:“曲主任,有事吗？没事,我要去做手术了。”

曲中谦一听我有事,便悻悻地说:“没事,没事。”迈着方步走了。

90. 故知

姚森的《寻找香格里拉》获得了全国舞蹈大赛一等奖,大赛一结束,她就迫不及待地赶回了东州。我从刚果(金)回来后一直没休假,我向院里请了二十天的假,悄悄离开了东州。走之前跟丹阳撒谎说回汤子县看父母。

怕丹阳发现我的行程，我和姚森没坐飞机，而是改坐火车去了北京，火车到达西客站后，已经是傍晚了，我们买了去拉萨的火车票后没出站，而是找了一家快餐店消磨时间。

晚上九点半登上了由北京开往拉萨的27次列车，姚森把这趟列车称为从天安门开往布达拉宫的专列。

火车很快过了石家庄车站，我起身去洗手间，拽了拽门，有人，我站在门前等，不一会儿，门开了，出来一位扎着马尾辫的男人，我没在意，往洗手间里走，那人却拍了一下我的肩膀。

"庆堂，真的是你？"声音中带着几分惊喜。

我仔细地端详，也吃了一惊，"苏洋，你不是在西藏吗？"

"我在北京开了一家画廊，现在是北京西藏来回跑，你在几车厢？"

"8车厢，你呢？"

"我在7车厢，你等着，我过来找你。"

苏洋兴奋地走了，我上完洗手间回到卧铺的位置，好在我和姚森都在下铺。

"庆堂，怎么去了这么长时间？"姚森关心地问。

"宝贝儿，你猜我遇到谁了？"

姚森忽闪着大眼睛问："不会是你救过的病人吧？"

"是蒋叶真的前老公，画家，苏洋。"

正说着，苏洋拎着大包小裹领着一位漂亮的藏族女孩走了过来，他很客气地与我们上铺和中铺的两位女乘客商量换铺，说他们都是下铺，位置好，他乡遇故知不容易，请人家通融理解，那两位女乘客起初不愿意，后来看他说得很诚恳，只好答应了。

安顿好后，苏洋才介绍说："庆堂，这位是我的未婚妻金珠卓玛。"

我也赶紧介绍说："苏洋、卓玛，这位是我的好朋友姚森。"

"姚小姐，我在北京看过你演出的《寻找香格里拉》，棒极了。"苏洋赞叹地说。

"姚森姐，你的藏族舞跳得太美了，我和苏洋都是你的粉丝，你一定去过西藏。"金珠卓玛兴奋地说。

姚森没想到在火车上遇到自己的粉丝，很高兴。

"金珠，你好像很喜欢跳舞。"

“姚淼姐，我现在在中央民族大学学民族舞，你的原汁原味的舞蹈对我太有启发了，姚淼姐，能不能收我做你的学生？”

“好啊，我有很多藏族学生。”姚淼高兴地说。

“庆堂，你和姚小姐一起进藏不仅仅是旅游吧？”苏洋似乎看出了什么端倪试探地问。

“到西藏走走是我多年的愿望，一直不能成行，我不像你，苏洋，来无影去无踪，整个一个自由人，这次进藏就算是为了寻找心灵的家园吧。”我惆怅地说。

“庆堂，我觉得你的情绪不对头，好像心事重重的，是不是遇到什么不顺心的事了？”苏洋继续试探地问。

“没有，就是工作太累了，想出来散散心。”我苦笑了笑说。

“要是有不顺心的事呀，我建议你去布达拉宫许愿祈福，再去圣湖纳木错转湖朝拜，灵验得很！”苏洋虔诚地说。

“林大哥，别听苏洋瞎说，按藏族人的习惯，藏历水羊年是圣湖纳木错的本命年，在这一年，转纳木错一圈会给自己和自己所爱的人带来六十年的好运，今年又不是藏历水羊年。”金珠纠正说。

“金珠，如果不是藏历水羊年，转湖一圈会给所爱的人带来几年的好运？”姚淼迫不及待地问。

“听老人说，只能带来十年的好运。”金珠忽闪着大眼睛说。

“金珠，转一圈要多少天？”姚淼继续问。

“转湖一圈有三百六十公里，少则需要十多天，多则二十多天，那要看一个人的体力了。”金珠纯真地说。

“苏洋、金珠，希望你们帮助我们准备一下转湖需要的东西，我和庆堂这次进藏就是为了给所爱的人祈福。”姚淼有些激动地说。

“转湖不仅艰辛而且危险，你们可想好了。”金珠认真地说。

“这样吧，我也想为金珠祈福，我陪你们一起去。”苏洋插嘴说。

“你去我也去，我也想为你祈福！”金珠娇甜地说。

“那好吧，庆堂，姚淼，到了拉萨后，你们朝拜完布达拉宫，我们就去圣湖。”

我听金珠说转湖既艰辛又危险，心里很不愿意让姚淼去，便阻止道：“算了吧，我对转湖不感兴趣，不如你带我们转一转阿里怎么样？”

“不行不行，西藏你们去哪儿我都可以当向导，就是不能去古格遗址。”苏洋毫不掩饰地说。

“为什么?”我不解地问。

“因为我在那里打死了一只黑猫。”苏洋惭愧地说。

“打死一只黑猫又不是打死了精灵,有什么可怕的?”我纳闷地问。

“庆堂,你有所不知,那只黑猫就是一个精灵,自从打死那只黑猫后,我非常后悔,每天晚上都做噩梦。”苏洋沮丧地说。

“难道说这只黑猫有什么讲究?”姚森似乎察觉到什么,情不自禁地问。

“讲究大了,”苏洋一挥手说,“传说古格王国灭亡之前喇嘛教僧众达到十多万人,王宫下寺庙林立,但是有一位葡萄牙传教士叫尼奥·狄·安奇德乔装成香客从印度潜入这块佛教统领的地方,宣讲福音,劝国王皈依天主,国王下令拆毁民房,建立天主教堂,这下子可不得了,使国王吉德尼玛衮与喇嘛教僧众原有的矛盾激化了,古格僧徒群情激愤,战争终于爆发了,古格城堡被起义军、僧人及拉达克的军队围得水泄不通,经过激战,王国中的老百姓已基本被灭绝了,唯独剩下王宫这座城堡,还没有被最后攻破,但是宫里已经断水、断粮,国王吉德尼玛衮觉得大势已去,他决定与敌军决一死战,可是他想的最多的是他的爱妃格桑曲珍,他不愿意让她和自己一起死在敌人手中,于是他叫来法师阿旺洛桑,命令他将爱妃格桑曲珍变成一只小黑猫,当时被围得水泄不通的城堡也只有小动物能够逃脱,格桑曲珍哭喊道:‘大王,不要让我变成一只小黑猫,我要生生死死与大王在一起。’吉德尼玛衮再也不忍心看已是泪人的爱妃,把头毅然往后一转,向法师挥了挥手,法师阿旺洛桑心领神会,他举起手默默地念起咒语,不大一会儿,地上渐渐地冒起一股黑烟,越来越浓,黑得像墨汁一样,把格桑曲珍笼罩起来,忽隐忽现的王妃逐渐在变小,最后,格桑曲珍真的变成了一只黑猫,小黑猫不愿意离去,在国王面前‘喵喵’地叫个不停。国王爱抚着小黑猫发布了一道旨意:‘将来谁得到了小黑猫谁就是古格的主人。’战争当时以古格王国的失败而告终,从此,这一片富裕而美丽的王国就变成了残垣断壁,荒无人烟的废墟。”苏洋讲得很生动。

“莫非你打死的小黑猫就是国王的爱妃?”姚森入迷地问。

“那天我临摹壁画时肚子饿得叽里咕噜的,烦躁得很,突然墙头上站着一只小黑猫,向我喵喵地叫,我也不知道当时怎么了,鬼使神差地举起枪,一枪就把黑猫打死了。打死以后,我一下子想起了黑猫的传说,小黑猫就是城堡的守护神，每当有偷文物的盗贼，就会听到黑猫凄楚的叫声。”

“看来黑猫是把你当成盗宝贼了。”我开玩笑地说。

“反正我再也不敢去了，我把古格城堡的保护神打死了，那黑猫的魂老缠着我。”苏洋的样子率真可爱，逗得大家哈哈大笑。

91. 叹为观止

一路上，我们聊得很开心，不知不觉两天过去了，第三天火车到达了格尔木车站，苏洋兴奋地说：“庆堂，从格尔木出发，火车才真正进入青藏高原。我们可以坐在车厢里尽情地享受青藏高原美丽的风光，你们俩把照相机、摄像机都准备好，千万别错过。”

列车驶出格尔木市区不远即开始进入渺无人烟的昆仑山区，我和姚淼忘记了难耐的高原反应，伴着火车有节奏的律动，尽情地捕捉着美丽的瞬间。

铁轨两边耸立着的姿态各异草木稀疏的山峦，在阳光下展示着粗犷的线条，让我不由地联想起西部片中的那种荒凉雄壮。

还有十二个小时就到西藏了，现在火车真正行驶在世界的屋脊上，我的心跳开始加速，不禁想起海子的诗《西藏》：

西藏，一块孤独的石头坐满整个天空，
没有任何夜晚能使我沉睡，
没有任何黎明能使我醒来。
一块孤独的石头坐满整个天空，
他说：这一千年里我只热爱我自己。
一块孤独的石头坐满整个天空，
没有任何泪水使我变成花朵，
没有任何国王使我变成王座。

高原的晨光柔柔地轻抚着我朦胧的睫毛，梦幻中的朝晖无声地拂去了我明眸上的尘封。美丽的西藏，让你的高山流水洗去我一路的风尘吧，让你的鸟语花香润泽我久旱的心灵吧，让我在你轻柔的羽翼中慢慢地沉醉，久久徜徉吧。

高耸的雪峰，是藏民们圣洁的哈达，苍老的面容下是年轮转动的经幡，我要让天籁之音重新诠释内心的自我，我要融化在高原的一山一水一草一木之中，化作游走的白云，迷散在美丽的西藏。

列车很快进入连绵不断的昆仑山脉，展眼向两侧望去，尽是荒凉，高原的阳光总是格外炽热，感觉远方的地面在蒸腾，开始还兜转于土堆、砾石堆中，渐渐地就闻到了湿润的空气了，河谷中草滩茂盛，流水与列车对向行驶。

“庆堂，前面就是昆仑神泉。”苏洋手指窗外说。

“纳赤台吗?”姚淼兴奋地问。

“姚小姐也知道纳赤台?”苏洋惊讶地问。

“我到青海采风去过神泉，还喝过那里的泉水呢!”姚淼骄傲地说。

“纳赤是什么意思?”我疑惑地问。

“纳赤是藏语，意思是放过神像的地方。昆仑神泉是不冻泉，还有一个美丽的传说，相传文成公主远嫁吐蕃时，随身抬了一尊巨大的释迦牟尼佛像，当公主的大队人马来到昆仑山下的纳赤台时，由于山高路遥，人马累得精疲力竭。于是公主命令大队人马就地歇息，当天晚上做饭时，才发现附近没有水，大家只好啃完干粮和衣而睡。第二天早上人们醒来时，发现昨天夜里放释迦牟尼像的山头被压成一块平台。离平台不远的地方，一眼晶莹的泉水喷涌而出，汩汩流淌，人们一下子明白了，这是释迦牟尼把山中的泉水压了出来，虔诚信佛的公主为了表达对佛祖的敬意，把自己身上的一串珍珠抛在泉眼里，泉水变得更加清凉甘甜。从此，人们把纳赤台称为佛台，把昆仑泉称为‘珍珠泉’。”姚淼兴致勃勃地说。

“姚小姐懂得可真不少!”苏洋赞叹道。

“快看，玉珠峰!”金珠喊道。

众人赶紧透过车窗观看，一座银装素裹的雪山矗立在远方，山顶之上白雪皑皑，分外妖娆。

“庆堂，姚淼，前面就是海拔四千二百米的玉珠峰火车站，那里有观景台，你们好好照几张相吧，火车很快就要进站了。”苏洋建议道。

我们下了车才发现，与玉珠峰对应着还有一座玉虚峰，传说玉皇大帝的妹妹玉虚女神在这里居住过，两座雪峰遥望对峙，宛如姐妹，火车就在两峰之间穿过昆仑山口。

苏洋给我和姚淼拍了照后，我兴致勃勃地问：“苏洋，下一站是哪儿?”

“楚马尔河站，火车经过可可西里自然保护区。”苏洋郑重地说。

“能看到藏羚羊吗?”姚森天真地问。

“要是幸运的话，不光能看到藏羚羊，还能看到藏野驴、黄羊、狼什么的。”金珠像百灵鸟一样插嘴说。

“真的吗?”姚森兴奋地问。

“一会儿你就知道了。”苏洋笑着说。

火车徐徐开动了，透过车窗我看到一处红白相间的房屋，门前的高杆上旗帜飘扬，房后面有一个瞭望塔。

我纳闷地问:“苏洋，那个塔是做什么用的?”

“那是索南达杰保护站，专门保护藏羚羊的。是以在反盗猎斗争中牺牲的烈士、青海省西部工委书记杰桑·索南达杰同志的名字命名的。”

我们听了苏洋对索南达杰事迹的介绍，心里对索南达杰既敬重又嫉妒，心想，索南达杰牺牲了，还可以用他的名字命名保护站，我也快死了，我死后算什么呢? 想到这儿，心中涌起莫名的悲哀。

可可西里虽然是“美丽的少女”的意思，可是这里却是生命的禁区，由于气候恶劣、自然条件恶劣，人类无法长期居住。

我一生利用手术刀也闯过不少生命的禁区，而且还征服了海绵窦这个禁区中的禁区，可是最终人类也无法征服死神，这就是人的宿命，也正是因为人类的宿命，人生才变得可贵而美丽。

眼前不时闪过草甸和荒漠景观，我忽然顿悟:对于死亡感到绝望和陶醉都是一种逃避，死亡既不会令人沮丧，也不会令人兴奋，它只是生命的事实。每个人都要面对这一事实，或早或晚，或愿意或不愿意，只是死亡对于我来得早了一些，因为我现在死了，会留下很多的遗憾，然而谁的人生又没有遗憾呢?

“藏羚羊!”金珠兴奋地喊道。

我的思绪一下子被打断了，赶紧透过车窗向外望，却什么也没有看到。原来金珠正捧着望远镜向外观看。

“我看见了，庆堂，你看，有二十多只呢!”姚森兴奋地说。

我顺着姚森手指的方向望去，果然有二十多只藏羚羊在悠闲地吃草，只是离铁路太远了，不仔细看看不清楚。

“姚森姐，用望远镜看得清楚。”

金珠递给姚森望远镜时，列车已经驶上清水河特大桥，在昆仑山下海拔四千五百多米的可可西里无人区，全长十一点七公里的清水河特大桥，是建筑在高原冻土地段上以桥代路的世界上最长的铁路路桥，以桥代路是为了解决高原冻土地带路基稳定问题，桥墩间的一千三百多个桥孔还可供藏羚羊等野生动物自由迁徙。

这时，有几十头藏野驴奔跑而来，从铁轨下方的水泥涵洞穿越而过，车上的人无不叹为观止！我心想，难得这些在广阔荒原上奔驰的可爱生灵们被逼得在人类社会的夹缝中学会了生存，而人类自己却正在面对着越来越复杂的生存环境。

正在众人兴奋之余，我忽然觉得有些头晕。

“怎么了？”姚淼关切地问。

我赶紧坐下来说：“没事，可能是高原反应。”

“林大哥，到了五道渠了，很多人到了这里都不太适应，如果你熬过这一段，那过唐古拉山口进藏就没什么问题了。”

“我一路上都没什么反应，为什么到这里这么难过？”我不解地问。

“庆堂，这里流传着一些顺口溜，什么纳赤台得了病，五道渠要了命；到了五道渠，哭爹又喊娘；五道渠，冻死狼，上了五道渠，难见爹和娘！你说厉害不厉害？”

没等苏洋说完，我赶紧吃了一粒高原安躺下，姚淼在我的太阳穴上抹上风油精，感觉好了许多。

渐渐地我睡着了，眼前闪过藏民们黑黑的笑脸，和少女、孩童脸蛋上的高原红，蓝的天，蓝的湖，白的雪峰，白的羊群，绿的草和黛色的远山，黑的牛群，金碧灿烂的寺庙里，深沉的喇嘛红穿行于悠长的诵经鼓号声中，姚淼站立在一群藏族高僧中间正超度我的亡灵。

我对姚淼说：“你还活着，我却死了！”

姚淼却说：“我们不是约好了，无论谁先走，都要在天堂的入口等着对方。”

我恍惚地问：“天堂的入口在哪儿呀？”

姚淼笑着说：“别忘了，香格里拉的碧塔湖。”

我急了，忙问：“可我们在西藏，西藏不是天堂吗？”

姚淼喊道：“西藏是天堂，但是天堂的入口在香格里拉。”

这时我的眼前一片漆黑，仿佛有一堵墙挡在了我的面前，我用尽全身之力去推，终于推开一道缝，一道光从小小的缝隙中透过来，于是，我看到了一丝希望……

92.唐卡

列车徐徐开进拉萨火车站时,已经是晚上九点钟,下了火车,一股浓浓的西藏风情扑面而来,男人身穿宽大的藏袍,有的脱去一袖,有的脱去两袖,束于腰间,女人多穿色彩艳丽的内衫,外罩宽大的氆氇坎肩,双袖舞动,飘洒多姿,还有人不停地摇着转经筒,嘴里念着六字箴言。

出了火车站,苏洋的司机开着三菱吉普车来接他,苏洋和金珠很热情,一直把我们送到拉萨饭店,然后约好一个小时后来接我们一起去位于布达拉宫墙西侧的雪神宫藏馆吃藏餐。

拉萨饭店虽然是四星级,或许是因为一路劳顿,我感觉比五星级还舒适,姚淼洗澡时我吃了齐多夫定,云南卫视频道的中国文艺正在介绍姚淼的大型舞蹈《寻找香格里拉》,我点上一支烟一边吸一边静静地看着。姚淼用婀娜的舞姿展示着月光的圣洁,整段舞蹈充满了恬静的灵性及和谐的生命意识。

“庆堂,喜欢吗?”姚淼披着香气扑鼻的长发走过来,雪白的乳沟让我想到了玉珠峰和玉虚峰。

“喜欢,要不怎么能得一等奖呢。”

“庆堂,终于到了日思夜想的西藏了,开心点,说不定我们向纳木错祈福后,你的病就好了。”

“净瞎说,我得的是不治之症,纳木错也保佑不了。”

“闭嘴,不许瞎说,心诚则灵!”姚淼用玉手捂住我的嘴。

“淼,去纳木错看看风光我同意,转湖我不同意。”

“为什么?”

“太危险了,再说时间也不允许。十多天我们可以看好多地方,干吗要在一个地方耽误时间?”

“庆堂,我知道你担心我吃不消,告诉你,我一个人来过四次西藏,什么阿里、林芝、山南,我都去过,西藏的神山圣水灵得很,听我的,我们一定要转湖,圣湖一定会保佑你平安无事的。”

看着姚淼虔诚的目光,我的心软了,无奈地点了点头。

布达拉宫西侧的雪神宫藏馆吃藏餐是拉萨最高档的藏式餐馆,装修精美，味道纯正，价格也贵得很，苏洋见到我确实很高兴，如此破费让我有些心里不安，看得出来苏洋发达了，已经不是找蒋叶真卖房子办画展的时候了，几杯青稞酒下肚，苏洋打开了话匣子。

“庆堂，知道我为什么见到你这么高兴吗？”

“不知道。”

“因为你救了我儿子的命啊！你亲自为我儿子做了脑囊肿手术，蒋叶真全告诉我了，庆堂，你是我苏洋的恩人，来，我再敬你一杯！”

我们碰杯以后一饮而尽。

“苏洋，看样子你发财了，是不是你的画已经很值钱了？”我羡慕地问。

“我的画并不值钱，可是我画的唐卡在北京很走俏。”

“这么说你现在专门画唐卡？”

“对，我不仅画唐卡，也搞唐卡收藏。唐卡表现题材广泛，除宗教外，还包括大量的历史和民俗内容，所以，唐卡又被称为是了解西藏的百科全书。为了传播唐卡艺术，我在西藏成立了唐卡艺术中心，同时兼任西藏大学艺术系客座教授，这是我出版的专门用唐卡画的《佛陀传记》。送你和姚小姐一本。”

我接过印刷精美的画册随意翻看着，佛陀出生、生为王子、断发出家、降魔成道、现大神通、天上说法、转大法轮、涅槃寂灭，每幅画都栩栩如生。

“想不到苏洋这些年你还是独辟了一条蹊径啊！”我敬佩地说。

“是啊，据《大昭寺志》记载，吐蕃赞普松赞干布在一次神示后，用自己的鼻血绘制了白拉姆画像，这就是传说中的第一幅唐卡，我的唐卡老师是目前西藏最著名的喇嘛画师，许多藏传佛教的著名寺院都留有他的手迹。他的作品表现了一种超自然的神秘境界，极富灵性。他制作每一幅唐卡之前，都要先行观修，作画时要诵咏佛经、内心祥和、心神宁静、气不散乱，这样绘制出的作品才有活力，我是他唯一的学生。”苏洋侃侃而谈。

“布达拉宫也有他的画吗？”姚森忽闪着大眼睛问。

“有，布达拉宫里的佛祖释迦牟尼就是他的手迹。”苏洋自豪地说。

“这么说，明天就能看见他的手迹了？”姚森兴奋地说。

“明天恐怕看不到。”苏洋遗憾地说。

“为什么？”我纳闷地问。

“刚才我问司机这几天布达拉宫的票好不好买，他说要明天早上五点钟就去排队，才能买到后天的票，所以我建议你们先去纳木错，到时候我派人给你们准备好票。”苏洋遗憾地说。

“明天我们怎么出发?”我平静地问。

“早饭后，我和金珠来接你们，让我的司机送我们，你们放心，帐篷睡袋我那儿都有，你们带些必备的药品就行了。”苏洋豪爽地说。

“我其实很想看看布达拉宫，里面一定很神奇吧?”我遗憾地问。

“神奇，最神奇的是里面的厕所。”苏洋开玩笑地说。

“为什么?”我纳闷地问。

“布达拉宫的厕所并不属于旅游项目，但所有的导游都要特别推荐。”金珠插嘴说。

“布达拉宫那么多宫殿还参观不过来呢，谁有心参观厕所。”我不屑地说。

“布达拉宫要看的实在是太多了，游客往往不容易记住，但几乎所有人对布达拉宫的厕所都刻骨铭心，如果要写游记，布达拉宫的厕所是万万不能省略的。”苏洋憨着笑说。

“你就别卖关子了，说说有什么特别的?”我催促说。

“姚小姐，你去过布达拉宫，你说说吧。”苏洋卖关子地说。

“我走马观花去过一次，但没去过厕所，真不知道有什么特别。”姚淼不好意思地说。

“布达拉宫有两个厕所，一个在前一个在后，上了这样的厕所你才知道什么叫深不可测，有恐高症的绝对头晕脑涨，腿肚子转筋，好家伙，就跟站在悬崖上似的，踏上坑道，踩着两边向下望，底下居然是空空的一片山崖，深不下百余米，在那儿撒泡尿，真可谓是飞流直下三千尺。”苏洋眉飞色舞地说。

“苏洋，大家在吃饭，你却在说厕所，讨厌!”金珠嗔道。

“好了，不说了，庆堂，说说你在非洲的奇遇吧。我听叶真说，你从非洲回来后像换了个人，是不是哪个黑妹妹勾了魂，恋恋不舍呀?”苏洋话题一转扯到了我的身上，我刚刚平抚的情绪一下子跌落到了谷底。

“那种蛮荒之地除了饥饿、战乱、艾滋病，没什么可留恋的。”我挥了挥手说。

“我听说，那里的人四个或十个里就有一个是艾滋病患者，你天天给这些人看病够危险的。”

姚淼见苏洋话题转到了艾滋病上，怕我心里不舒服，马上岔开话题说："苏洋、金珠，你们真的要陪我们转湖吗？"

"不是陪，是我们共同为所爱的人祈福！"金珠认真地说。

"看得出苏洋，金珠很爱你。"我笑着说。

"庆堂，你不说我也看出来了，姚淼也很爱你。尽管你也结婚了，这年头有个红颜知己不容易。过去是红颜薄命，现在是红颜薄情啊！"

"苏洋，少谈红颜，多谈艺术，红颜与艺术无关。"金珠娇嗔地说。

苏洋听后哈哈大笑。

93. 神山圣水

早晨，高原的晨光映照着布达拉宫，让这座雄伟的圣殿映出金色璀璨的光华，这就是西藏，我魂牵梦绕的精神家园。金碧辉煌的布达拉宫像梦一样，我恨不得醉倒在这雪城之都的脚下。

苏洋的司机开着三菱吉普出发了，我们各自怀揣着为所爱的人的祝福，可是车刚开出拉萨市，天就阴了起来，很快便下起雨来，电闪雷鸣，我心里有了一种不祥的预感，一再提醒司机慢点开，注意安全。

想不到高原的雨来得快去得也快，下了不到半个小时，雨过天晴，车却开到了一段最险的路面，上面是山，下面是水，水涨得很高，水流也很急，路就在山水之间，水流不断冲刷路基，路被冲得变得很窄。我看到有些很窄的地方当重型卡车开过之后，在车的轰鸣声中路侧面的土不断被震动散落在湍急的水流之中，路变得更窄了。

苏洋一边提醒司机注意安全，一边介绍说，这些地方经常翻车，我心中暗自祈祷，请圣湖纳木错保佑我们顺利通过这里。我是一个快死的人了、无所谓，可是我不希望姚淼受到伤害，也不希望热情好客的苏洋和金珠受到任何的伤害，好在圣湖女神显灵了，我们顺利地通过了这段险路，于上午九点钟抵达了那根拉山口。

念青唐古拉山和纳木错不仅是西藏引人注目的神山圣湖，而且是生死相依的情人和夫妇，念青唐古拉山因纳木错湖的衬托而显得更加英俊挺拔，纳木错因念青唐古拉山的倒映而愈加绮丽动人，纳木错犹如神女的蓝汪汪的眼泪，我们都被她的洁净、浩瀚、湛蓝和美丽震撼了。

纳木错是天湖女神，相传，纳木错的水源是天宫御厨里的琼浆玉液，是天宫女神的一面绝妙的宝镜，我的整个灵魂都被湖水的蓝色荡涤了，这才是水天相融、天人合一、浑然一体。

当我们站在海拔五千二百米的唐古拉山脉那根拉山口时，凛冽的寒风不禁使我打了个寒战。

“苏洋，转湖的起点在哪里？”姚森似乎对美丽的风光并不感兴趣，我知道她心里只惦记着为我祈福。

“在多嘎半岛，我们到那儿住一宿，第二天开始转湖。”苏洋平静地说。

“为什么不让车直接开过去？”我纳闷地问。

“那根拉山口下是一个大陡坡，因为怕返回时爬不上坡，司机不敢再往下开了。在西藏，尤其在海拔高的地方，氧气不足燃烧不充分，汽车马力常常不够，所以，一般有经验的司机不会轻易冒这个险。”苏洋解释说。

“姚森姐，多嘎半岛有著名的多嘎寺，岸边还有多加寺、古穷寺，每年都有许多信徒不远万里来这里朝圣苦修。我们可以在多嘎寺许愿，很灵的！”金珠忽闪着大眼睛说。

我望了一眼山坳口，拉满了巨大的经幡，迎着风在蓝天下分外惹眼，远处的纳木错在阳光下神奇地变幻着各种颜色，快走到湖边时，姚森站住了，久久地望着纳木错对我说了一句让我心颤的话：“庆堂，纳木错是一个可以看到来生的地方！”

“森，你看到我的来生了吗？”我试探地问。

“没看到。”

“为什么？”

“凡是看不到自己来生的人都是命很长的人，你是一名外科医生，活着会救很多人，纳木错保佑你，所以你看不到自己的来生。”

一路上，我们四个人走走停停，不停地拍照，结果临近傍晚时，才到多嘎半岛，抬眼望去，一群乌鸦盘旋在山腰，被似火的晚霞映得通红，金色的霞光穿过云层，洒向大地，虽然照不到被云雾环绕的念青唐古拉山，但是湖岸周围的草原却金黄一片，弯弯的湖岸线犹如戴在女神颈上的一条金色项链，清澈的湖水银光闪闪。

此时，姚森感到一阵头晕，她用手扶住我，我知道她太累了，一定是高原反应，我赶紧给她吃了药，想让她休息，她执意要去多嘎寺烧香拜佛，我只好依了她。

我们四个人走进多嘎寺时，有许多虔诚的香客在叩拜祈福，姚森跪在佛前久久不起，好像跟佛有说不完的心里话，我和苏洋、金珠只好等。

“庆堂，你和姚淼这次来都心事重重的，能不能跟我说说，你们是不是遇到什么困难了?”苏洋诚恳地问。

“是啊，林大哥，没准我和苏洋可以帮上忙呢!”金珠真诚地说。

“苏洋，转湖太危险，也太辛苦，能不能帮我劝劝姚淼。”

“如果你没有信心走下来，有一个替代的方法。”

“什么方法?”我迫不及待地问。

“转多嘎半岛七圈就等于转湖一圈，虽然辛苦，但是没有危险。”

苏洋刚说完，姚淼走了过来，“不行，向圣湖祈福不能投机取巧，心诚则灵，庆堂，你就别让苏洋、金珠为难了。我饿了，咱们弄点吃的吧。”

姚淼这么一说，大家都觉得又累又饿，我们想住在多嘎寺，可是已经住满了客人，周围有一些简陋的旅店和饭馆，因为是旅游旺季，也住满了人，整个多嘎半岛的房间一共就能住四十几人，还有一些牦牛毛编织的黑色帐篷，也被住满了。

岛上没有电，没有自来水，纳木错虽然是咸水湖，但水不是太咸，烧开了可以喝，我们只好在湖边支起了两个帐篷，苏洋一看就是背包客，野外露宿熟得很，我们很快就吃上了热乎乎的牦牛肉、喝上了奶茶。

苏洋和金珠嘱咐我和姚淼好好睡觉，攒足精神，明日登程。然后他俩就钻进了帐篷。我和姚淼还想欣赏欣赏纳木错的夜色，便坐在帐篷边上看天。

纳木错的夜色像湖水一样迷人，姚淼感伤地说：“庆堂，真想迷失在这夜色里。”

“淼，到了纳木错我才明白，老天给我们活着的时间太短，给我们拥有爱情的时间太短，给我们懂得爱的时间就更短了，我现在珍惜和你在一起的每一个夜晚。”

“庆堂，你知道吗，很多藏族人转湖之前都抱着赴死的心，定要与家人告别，明天开始的转湖，不仅仅见证我们的爱情，更重要的是见证生命是顽强的。”

“淼，我懂你的意思，纳木错是一个壮丽的神话，你想让我在这个神话中完成心灵的轮回。”

“庆堂，每一次转山、每一次转湖，都是一次小轮回，而生死是一次大轮回，从明天开始我们完成这次苦行，即使生命不能轮回，但是心灵一定完成了轮回。”

姚淼的话让我找到了生命得以延续的途径，更找到了把爱当做生命的理由。爱是一种感受，即使痛苦，也觉得幸福；爱是一种体会，即使心碎也会觉得甜蜜；爱是一种经历，即使破碎，也会觉得美丽。

令人心静的纳木错，连夜晚都是蓝色的，天边的蓝倚着念青唐古拉山，宁静而壮阔，明亮的月光映得湖水波光粼粼，微风吹过，湖边的经幡随风飘扬，坐在湖边，披着月色，听着湖水荡漾和经幡飘扬发出的声响，我仿佛看到我和姚淼转湖的身影渐渐地消失在远处雪山的影子里，这样安静的画面似乎有一种张力，渗透心灵。

94.痛不欲生

晨光中的纳木错，美得令人心悸，这是怎样的一种波光浩淼啊，似梦似幻，湖边延伸过来的绿色草地开满了小黄花，一直到脚下，这诱人的色彩让我有一种冲动，想扑进去把它永远留在身边。

我几乎忘记了自己身在何处，恍惚在天堂，景色的美已经超出了我的想象。我被融化在这景色里，化成了一缕青烟，围绕着山顶盘旋……好久好久我才从这似梦似幻中清醒，姚淼拉了拉我的手，我发现苏洋和金珠已经上路了。

金珠是最活泼的，她生在这片土地上，转湖对她来说仿佛就是生活，我从她身上看不到一丝的疲劳。

“姚淼姐，你的《寻找香格里拉》中的藏族舞非常有创意，你当时是怎么考虑的？”

“我觉得如果只是跳普通的藏族舞蹈没什么意思，于是我在藏族舞中专门设计了一段朝圣的场景，没有舞蹈动作，只是通过音乐、灯光、朝圣的动作将其中的精神展现出来，很精彩！”姚淼说话有些喘。

“姚淼，在你的《寻找香格里拉》中，我看到了乡土、看到了思念、看到了回忆、看到了祝福，我想以你的舞蹈为题材创作一幅画，这次转湖后，咱们好好谈谈。”苏洋敬佩地说。

“好啊，艺术是相通的，我也想从你的唐卡中吸取点精髓。”姚淼兴奋地说。

“原来我只以为舞蹈不过是轻歌曼舞，涓涓细流，没想到舞蹈也会有如此大的气魄，我仿佛能听到舞者的血液里流淌着马蹄的声音，从你的舞蹈里我发现人们心里对大自然越来越多的依恋，几乎成了现代审美情趣的支撑。外科专家，我对姚淼的舞蹈解剖得怎么样?”苏洋风趣地问我。

“其实，每个艺术家都是外科医生，只不过我解剖的是肉体，你们解剖的是灵魂。”我回应道。

“林大哥，你解剖过多少个脑袋?”金珠好奇地问。

“尸体的记不清了，救活的病人有五千多了。”

“林大哥，你真了不起。”金珠敬佩地说。

“庆堂，你这个与死神打交道的人是不是看透了生死?”苏洋的手上缠着一串佛珠，那是教他画唐卡的活佛所赠。

“不见得，我们总是把生死看得太重，我们一生中，最大的事情就是面对死亡。”我苦笑着说。

“可是对我们信奉藏传佛教的人来说，死并不是那么沉重，也不那么可怕。当我们为自己的信仰而死的时候，会觉得很幸福。”

金珠的话让我很震撼，我为什么祈盼来西藏寻找心灵的家园，不就是信仰迷失了吗，我们所有的痛苦都来源于信仰的迷失。

纳木错湖水靠念青唐古拉山的冰雪融化后补给，沿湖有不少小溪流注入，一路上，我们一行人不知蹚过了多少刺骨的溪水，却怎么也走不到尽头，姚淼紧紧抓住我的手，似乎怕我跟纳木错女神跑了似的，我从她手的温暖中体会出了她的坚定和勇敢，这是怎样一个女人啊，她的爱那么纯粹，她的美那么动人心魄。

一晃我们走了八天了，大约还有两三天的路程就大功告成了，一路上风餐露宿，我们都累坏了，姚淼有些着凉，不停地咳嗽，我为她担起心来，第九天早晨，姚淼有些发烧，由于高原缺氧，她的脸也有些浮肿。

我给姚淼吃了退烧药，建议她歇一天再走，姚淼不同意，她没有一点退缩的念头，而且我们也没有退路了。

在姚淼的一再坚持下，我们又上路了，我真想背着她走，可是我的背上有一个巨大的登山包。

快到中午的时候，我们遇上了一匹正在吃草的白马，见我们来了，惊得蹦过大片大片随时可能吃掉我们的沼泽地，跑掉了，我望着远去的白马，心中有一种不祥的预感，莫名地想起了海子的《德令哈》:

姐姐,今夜我在德令哈,
夜色笼罩,
姐姐,我今夜只有戈壁,
草原尽头我两手空空,
悲痛时握不住一颗泪滴,
姐姐,今夜我在德令哈,
这是雨水中一座荒凉的城,
除了那些路过的和居住的,
德令哈……今夜
这是唯一的,最后的,抒情
这是唯一的,最后的,草原
我把石头还给石头,
让胜利的胜利,
今夜青稞只属于它自己,
一切都在生长,
今夜我只有美丽的戈壁,空空
姐姐,今夜我不关心人类,我只想你。

我望着那危机四伏的沼泽,这首诗莫名地在我脑中缠绕,我和姚森不敢分得太远,也不敢离得太近。有时看着姚森脚下的那片草皮同她一起向前滑动着,我的心都提到了嗓子眼儿,谁知道哪片草皮什么时候会陷下去。

苏洋和金珠在前面找看着硬一点的路,不停地提示着我们,我们终于左蹦右跳地走出沼泽地的时候,都已经累得筋疲力尽了。

我心疼地看着姚森,她的眼里没有退缩,充满了希望和鼓励,我摸了摸她的额头,烧得更厉害了,面对天水茫茫,我恨不得大哭一场,就在这时,黑云卷起了半边天,伴随着强烈的闪电,雷、雨、风、冰雹瞬息而至,我们下了一个大约三十度的大陡坡后,一条水流湍急的大河赫然出现在眼前。

"庆堂,"苏洋果断地说,"你照顾好姚森,我照顾好金珠,我们必须蹚过去,否则一会儿涨水就不好过了。"

没办法,已经没有退路了,我们沿着河边找到一处相对窄一些,浅一些的地方，苏洋和金珠先下了水，他们快走到河中央时，我和姚淼才下了水。

姚淼紧紧抓住我的手说："庆堂，抓住我，我不会水。"

我重重地点点头。

我们深一脚浅一脚地往前走，今生没有蹚过这么急的河，天上电闪雷鸣，脚下的流沙因水急而快速地流动，雷越打越响，脚越陷越深，我们不得不尽量加快抬脚的速度，而水流却把我们的脚冲向前方。

我望着前边的苏洋和金珠已经拖着麻木的躯体爬上了浅滩，而我和姚淼刚刚才到河中央，水漫到了我们的腰，我心中油然生出几分恐惧，我觉得河太宽了，我们仿佛走过了一个世纪。

我紧紧抓住姚淼的手，唯恐她被河水冲走，河水冰凉刺骨，我们被冻得双唇颤抖，眼睛不能离开河面，但看时间长了，急流又让我们发晕。我心中只有一个信念：决不能倒下，否则后果不堪设想。

我和姚淼麻木的手似乎冻在了一起，突然，我的脚一滑，一个趔趄险些被急流冲走，只听见姚淼短促的一声惊叫，一个急流卷着她急速远去。

我听见两个字："庆堂！"

只见姚淼的红色羽绒服在水中一闪，便什么也看不见了。我疯了，扔了背包，不顾一切地扑向急流游，岸上的苏洋和金珠顺着河岸拼命向下游追，姚淼的红色羽绒服起初还一起一伏，很快就无影无踪了。

苏洋在岸上大喊："庆堂，快上来，快上来！"

我只好游上岸，然后不顾一切地向下游奔跑，一边跑一边拼命地喊："姚淼，姚淼！"没有回答，只有湍急的河水肆虐地流淌……

雨停了，天也晴了，没有姚淼的影子。

快到傍晚时，我们遇上一位转湖的藏族老人，苏洋问他看没看见穿红色羽绒服的女孩，老人用手指了指前方，我仿佛看到了希望，拼命向老人指的方向跑去。

跑着跑着我惊呆了，我绝望了，我害怕的一幕终于出现了，姚淼安静地躺在湖边，纯真的脸上却没有了笑容，我整个人一下子瘫了，感觉灵魂已经出壳……

我把姚淼抱在怀里，痛不欲生，我喃喃地说着我和姚淼之间的事，把脸紧紧地贴在她冰凉的脸上，刚才她的脸还是滚烫滚烫的，她发着高烧，现在却冰凉冰凉的。

“森，你醒醒，你醒醒啊！你不能就这么走了，你怎么能先走了呢？我应该先走的，我劝你别转湖，可你不听劝，为我一个得了艾滋病的人不值呀！森，你的人生不应该是这样的，宝贝儿，湖咱不转了，咱回家，你太累了，你太累了……”

我痛不欲生地说完，一个人抱着姚森枯坐着，目光呆滞，精神恍惚，我知道姚森太冷了，我不能让她冻着，我要用我的身体把她温热。

“我的森，身体热了你会醒的，你一定会醒的！”

苏洋和金珠都傻了，他们也不敢劝我，天已经黑了，月亮又大又圆，像一张死人的脸，面对悲痛欲绝的我，金珠悲痛地哭了。

“林大哥，都是我们不好，不应该带你们来转湖，姚森姐，你说话呀！”金珠呜呜地哭着，“苏洋，怎么办呀？这可怎么办呀？”

苏洋强忍悲痛拍了拍我的肩，“庆堂，咱们和姚森继续转湖吧，这是姚森最大的心愿！”

苏洋的话提醒了我，我把姚森的身体裹好，眼泪一滴一滴地打在她洁白的脸上，我俯下身吻了吻她紫色的唇说：“森，这儿太冷，咱们回家吧。”

然后我把她背在背上，艰难地向前走去，我一定要把姚森背出去，这地方太冷，我不能让她一个人在这儿，这儿离我太远了，没有我在她身边她会孤单的。

我步履艰难地走着，苏洋要换我，我一把推开他，我只有一个信念，每往前走一步，姚森就离家近一些，带着这个坚定的信念，我们一晃走了两天两夜。

一个转湖的藏族老人看到我们，劝我们把姚森留在纳木错，“把她留下吧，纳木错是圣湖，她在这儿长眠很吉祥的！”

我像没听到，一切都麻木了，包括心。姚森——我的挚爱，已经没有了呼吸和体温，她睡着了，永远睡着了。

我们走出纳木错时，我已经脱相了，发烧咳嗽，重大的打击让我预感到艾滋病病毒开始在我体内泛滥了。

离纳木错最近的就是当雄县。路上，苏洋就给一位在当雄县挂职锻炼任副县长的朋友打了电话，让他帮助料理姚森的后事。

我已经麻木了，一切听苏洋的摆布，那位副县长派司机来接我们，要把姚森放在后备箱里，我坚决不同意，就这么抱着她一直到当雄县。

在当雄县，苏洋特意找了高僧喇嘛为姚森超度亡灵，那些关于生、关于死的道理从高僧的口中道出时，我仿佛看到了黑暗中的一道光亮，我知道我与姚森没有永别，不久我将在天堂与她相会。

我捧着姚森的骨灰盒告别苏洋和金珠，没有再坐火车，而是直接坐飞机离开了拉萨，飞机飞了大约半个小时，太阳从东方冉冉升起，巍巍群山呈现在黄红色的朝阳中，喜马拉雅山横贯东西，一座座雪峰在太阳的映射下开始发红，随着太阳升起的高度，群峰变幻着不同的色调，这些雪峰像身着不同衣裳的仙女，舞弄着万种风情，在向我和姚森送行。

别了，西藏；别了，拉萨；别了，纳木错，那些清澈香美的高原湖泊，那些纵横捭阖的河谷山川，那些青翠欲滴的壮美草原，到处都有我心爱的人的灵魂在飞翔……

95. 遗书

走出东州机场候机大厅时，我茫然了，我不知道应该把姚森的骨灰放在哪儿，绝对不能捧回家，因为我无法面对丹阳，我打了一辆出租车直奔单位，我打定主意先放到我的办公室，死之前，我要带着姚森一起去天堂的入口。

傍晚，我从办公室走回家时，把丹阳吓了一跳，我可能连累带病已经脱相了。丹阳拉着架子要向我发难，一看我的样子没敢发作，用手摸了摸我的额头烫得她大吃一惊。

“庆堂，出什么事了？你怎么病成了这个样子？”丹阳惊恐地问。

“路上着凉了。”

我一边敷衍一边不停地咳嗽起来，丹阳赶紧扶我躺下，她给我倒了一杯水，刚递给我眼泪就滚落下来。

“庆堂，你跟我说实话，你和姚森不是一起去西藏了吗，怎么会变成了这副模样了？”丹阳一边抹眼泪一边问。

“你怎么知道我去西藏了？”

“我就知道你说去汤子县看爸妈是骗我，我往家里打电话，爸妈说你根本没去，我一下子就想到了姚森，可是打她的电话一直关机，我就让机场的小姐妹监控你们的名字，直到昨天才查到你从拉萨直飞东州，可是为什么没和姚森一起飞回来？”

我真想把真相告诉丹阳，告诉她姚森为了我死在了纳木错，可是我不能，因为告诉丹阳姚淼死了，就等于告诉她我得了艾滋病，丹阳一定接受不了这个事实，女儿也接受不了，一旦我得艾滋病的消息公开，社会舆论会把她们淹死，我会失去一切，特别是我心爱的神经外科工作，我苦苦为之奋斗了十几年，一旦不让我工作了，就等于杀了我，再者说，哪个病人会让一个艾滋病患者给他做手术，我已经发病了，不再是一个艾滋病病毒携带者，而是一个名副其实的艾滋病患者了，颈、腋窝及腹股沟淋巴结已经肿大起来，持续发烧一个多星期了，我也许还有半年的生命，最多还能活两年，但是哀莫大于心死，当姚淼躺在湖边的那一刻，她活了，我却死了！我不能连累家人，我得消失，我想到了离婚，也想到了辞职。

"姚淼留在西藏采风呢。丹阳，我们好好谈谈吧。"

"谈什么，你病成这个样子，还是快去医院吧，病好了咱们再谈。"

"我没事，我是医生，我心里有数。丹阳，我们离婚吧！"

丹阳一听就炸锅了，"庆堂，你说什么？"

"咱们离婚吧！"我字斟句酌地说。

"林庆堂，是不是因为那个狐狸精？"

"丹阳，你冷静一些，我主意已定，我什么都不要，我净身出户。"

"你放屁，你想离婚就离婚？没那么容易，我问你，我谢丹阳哪点儿对不起你，你凭什么跟我离婚，你给我说清楚！"

"我想去陪姚淼。"

"林庆堂，你终于承认跟这个狐狸精有关系了，这些年你们背着我偷鸡摸狗，你以为我不知道！"

"谢丹阳，你别一口一个狐狸精的，婚我离定了，我会把离婚协议给你的。"

"林庆堂，你个没良心的，你别想得逞！"

丹阳呜呜哭着摔门而去。

我静静地在床上坐了一会儿，感到全身一点力气也没有，我觉得一切都该结束了，我必须消失才能最小程度地伤害丹阳和雪儿，我拿出纸和笔写了离婚协议书，仔细地看了一遍，然后出了家门，我要去陪姚淼，她一个人太冷清了，我在夜色中像个幽灵疲惫地去了办公室。

在办公室里，我把门锁上，没开灯，静静地抱着姚淼的骨灰盒，眼泪像断了线的珍珠，滴落在骨灰盒上。姚淼，你知道我有千言万语要和你说，可是你却去了天堂，你终于寻找到了你梦中的香格里拉，可是我却在雪域高原。

我以泪洗面到下半夜，终于冷静下来，我拿出笔和纸，先写了一封辞职信，然后给丹阳写了一封遗书。

我知道我的时间不多了，有很多话要告诉我的妻子。我希望我死后，她能明白我为什么要和她离婚。

丹阳：

我的妻，我就要离开你了，我去一个很远很远的地方，我们风风雨雨十三年，恩恩爱爱、吵吵闹闹，日子过得有滋有味，我们有那么可爱的女儿，这是让我最自豪的！可是我做了很多对不住你的事，别怨我了，因为家不是一个讲理的地方，家是一个讲爱的地方！现在我最痛苦的就是要失去这些爱，一个人将要飘向远方！亲爱的，我在刚果(金)给病人做手术时，不幸感染了艾滋病，姚森知道以后陪我去西藏散心，在纳木错转湖为我祈福时，不幸被急流夺去了生命，姚森是为我而死的，她本来就是个孤儿，一个人太孤独了，反正我也是个快死的人了，我想好好陪陪她。

时间已经不多了，我不能靠近你和女儿，我就像一颗定时炸弹，随时都可能爆炸，我想一个人静静地走，这么多年净忙工作了，祖国的大好河山我看得太少了，我走了，去欣赏祖国的青山绿水，我死后，请照顾我的父母，培养好女儿，坚强地活着！别了，我的妻，我的爱！

祝健康幸福！

庆堂绝笔

天亮了，我把信折好，放在信封内，然后用胶水封上，放在皮包里。最后，我望了一眼自己的办公室，穆主任曾经给我写的一幅毛笔字“琴心剑胆”已经发黄了，我给花浇了最后一遍水，关上门，往院长办公室走去。

走进常院长办公室，常院长脸色有些冷，我知道他还在为我拒绝就任副院长一事而生气，不过，这冷中还有一些关怀。

“坐吧，庆堂，假也休完了，咱们得好好谈谈了，蒋厅长给我来过电话，说觉得你回国后有些不对劲儿，让组织上找你谈谈心，我正想找你呢。”

“常院长，我从刚果（金）回来以后，身体一直不好，糖尿病很重，眼底已经出血，有失明的危险，这两天疟疾又发作了，恐怕不能做手术了，我的老师蔡恒武教授从加拿大给我来信，有一所大学看了我在《世界神经外科研究》杂志上发表的关于研究海绵窦肿瘤的论文非常欣赏，希望我能过去任教，这是我的辞职书，请组织上考虑。”

“什么，你想辞职？庆堂，组织上培养你这么多年，你一走了之说不过去吧！”

“常院长，我感谢组织上对我的培养，走到哪里我都不会忘记你们的，希望组织上能够考虑我的实际情况给予充分的考虑！”

“你这个林庆堂啊，可真会给组织上出难题，这件事我一个人定不了，要拿到班子上去讨论，而且我还要向蒋厅长汇报，庆堂啊，你是咱们院神经外科的顶梁柱啊，你就这么走了对得起死去的穆主任吗？”

“常院长，元文的业务不在我之下，组织上这段时间应该多关心他，不要因为何慧慧的事影响他的工作。”

“你要真走了，神经外科恐怕只剩下罗元文撑着了。”常院长慨叹道。

“不是还有老曲吗？”

“老曲，已经被省卫生厅纪检组找去谈话了，怕是要出事呀！庆堂，希望你对辞职的事要慎重考虑！”

“常院长，辞职的事你就别难为我了，我决心已定！”

离开院长办公室，我去寄宿学校看了女儿，望着雪儿天真活泼可爱的样子，我真不想死啊！可是病魔已经开始吞噬我的生命！我知道这一别就是和女儿永别了，想到这儿，我的眼泪险些流出来。女儿问我怎么了，我说灰尘眯了眼睛。

晚上，我回到家里，准备了行李，我太累了，躺在床上歇了一会儿就睡着了。梦中，我和丹阳一起躺在床上，丹阳睡着了，我仔细端详着丹阳的脸，这是多美的一张脸啊！妻子的皮肤如凝脂般的乳白，我们相濡以沫十三年，却也吵了十三年，现在想来，吵闹的生活也别有情趣。望着丹阳的酣睡，我想起了许多往事，这些天这些往事就像过电影一样，一个镜头一个镜头地闪过，丹阳转了个身，又睡着了，我嗅着妻子呼出的气息，心都碎了，眼泪流落在枕头上。

96. 碧塔海

下半夜，我把遗书放在了枕头底下，捧着姚淼的骨灰盒悄悄地离开了，打车去了长途汽车站，我登上了回北滩头的大巴车，因为爷爷奶奶岁数大了，又不愿意去汤子县，爸爸妈妈一定在北滩头，我要在临死前再看一眼爷爷奶奶和生我养我的父母亲，看一眼我朝思暮想的故乡。

我是在下午三点钟进村的，我先去小月的坟前站了一会儿。坟上的草长得很高，我用手拔光了坟头上的草，心想，丫头，我们就要在天堂里见面了。

我沿着乡间小路慢慢地走着，渐渐地靠近家门了，我站住了，我家门前就是稻田地，我看见父亲和母亲正在稻田地里忙碌着，爷爷奶奶也佝偻着腰站在地头帮忙，父亲的脸像刀割一般苍老，母亲瘦了许多，我的眼睛模糊了，我不知道是上前和老人拥抱好，还是就这么默默地看着，不打扰他们宁静的生活好。

算了，别打扰他们平淡的生活了，看得出来，父母亲都老了，但是身体挺硬朗，这是我最欣慰的。我默默地跪在地上向老人们磕了头，然后望了一眼我家的老屋，转身向村外走去。

我花三十元雇了一辆三轮摩托车到了县城，在县城里住了一个晚上，然后买火车票直奔昆明。

这些天，让我魂牵梦绕的就是香格里拉，在那里，我和姚淼度过了最快乐的时光。我们早就有过约定，无论谁先死都会在天堂的入口等着对方，我相信姚淼的灵魂一定在碧塔海。

在昆明，还是姚淼住过的那家酒店，还是姚淼住过的那个房间，我住下后，出去买了野外住的帐篷和一些日用品，我想让自己最后的一段时光过得浪漫一些，死得浪漫一些。

晚上，我要了一碗米粉到房间，一边吃一边看电视，云南卫视正在播大型舞蹈《寻找香格里拉》，看着姚淼优美的舞姿，我的眼泪又止不住地流了下来。

我关掉电视，吃了一半的米粉实在难以下咽，我坐在沙发上闭目休息一会儿，我感到身体里的力量正在一点点地削弱……我的免疫功能越来越弱，已不可能抵御任何外来病毒的侵害，而且身上已经开始出现红色斑点。

我确信没有人能找到我,该交代的交代了,该告别的告别了,手机已经让我扔在了东州的大海里。好像没有什么牵挂了,我倒睡了一宿的好觉。

第二天早晨,我从昆明机场直飞中甸,在飞机上,我望着茫茫的云海,仿佛看见了玉龙雪山,滇西北那神秘而又瑰丽的土地,在我脑海里不断展现。石木结构的藏族村寨,有了高高竖起的晒谷架,有了一片片成熟的庄稼,山间盆地有一片片的草场,草色夹杂黄红,让你觉得这是一片绝尘净域,美丽得让人一听倾心,一见钟情。

在中甸机场,我打车直奔碧塔海。

我沿栈道艰难地行走,大概是森林中的水汽较重,木板显得湿漉漉的。外面的世界还是阳光灿烂,而森林中却是一片幽暗。

几公里的山路走得让我筋疲力尽,就在我快支撑不住时,我看见了碧塔海。这里,天蓝得将湖水也染成了蓝色;树绿得让人想融在其中;花美得让人如醉如痴。

湖四周的山都不算高,线条也还算柔和,如同湖边水的痕迹,缠山绕水画出一道道优美的弧。

湖边浅水处,生长着片片挺水植物,风来则摇曳有致,顾盼生姿,只是湖水却乱了,倒映其中的山与树,在这一刻模糊了轮廓。

我选了一处空旷之地支起帐篷,取出空矿泉水瓶子,罐了一瓶湖水,吃了药,我累坏了,躺在帐篷里不一会儿就睡着了。

梦里,我梦见姚森对我说:“庆堂,我希望我也能被感染,能够和你承受一样的命运。”

“别傻,好好活着,生命只有一次。”我有气无力地说。

“不,对我来说,爱情也只有一次,我要随着我的爱人一起走。”

姚森拿出一把匕首,划破了手腕,鲜血一下子从洁白如玉的手臂上涌出,染红了碧塔海的湖水,染红了草原。

我大声喊道:“不,姚森,不要!”

我从梦中惊醒,一个大汉喊道:“庆堂哥,真是你?”

大汉从马上跳下来,走到帐篷前。我定睛一看,是多嘎。

“多嘎,你怎么知道我在这儿?”我惊异地问。

“我在这儿遛马,看见有个身影像你,就跟了过来,姚森姐怎么没跟你来?”多嘎兴奋地说。

“多嘎兄弟,你姚淼姐是和我一起来的。”

“在哪儿呢?”

“在这儿。”

我拿过来用包袱皮包着的骨灰盒,多嘎顿时惊呆了,“庆堂哥,姚淼姐怎么了?”

“去天堂了,这碧塔海就是天堂的入口,我们约好在这儿一起上路的。”说完,我猛烈地咳嗽起来。

我详细地讲了姚淼为我而死的经过,多嘎悲痛地抽泣起来。

“庆堂哥,纳木错是女神,一定是女神看中了姚淼姐,把她招去认做了姐妹,我们还是把她的骨灰撒到碧塔海里让她魂归天堂吧!”

“好,多嘎,我们一起送姚淼上路。”

我和多嘎将姚淼的骨灰一把一把地撒进清澈的湖水中,我喃喃地说:“淼,等着我,我很快就去找你!”说着说着头一晕,我一头栽倒在地上。

“庆堂哥!”

多嘎赶紧扶起我。

“多嘎,别碰我,我有艾滋病!”

“庆堂哥,我不怕,咱们还是回家吧!”

“我在这儿挺好的,我有艾滋病,不能住在你家,就让我在这儿吧,在这儿睡着了可以看见你姚淼姐!”我一边咳嗽一边说。

多嘎赶紧给我捶后背,一边捶一边说:“庆堂大哥,你一个人在这儿,我怎么能放心?”

“我是一个快死的人了,能够死在这圣洁的香格里拉,是我的福分。”

“不回家也好,我先回去,让卓玛给你弄点吃的,然后我和卓玛一起来陪你。”说完,多嘎跃上马飞驰而去。

多嘎和卓玛一连照顾了我三天,这三天我一会儿昏睡,一会儿清醒,从上次梦见姚淼陪我自杀后,就再也没梦见她,而是不断地梦见丹阳和雪儿,还梦见艾滋病毒从身体中爬出来变成了蚂蚁爬满了我的全身。我感到肌肤疼、喉咙疼、骨头疼,连血管似乎也在疼……我拿出药瓶往外倒,药已经吃光了。这时一只洁白如玉的手递过来一瓶药。

“卓玛,你怎么会有这种药?”我转过身一下子愣住了,“丹阳。”

丹阳眼含热泪地望着我,说:“你这个没良心的,为什么丢下我?”

我不知是激动还是埋怨地说:“你……你不该来找我……”

丹阳没有回答,她打开药瓶,把药放在我的手心里,又递给我水。我吃了药,望着她,丹阳风尘仆仆,疲惫不堪,很显然,多嘎没守诺言,他往我家里打了电话,否则丹阳不可能找到我。

我的眼睛湿润了,丹阳紧紧抱住我说:“庆堂,我看了你的信快要急疯了,蒋叶真跟我说了你和姚森在西藏的事,亲爱的,我没有姚森做得好,可是,你也没有权利一个人走。”

我赶紧推开她说:“丹阳,别靠我太近,会传染的!”

丹阳抱得我更紧了。

“庆堂,我和雪儿不能没有你呀!”丹阳用脸贴着我的头呜呜地哭了起来。

丹阳就这么抱着我一直到月亮升起。我仿佛嗅到了死亡的气息,一条发光的隧道,直射向另一个世界,我漂浮着沿着这个隧道走进另一个隧道,隧道很长,但快到了尽头,那似乎是光明的尽头。我有一种永恒平静的感觉,甚至还感到一种平静的愉悦。

夜晚的风又大起来了,我被滴在脸上的眼泪弄醒,是丹阳的眼泪,她仍然紧紧地抱着我。我又醒了,我知道我还活着,是爱支撑着我!

寒夜过去了,我看见太阳从碧塔海对面的林子里升起来,我突然意识到,我和我最爱的人在香格里拉,只要我还有最后一口气,就应该享受这爱的阳光!

二OO四年九月十九日十五点第一稿于沈阳

二OO四年十月十六日十八点第二稿于北京

二OO七年一月九日十三点三十分第三稿于沈阳

二OO八年十月二十八日十六点二十一分第四稿于沈阳